KU-032-281

CHANGEZ D'ALIMENTATION

Du même auteur :

– *Construisez votre Amour, il est si fragile ! Cohabitation et union libre… du Pacs au mariage*, Éd. François-Xavier de Guibert, 2009.
– *La Mort programmée du mariage ? Vers une nouvelle aventure pour les familles*, Éd. François-Xavier de Guibert, 2009.
– *Femmes si vous saviez ! Des hormones, de la puberté à la ménopause*, Éd. François-Xavier de Guibert, 2009.
– *Comment enrayer « l'épidémie » des cancers du sein et les récidives*, avec le Dr Bérengère Arnal-Schnébelen, Éd. François-Xavier de Guibert, 2010.
– *Comment parler à nos enfants de l'amour et de la sexualité en respectant le jardin secret de chacun ?*, Éd. François-Xavier de Guibert, 2005.
– *L'écologie sexuelle, Tout ce que les parents doivent dire à leurs enfants de 4 à 20 ans*, Éd. François-Xavier de Guibert, 2010.
– *Stress et cancer du sein*, Éd. du Rocher 2011.
– *Le cancer de la prostate*. Éd. du Rocher 2011.
– *Les abeilles et le chirurgien*, Éd. du Rocher, 2012.
– *Le thym et le chirurgien*, avec Guillaume Bouguet, Éd. du Rocher, 2013.
– *La pilule contraceptive : quels dangers ? quelles alternatives ?*, avec Dominique Vialard, Éd. du Rocher, 2013.
– *Le chocolat et le chirurgien*, Éd. du Rocher, 2013.

questionprofesseurjoyeux@gmail.com
www.professeur-joyeux.com

Professeur Henri Joyeux
en collaboration avec
Jean Joyeux – Formateur en micronutrition
Docteur Luc Joyeux – Chirurgien pédiatre

CHANGEZ D'ALIMENTATION

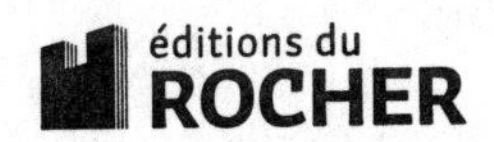

ISBN : 978-2-268-07532-7

Sommaire

CHAPITRE IV

COMPORTEMENTS ALIMENTAIRES À CONSEILLER

CHAPITRE V
COMMENT CONSERVER LES ALIMENTS ?

CHAPITRE VI
COMMENT PRÉPARER LES ALIMENTS

CHAPITRE VII

QUE BOIRE PENDANT LES REPAS ET EN DEHORS DES REPAS

CHAPITRE VIII

RÉGIMES ET CONSEILS DIÉTÉTIQUES

CHAPITRE IX
LES CANCERS LIÉS AUX ALIMENTS

CHAPITRE X
NUTRITION MÉDITERRANÉENNE ET PRÉVENTION DES CANCERS

CHAPITRE XI
DERNIERS CONSEILS

ANNEXES

AVERTISSEMENT EN 2013

Même si vous ne retenez pas tout ce qui est écrit dans la suite, retenez au moins que toutes les publicités qui vous sont « offertes », sur les murs du métro, dans les magazines, sur les grands panneaux de nos villes, voilà ce qu'il ne faut pas acheter. On essaye de nous prendre pour des « *cons-sommateurs* », mais fort heureusement nous sommes entrés en résistance. Cela peut changer dans les 10 ans qui viennent, mais dépend d'abord de chacun d'entre nous. Nous en reparlerons en 2023 !

PERSPECTIVES 2013-2023

1.
Le palais des saveurs
Mastication – Salivation – Digestion

Avons-nous suffisamment conscience de l'organisation de notre palais des saveurs ? Certainement pas, car nous mangeons tellement vite, tellement mal que nous perdons le goût des aliments qui sont à notre disposition. Nous ne faisons pas mieux que les animaux.

Eux ont de la salive, mais elle ne contient pas les enzymes du goût.

Ils ne prennent pas le temps de goûter les aliments : ils bouffent. Nous faisons souvent comme eux.

Un court rappel s'impose pour mieux comprendre le fonctionnement de cette petite zone de notre corps, le carrefour dit aéro-pharyngé, qui nous permet de respirer, manger, parler, siffler, chanter… Une merveilleuse mécanique, si douloureusement détraquée quand la salive manque, quand les aliments n'ont plus de goût, quand les dents tombent, quand l'air passe mal, quand les aliments font fausse route, quand ils ne veulent pas descendre vers l'œsophage et l'estomac.

Imaginez deux secondes que vous n'avez plus de langue : vous ne pouvez ni parler, ni manger, et ce que vous mettez dans votre bouche n'a pratiquement aucun goût, sans parler de vos difficultés à avaler.

Imaginez deux secondes que vous n'avez presque plus de salive… Vous la chercherez sans cesse et les boissons ne vous suffiront pas. Les patients atteints de cancer ORL sont traités par les rayons qui protègent mal les glandes salivaires, d'où des hyposialies ou même des asialies très handicapantes pour parler, manger, goûter les aliments.

Votre palais des saveurs est magnifiquement constitué.

La langue et les papilles gustatives réparties tout autour.

La langue est constituée de 12 petits muscles qui ne font qu'un. La mobilité de la langue module la voix.

Les papilles gustatives sont à la surface de la langue. Ce sont les petits reliefs que nous observons bien devant le miroir. Là sont situées les minuscules cellules qui réceptionnent les saveurs. Les papilles ont différentes formes : filiformes, les plus nombreuses, fungiformes (ressemblant à des champignons), disséminées sur la pointe de la langue, ou en forme de calice dites caliciformes. Ces dernières sont les plus volumineuses, au nombre de 9 en forme de V ouvert dont la pointe est dirigée vers l'arrière. Il y a en plus les papilles foliées ou coralliformes présentes sur les bords latéraux de la langue.

Des papilles gustatives sont aussi présentes à l'intérieur des joues, sur les gencives, sur le voile du palais et même la luette. Toutes sont reliées à des fins nerfs sensitifs et sensoriels.

Trente-deux dents au total

Elles sont implantées en bas sur la mandibule mobile, en haut sur le maxillaire (8 incisives, 4 canines, 8 prémolaires et 12 molaires). Elles ne servent pas que pour le sourire. Elles sont dédiées à la mastication, à broyer les aliments, à les transformer de solide en pâteux et même en liquide.

Six glandes salivaires

Trois de chaque côté (parotides, sous-maxillaires et sublinguales), elles sont capables de fabriquer chaque jour 1 litre à 1 200 ml de salive, autant que l'estomac, le foie ou le pancréas, alors que nous n'avons qu'une bouche, deux trous de nez, deux oreilles et deux yeux... Chaque glande salivaire déverse sa composition de salive dans le palais par l'intermédiaire de petits canaux qui se terminent par de très petits orifices à l'intérieur des joues et sous la langue. On peut voir en soulevant la langue, la bouche bien éclairée, ces deux minuscules trous par où sort la salive en jet, quand on appui à plusieurs reprises sous le menton, dans sa partie musculaire. Il existe aussi 400 à 700 petites glandes accessoires microscopiques réparties dans la muqueuse de la joue.

Trois paires de nerfs crâniens[1] sur les douze sont chargées de nous faire percevoir d'immenses combinaisons et nuances de saveurs au-delà des 5 classiques : le sucré, le salé, l'acide, l'amer et l'umami (mot japonais qui veut dire « savoureux »). Toutes les parties de la langue sont capables de percevoir les 5 saveurs de base.

Ces nerfs moteurs et sensitifs donnent à la langue à la fois sa mobilité et son extraordinaire sensibilité, on peut même dire sensorialité.

C'est dans le palais des saveurs que démarre la digestion, grâce à la salive.

La salive, en plus de son rôle protecteur pour les dents et de reminéralisation de l'émail, joue un rôle très important pour imprégner les aliments broyés par les dents, leur donner toutes leurs saveurs, liquéfier les éléments les plus solides afin que liquides ou pâteux, ils puissent descendre sans obstacle le long de l'œsophage jusqu'à l'estomac.

La salive est constituée de minéraux (sodium, potassium, chlore), de petites quantités de sucre et d'urée, d'hormones (selon l'évolution du cycle féminin). Elle régule le pH de notre bouche en neutralisant les premiers acides des aliments.

La salive contient des enzymes[2] qui révèlent les goûts. Ils ne peuvent jouer leurs rôles que si les aliments restent suffisamment longtemps dans la bouche : l'amylase ou ptyaline (pour prédigérer l'amidon), une maltase, le lysozyme, capable de détruire des bactéries (sorte d'antibiotique naturel qui secrète des anticorps, immunoglobulines A, qui empêchent les pathogènes de s'installer dans la cavité buccale, une lacto-peroxydase qui joue un rôle dans la défense immunitaire locale et la lipase surtout chez l'enfant pour commencer à digérer les lipides du lait maternel.

C'est la salive qui aide à révéler le goût des aliments.

Le Dr Rainer Wild Stiftung de l'Internationaler Arbeitskreis für Kulturforschung des Essens (Mitteilungen 2008, H. 16, S. 34-42) cite cet exemple très parlant :

---

1. La VIIe bis paire, les nerfs faciaux, pour les papilles fongiformes de la point de la langue.

La IXe paire, les nerfs glosso-pharyngiens pour les papilles caliciformes.

La Xe paire, les nerfs pneumogastriques pour les papilles dispersées autour de la langue.

2. Les animaux n'ont pas d'enzymes dans leur salive, ils avalent très vite. Ne les imitons pas !

> « Si on ferme les yeux et qu'on dépose un morceau de sucre de roche ou de sel gemme sur sa langue, il est difficile de faire la distinction entre les deux alors que la langue est sèche. Ce n'est qu'en humectant le morceau en question avec la salive que les molécules de sel ou de sucre seront libérées et que l'on pourra reconnaître le goût sucré ou salé, et ce, grâce à l'eau, principal composant de la salive. »

La salive a aussi un rôle antiseptique de protection de toute la longueur de l'œsophage. N'oublions pas que, sans nous en rendre compte, nous déglutissons 1 500 à 2 000 fois par jour.

Ne pas prendre le temps de mastiquer les aliments, c'est ne pas savoir les goûter, c'est perturber la digestion dès sa première phase et être sujet ensuite à une mal-digestion, responsable de flatulences, ballonnements et autres perturbations tout au long du tube digestif, jusqu'à la zone de sélection et de préparation des déchets dans le côlon et le rectum.

2.
Les « sucres cachés » et la cuisson des aliments

Évidemment il ne faut pas faire cuire les fruits et les légumes que l'on peut consommer frais. Il faut les consommer le plus naturellement, au plus près de la récolte. Il est donc logique de choisir fruits et légumes frais, bio et de proximité, sans oublier que l'agriculteur est le premier acteur de notre santé, l'ami n° 1 de notre santé. C'est pourquoi, autant que faire se peut, il faut choisir de collaborer avec lui, loin des super, hypermarchés qui, certes, cassent les prix, mais saignent les petits producteurs qu'il faut donc soutenir.

Tout ne peut être consommé cru. Ce fut l'erreur majeure de notre collègue et ami Jean Seignalet qui confondait la cuisson avec la cuisson excessive qui détériore les aliments. Il ne connaissait pas la cuisson à la vapeur douce[3]. Quand mon épouse voulut la lui faire connaître et goûter, c'était trop tard.

C'est elle qui m'a fait prendre conscience de ce que l'on doit nommer « les sucres cachés ». De même qu'il y a les graisses cachées

---

3. *Tout à la Vapeur douce, 100 nouvelles recettes* – Christine Bouguet-Joyeux Éd. François-Xavier de Guibert, 2006

dans les viandes[4] sous forme d'acides gras saturés, qui peuvent être abimés par la cuisson des aliments, on doit considérer les sucres cachés comme dangereux pour notre santé.

Les sucres cachés sont :

– Les sucres cachés qui n'ont pas le goût du sucre, à faible pouvoir sucrant (1 pour le saccharose et 0,16 pour le lactose) : le pain blanc trop raffiné qui a le même index glycémique que le sucre blanc ; le lactose de tous les produits laitiers, en particulier de vache qui contient 47 g de sucre en moyenne par litre de lait ; 3,2 à 4,1 g pour 100 g de yaourt[5] ; 7 g pour 100 g de spaghetti carbonara ; le riz au lait 18 g pour 100 g ; lait entier en poudre 38 g pour 100 g ; lait maigre en poudre 52 g pour 100 g ; la mousse au chocolat, pour 100 g de chocolat, 60 g de sucre ; le Nutella[6] contient 55 % de sucre et 17 % d'huile de palme, les noisettes n'y sont que pour 13 % et le cacao pour 7,4 %, sans oublier le *carbamide* qui n'est autre qu'un métabolite (résidu) de l'urée que nous retrouvons dans nos urines.

– Les sucres cachés issus de la cuisson excessive : à la cocotte-minute, au four, à la poêle… car la température est supérieure à 100 °C et transforme les sucres complexes en sucres simples.

Dans tous les végétaux ce sont les fibres constituées essentiellement de cellulose qui donnent au végétal sa structure, sa fermeté. C'est donc une matière dure à mastiquer et dure à digérer et si elle est consommée crue, elle peut créer des flatulences, des douleurs coliques et peut aussi obstruer l'intestin et créer une occlusion intestinale. C'est ce qui advient quand on consomme des figues de barbarie, dont les fibres sont très denses et dures, comme j'ai pu le voir plusieurs fois au Maroc quand j'étais jeune chirurgien.

Seule la chaleur, donc la cuisson, peut ramollir la cellulose, mais sans trop insister, sinon elle la transforme en glucides simples.

---

4. Depuis 2013, l'Union européenne autorise de traiter les viandes à l'acide lactique pour réduire les contaminations microbiologiques des carcasses de bovins. Meilleure façon de cacher les mauvaises conditions d'élevage et d'abattage.

5. Formule pour réaliser un yaourt bien ferme : dans 1 litre de lait UHT, ajouter ½ litre de lait en poudre et 2 yaourts du commerce pour les ferments lactiques.

6. Le Nutella est composé de 60 % de sucre et d'huile de palme et contient le phtalate le plus dangereux, le DEHP. Cette fameuse pâte à tartiner contiendrait probablement des OGM. La France est la championne du monde de la consommation du Nutella : 75 000 tonnes de Nutella sont consommées chaque année.

Il faut donc une cuisson à juste température. Le froid au contraire rigidifie la cellulose.

Dans 100 g de chou blanc, le total de fibres est de 2,47 g, constituées de fibres solubles (0,89 g), insolubles (1,58 g), cellulose (insoluble) 0,70 g, hémicelluloses 0,64 g, pectines solubles 1,09 g, lignine insoluble 0,06 g.

Les fibres alimentaires (nommées prébiotiques) sont plus ou moins digérées par la flore des bactéries intestinales (nommées pro-biotiques) qu'elles entretiennent, essentiellement celles du côlon. L'organisme humain ne possède pas l'enzyme cellulolase pour réduire, hydrolyser la cellulose, mais les bactéries du côlon y parviennent.

La cuisson excessive transforme cellulose et hémicelluloses en sucres :

– 3 sucres simples à 6 carbones (hexoses) : D-glucose, D-galactose et D-mannose ;

– 2 pentoses à 5 carbones, D-xylose et L-arabinose ;

– 1 acide D-glucuronique[7].

Normalement les fibres sont destinées à jouer le rôle de râteau pour *r*atisser l'intérieur du côlon et faire avancer le bol fécal grâce à la contraction de la musculature lisse[8] des côlons et du rectum.

Si les fibres sont détruites par la cuisson, elles ne peuvent plus jouer leur rôle, le patient est alors souvent constipé, car le bol fécal ne se construit pas, et les sucres simples en excès vont se stocker sous forme de gras dans le foie (stéatose hépatique) et le tissu gras dangereux pour la santé. Ainsi la consommation excessive de sucres ou faux sucres, stimule de façon excessive le pancréas et finit par créer les conditions d'une insuffisance pancréatique donc d'abord d'un pré-diabète (traité par les antidiabétiques en comprimés), puis d'un diabète insulinodépendant.

En 2013, des chercheurs de Harvard[9] ont identifié une hormone nommée bêtatrophine capable d'augmenter considérablement la multiplication des cellules bêta du pancréas, productrices d'insuline. Elle est sécrétée dans certaines circonstances comme la grossesse ou l'insulino-résistance périphérique. Ainsi cette hormone pourrait – si elle est donnée

---

7. C'est un acide formé à partir du glucose oxydé sur son carbone numéro 6.

8. La musculature lisse se contracte au fur et à mesure du remplissage du côlon et d'autant plus facilement que la personne consomme des polyphénols (du vin rouge en particulier) le plus efficace étant la « rutine ».

9. *Cell*, Penk Yi et coll., avril 2013.

en début de diabète – remplacer l'insuline en faisant repartir les cellules pancréatiques au repos. Une belle perspective !

Ce sont surtout tous ces sucres cachés, consommés trop inconsciemment, qui sont responsables de mal-digestions, fermentations[10], pullulation et malabsorption intestinales. Ils nourrissent les bactéries qui, comme des voleurs, captent à leur profit le maximum d'énergie pour se reproduire. On explique ainsi très bien tous les troubles digestifs si fréquents dans la population : ballonnement, constipation ou l'inverse, mauvaise haleine et gaz malodorants du fait de la multiplication des bactéries méthanogènes et de la prolifération de champignons, le plus présent étant le candida albicans.

3.
La fin des faux sucres et des boissons énergisantes Le jus de pamplemousse ?

Chacun d'entre nous voit bien toutes les publicités qui envahissent nos écrans et les stades pour que le grand public assimile, dans sa mémoire réflexe, que ces boissons sont synonymes de sport, de performances, de bonheur et de victoire sur les autres. L'objectif est de nous faire consommer. Ainsi de grands sportifs sont fortement sponsorisés pour vanter les vertus imaginaires de ces boissons « énergisantes », « équilibrantes », « gagnantes » *même s'ils ne les consomment pas, prenant les consommateurs pour des pigeons*. Tous les qualificatifs sont bons pour faire acheter consommer et re-re-re-consommer.

Teneurs des boissons « énergisantes » (selon Wikipédia)
Les boissons énergisantes possèdent des teneurs en ingrédients actifs variables selon la région du monde, la saveur et la marque. Le tableau suivant indique les teneurs en taurine et en caféine de nombreuses boissons disponibles dans la francophonie, rapportées sur 250 ml.

---

10. On considère qu'il y a 3 sites de fermentation : l'estomac par mauvaise vidange et donc stase ; le grêle terminal et le caecum à l'origine du colon droit et enfin les colons transverse et gauche où le méthane est fabriqué par fermentation différée. Les gaz intestinaux sont représentés pour 99 % selon les habitudes alimentaires par 20 à 80 % d'Azote (N_2) ; 10 à 40 % de CO_2 ; 5 à 20 % d'hydogène ; 1à 20 % de méthane et 1à 5 % d'oxygène.

Nom de boisson	Taurine (mg)	Caféine (mg)	Énergie (kcal)	Glucuronolactone (mg)
AmpEnergy	292	80	116	?
BatteryEnergy Drink	1000	80	125	?
BurnEnergy Drink (hors France)	1000	80	153	?
BurnEnergy Drink (France)	0	80	158	?
Dark Dog (hors France)	?	80	?	?
Dark Dog (France)	0	80	125	0
Duff	704	85	113	?
Énergie	1000	80	?	600
Énergie, léger	1000	80	7	600
Full-Size Aphrodisiac Energy20 (France)	1000	80	208	600
Full Throttle, citron	1000	75	?	?
Grizzly power drink (France)	0	80	112	0
Grizzly power drink original	1000	80	112	600
Guru original	0	125	100	??
G'Z	1000	80	117,5	0,575
Humanenergy	1000	80	115	600
Hype	1000	80	43	?
Hype, enlite	1000	80	49	?
Lost	1057	85	?	634
Monster Energy, Anti-Gravity	2000	?	?	?
Monster Energy, Khaos	1057	82	?	?
Monster Energy, Original	1057	82	120	?
Monster Energy, Ripper	1057	82	117,5	?
NOS, fruité	1042	130	115	28
Rage	1057	84	?	802
Power Poker Energy Drink	1000	80	117,5	0,575
Red Bull (hors France)	1000	80	112,5	600
Red Bull (France)	1000	80	115	600
Red Bull, diète	1000	80	?	?
Redrain	1000	80	?	600
Red Rave	1000	80	?	600
Red Rave, diète	1000	80	?	?
Rockstar	1001	101	?	?
Rockstar, diète	1001	85	?	?
Rockstar, Burner	1057	85	?	?
Rockstar, Juiced 50 %	1057	85	?	?
Rockstar, Juiced 70 %	1001	85	?	1136
SoBe, No Fear	1000	80	?	?
SHARK	1000	80	155	600
So WOW Energy	0	15	105	0
Stoked Energy	1057	85	?	634
Taurus Energy Drink	1000	24	46	6

Thundertaste 21	1000	80	112	?
Truc de Fou, la french energy	1000	80	115	600
Txori Gorri Energy Drink*	?	?	?	?
Wild Dragon*	?	?	?	?
X-Tense, Original*	?	80	110	?
X-Tense, Zero*	?	80	11	?

** Substances remplacées par de l'arginine sur le territoire français, jusqu'au 15-07-2008.*

Certaines boissons énergisantes contiennent de la carnitine (aussi appelée L-carnitine, ou lévocarnitine), l'addition de cette molécule étant proscrite par Santé Canada pour tout « produit de santé naturel ». On en retrouve dans certaines boissons provenant des États-Unis, ou sur ordonnance.

Très honnêtement Wikipédia donne les informations à diffuser avec les références essentielles[11], les effets de l'alcool et la dépendance.

« Une sous-estimation des **effets de l'alcool** est fréquente. De plus la caféine contrecarre les effets sédatifs de l'alcool, pouvant entraîner une consommation plus importante de ce dernier, avec les risques que cela comporte. La consommation de boissons énergisantes pourrait également faciliter une dépendance à l'alcool.

En France, la distribution tardive a été causée par des réserves sur certains de ces effets sur la santé. En 2008, le ministre français de la Santé demanda à l'InVS et à l'Afssa de mettre en place un observatoire des effets éventuels de ces boissons. Les données disponibles en septembre 2008 ne permettaient pas de conclure à des effets aigus indésirables pour la boisson énergétique autres que ceux induits par la caféine. Quelques cas de personnes ayant présenté des **symptômes de type neurologique** incitent à la prudence même si l'existence d'un lien avec la consommation de la boisson énergisante y soulève toujours un doute. Le ministère de la Santé **déconseille la consommation des**

11. Arria AM, O'Brien MC, « *The "High" Risk of Energy Drinks* » (*Archive • Wikiwix • Que faire ?*). Consulté le 2013-03-23, JAMA, 2011 ; 25.

Arria AM, Caldeira KM, Kasperski SJ et Al. « *Energy drink consumption and increased risk for alcoholdependence* » [archive], Alcohol Clin ExpRes, 2011 ; 35 : 1-11. *Les boissons énergisantes* sur le site du ministère de la Santé français :

http://www.education.gouv.fr/bo/2008/31/MENE0800540C.htm

Oddy WH, O'Sullivan TA, *Energy drinks for children and adolescents*.

boissons énergisantes par les femmes enceintes, les sportifs et les enfants et recommande de ne pas associer cette consommation "à des boissons alcoolisées, des substances ou des médicaments ayant une action sur le système nerveux central ou des effets neurologiques". »

En 2012, une jeune Américaine décède suite à une arythmie cardiaque causée par une surdose de caféine, liée à une boisson énergisante.

Le seul objectif de ces boissons, c'est le business et peu importe votre santé. La médecine moderne vous soignera, votre obésité en vous mettant un anneau dans l'estomac, en vous prescrivant des ordonnances qui n'en finissent plus…

Un grand conseil : n'en consommez pas, quelles que soient vos bonnes raisons. Ces boissons sont dangereuses pour votre santé.

Évidemment nous ne pensons pas différemment des autres boissons si souvent consommées par les jeunes : soda, Coca, Pepsi… Cela pour deux raisons. 1. Elles contiennent trop de sucres simples, donc ne désaltèrent pas vraiment, poussant à la consommation de canettes en canettes du fait de la soif qu'elles déclenchent par les effets hypoglycémiants des apports excessifs de sucre. 2. Très souvent le sucre (raffiné) est remplacé par des faux sucres dont le plus présent est l'aspartame.

Le jus de pamplemousse et ses dangers

200 à 250 ml du jus ou le fruit entier augmentent la biodisponibilité orale du principe actif de plus de 80 médicaments, d'où des risques de surdosage. Le pamplemousse contient des furanocouramines. Ce type d'action est retrouvé avec les oranges de Séville, les citrons verts et les pomélos. Mais les oranges douces (navel ou valencia) ne contiennent pas de furanocouramines et n'ont pas cet effet.

L'interaction a lieu lorsque le pamplemousse est consommé dans les 4 heures avant la prise du médicament. L'effet est respectivement à 50 % quand le fruit est consommé 10 heures avant le médicament et encore de 25 % pris 24 heures avant.

Par exemple, la prise de statines contre le cholestérol en excès, peut déclencher en étant associée au pamplemousse, des effets musculaires délétères. Idem pour un médicament comme l'amiodarone qui est un anti-arythmique, dont la concentration active peut augmenter de

180 %, ou la prise de dronédarone- qui normalement traite les fibrillations auriculaire – peut déclencher des arythmies ventriculaires et même des arrêts cardiaques…

Des médicaments anti-rejets (ciclosporine ou tacrolimus chez les greffés du rein) peuvent avec les pamplemousses augmenter la néphrotoxicité.

Enfin la consommation de la pilule associée au pamplemousse pourrait augmenter l'action des hormones dangereuses, l'éthinylestradiol et le 17 béta-estradiol. Ainsi les femmes consommant chaque jour cet agrume ont un risque de cancer du sein en post ménopause plus élevé à 1,30.

D'une manière générale nous déconseillons les jus de fruits. Il est beaucoup plus logique de consommer des fruits frais et de saison. Ils contiennent tous le jus du fruit et les fibres indispensables à notre santé intestinale.

4.
Le retour aux froments d'autrefois
Le Pain 100 % Nature[12]

Dans les familles, les allergies ou intolérances au gluten deviennent de plus en plus fréquentes, à tel point que le pain, aliment de base de notre alimentation, tend à être retiré des tables familiales au profit d'alternatives plus ou moins utiles à la santé.

Les allergies sont tellement courantes dans la population en Europe que des laboratoires se disputent le marché de l'exploration des intolérances alimentaires. Le plus sérieux en France est le laboratoire de biologie médicale de notre collègue Zamaria[13]. Il retrouve évidemment les allergies au gluten et toutes sortes d'allergies croisées.

---

12. Ce chapitre a été écrit avec l'aide précieuse des deux grands experts : Roland Feuillas, le Maître boulanger de Cucugnan que nous remercions chaleureusement ainsi que Fanny Leenhardt docteur en Sciences de l'Alimentation. (Le développement d'une nouvelle gamme de pains à haute valeur nutritionnelle. Industries des Céréales n° 143, juin-juillet 2005 et Thèse de Fanny Leenhardt, soutenue le 7 juillet 2005 : Etude des voies d'amélioration de la densité nutritionnelle du pain - Rémésy Ch., Leenhardt F., 2005.)

13. 49 Avenue de Versailles – 75 016 Paris - laboratoire_zamaria@hotmail.com -Tél : 01 46 47 71 33.

Le PNNS (Programme national nutrition santé) conseille pourtant de manger du pain et des féculents à chaque repas. Ils fournissent des protéines végétales[14] et des glucides complexes indispensables, en particulier aux muscles et au cerveau.

La composition nutritionnelle des pains varie un peu, notamment selon le degré de raffinage des farines. Plus les farines sont complètes, plus elles sont riches en protéines, fibres, sels minéraux et vitamines du groupe B et caroténoïdes.

La composition pour 100 g varie donc selon les variétés de pain :

– Glucides : 57,7 à 51,8 g pour 100 g ;

– Lipides : 0,3 à 3,9 g pour 100 g ;

– Protides : 8,3 à 9,8 g pour 100 g ;

– Minéraux : sodium (460 à 650 mg), magnésium (20 à 47 mg), phosphore (77 à 224 mg) et potassium (88 à 225 mg) ;

– Vitamines : B1 à B9 ;

– Bétacarotène 114 microgrammes pour 100 g

– Fibres : 3,3 g à 8,8 g pour 100 g de pain complet.

Le pain blanc serait une des « sources primordiales de la dégradation de la santé publique » pour Steven Laurence Kaplan[15].

De plus en plus d'allergies et/ou d'intolérances au gluten sont rapportées par la médecine officielle. Parmi les 12 principaux allergènes alimentaires[16], on trouve les céréales contenant du gluten et produits à base de ces céréales.

Les familles consommatrices se posent donc de plus en plus de questions et attendent de l'ANSES des réponses scientifiques orientées et utiles à la santé individuelle et familiale. C'est pourquoi en mai 2013 nous avons saisi l'ANSES au nom de toutes les familles de France sur ce sujet avec pour titre officiel de saisine : « À PROPOS DES PAINS, DES ALLERGIES ET INTOLÉRANCES AU GLUTEN ».

Faut-il donc consommer du pain complet, du pain bio ou faut-il choisir des céréales alternatives : sarrasin, quinoa, millet… ??

---

14. En même temps on nous prépare pour nourrir les animaux, des protéines animales transformées (PAT) qui seraient autorisées en 2014 pour les poissons d'élevage, les porcs et les volailles.

15. *Dictionnaire universel du pain,* Éd. Robert Laffont, 2010.

16. Directive 2003/89/CE – Étiquetage alimentaire.

Les valeurs nutritionnelles du pain, des pains, doivent-elles être abandonnées ?

Le gluten serait en cause à la fois dans la maladie cœliaque mais aussi dans nombres de maladies auto-immunes, des rhumatismes à l'Alzheimer selon les susceptibilités génétiques de chacun.

On a cru longtemps que ces allergies étaient d'origine génétique ou chez des sujets prédisposés génétiquement. On s'est rendu compte qu'il s'agit plus d'intolérances que d'allergies, qu'elles sont plus souvent d'origine épigénétique, liées en particulier aux modifications des variétés de froment, surtout à l'uniformisation qui a réduit au maximum la biodiversité.

Si les variétés modernes de farines de froment sont en cause, ne faut-il pas les supprimer ? Il faudrait alors revenir aux variétés anciennes qui existent et devraient être valorisées pour être proposées à la consommation, tant pour leurs qualités organoleptiques que nutritionnelles.

Le gluten serait donc en cause.

Le gluten, c'est la masse protéique restante après extraction de l'amidon du blé. Le malaxage en présence d'une eau salée et le tamisage retiennent les parties non solubles dont le gluten. Le gluten appartient à la superfamille des prolamines.

Il contient surtout des protéines présentes dans l'albumen du grain de blé. « Une des protéines les plus complexes du règne végétal : 120 à plus de 200 protéines différentes », affirme le *Dictionnaire universel du pain*.

– 1 g de farine de blé contient 120 mg de protéines et 102 mg de gluten ;

– 1 g de pain contient 75 mg de protéines et 64 mg de gluten.

Deux familles de protéines ont été isolées en proportions en général équivalentes, 50/50, les gliadines et les gluténines. Entre les sous-unités de gluténines existent des liaisons ou ponts disulfures[17] qui donnent sa force au gluten, et rendent le réseau protéique plus résistant. Ces protéines peuvent être considérées comme des facteurs de croissance pour la

---

17. On retrouve des ponts disulfures dans les facteurs de croissance des produits laitiers : 3 ponts pour l'IGF, 4 ponts pour l'EGF, et 9 pour le TGF destinés à la croissance de l'animal auquel la mère a donné la vie. Ces molécules sont d'autant plus solides chimiquement qu'elles ne sont pas chauffées assez longtemps.

plante. Elles n'ont pas de fonction enzymatique, jouant surtout le rôle de réservoir d'acides aminés indispensables aux synthèses protéiques nécessaires au développement de la plante.

Les aptitudes rhéologiques de la pâte (rhéologie du pain) dépendent de la quantité de gluten et de la nature des protéines qui le constituent.

Plus la concentration de gluténines est importante, plus la ténacité de la pâte est importante. Plus la concentration en gliadines est grande, plus la pâte est extensible et peut gonfler, donnant au pain sa « valeur boulangère », c'est-à-dire la viscoélasticité du gluten et dans une moindre mesure de la pâte.

Le gluten se retrouve dans les céréales (blé, avoine, orge, seigle) présentes dans le pain, la farine, les biscuits, les gâteaux, pâtisseries, pâtes, hamburgers, pizzas, sauce soja, sauces, assaisonnements, mais également dans les préparations et épaississants contenant de la farine. Par exemple dans certains desserts lactés, préparations industrielles, viandes et poissons panés, certaines moutardes.

Les aliments contenant du gluten : les chocolats, la bière, l'alcool de céréales comme la vodka, les charcuteries, les soupes de supermarché, les sauces pour salades… La mention « sans blé » ne signifie pas forcément « sans gluten ». Les produits exempts de blé peuvent contenir de l'orge ou du seigle, deux céréales qui contiennent aussi du gluten.

Les conséquences des allergies et intolérances au gluten

Ce sont essentiellement les gliadines α, β, γ et ω auxquelles l'organisme humain est le plus sensible, surtout au niveau de la surface d'absorption digestive de l'intestin grêle qui représente une surface de 250 mètres carrés pour une longueur moyenne de 4 à 7 mètres.

L'allergie ou l'intolérance au gluten est responsable de porosité intestinale, maladie de mieux en mieux répertoriée sous le nom de *Leaky Gut* (« intestin poreux »). Une partie du gluten pénétrerait dans la paroi de l'intestin grêle, déclenchant alors une réaction immunitaire, antigène-anticorps, responsable d'inflammation à différents étages du tube digestif.

Les lésions présentes au niveau de la paroi de l'intestin laissent passer vers l'organisme des molécules normalement présentes dans les déchets (trop de calcium des produits laitiers, des facteurs de croissance, des pesticides…). Il y a en plus une malabsorption intestinale qui se traduit par une diarrhée, de la fatigue, des douleurs abdominales, un amaigrissement, une anémie…

Au-delà des problèmes de santé qui handicapent la vie, l'intolérance du gluten touche de plus en plus de personnes unies en association[18] qui organisent des stages pour des enfants de plus en plus jeunes.

La maladie cœliaque (prévalence 1/100 à 1/1 000 en Europe) avec ses deux pics de fréquence 6 mois à 2 ans et 20 à 40 ans, atteint 2 à 3 fois plus de femmes. La maladie est associée à un risque augmenté de lymphome intestinal, cancer du système de protection immunitaire de l'intestin, de cancer de l'intestin grêle et d'autres types de cancers, à long terme.

Il existe, liées à l'intolérance au gluten, probablement de nombreuses formes de pathologies qui passent plus ou moins inaperçues quant à leurs causes rarement répertoriées dans les dossiers médicaux.

14 signes ou symptômes font partie des conséquences premières des allergies ou intolérances au gluten. Elles doivent être connues de tous.

1. Une diarrhée fréquente et malodorante ;
2. Une asthénie ou fatigue permanente ;
3. Des troubles du caractère ;
4. Un amaigrissement de quelques kilos ;
5. Une anorexie ou perte de l'appétit ;
6. Des douleurs abdominales plus ou moins diffuses ;
7. Un ballonnement abdominal ou des flatulences ;
8. Des gaz abondants ;
9. Des nausées jusqu'à des vomissements ;
10. Une tétanie ou spasmophilie ;
11. Des douleurs osseuses ;
12. Une inflammation de la langue ;
13. Des aphtes buccaux[19] ;
14. Une anémie plus ou moins importante.

---

18. L'A.F.D.I.A.G. (Association française des intolérants au gluten) est née en 1989. Elle compte aujourd'hui plus de 6000 adhérents.

19. Le traitement le plus efficace, en plus de la suppression du gluten de l'alimentation, est Afta Zen pris 40 jours pour éviter les récidives, qui apporte du zinc, les vitamines du groupe B (B1, B6, PP) et 10 mg d'Aloe vera barbadensis (www.aftazen.fr).

L'intolérance au gluten pourrait toucher en fait près d'une personne sur 100 à 300[20]. La maladie semble plus rare chez les personnes d'origine asiatique ou africaine consommatrices d'autres céréales. Selon Santé Canada, 300 000 Canadiens pourraient être atteints d'intolérance au gluten, et de nombreux cas demeurent non diagnostiqués.

Cette maladie, allergie ou intolérance, impose la suppression de 100 % des aliments contenant du gluten, ce qui permet d'obtenir la suppression de quasiment tous les symptômes.

Parmi les facteurs favorisants la maladie cœliaque, on retrouve l'absence d'allaitement maternel, l'introduction du gluten avant les 6 mois de l'enfant, une quantité ingérée trop importante, une perméabilité intestinale due à un déséquilibre de la flore digestive.

L'avenir du pain et de la gastronomie française : « gluten-free » ou développement des « variétés ancestrales » de froment.

Les pains industriels actuels sont probablement responsables de la diffusion dans la population des allergies et intolérances au gluten provenant à la fois des variétés modernes de grains de blé et des procédés de fabrication.

L'urgence d'une réforme

Le développement des régimes « gluten-free » est tellement à la mode que les consommateurs se tournent de plus en plus vers les pains sans gluten, risquant d'abandonner les meilleurs pains qui ne leur sont pas ou plus proposés.

Les variétés modernes de grains de blé

L'uniformisation industrielle a supprimé la biodiversité. Les variétés modernes uniformes s'opposent aux variétés anciennes diversifiées, reconnaissables par les caractères des plantes de culture et leurs qualités nutritionnelles. Les chercheurs conscients de la valeur médiocre des pains fabriqués par l'industrie proposent des améliorations[21].

---

20. Rostom A, Dubé C, *et al. Celiac Disease*. Summary, Evidence Report/Technology Assessment: Number 104. AHRQ Publication Number 04-E029-1, June 2004. Rodrigo L. – World J Gastroenterol. 2006 Nov 7 ; 12(41):6585-93. Celiac disease.

21. Rémésy Ch., Leenhardt F., 2005. « Le développement d'une nouvelle gamme de pains à haute valeur nutritionnelle », *Industries des Céréales*, n° 143, juin-juillet 2005 et Thèse de Fanny Leenhardt, soutenue le 7 juillet 2005 : *Étude des voies d'amélioration de la densité nutritionnelle du pain.*

Il serait important d'exploiter cette variabilité génétique en minéraux et micronutriments des grains de blé dans les programmes de sélection à partir des variétés anciennes (comme l'a fait la filière des pâtes alimentaires pour les teneurs en caroténoïdes des blés durs, dont la couleur jaune a été recherchée).

Les procédés modernes de mouture

Le remplacement des meules de pierre par des meules métalliques et des broyeurs industriels n'a pas permis d'obtenir des farines de qualité.

Dans le premier cas, on écrase le grain par pression et friction ; dans le deuxième cas, on désagrège et on fractionne les constituants du grain.

- ***La farine issue de meules de pierre*** contient une grande proportion du germe et est enrichie en particules de son.

- ***La farine en provenance des moulins modernes*** à cylindres contient quasi exclusivement l'amande farineuse du blé, avec peu de contamination par des parties périphériques.

Les différences de composition des farines qui en résultent sont très importantes : celles issues de mouture sur cylindres sont généralement **de type 55** alors que celles provenant de **meules de pierre sont de type 80**.

Les types de farines (définis par leur teneur en minéraux) ont une signification nutritionnelle globale dans la mesure où les teneurs en fibres, minéraux et vitamines augmentent en parallèle avec l'enrichissement en enveloppes des farines.

Les trois quarts des micronutriments du grain de blé se trouvent en effet dans les fractions anatomiques conduisant aux sons et aux remoulages qui sont éliminés de la farine blanche à la suite de la mouture sur cylindres. En revanche, les farines de meules de pierre permettent d'obtenir un pain de meilleure valeur nutritionnelle[22].

Les procédés modernes de panification

L'insuffisance en levains naturels, les levures chimiques, les ajouts de gluten, l'acide ascorbique et autres additifs **n'ont pas d'effets positifs sur la qualité nutritionnelle** des pains proposés à la consommation…

---

22. Chaurand, M., Rémésy C, Fardet A, Leenhardt F, Bar-L'Helgouach C, Taupier-Letage B & Abecassis J. Influence du type de mouture (cylindres vs meules) sur les teneurs en minéraux des différentes fractions du grain de blé en cultures conventionnelle et biologique. Industries des Céréales. 2005, 142, 3-11

Le mode de panification joue un rôle clé dans la qualité finale du pain. Les diagrammes de panification courants ne laissent plus assez de temps de fermentation pour que les activités enzymatiques du blé et de la flore du levain s'expriment.

Sur de nombreux points de vue, l'incorporation de levain est intéressante, même si la panification n'est pas entièrement conduite avec des ferments naturels. Elle permet d'obtenir des pains plus denses, ce qui procure un avantage nutritionnel précieux : celui de réduire l'effet hyperglycémiant et donc l'index glycémique du pain.

L'index glycémique est inversement proportionnel à la masse volumique du pain. Les pains au levain du fait de leur plus forte densité et de la présence d'acides organiques produits par les bactéries lactiques présentent le plus faible index glycémique[23].

Un autre avantage reconnu de l'utilisation du levain est d'augmenter la durée de conservation du pain. De plus, l'utilisation du levain améliore sans doute la tolérance au gluten en initiant sa protéolyse (protéases des micro-organismes du levain). Enfin, l'acidité du levain est favorable à l'assimilation digestive des minéraux.

Des travaux anciens ont attribué au pain complet un effet déminéralisant alors que la plupart des pains vraiment complets contiennent trois fois plus de minéraux que le pain blanc et que ces minéraux (contrairement à ceux des céréales de petit-déjeuner) sont rendus largement assimilables à la suite de l'action des phytases de la farine complète ou du levain[24].

Du pain blanc au pain blanchi...

Il est clair que la recherche du blanc, symbole d'abondance et de pureté, a contribué à dévaloriser la valeur nutritionnelle de cet aliment de base. D'autre part, pour rationaliser la panification et réduire le temps de fermentation, une industrie florissante d'auxiliaires de panification s'est développée depuis de nombreuses années. L'utilisation courante voire l'ajout indirect de certains ingrédients à la farine (farines de fèves, de soja) qui détruisent les caroténoïdes et blanchissent la mie du pain, diminuent les teneurs en vitamines liposolubles au pétrissage. L'enrichissement des farines en gluten purifié (pour des pains toujours plus

23. Fardet, A.; Leenhardt, F.; Lioger, D.; Scalbert, A.; Rémésy, C. Parameters controlling the glycaemic response to breads. Nutrition Research Reviews 2006, 19, 1-9.

24. Lopez, H. W.; Leenhardt, F.; Remesy, C. Minerals and phytic acid interactions: is it a real problem for human nutrition ? Int. J. Food Sci. Techno. 2002, 37, 727-739

aérés et à la densité volumique plus faible) pourrait jouer un rôle important dans la prévalence des intolérances au gluten et maladies coeliaques.

Pour Christian Rémésy et Fanny Leenhardt de l'INRA (Unité de nutrition humaine, centre de Clermont-Ferrand/Theix, 63122 Saint-Genès-Champanelle) :

« Le pain peut avoir une excellente valeur nutritionnelle et organoleptique. Pourquoi l'a-t-il perdue ? Quatre raisons principales peuvent être avancées : la dévalorisation du blé, la production des farines sur cylindres plutôt que sur meules[25], l'accélération de la panification et l'usage excessif de sel. Pour le Plan National de Nutrition Santé (PNNS), la quantité de sel par kg de farine est de 18 g. En réalité pour Remesy il faudrait descendre jusqu'à 15 g de sel/kg de farine. Cette baisse aiderait à réduire le pH de la pâte qui ne devrait pas excéder 5.5, alors qu'il est de 6.7 pour le pain blanc. Il faut aussi éviter le pétrissage excessif, car sur pétrir ne sert à rien. Au Mondial du pain auquel nous avons participé et sommes intervenus en septembre 2013, nous avons bien noté qu'il était possible d'établir une banque de données des éléments naturels incorporables dans les pains et que l'ajout de gluten était nocif pour la santé. ›

Rappelons que les féculents cuits à plus de 120 degrés seraient cancérigènes. C'est la conclusion de chercheurs danois qui ont saisi l'Autorité européenne de sécurité des aliments. Au-delà de 120 degrés, les féculents libèrent une substance appelée « acrylamide » classée comme cancérigène depuis 2002.

La poursuite des variétés modernes ou leurs croisements avec les anciennes

On sait que tous les grands épeautres ont été croisés avec du froment actuel.

Vers le label « Pain 100 % Nature » et ses qualités nutritionnelles pour la santé.

---

25. Les farines issues de mouture sur cylindres sont généralement de type 55 alors que celles provenant de meules de pierre sont de type 80. Pour Rémésy et Leenhardt : « Les trois quarts des micronutriments du grain de blé se trouvent en effet dans les fractions anatomiques conduisant aux sons et aux remoulages qui sont éliminés de la farine blanche à la suite de la mouture sur cylindres. En revanche, les farines de meules de pierre permettent d'obtenir un pain de meilleure valeur nutritionnelle. Il est clair que la recherche du blanc, symbole d'abondance et de pureté, a contribué à dévaloriser la valeur nutritionnelle de cet aliment de base. »

Les semences : le retour aux variétés anciennes : les blés durs, ancêtres du blé.

Le blé rouge de Provence de Touselle ou Touzelle ;

Le barbu du Roussillon ;

Flor de Pèira des Corbières et Minervois ;

L'amidonnier ou épeautre de Tartarie ;

Le Raspaillou du Gard : pain bio Sud de France ;

Le petit-épeautre de Haute-Provence ;

Le Rouge de Hongrie.

Ces pains issus des semences ancestrales sont actuellement produits par 6 boulangers français et un suisse.

1 / Roland Feuillas – Les Maîtres de mon Moulin – PAINS 100 % NATURE – Moulin de Cucugnan, 2, rue du Moulin, 11350 Cucugnan ;

2/ Henri POCH – Boulangerie Le Couvent – 66130 Ille-sur-Têt ;

3/ Patrick Normand – Le Petit Délice – 2, rue de l'Argenterie, 34130 Lansargues ;

4/ Jean-Marc MOINEL – Place de l'Ancienne Gare – 38460 Soleymieu – http://boulangerie-moinel.fr/ – eurl.moinel@wanadoo.fr – 04 74 27 75 68 ;

5/ Olivier HOFMANN – en Suisse : 26, Grand-Rue – 2732 Reconvilier – info@boulangerie-hofmann.ch – +41 32 481 21 13

6/ Roland HERZOG – Maître-Boulanger – Boulangerie Hertzog – 28, rue de Colmar – 68320 Muntzenheim – http://www.hertzog.fr – 03 89 47 40 91

7/ Laurent Bonneau – Boulangerie Pâtisserie Bonneau – PAINS 100 % NATURE – 75, rue d'Auteuil, 75016 – Parissarl@bonneau.fr – www.bonneau.fr

Pour la santé

Plusieurs équipes étrangères ont pu tester les effets sur la santé de la consommation de variétés anciennes de froment sur des temps relativement courts : 10 semaines à raison de 150 g par jour. Ces effets se sont révélés positifs dans les 2 études que nous rapportons[26], réduisant

26. *Effects of Short-Term Consumption of Bread Obtained by an Old Italian Grain Variety on Lipid, Inflammatory, and Hemorheological Variables : An Intervention Study* Francesco Sofi, Lisetta Ghiselli, Francesca Cesari, Anna Maria Gori, Lucia

les marqueurs biologiques circulants de l'artériosclérose et démontrant en plus de la capacité antioxydante des grains entiers, un apport en magnésium essentiel à la santé.

En 2008, l'équipe de Bologne de Stefano Benedettelli[27] avec une équipe espagnole de Grenade a pu montrer l'importance pour la santé des variétés de céréales sous forme de grains complets, en étudiant 35 variétés de semences de blé, 19 anciennes et 6 modernes de blés tendres et pour les blés durs 7 variétés anciennes et 3 modernes.

Ce sont les quantités de fibres, de polyphénols, de flavonoïdes et caroténoïdes et l'activité anti-radicalaire, donc antioxydante, qui sont présents en plus grande quantité dans les variétés anciennes et apportent le maximum pour la santé.

Le Conseil national de l'alimentation a bien compris que « la politique publique de l'alimentation de la France ne peut ignorer l'importance économique des 80 millions de visiteurs annuels (2012), dont la moitié indique la gastronomie comme attrait décisif. » Cette gastronomie n'a de sens que si elle est en plus synonyme de santé.

J'ai donc demandé à l'ANSES au nom de toutes les familles de France 3 études complémentaires :

– une étude précisant les méfaits pour la santé des variétés modernes de semences de froment, consommées 30 jours durant, comparée à l'introduction dans l'alimentation de froment venant des blés anciens, les 30 jours suivant ;

Mannini, Alessandro Casini, Concetta Vazzana, Vincenzo Vecchio, Gian Franco Gensini, Rosanna Abbate, and Stefano Benedettelli.
Determination of phenolic compounds in modern and old varieties of durum wheat using liquid chromatography coupled with time-of-flight mass spectrometry – Giovanni Dinelli, Antonio Segura Carretero, Raffaella Di Silvestro, Ilaria Marotti, Shaoping Fu, Stefano Benedettelli, Lisetta Ghiselli, Alberto Fernández Gutiérrez[a] – Department of Agroenvironmental Science and Technology, University of Bologna, Viale Fanin, 44, 40127 Bologna, Italy[b] Department of Analytical Chemistry, University of Granada, c/Fuentenueva s/n, 18003 Granada, Spain[c] School of Biological&Food Engineering, Dalian Polytechnic University, Dalian 116034, China[d] Department of Agronomic Science and Agro-forestry Management, University of Firenze, Firenze, Italy.

27. FunctionalProperties of Wheat : Phytochemical Profiles of old and new Varieties – Ital.J. Agron. 2008, 3 Suppl.
Polyphenol Content of Modern and Old Varieties of Triticumaestivum L. and T. durumDesf. Grains in TwoYears of Production – Daniela Heimler, Pamela Vignollini, Laura Isolani, Paola Arfaioli, LisettaGhiselli andAnnalisa Romani – J. Agric. Food Chem. 2010, 58, 7329-7334 7329 DOI : 10.1021/jf1010534

– une étude complète concernant la valeur nutritionnelle des variétés ancestrales de froment et leur intérêt pour la santé (polyphénols, antioxydants, caroténoïdes...) ;

– une étude économique (création d'emplois familiaux), environnementale et touristique.

5.
La stimulation des 5 sens pour votre santé
Priorité à l'odorat pour prévenir l'Alzheimer[28] et le Parkinson

Faut-il rappeler nos 5 sens ? Les enfants de CE2 les connaissent parfaitement, mais nous adultes, les avons quelque peu oubliés, trop pressés, agressés par le temps qui passe, soucieux de lendemains trop inquiétants.

Pourtant, que de bénéfices pour notre santé physique, psychique, relationnelle, spirituelle même !

Il est bon de les rappeler, de les stimuler d'autant plus qu'ils font partie des premières faiblesses du vieillissement et des maladies dites neuro-dégénératives puisqu'ils sont tous reçus par notre cerveau qui les sélectionne, les perçoit, les goûte, le soupèse, les qualifie positivement ou négativement.

Tout ce que nous mangeons a du goût mais avant de consommer, il y a les arômes que l'on perçoit, qui stimulent les papilles. Les bons plats mitonnés, les pains d'autrefois, les fruits bio, le miel d'acacia, d'oranger, de châtaignier, de thym[29] et de romarin, le cumin, le curcuma et le safran, bref toutes les épices... sans parler de fleurs bio qui exhalent leur parfum de rose, le jasmin ou de lilas...

Les messages chimiques des odorants passent par le nez, la seule porte d'entrée directe dans le cerveau.
Quand on perçoit une odeur, on transforme un message chimique de molécules odorantes volatiles, en une perception olfactive.

---

28. Le diagnostic est désormais fiable à 100 % grâce à la ponction lombaire qui permet de doser dans le liquide céphalo-rachidien les Biomarqueurs par la spectrométrie de masse. Ce sont en particulier les peptides *Abeta1* normalement (au delà de 70 ans) supérieur à 500 pg/ml et la *protéine TAU* normalement inférieure à 500 pg/ml et le taux de *phosphoTAU* normalement inférieur à 60 pg/ml. Le Datscan qui visualise le cortex souffrant est un atout supplémentaire au diagnostic.

29. Voir mon livre *Le thym et le chirurgien*, Pr Henri Joyeux et Guillaume Bouguet, Éd. du Rocher, 2013.

Au niveau du nez : c'est une muqueuse olfactive qui siège dans chaque fente olfactive entre les deux yeux. Sur cette muqueuse passe une partie de l'air inhalé, c'est la voie orthonasale, celle des parfumeurs.

La deuxième voie complémentaire tout aussi essentielle, passe par le nasopharynx, voie rétronasale, celle des gastronomes. La muqueuse en son sommet abrite quelques millions de neurones olfactifs.

Ces neurones portent des récepteurs olfactifs. Ainsi si un odorant est reconnu par un récepteur, les neurones correspondant génèrent un influx nerveux. Notre génome compte 350 gènes de récepteurs olfactifs et chaque neurone n'en exprime qu'un seul. Chaque récepteur est capable de reconnaître quelques molécules odorantes et un odorant peut être capté par quelques récepteurs différents. D'où des milliards de combinaisons de neurones activés, et des capacités énormes d'identification des odorants, exploitables par les nez dits « biomimétiques ».

Une anosmie (perte de l'odorat) spécifique peut être due à l'absence de gènes des récepteurs correspondants.

Le renouvellement neuronal se fait à partir de cellules souches. D'où la capacité de régénération du seul tissu nerveux de l'organisme en contact avec l'extérieur et ainsi le maintien de l'odorat et l'intérêt de savoir qu'on peut le stimuler. Les cellules souches ont déjà été utilisées en laboratoire pour restaurer la mémoire des souris amnésiques.

Au niveau des bulbes olfactifs

Pour atteindre les bulbes olfactifs situés à la base du cerveau dans la boîte crânienne, les axones de neurones (semblables à des fils électriques plus fins que les plus fins de nos cheveux) traversent la lame criblée, os très fin criblé de fins et minuscules orifices.

Tous les axones des neurones olfactifs expriment un récepteur et convergent vers un ou plusieurs glomérules de chaque bulbe olfactif. Chaque glomérule est en contact avec une population homogène de neurones. Les glomérules activés par un odorant dessinent dans le bulbe une carte sensorielle qui passe au cortex olfactif.

Notre système olfactif se régénère tous les trois mois[30]. Les chercheurs étudient la possibilité de transplanter des cellules nerveuses fraîchement reconstituées sur des malades qui ont perdu l'odorat.

---

30. Nos globules blancs vivent 7 jours, les cellules intestinales 4 à 5 jours, les globules rouges 120 jours, les cellules du foie une année.

Le cortex olfactif

Il comporte plusieurs relais en parallèle. Dans l'un d'eux, le cortex piriforme, se dessine le portrait-robot des odorants et une reconnaissance de leur signification biologique (odeur du conjoint, de la nourriture, des fleurs…). C'est l'amygdale qui fait partie du système limbique. Ce système est constitué des zones de la base du cerveau qui jouent un rôle pour reconnaître et mémoriser les odeurs.

Les déficits plus ou moins accentués des fonctions olfactives au cours de la maladie de Parkinson (MP) et de la maladie d'Alzheimer (MA) sont scientifiquement bien établis. L'atteinte olfactive représente même un marqueur précoce de ces deux maladies neuro-dégénératives. Ces déficits sont donc observés dès les premiers stades de la maladie.

Les troubles de l'odorat dans les maladies neuro-dégénératives

Peu de spécialistes savent que la perte de l'odorat est un des premiers signes de la maladie d'Alzheimer, comme de Parkinson, par dégénérescence de neurones situés au niveau du bulbe olfactif. Ce symptôme s'appelle donc l'« anosmie ». Ce signe est rarement signalé par les malades. Ils ne le connaissent pas, d'autant plus que les médecins ne posent pas la question à leurs patients plus ou moins âgés.

Pourtant il s'agit bien d'un des premiers signes de ces redoutables maladies, même s'il reste inconstant.

À un stade plus évolué de la maladie, la spécificité du déficit olfactif n'est pas nette. L'exploration des fonctions olfactives à l'aide des tests de sensibilité et d'identification montre la présence d'un dysfonctionnement semblable dans les deux pathologies. Ceci suggère que le déficit olfactif relève de l'atteinte du même processus, que la pathologie implique une démence corticale, du cortex cérébral (Alzheimer) et/ou une démence sous-corticale, au niveau des noyaux gris centraux (Parkinson).

D'une manière générale, les patients atteints de la maladie de Parkinson ont plus de difficulté à percevoir les odeurs, alors que ceux qui souffrent de la maladie d'Alzheimer les perçoivent mieux mais en oublient les caractéristiques.

L'atteinte des structures olfactives serait donc identique dans les deux maladies. Des déficits en choline acétyltransférase et en dopamine sont décrits dans les lobes olfactifs des deux types de patients.

C'est donc la mauvaise reconnaissance des odeurs qui pourrait être un symptôme de la maladie du vieillissement de la mémoire. « Mais, ce n'est pas de la vanille que vous sentez, c'est du chocolat ! » Si cette « faute de goût » peut dans un premier temps faire sourire, elle permet d'établir une nouvelle hypothèse en matière de dépistage de la maladie d'Alzheimer. En effet, si aucun traitement n'a été à ce jour mis au point pour éradiquer la dégénérescence des cellules cérébrales, on peut néanmoins ralentir ses effets d'autant plus efficacement qu'elle est diagnostiquée précocement. Selon le docteur Laurent Vazel, spécialiste ORL, « on s'est aperçu que des patients se trompant sur l'identification des odeurs étaient plus sujets à développer la maladie ».

C'est donc l'un des premiers et des plus importants symptômes à se manifester et qui affecte de 80 à 90 % des personnes atteintes de l'une ou l'autre de ces deux maladies, affirme Johannes Frasnelli, stagiaire postdoctoral au Centre de recherche en neuropsychologie du Département de psychologie de l'université de Montréal.

Le fait est connu depuis vingt ou trente ans, mais a reçu peu d'attention de la part des chercheurs, sans doute parce que ce symptôme est considéré comme moins incommodant que les autres manifestations de ces maladies. Johannes Frasnelli estime toutefois que sa détection peut permettre un dépistage précoce et distinctif des maladies d'Alzheimer et de Parkinson.

Plusieurs causes peuvent expliquer l'atténuation de l'odorat et l'âge en est une, explique le chercheur. Dans l'ensemble de la population, 15 % ont un odorat réduit et 5 % n'en ont plus du tout. Mais dans le cas des maladies d'Alzheimer et de Parkinson, ce symptôme peut se manifester dès cinquante ans, au stade préclinique des maladies.

Un dépistage précoce chez un très grand nombre de personnes

Cette analogie entre certains profils et les pathologies neurodégénératives confirme les conclusions amorcées dès 2004 par le docteur Pierre Bonfils, ORL à l'hôpital Georges Pompidou à Paris.

À travers un test olfactif, ou « olfactométrique », nommé « Biolfa »[31], ce spécialiste en chirurgie cervico-faciale détermine le

31. Ce test mesure l'acuité olfactive à l'aide d'olfactomètres. Il représente « l'espace des odeurs » en quantité variable, présenté sur des supports liquides en flacon. L'acuité olfactive peut être définie comme la capacité individuelle de percevoir l'odeur d'une matière première à une certaine concentration. La mesure de l'olfaction a pour but d'aider le milieu médical. Elle permet d'étudier le nerf olfactif, d'évaluer la fonction olfactive, d'apprécier l'efficacité d'un traitement et d'accréditer les plaintes

seuil olfactif et quantifie les facultés de reconnaissance. Pour le docteur Vazel, les résultats sont doublement intéressants : s'ils peuvent révéler des cas d'anosmie, ils peuvent aussi prévenir Alzheimer et Parkinson. Cette découverte a priori anodine prend tout son sens dans la mesure où ces patients sont généralement plus jeunes que ceux consultant pour des troubles de la mémoire.

« Il faut donc développer la collaboration entre le travail des gériatres, neurologues et spécialistes en ORL », poursuit-il. Nous ajoutons les nutritionnistes et les parfumeurs ! La collaboration entre ces différentes spécialités permettrait de détecter plus tôt Alzheimer et Parkinson et donc d'optimiser les traitements.

Aujourd'hui, on compte 860 000 malades atteints de maladies neuro-dégénératives en France. Ce chiffre atteindrait les deux millions en 2040. Déclarée Grande Cause nationale de l'année 2007, cette maladie neuro-dégénérative touche de plus en plus de personnes chaque année, 225 000 nouveaux cas. C'est parce qu'il devient urgent d'aider la recherche qu'un plan Alzheimer a été d'ailleurs mis en place. En 2008, ont été débloqués des fonds afin de multiplier les tests pour parvenir à un diagnostic précoce et à un traitement plus efficace.

La maladie d'Alzheimer se caractérise par une atteinte neuro-dégénérative qui perturbe gravement mémoire, attention, langage et jugement. Elle touche aujourd'hui environ 25 millions de personnes dans le monde, selon l'Organisation mondiale pour la santé (OMS), un nombre qui devrait dramatiquement s'accroître à plus de 80 millions, d'ici 2040, d'après les spécialistes de la santé.

La dégénérescence de l'odorat peut commencer à la moitié de la vie et le seuil de détection diffère pour Parkinson et Alzheimer.

81 études ont été regroupées selon la maladie étudiée, les tests utilisés, l'âge des patients et le recours à des groupes témoins. Il en ressort d'une part que les patients atteints de l'une ou l'autre de ces maladies sont affectés de façon très nette par une diminution de l'odorat, par rapport aux sujets en bonne santé, et que l'importance de cette baisse semble égale pour les deux maladies.

---

des patients. Le test Biolfa peut s'obtenir en deux kits : le test quantitatif qui permet de déterminer le seuil de perception d'un individu, et le test qualitatif qui permet d'identifier l'odeur.

Quatre tâches ont en fait été utilisées selon les diverses études :

– La mesure du seuil de détection d'une odeur ;

– La désignation d'une odeur parmi quatre choix de réponses ;

– La distinction d'une première odeur parmi quatre nouvelles :

– La reconnaissance d'une odeur après un délai pouvant varier de quelques minutes à quelques heures.

Dans le cas des patients atteints de la maladie de Parkinson, il y a très peu de différences de performance entre les quatre tâches : comparés aux groupes témoins, ces patients semblent être affectés de façon égale dans chacune des tâches. Par contre, pour ceux qui souffrent de la maladie d'Alzheimer, des différences significatives sont observées dans les tâches visant la distinction et la reconnaissance des odeurs, deux tâches impliquant la mémoire.

En comparant les performances selon le type de maladie dégénérative, il ressort que les patients parkinsoniens ont un seuil de détection des odeurs plus faible que ceux souffrant de la maladie d'Alzheimer. « Les mécanismes neurologiques touchés ne sont donc pas les mêmes », en conclut Johannes Frasnelli. « Les effets de la maladie d'Alzheimer se font surtout sentir dans les tâches nécessitant la mémorisation, alors que ceux de la maladie de Parkinson réduisent la sensibilité de la perception des odeurs, ce qui a des conséquences sur les trois autres tâches. »

À son avis, les tests de dépistage de ces deux maladies auraient donc avantage à inclure des tests olfactifs, puisque l'odorat est l'un des premiers sens altéré et qu'il l'est de façon très nette. La détermination du seuil de détection permettrait en outre d'établir de façon précoce si la perte neuro-dégénérative est due à la maladie d'Alzheimer ou à celle de Parkinson.

*« **Plus ces maladies sont détectées de bonne heure, plus on est en mesure de freiner leur évolution avant le stade clinique** »*, souligne-t-il.

Les médecins ont testé 589 personnes, âgées de 54 ans à plus de 90 ans, en leur demandant d'identifier douze odeurs très communes comme celles du citron, du chocolat, du poivre noir, de la banane, de l'essence de voiture et de savon, de thym... Pour chacune de ces odeurs, les participants devaient choisir entre quatre réponses : pour la cannelle, par exemple, s'agit-il de bois, de noix de coco, de cannelle ou de fruit ?

Au début de l'étude, en 1997, aucun des sujets ne souffrait de troubles cérébraux. Les mêmes personnes ont ensuite été testées pour leurs capacités mentales et soumises à vingt tests cognitifs. Elles ont fait l'objet d'examens cliniques et neurologiques réguliers tous les ans, jusqu'en 2002. Il a été constaté, au cours de ces cinq années écoulées, que les personnes ayant fait au moins quatre erreurs de reconnaissance lors des tests olfactifs avaient 50 % de plus de risques de souffrir de problèmes cérébraux que les personnes n'ayant fait aucune erreur. Un tiers d'entre elles ont développé des formes modérées de troubles de la mémoire.

Les chercheurs américains ont pondéré les résultats des tests en fonction de l'âge, du sexe, du niveau d'éducation, des antécédents médicaux (attaque cardiaque, cérébrale) et de leur passé de fumeur ou non.

Identifier la maladie bien avant l'installation de la démence

Les travaux confirment des liens déjà établis par les chercheurs, entre la perte de l'odorat et la maladie : les patients atteints d'Alzheimer présentent cliniquement des lésions microscopiques situées dans une région du cerveau impliquée dans l'odorat. L'intérêt de cette dernière étude réside dans le fait que c'est la première à mesurer les fonctions olfactives de personnes en bonne santé et à rechercher des altérations mentales susceptibles de prédisposer à la maladie.

Si la maladie est diagnostiquée suffisamment tôt, il existe des moyens de faire reculer le passage à la perte d'autonomie du patient, jusqu'à son décès. Notre collègue Bruno Dubois[32] est formel : « Aujourd'hui il est possible d'identifier la maladie bien avant l'installation de la démence, en croisant plusieurs critères : la neuropsychologie et les tests de mémoire développés récemment, la neuro-imagerie et des marqueurs biologiques. »

Une étude italienne[33] a évalué l'olfaction chez des patients atteints de légers troubles cognitifs mnésiques (TCM) et les liens entre l'olfaction et l'évolution de ces troubles vers la maladie d'Alzheimer (MA). Il s'agit d'une étude de cohorte, prospective, sur des patients atteints de légers TCM à la première évaluation (T.0) ainsi qu'au bout d'un suivi de 18 mois (T.1).

---

32. *Neuro-anatomie fonctionnelle du comportement et de ses troubles*, unité Inserm 610, hôpital de la Salpêtrière, Paris.

33. *"Smell and Preclinical Alzheimer Disease : Study of 29 Patients with Amnesic Mild Cognitive Impairment"*, in *Journal of Otolaryngology – head and neck surgery*, 2010, vol. 39, nº 2, p. 175-181.

L'étude a été menée au centre de la maladie d'Alzheimer, à l'université de l'Aquila, en Italie. Vingt-neuf patients atteints de légers TCM ont participé à l'étude.

L'olfaction a été évaluée à l'aide du test de reconnaissance des odeurs SniffinSticks (TROSS) et du test élargi Sniffin' Sticks (TESS). Des liens furent ensuite établis entre l'olfaction et les fonctions neurocognitives, évaluées à l'aide du mini-examen de l'état mental et de la batterie des tests de détérioration mentale (BTDM).

En conclusion, les résultats relatifs à la discrimination et à la reconnaissance olfactives se sont montrés en corrélation plus étroite avec les résultats obtenus aux tests neuropsychologiques que les seuils de détection. Pour les chercheurs, la déficience olfactive apparaît tôt dans les légers TCM. Ils conseillent d'appliquer systématiquement, en clinique, les tests olfactifs fins pour repérer précocement des patients chez qui l'évolution de la diminution olfactive pourrait être révélatrice du passage de légers troubles cognitifs mnésiques (TCM) à la maladie d'Alzheimer (MA).

Dans le cas de la maladie d'Alzheimer, retarder de 5 ans l'apparition des symptômes de la maladie réduirait de 50 % sa prévalence.[34]

6.
À propos du jeûne

Beaucoup de personnes ont vu une ou plusieurs émissions audiovisuelles tendant à démontrer que le jeûne pourrait être utile et même nécessaire pour réduire nombre de maladies de civilisation et même mieux encore en cancérologie, supporter les méfaits des chimiothérapies. Tout n'est pas faux dans ce qui est proposé.

Nous-mêmes avons pu visionner les 56' 11" de l'excellente émission sur le thème *Le jeûne, une nouvelle thérapie ?* proposée par Arte France – Via Découvertes Production 2012, présentée par Sylvie Gilman et Thierry de Lestrade[35]. Nous la recommandons aux plus sceptiques d'entre nos collègues.

---

34. Nombre de maladies ou de malades présents à un moment donné dans une population, que le diagnostic ait été porté anciennement ou récemment.

35. *Le jeûne une nouvelle thérapie ?*, Arte Éditions – La découverte 2013.

Résumons les faits.

Le jeûne pour réduire les maladies de civilisations : obésité, diabète de type II, hypertension artérielle (HTA), maladies rhumatismales, maladies de peau telle qu'eczéma, psoriasis, mais aussi les maladies respiratoires (asthme, broncho-pneumopathies chroniques) et allergies de toute nature, addictions quelles qu'elles soient, tabac ou drogues telles que marijuana, mais aussi stress de toute origine…

Comme l'indiquent nos collègues russes et allemands dans le film, le jeûne peut aussi être très utile pour réduire les troubles récurrents de certaines maladies psychiatriques. Il devrait être systématiquement proposé aux patients, mais pour cela, il faudrait former les psychiatres aux bienfaits des changements des habitudes alimentaires.

Il est certain que le jeûne proposé tant dans les centres de soins en Russie qu'en Allemagne à l'Institut Büchinger ou à l'hôpital de la Charité à Berlin, est certainement utile sur une à trois semaines, pour retrouver la santé. C'est ce que certains appellent la « sanogenèse ».

Évidemment il s'agit d'un jeûne total, à l'eau pure, qui consiste donc seulement à boire et à ne pas s'alimenter pendant tout le temps du jeûne.

Le corps puise alors sur ses réserves en sucres, présentes surtout dans le foie et un peu dans les muscles. Elles sont épuisées en 48 heures. Ensuite, le corps prend sur ses réserves en graisses, lesquelles pour parvenir au système nerveux central (encéphale, cervelet et moelle épinière) – qui a besoin d'énergie pour fonctionner – doivent être transformées en corps cétoniques.

Ainsi le quatrième jour peut être difficile à passer du fait du « cétonisme », ou crise d'acidose responsable de faiblesse, de nausées et de migraines. Il faut connaître ce cap délicat pour avoir le courage et la persévérance de continuer. Nos réserves en graisse qui constituent le tissu adipeux ou graisseux sont sous la peau, mais surtout dans l'abdomen, dites graisses viscérales. Elles peuvent nous permettre de tenir près de 3 mois, évidemment en maigrissant alors de façon très importante.

Si le jeûneur persévère, il entre alors dans une phase légèrement euphorique, sédative car il a passé le cap et une sorte d'appétit intellectuel et même spirituel apparaît quelle que soit la croyance, c'est l'effet mental très positif du jeûne. Il faut associer toujours à cette restriction alimentaire totale, une activité physique quotidienne au grand air si possible.

Ce type de jeûne exige d'être suivi médicalement par un coach, nutritionniste ou médecin spécialiste. C'est pour cette raison qu'il doit avoir lieu en centre spécialisé.

Il est certain qu'il est le moyen le plus naturel pour réduire son surpoids, son hypertension artérielle, ses besoins en médicaments hypoglycémiants quand on est diabétique de type II et les antalgiques dont sont gavés la plupart des personnes souffrant de rhumatismes, d'allergies, d'asthme...

Le jeûne pour mieux supporter les chimiothérapies

Les études présentées par nos collègues de Los Angeles du Norris Cancer Hospital, réalisées sur de petits animaux par le professeur Valter Longo, sont particulièrement intéressantes. Plusieurs fois renouvelées, elles démontrent et confirment que la restriction calorique majeure chez les animaux soumis à une chimiothérapie leur permet de mieux supporter les traitements tandis que le groupe qui est nourri normalement va beaucoup plus mal. Ces travaux ont besoin d'être analysés d'une manière plus scientifique avant d'être proposés en cancérologie au quotidien des nombreux patients que nous rencontrons.

En effet la cellule cancéreuse et plus largement le tissu ou la tumeur cancéreuse doivent être considérés comme des « voleurs des meilleurs nutriments ». Par exemple si vous consommez de la vitamine C à fortes doses, achetée chez votre pharmacien, et si vous en consommez aussi dans les fruits et les légumes frais, la tumeur prendra en priorité la « bonne vitamine C », celle des fruits et des légumes et vous laissera celle du pharmacien qui n'est biodisponible qu'à 50 % car vous en éliminez la moitié par les urines.

Voilà pourquoi nous sommes très prudents avec le jeûne thérapeutique pour mieux supporter les chimiothérapies

En cancérologie le jeûne partiel s'impose et ne peut qu'être bénéfique.

Il est d'abord rendu obligatoire car les drogues de la chimiothérapie ou des thérapies ciblées ont toutes des effets sur le tube digestif et l'organisme en général. Les nausées sont tellement classiques que des traitements spécifiques sont ajoutés à la perfusion médicamenteuse. Ils évitent plus les vomissements que les nausées.

Il s'agit donc de jeûner de tous les aliments qui peuvent réduire nos défenses immunitaires: les boissons contenant des faux sucres de type aspartame, le pain blanc qui se comporte comme un excès de sucre et qui augmente, par le gluten raffiné et en excès, la porosité intestinale, laissant passer des molécules inflammatoires qui vont sur les zones fragiles (cancéreuses de l'organisme).

Il faut aussi jeûner de produits laitiers de vache, lait UHT, yaourts, fromages à pâte non cuite, crèmes… qui apportent trop de graisses et de sucres (lactose) mais aussi du calcium en excès (4 fois trop) et des facteurs de croissance surtout destinés naturellement à un animal, le veau qui prend en une année 365 kg après sa naissance.

Voilà donc ce que l'on peut conseiller aux patients atteints de cancer en ajoutant des boissons abondantes (au moins 2 litres par jour d'eau sans soda, coca ou autres boissons dites « énergisantes »), afin d'éliminer les métabolites des drogues inutiles à notre santé et même toxiques pour les cellules normales.

7. Le « French paradox » plus vivant que jamais

Les Français l'ont découvert, bien qu'il existe depuis les temps anciens. Les autres Européens et les Américains l'appliquent mal. Ce n'est pas seulement le week-end qu'il faut s'attaquer à une bonne bouteille, de rouge, blanc ou rosé. C'est tous les jours à la fin de chaque repas, qu'il faut consommer son « ballon de bon vin ».

La bouteille de 75 ml devrait être consommée sur la semaine et pas sous forme d'un « gavage » de fin de semaine, surtout quand on doit prendre le volant dans l'heure qui suit la dernière dégustation.

Nous connaissons bien ses 3 vertus, surtout quand on le consomme intelligemment c'est-à-dire avec modération :

– Facilite la digestibilité en permettant la contraction de la musculature lisse de la partie haute du tube digestif, l'ouverture du pylore, et la contraction du duodénum et du grêle haut, le jéjunum ;

– Évite les infections du système urinaire grâce à sa faible partie alcool, néphrite, cystite ;

– Prévient la constipation grâce à ses polyphénols qui permettent la contraction de la musculature lisse colorectale.

Nos collègues alcoologues et hépatologues sont souvent tellement spécialisés qu'ils deviennent des « talibans » de la lutte contre l'alcool, confondant trop souvent « alcools forts à 35-40° d'alcool » et « vin de 12 à 14° », préférant à la limite les sodas et autres boissons sucrées à ce que Pasteur nommait « la meilleure et la plus hygiénique des boissons ».

Si Pasteur ne précisait pas la juste consommation, aujourd'hui elle est parfaitement identifiée. Elle ne doit pas dépasser un ballon à chaque repas.

Évidemment on n'oubliera pas de prendre le temps d'en percevoir tous les arômes, avant de déguster. Voilà le meilleur moyen de stimuler ainsi plus encore que le palais des saveurs, notre cerveau olfactif. Il reconnaît, mémorise, se renouvelle par ses connexions et ses neurones, tout autant qu'il est régulièrement stimulé.

8.
Au sujet des étiquettes : aider la lecture et les choix[36] Savoir pour ne pas être trompé !

Le Parlement européen a autour de lui près de 5000 lobbyistes accrédités soit 7 lobbyistes par député. Les premiers sont chargés de faire passer les desiderata de l'industrie agro-alimentaire qui les paye.

Le temps pris pour préparer les repas est de plus en plus bref. La restauration hors foyer représente en France, 5,6 milliards de repas par an, dont 2,5 pour la restauration commerciale et 3,1 milliards pour la restauration collective.

Les consommateurs achètent une quantité importante d'aliments semi-préparés ou plats tout préparés. Ils doivent porter une attention particulière à la qualité intrinsèque de ce qu'ils consomment, mais c'est bien difficile pour eux. Les publicités sont d'autant plus trompeuses que l'on ne sait pas bien tout ce qui se cache dans la présentation et la préparation des aliments conditionnés.

Il devient nécessaire de lire les emballages sur la face directement visible et au dos (souvent illisible). L'étiquetage est régi par des lois européennes et nationales. Les "E" sont suivis de 3 ou 4 chiffres.

---

36. Nous empruntons le maximum des données et le même plan que celui choisi par notre collègue Charles Wart qui nous a offert son livre *L'envers des étiquettes* publié aux éditions Amyris en novembre 2007

Les additifs alimentaires sont considérés selon la directive européenne 89/107/CE, comme des substances non consommées comme aliments en soi. C'est le fabricant, surtout son responsable marketing qui choisit entre l'indication de l'additif par son nom (rouge betterave) ou par la lettre E suivie du numéro d'identification.

Est choisie en général la lettre E quand il y a méfiance. Exemple *le dimethylpolysiloxane, E900,* agent anti-moussant dans les jus de fruits, les conserves de fruits et légumes. Ils peuvent être à l'origine d'allergies ou de phénomènes inflammatoires, responsables éventuels de maladies auto-immunes à la longue.

Les additifs cachés sont ajoutés aux préparations industrielles et sont rarement signalés aux consommateurs ou sous forme obscure.

Les auxiliaires de fabrication ne sont jamais signalés : vaseline, huiles siliconées pour éviter les adhérences aux parois des moules. Mêmes comportements avec les traces de détergents, et d'antiseptiques pour laver et désinfecter le matériel.

Les aliments irradiés ou ionisés sont souvent utilisés comme matière première dans les préparations, le plus souvent mélangés à des produits laitiers. Parce que le mot "irradié" fait peur au grand public[37], il n'est pas mentionné.

Ce sont les rayons X, ou Ultraviolets ou Gamma qui sont utilisés. Ils ont pour rôle de casser la molécule d'eau (H_2O). Les 2 atomes d'Hydrogène sont libérés, et les 2 demi molécules forment alors H_2O_2 (l'eau oxygénée) qui détruit les bactéries vivantes éventuellement présentes, d'où la stérilisation. H_2O_2 va oxyder certaines molécules fragiles comme les acides gras insaturés ce qui donne un goût désagréable. Certaines nouvelles molécules se forment telle le *2-alkyl-cyclobutanone* qui a un pouvoir cancérigène chez le rat.

Selon les doses et la durée d'exposition au rayonnement on supprime la germination possible, d'où la stérilisation de l'aliment qui devient réellement "stérile". Il perd son potentiel de vie, une bonne

---

37. Aux USA, le lobby cherche à remplacer le mot « irradiation » par « pasteurisation froide » ou « pasteurisation électronique »…

partie de ses vitamines et sa capacité à résister contre les bactéries qui peuvent s'introduire à l'ouverture de l'emballage.

L'industrie agro-alimentaire pousse fortement les pouvoirs publics à étendre ce procédé. La stérilisation est réalisée quand le produit est déjà emballé et même sur palette. Il est donc stérilisé en fin de parcours pour neutraliser les procédures éventuellement négatives précédentes.

Les conservateurs : sel, sucre, conserves, surgélation

- **La salaison :** le sel peut être « gemme » extrait de la terre, ou de la mer, le sel marin, qui s'il n'est pas raffiné est riche en minéraux (potassium, calcium, magnésium et oligo-éléments). Plus il est concentré plus la conservation peut être longue. En solution dans l'eau, il forme une *saumure*[38], contenant plus de 50 g de sel par litre (eau douce moins de 0,5 et eau de mer 30 à 50 g). Le séchage avec ajout de sel renforce la conservation.

- **Les sucres :** les hydrates de carbone ou glucides ajoutés servent à conserver confitures et fruits confits. Le premier sucre fut le miel, puis le sucre de canne (saccharose[39] qu'il faut exiger bio et non raffiné), puis le saccharose de la betterave sucrière et actuellement surtout le glucose obtenu par hydrolyse de l'amidon de maïs.
  La mention *sans sucre ajouté* ne signifie pas que l'aliment ne contient pas de glucides.

- **Les conserves,** c'est l'appertisation qui fait subir à l'aliment une température supérieure à 100 °C de durée variable. Ainsi la conservation peut dépasser une année. Des additifs sont utilisés : le glucose pour augmenter la viscosité, le sulfite de soude (E 221) dans les légumes tels asperges, cœurs de palmiers, petits pois. On aboutit à une perte de 35 à 40 % des vitamines et sels minéraux.

---

38. La feta, les olives, la morue trempent dans la saumure.
39. En trois siècles la consommation par personne est passée de 2,3 kg par an à 46 kg. Il est formé par la condensation d'une molécule de glucose et d'une molécule de fructose, extrait de la canne à sucre ou de la betterave sucrière et utilisé comme sucre de table.

Si le couvercle est bombé ou un jet de gaz est présent à l'ouverture, il faut jeter le produit car il y a une fermentation anormale.

– **Les surgelés,** à moins 18 °C ou au dessous, -30 à -40 °C. L'eau des aliments est cristallisée. Mettre un aliment au congélateur de la maison, c'est souvent trop lent. On a intérêt à forcer la marche de l'appareil pour accélérer le refroidissement. Poissons et viandes ne perdent rien de leur qualité, leur structure fibreuse est un peu modifiée (fibres éclatées en partie).

Il ne faut jamais recongeler un aliment qui a commencé à se décongeler. C'est le meilleur moyen pour stimuler les bactéries éventuellement présentes.

Quelle fraîcheur avec le frais ?

La congélation modifie peu la teneur des aliments en bons nutriments. Certains légumes (choux) sont blanchis, c'est-à-dire ébouillantés avant congélation pour inactiver enzymes ou levures qui peuvent détériorer l'aliment lequel perd 15 à 20 % de sa vitamine C.

Le nombre de jours entre la récolte et la consommation est également essentiel. Plus le temps est long, plus la vitamine C s'envole, car elle est très sensible à la lumière et à la chaleur.

Des arômes aux exhausteurs de goût : arômes de synthèse “nature identique”.

Ils sont évidemment destinés au plaisir dans notre palais des saveurs. Ils ne sont pas soumis aux tests toxicologiques des additifs.

Les produits naturels sont surtout sel, sucre, acides ou substances artificielles tels les E 621 à 625, **Glutamate de sodium**[40] pour les salés et *Ethylmaltol* (E637) pour les sucrés.

Pour mieux faire accepter par le consommateur, la couleur est souvent renforcée comme la texture.

Les arômes chimiques sont très bon marché. On en compte plus de 2000, dont 391 sont sans danger et 180 sont considérés comme dangereux et normalement éliminés de la circulation.

---

40. Isolé d'une algue marine le *kombu,* cette substance augmente les saveurs salées. Le glutamate de sodium est un neurotransmetteur cérébral. A hautes doses, il peut créer des malaises allant jusqu'à la perte de connaissance transitoire. On le trouve dans les potages en sachet, les bouillons cubes, les sauces toutes prêtes, et fréquemment dans charcuteries et jambons, ainsi que dans la plupart des plats asiatiques.

L'indication "*arôme*" correspond aux arômes de synthèse et si sur l'étiquette est écrit "*arômes naturels-arômes*", cela veut dire qu'il y a 75 % d'arômes synthétiques dans le goût final.

Les produits à l'origine d'allergie éventuelle

Les industriels doivent signaler leur présence dans les produits à consommer.

Sont précisés :
- le gluten des céréales
- les crustacés et produits qui en contiennent
- les produits à base d'oeufs
- les poissons et produits à base de poisson
- les arachides et produits qui en contiennent
- le soja et les produits à base de soja
- les laits et produits laitiers animaux, y compris le lactose
- les noix et produits à base de noix
- le céleri et les produits à base de céleri
- la moutarde et les produits à base de moutarde
- les graines de sésame et les produits à base de sésame

Nous traitons à part les sulfites[41] ou *dioxyde de soufre* (SO2) à des concentrations supérieures à 10 mg/l ou/kg. En juin 2011, l'Agence nationale de sécurité sanitaire de l'alimentation, de l'environnement et du travail (ANSES) affirme que 3 % des adultes en France dépassent la dose journalière admissible, du fait de la consommation de vin, lequel représente 70 % de nos apports en sulfites. La dose journalière admissible établie par l'OMS est de 0,7 mg par kg de poids par jour : soit environ 50 mg par jour pour un individu de 70 kg. Ainsi selon l'Insee plus d'un million de Français seraient en surdose de sulfites à cause du seul vin.

Il n'existe pas de vin sans sulfites. En effet même si le vinificateur n'en a pas apporté, les levures au cours de la fermentation alcoolique

---

41 Les sulfites sont présents dans presque tous les vins ; blanc, rouge, rosé et champagne à des concentrations variables. Bière et cidre peuvent également en contenir. Des aliments et d'autres boissons contiennent des sulfites étiquetés sous la forme E220 à E228 : - E220 Viande de hamburger, bières, cidres et poirés, confiserie, confitures, fruits confits, gelées, abricots secs, … - E221 Blanchiment des filets de morue salée - E222 Vins, cidres, bières, hydromels - E228 Hamburgers, pommes de terre déshydratées, fruits secs, confiseries, bière, vin.

produisent des quantités non négligeables de SO2 (environ 10 à 30 mg/litre), qui obligent généralement à l'étiquetage de cet allergène.

De faibles doses peuvent provoquer des réactions allergiques chez certaines personnes asthmatiques. La politique européenne de réduction des doses maximales dans les vins produit ses effets et la plupart des vins consommés avec modération, ne provoquent pas de dépassement des doses journalières admissibles. Seule une forte consommation quotidienne de certains vins contenant des sucres résiduels (moelleux, liquoreux, vendanges tardives...) peut s'avérer être supérieure aux recommandations de l'OMS en ce qui concerne l'absorption de sulfites.

Les sulfites et bisulfites, s'ils sont bactéricides, détruisent la vitamine B1. Présents en plus du vin, de la bière, des jus de fruits, du cidre... des crevettes et gambas, ils augmentent les allergies chez l'asthmatique et procurent des céphalées.

Il y a aussi, **les colorants**, E 102, Tartrazine, colorant jaune dans les confiseries, biscuiteries et pâtisseries, qui créent une allergie croisée avec l'aspirine.

Parmi les **conservateurs, le E 210,** Acide benzoïque et le **E 211**, benzoate de sodium, présents dans les conserves de fruits, les crevettes et le caviar. Ils procurent des réactions allergiques avec migraines et urticaires.

Les **nitrites E 249 et 250** sont toxiques pour les nourrissons de moins de 4 mois. Ils empêchent le développement du *clostridium botulinum* dans les charcuteries mais peuvent être allergisants.

Les **nitrates, E 251 et 252** pourraient être responsables de diabète sucré, et de troubles digestifs haut ou bas. Ils sont dans les charcuteries et les fromages.

Parmi les **anti-oxydants,** les galates **E 310 à 312** présents dans les chewing-gums irritent l'estomac et sont allergisants.

À tous ces produits il faut ajouter **les phosphates.** Ils seraient responsables d'hyperactivité en particulier chez l'enfant comme l'a démontré la pharmacienne allemande Herta Hafer dès les années 70 du siècle dernier, confirmé par l'allergologue américain Ben F. Feingold.

Ces phosphates sont présents dans les limonades, les barres chocolatées, les fromages fondus, jambons et charcuteries, lécithine de soja et les plats tout préparés.

L'augmentation du taux de phosphore diminue automatiquement le taux de calcium et de magnésium (Mg) dans le sang[42]. Ces baisses en calcium et magnésium perturbent les influx nerveux en particulier chez l'enfant.

Une alimentation sans additifs phosphatés oriente vers la guérison en 4 jours les enfants hyperactifs et agressifs, surtout s'ils sont compensés en Magnésium[43]. Ils n'ont pas besoin de Ritaline[44].

Les exhausteurs de goût, le glutamate E 621 est responsable du syndrome du restaurant chinois.

Les aliments dits "fonctionnels" ont des allégations nutritionnelles souvent exagérées ou fausses. Par exemple le yaourt qui baisse le taux de cholestérol grâce à l'ajout de phyto-stérols, comme dans les margarines ou beurres modifiés. Quant à celui qui adoucit la peau, avec vitamine E, probiotiques, polyphénols et huile de bourrache... c'est du pur bourrage de crâne.

Depuis fin 2007 l'Autorité Européenne de sécurité des Aliments (ASEA) contrôle ces allégations qui devraient être démontrées scientifiquement.

Les aliments OGM : l'avenir de tous les dangers,

C'est la sélection dirigée qui s'oppose à la sélection naturelle, par exemple, pour les fruits la pollinisation par les abeilles et le vent.

---

42. Le Mg alimentaire est absorbé par la partie terminale de l'intestin grêle et du colon droit. En cas d'absence du fait d'une chirurgie enlevant cette partie du tube digestif, l'absorption se fait au niveau de la partie haute du grêle, le jéjunum. La vitamine D (donc le soleil) stimule son absorption comme celle du calcium. 40 à 60 % du Mg alimentaire sont ainsi absorbés et 50 à 80 % de ce qui a été absorbé est rejeté dans les selles et les urines. Si l'organisme manque de Mg, les pertes urinaires et digestives diminuent.

43. Voir l'excellent livre de ma collègue le Dr Marianne Mousain-Bosc, pédiatre « *La Solution Magnésium – Hyperactivité – Autisme – Epilepsie - Dépression* » Ed Thierry Souccar 2010.

44. La Ritaline ou Méthylphénidate chlorhydrate (MPH) est un médicament psychotrope de la classe des phényléthylamines. Sa principale indication est le Trouble du Déficit de l'Attention ainsi que l'Hyperactivité (TDAH). En 1995, 10 % des garçons américains étaient sous Ritaline.

Que peuvent-ils nous apporter?

A notre santé, rien de bon, pas plus qu'à la santé de la terre.

Sous le faux prétexte qu'il faut nourrir la planète qui serait saturée de populations[45], on cherche à augmenter les rendements. L'objectif est essentiellement le business. Les ingénieurs agronomes l'affirment seulement dès qu'ils arrivent à la retraite. Curieusement leur parole se libère !

Au rendement s'ajoute: la résistance de la plante à tel ou tel parasite. La tomate deviendrait imputrescible pour allonger sa durée de conservation; le coton produit serait rouge pour éviter de le colorer; telle plante sécrèterait un médicament...

Légalement, selon plusieurs règlements européens applicables depuis 2004, « *toutes les denrées produites à partir d'OGM doivent être étiquetées, de même que les aliments du bétail. Ces informations doivent figurer sur le produit à partir d'une présence de 0,9 % pour les OGM autorisés et 0,5 % pour ceux en cours d'homologation* ». À cela s'ajoute les précautions d'isolement pour les parcelles à partir d'un seuil de présence d'OGM de 1 %.

Il est certain que nous courons le risque de voir l'Europe autoriser les pesticides et OGM dans l'agriculture biologique.

Depuis l'interdiction des farines animales pour engraisser le bétail, on est passé au Soja, dont 80 % importé des USA est transgénique.

Nous consommons donc de la viande d'animaux nourris avec maïs et soja OGM.

Les études de toxicité sont financées par Monsanto. Seule l'équipe de notre collègue Gilles Seralini du CRIIGEN *(Comité de Recherche et d'Information Indépendantes sur le Génie Génétique*) a pu démonter les études du géant américain en réalisant avec ses collaborateurs une étude qui démontre la toxicité et la dangerosité des OGM chez des animaux porteurs de tumeur.

En France 86 % de la population ne veut pas consommer des aliments OGM !

---

45. Nous sommes 7 milliards et la terre a le potentiel pour nourrir 100 milliards d'hommes si nous savons nous organiser. Voir l'excellent livre de Jean Philippe Feldman (*La famine menace-t-elle l'humanité* Ed. JC Lattès 2010) qui rapporte l'étude de la banque mondiale en 2009 démontrant que « *la plupart des pauvres ne veulent pas des aides d'Etats, mais qu'ils désirent pouvoir eux-mêmes créer leurs commerces et entreprises.* »

PRÉFACE DE LA SIXIÈME ÉDITION

Cher lecteur,

Vous attendiez cette nouvelle édition avec impatience. Pardon de vous avoir fait attendre plus de 5 ans. Le grand public voit juste quand il demande des mises à jour régulières. Il sait bien que la recherche ne s'arrête pas. Il est avide des nouveautés.

Nous sommes d'autant plus à l'aise que tous les progrès vont dans le sens que nous annoncions dès 1985. Les institutions nous ont rejoints, de l'Académie de médecine, jusqu'à la Ligue contre le cancer ou les structures d'État qui affirment désormais que la mauvaise alimentation est responsable de tant de maladies. L'Institut national du cancer estimait déjà en 2006 que la prévention nutritionnelle éviterait 100 000 cas de cancer par an en France soit 30 à 40 % des cas de cancer, première cause de mortalité en France.

Heureusement la mortalité d'origine cardiovasculaire est en forte baisse depuis 25 ans.

Un large public s'oriente vers des comportements alimentaires nouveaux à la fois écologiques et plus scientifiques. Il se rend bien compte que toutes les publicités qui poussent tant de produits alimentaires sont à moitié fausses et à moitié vraies. Elles le poussent à consommer en lui faisant croire que c'est bon pour sa santé, même quand c'est l'inverse. Peu importe, semblent dire les concepteurs de toutes ces publicités. « Faisons consommer le plus possible et s'il y a maladie, la médecine s'en occupera. » Le nombre de nouveaux malades ne cesse d'augmenter : obésité, diabète, cancer chez des personnes de plus en plus jeunes et toute la série des maladies auto-immunes avec leurs multiples symptômes qui touchent de la tête aux pieds.

Vous voulez vous former, comprendre et choisir en conséquence ce qui est le mieux pour votre santé. Là est effectivement l'avenir pour la santé de chacun d'entre nous et du plus grand nombre. Il s'en suivra une meilleure santé économique pour toutes les familles et pour l'État, donc pour tous.

L'alimentation est devenue la « première médecine » rejoignant les conseils du père de la médecine, Hippocrate, 500 ans avant notre ère. Nous devons donc promouvoir des comportements plus écologiques individuels et collectifs. Ainsi nous consommerons moins de médicaments.

D'ailleurs consommer plus de 3 médicaments est rarement justifié, tant les interactions entre eux sont nombreuses[1]. On n'a jamais vu autant d'hospitalisations pour des raisons « iatrogènes » (130 000 hospitalisations par an), ce qui veut dire par erreur de prescription et de consommation médicamenteuse. Cela n'empêche pas l'industrie pharmaceutique de mettre au point différentes méthodes pour convaincre les bien-portants qu'ils ne vont pas bien, quitte à fabriquer de nouvelles maladies (enquête santé de *60 millions de consommateurs*, INC septembre 2007) : *attaque de panique, prévention de la dépression précoce* qui accompagnent la promotion de nouvelles molécules. Tout cela n'est pas étonnant puisque l'industrie contrôle directement ou indirectement la majorité des communications scientifiques.

Cette 6e édition vous apporte les 23 nouveautés scientifiques que tous les médecins devraient connaître et les résultats définitifs de l'étude ABARAC que nous avons commencée en 2000. Ils démontrent que les aliments issus de l'agriculture biologique (AB) ont une qualité nutritionnelle supérieure à ceux venant de l'agriculture conventionnelle ou de l'agriculture « raisonnée ».

1. Comment l'obésité augmente les risques de diabète, de cancers et de maladies auto-immunes ?
2. Pourquoi le lait maternel est l'idéal pour la santé du bébé et de la mère ?
3. Pourquoi les laitages de vache ne sont pas faits pour l'homme ?

---

1. Encore trop de médicaments inefficaces prescrits selon la mission d'étude et de contrôle de la sécurité sociale (MECSS) de l'Assemblée nationale. 90 % des consultations des généralistes se soldent par une prescription, contre 72 % en Allemagne et 43 % aux Pays-Bas et la consommation d'antibiotiques reste 2 fois supérieure à celle des Allemands et des Néerlandais. En France on consomme 2 fois plus de psychotropes (anxiolytiques, hypnotiques et antipsychotiques) que dans le reste de l'Europe et même du monde. (1 Français sur 3 en a consommé dans sa vie soit plus de 20 millions de personnes – une fille sur 4 et un garçon sur 5 avant 18ans). D'où 120 millions de boîtes de psychotropes remboursées en France en 2005 !

Ils contiennent trop de calcium et des facteurs de croissance cellulaire et tissulaire qui augmentent les risques de nombreuses maladies invalidantes, dites auto-immunes et les cancers hormonodépendants : sein, utérus et prostate...

4. Pourquoi le gluten avec son constituant essentiel la gliadine, consommé en excès avec le pain blanc, augmente les risques de cancer du rein ?
5. Quel est le meilleur moyen de cuisson : pourquoi la vapeur douce et le barbecue vertical ?
6. Comment les viandes rouges augmentent les risques et les récidives de cancer du sein et du côlon ?
7. Comment les risques de cancer du pancréas sont liés en partie à une mauvaise mastication et à une surconsommation d'alcool, de viandes rouges et de laitages de vache ?
8. Comment les processus de cancérisation et les processus de vieillissement se ressemblent ?
9. Comment les fruits frais sont-ils les aliments majeurs contre le cancer et le vieillissement ?
10. Pourquoi un règlement européen relatif aux allégations nutritionnelles et de santé ?
11. Pourquoi en plus des mauvaises habitudes alimentaires, les hormones de la pilule et du THS sont en cause dans l'apparition des cancers hormono-dépendants (sein, utérus, ovaires...) ?
12. Pourquoi les phytohormones des fruits, légumes, légumineuses protègent des cancers digestifs mais aussi des cancers hormono-dépendants et même de l'ostéoporose ?
13. Pourquoi l'activité physique régulière a des effets anti-cancers, anti-vieillissement et permet d'éliminer les produits toxiques que notre environnement nous fait consommer ?
14. Pourquoi la phobie de l'ostéoporose et comment la prévenir sans apport excessif de laitages animaux ? Des aliments trop acides !
15. Comment mettre la psychologie et le stress à leur juste place dans la genèse des cancers ?
16. Pourquoi l'instinctothérapie ou le végétalisme sont des erreurs nutritionnelles majeures ?
17. Quel est l'intérêt réel des OGM pour la santé publique ?

18. Pourquoi des couples cancéreux autour de la ménopause et de l'andropause ?
19. Quels sont les effets de la nutrition méditerranéenne pour stimuler l'immunité des malades atteints de cancers ou de sida ?
20. Pourquoi les aliments issus de l'agriculture biologique sont meilleurs pour la santé ? Les résultats du programme ABARAC et les confirmations internationales.
21. L'impact de la nutrition pour freiner ou stopper les symptômes des maladies auto-immunes : des polyarthrites et de la sclérodermie à la sclérose en plaques et la maladie d'Alzheimer...
22. Pourquoi la prévention doit-elle être prioritaire en matière de santé ?

La « cohérence » du fonctionnement de notre organisme fait que les nouveaux comportements alimentaires éviteront d'abord le surpoids, l'obésité, le diabète. Ils préviendront ou amélioreront en plus de l'ostéoporose bien d'autres maladies souvent chroniques et handicapantes qui remplissent les consultations d'un grand nombre de spécialités médicales, nombre de cancers et de maladies dites « auto-immunes ».

C'est pour ces raisons que tous les médecins, quelle que soit leur spécialité, devraient avoir une formation en nutrition avec des mises à jour régulière. Aujourd'hui, je remarque souvent que les patients en savent plus que leur médecin. Au-delà de l'alimentation, ce sont des changements d'habitude qui s'imposent. Il y a urgence. Certes cela demande du temps, plutôt des mois que des semaines. Nos compatriotes le savent et attendent des conseils précis.

Je résumerai en parlant des « comportements méditerranéens » : alimentation variée, soleil, activité physique au grand air, une véritable « philosophie de vie méditerranéenne ».

Un peuple est en meilleure santé quand il consomme moins de médicaments, moins d'hospitalisations et qu'il peut réduire ses budgets santé. Le vieillissement de la population ne devrait pas être synonyme de dépenses de santé dans l'avenir. On peut avancer en âge, vieillir en restant en bonne santé. Cela dépend surtout de nos comportements, encore faut-il que le grand public soit averti.

L'exemple le plus récent des abus de la médecine en termes de prescription concerne les « biphosphonates » qui sont utilisés dans le traitement des métastases osseuses des cancers et même de la prévention de l'ostéoporose à la ménopause ou à l'andropause.

Le plus souvent les 2 médicaments prescrits en cancérologie sont le Zometa (acide zolédronique) et l'Aredia (pamidronate de sodium) et ils ont des effets indésirables majeurs sous forme de nécrose des os de la mâchoire, surtout en cas de soins dentaires. Cette nécrose osseuse est évolutive et peut atteindre la totalité de la mandibule. Il n'existe à l'heure actuelle aucun traitement efficace. La concentration du principe actif dans l'os reste élevé pendant plus de 10 ans après la fin du traitement et les risques potentiels persistent. À notre avis ces médicaments prescrits en comprimés autour de la ménopause ayant pour nom Actonel, Bonviva, Fosamax, Fosavance sont potentiellement dangereux (Woo SB et coll. Ann Intern Med. 2006; 144: 753-761) et le grand public n'est pas averti.

Comment agissent les biphosphonates ? Ils sont destinés à fixer le calcium sur l'os alors qu'ils peuvent faire l'inverse. Une surveillance prolongée des patients exposés s'impose désormais, alors que ces prescriptions n'étaient pas vraiment indiquées.

Que ce livre vous aide à rester en bonne, très bonne santé ou à la retrouver au plus vite ! Et n'hésitez pas en parler à votre médecin. S'il ne sait pas, n'ayez crainte, il s'y mettra vite pour lui-même et pour sa famille.

C'est en effet en famille que l'on mange le mieux, que les habitudes se prennent ou se changent, que l'on prend son temps pour partager un bon repas.

Le célèbre biologiste Jean Rostand avait raison : « Mieux vaut un bon menu qu'une ordonnance ! »

Même si Léon Tolstoï tempère notre enthousiasme car « Les êtres humains préfèrent souvent aller à leur perte plutôt que de changer leurs habitudes ».

Nous acceptons de relever le défi.

Bien cordialement,

Pr Henri Joyeux en collaboration avec Jean Joyeux et Luc Joyeux
www.professeur-joyeux.com
Montpellier, janvier 2008.

Chapitre premier

2008-2012
DES PROGRÈS ININTERROMPUS

A – UNE PRISE DE CONSCIENCE : L'ALIMENTATION EST LA PREMIÈRE MÉDECINE

Tout livre scientifique a besoin d'être revu et mis à jour. La science évolue sans cesse et au fil du temps, les incertitudes deviennent des certitudes dans un sens ou dans un autre. Ainsi, une théorie se vérifie, est confirmée ou infirmée. Depuis notre premier livre en 1985, les relations entre nutrition et cancer n'ont cessé de s'affermir. Elles sont passées à la première place en matière de prévention des maladies de civilisation : l'obésité, le diabète, les cancers et les maladies auto-immunes[1]. C'est tellement vrai que mon regretté collègue Jean Seignalet, avant la fin du siècle précédent, donnait pour titre à son énorme volume sur cinq éditions *L'alimentation ou la troisième médecine*[2]. Aujourd'hui, on peut parler sans crainte de se tromper de « première médecine ».

Jean ouvrait une voie en médecine, à la fois nouvelle et vieille comme le monde. Hippocrate, cinq siècles avant notre ère, avait découvert

---

1. Parmi les plus connues, les maladies rhumatismales, polyarthrite chronique, spondylarthrite ankylosante ; les maladies digestives, prédominant sur l'intestin grêle (maladie de Crohn) et recto-colite hémorragique ; les maladies nerveuses, sclérose en plaques et autres infiltrations de la moelle épinière ; les maladies de la peau (sclérodermie, lupus érythémateux…) ; les maladies cardio-vasculaires de surcharge et de la thyroïde, thyroïdite de Hashimoto…

2. Jean Seignalet, *L'alimentation ou la troisième médecine*, 5e édition, éd. Fr.-X. de Guibert, Paris, 2005.

l'essentiel, sans laboratoire, sans équipe de recherche, par l'observation et la réflexion, empiriquement[3].

La « méthode Seignalet » diffuse déjà largement hors de France, en Espagne, Belgique, Allemagne, Italie, dans plusieurs pays d'Europe de l'Est et même au Canada pour le plus grand bien des malades et le maintien des bien-portants. Elle ira plus loin encore car pour un grand nombre de malades elle est très efficace. Les améliorations sont en effet spectaculaires d'autant plus qu'on les accompagne de compléments alimentaires (minéraux, vitamines et d'épine) bien choisis. Mais lesquels, me direz-vous ?

Pour le savoir, je conseille souvent au patient de faire un bilan préalable très simple en répondant lui-même à 81 questions qui le concernent. Cela prend un peu de temps, 30 minutes, pour savoir quel est l'« état bionutritionnel ». Le bilan Iomet de Nutergia[4] est très bien conçu, beaucoup de malades en voient l'intérêt et acceptent mieux les traitements parfois lourds qui leur sont nécessaires. Entre deux cures de chimiothérapie, ils récupèrent plus vite.

Certains collègues et encore nombre de médecins s'étonnent ou raillent souvent prétentieusement des résultats qu'ils n'admettent pas parce qu'ils ne les ont pas eux-mêmes « touchés du doigt ». Ils sont dans les académies mais ne voient plus de malades. Ils étaient des prescripteurs chevronnés, mais n'ont pas vu venir les nouvelles orientations de la médecine. En particulier le fait que les malades aient acquis des connaissances scientifiques qui leur permettent de mieux comprendre leur maladie et ses remèdes.

Parmi les médecins, ce sont souvent d'abord leurs épouses ou compagnes qui suivent nos conseils. Il s'agit pour elles de maigrir, rester jeunes à la ménopause ou changer leurs habitudes alimentaires dans le but d'éviter la récidive du cancer dont elles ont été traitées et aussi de réduire les symptômes invalidants d'une maladie autoi-mmune. Elles s'en trouvent fortement et souvent vite améliorées. Leur influence est heureusement grandissante, car leur intuition les trompe rarement. Elles fonctionnent comme Hippocrate.

---

3. *Du régime,* Hippocrate, Les belles lettres, 1967. Dès le Ve siècle avant J.-C., le père de la médecine propose une « diététique rationnelle, c'est-à-dire une science du régime toute dégagée de la religion et de la magie, s'établissant par le seul effort de la raison ».

4. IOMET = Ionic Mineral Enzymo Therapy. Voir le site www.nutergia.fr.

Aujourd'hui, les patients sont souvent plus vite au courant que leur médecin. Ce sont les recherches sur Internet qui leur permettent de se rendre compte qu'existent, au-delà des traitements classiques souvent lourds, des possibilités d'amélioration réelle qui passent par le seul changement des habitudes alimentaires. Il faut cependant prévenir des abus et des gourous[5].

Nous insistons sur le fait qu'il ne s'agit pas de suivre un régime. Il faut surtout *quitter les régimes des conseils publicitaires* de la télévision et des magazines qui se répètent pour faire entrer le clou et qui n'ont pour objet que le profit, par l'accroissement de la consommation de masse.

Les malades se moquent des statistiques. Même celles et ceux qui se croient bien portants se posent des questions quant à leurs habitudes alimentaires. De grands changements sont en cours. Les matraquages publicitaires sont repérés par tous ceux qui réfléchissent de manière « écologique ». Une *écologie scientifique alimentaire* se met en place, synonyme de fraîcheur, de goût et de meilleure santé tant pour le consommateur que le producteur qui vit de sa terre. Ils savent que l'alimentation va devenir la première médecine.

B – Promouvoir des comportements écologiques individuels et collectifs : vers de moins en moins de médicaments

Il n'y a pas que la planète qui est malade et que nous devons respecter. Notre propre corps a besoin évidemment d'un environnement non pollué, ce qui signifie au minimum une alimentation saine, un air non pollué, une activité physique et intellectuelle adaptée à nos capacités.

Les médicaments sont utiles quand on est sérieusement malade. Mais ils sont en train de s'insinuer dans les esprits des bien-portants et des médecins pour la prévention. Évidemment, nous ne mettons pas en

5. Les gélules anti-stress, pilules minceurs ou anti-âge connaissent un fort engouement, mais elles sont souvent prescrites en dépit du bon sens. Les produits à base de caféine, d'orange amère et ou de calcium n'ont pas donné de résultats probants. Les acides gras dits « oméga-3 » influeraient également sur l'humeur, mais toutes les études ont été réalisées chez des patients dépressifs qui continuaient parallèlement la prise d'anti-dépresseurs.

cause les vaccins, bien qu'en ce domaine, des abus existent et qu'il faille les connaître[6].

Tout médicament a son efficacité pour la cible à laquelle il est destiné, mais il a aussi des effets délétères.

En voici 4 exemples, 2 en cancérologie, 1 en gynécologie et 1 en rhumatologie :

1. Le Tamoxifène ou Nolvadex a des effets anti-œstrogéniques utiles dans le traitement du cancer du sein. Face à l'épidémie des cancers du sein, des spécialistes ont imaginé de prescrire ce même médicament dans le seul but de prévenir le cancer du sein. Ils ont arrêté l'expérimentation chez les femmes qui participaient à l'étude du fait de l'apparition de cancer du col de l'utérus. On tente de prévenir d'un côté, on obtient un cancer de l'autre.

2. Le traitement hormonal substitutif (THS) de la ménopause est responsable de nombreux cas de cancers du sein mais aussi de l'utérus et des ovaires. Il doit être abandonné par les femmes malgré la pression de certains médecins poussés par les laboratoires pharmaceutiques qui essayent de faire croire au traitement personnalisé. « Vous serez mieux suivie et si vous avez un cancer, on le détectera plus tôt et vous aurez plus de chances de guérison. » Tout cela est faux, car on sait désormais que c'est le THS qui est directement responsable du cancer. Aux USA, les spécialistes ont vu régresser l'incidence des cancers du sein de plus de 6 %, deux ans après l'arrêt du THS. Nul doute que l'Europe suivra, si elle fait de même.

3. L'Agréal (véralipride) neuroleptique prescrit depuis 1979, à la ménopause a été enfin supprimé des pharmacies le 30 septembre 2007. Dans notre livre écrit avec ma collègue gynécologue le Dr Bérengère Arnal, nous demandions déjà que ce médicament dangereux pour le sein (hyperprolactinémiant augmentant les risques de cancer ou de récidive) et pour le système nerveux (risque de déprime grave jusqu'au suicide) soit retiré du marché pharmaceutique.

4. Le Protélos ou Ranélate de strontium qui réduirait les risques de fractures vertébrales et de la hanche, donc poussé à la consommation

---

6. Proposer la vaccination contre l'hépatite B ou C à la crèche n'est pas justifié à moins que les enfants soient en contact avec des personnes porteuses du virus. De même pour un des vaccins contre le cancer du col de l'utérus à 12 ou 13 ans, faut-il partir du principe que toutes les jeunes filles auront de multiples partenaires sexuels avant 20 ans ? Quant à la vaccination contre la tuberculose (BCG), elle peut être utile si l'enfant appartient à une famille venant d'un pays sous-développé en matière de santé.

pour toutes les femmes à la ménopause par les gynécologues et rhumatologues, vient d'être reconnu comme dangereux, très allergisant, avec des risques d'éruptions cutanées et d'atteinte au niveau du foie ou des reins.

Il faut oser le dire, certains laboratoires pharmaceutiques sont trop souvent animés par le seul profit[7]. Il y a évidemment plus d'argent à faire à soigner des bien-portants, heureusement plus nombreux que les vrais malades ! Et si tout le monde était malade : surpoids et obésité, prédiabète et diabète, mal au dos et aux articulations, déprime et nervosité, hémorroïdes et constipation, vieillissement vers l'Alzheimer... ? La liste peut facilement s'allonger en recopiant les rubriques des étalages des supermarchés américains dans les rayons « Santé ». Ils proposent l'automédication qui décharge les médecins de consultations inutiles.

En France, nous avons été habitués à la santé gratuite. C'est la sécurité sociale qui paye, c'est-à-dire le budget santé de la nation qui n'est autre qu'une vaste part des impôts de toutes sortes que nous payons tous d'une façon ou d'une autre. Nous arrivons à des excès qui pourraient être évités par une meilleure information du grand public, médecins y compris, sur les meilleures habitudes alimentaires, celles pour chaque jour. Et cela ne coûte pas plus cher.

Ainsi trop de laboratoires pharmaceutiques s'orientent vers des médicaments de prévention sans preuve scientifique sérieuse. Et même aujourd'hui l'agro-alimentaire (le lobby des transformations alimentaires surtout) s'y met en chantant les louanges du yaourt qui donne la peau douce[8] ou qui réduit les taux de cholestérol... Certaines mutuelles, conseillées plus par des businessmen que par des spécialistes compétents, ont commencé à rembourser ces produits inutiles, sensibles aux messages de la télévision inondée de publicités aux grandes heures d'écoute.

L'industrie agro-alimentaire ne jure que par la santé pour assurer sa croissance. Quand le marché de l'alimentaire progresse de 1 à 2 % par an, celui de la nutrition bondit de 8 %.

---

7. Pour Martine Piccart, « Il faut assainir les liens entre médecins et industrie ». On peut comprendre que l'industrie qui possède l'argent veuille des résultats solides et rapides, mais ces raisons ne suffisent pas pour exploiter malades ou bien-portants dans le but premier de la rentabilité. Sur toutes ces questions, voir nos ouvrages : *Comment stopper l'épidémie du cancer du sein* et *Des hormones de la puberté à la ménopause*, Éd. Fr.-X. de Guibert.

8. La yaourt « Essensis nourrit votre peau de l'intérieur » présente un dossier de presse superbe, rose avec CD, « Révolution sur le marché de l'ultra-frais »...

Au fond l'objectif de certains labos est simple : « Continuez à manger et à vous comporter n'importe comment et alors prenez telle pilule contre le cholestérol, telle autre contre la fatigue chronique, la fibromyalgie et les rhumatismes ; faites vacciner vos petites filles contre le virus du cancer du col utérin[9], l'hépatite B[10] ou C pour qu'elles puissent faire n'importe quoi avec leur sexualité adolescente ; à la moindre déprime, au moindre trouble du sommeil ou de l'humeur, voici l'antidote en pilule… »

Ces comportements médicaux sont, en termes de santé publique, insensés.

Tout aussi aberrants sont les conseils proposés par des pseudo-scientifiques qui nous font croire que les bébés-médicaments, embryons sélectionnés, rendus possibles par la loi, feront avancer la science.

---

9. Le Gardasil est présenté comme le premier vaccin pour la prévention du cancer du col de l'utérus. Proposé pour les jeunes filles de 9 ans à 26 ans. Il n'est efficace qu'à titre préventif contre les papilloma virus types 6, 11, 16, 18. On recense en France 3 387 cancers invasifs du col de l'utérus. Il est précédé pendant 10 à 15 ans par des lésions précancéreuses détectables par le frottis, lésions que l'on peut traiter pour éviter l'évolution vers le cancer. Dans 8 départements, sur 247 440 frottis réalisés sur une période de 3 mois, 3 % se sont révélés anormaux : 731 lésions précancéreuses et 71 cancers du col. Les lésions de haut grade apparaissent dès 25 ans ! Ce cancer est responsable de 1 000 décès par an en France. Un deuxième vaccin venant des USA, concurrent du premier, le Cervarix, est en cours d'homologation. Il ne protégerait que des souches 16 et 18 responsables de 70 % des cancers du col, tandis que les souches 6 et 11 sont responsables des verrues génitales. Au total ces 2 vaccins n'empêcheraient qu'au maximum 75 % des cancers du col. Les 25 % restants, plus graves, sont dus à des souches plus rares. La durée de l'immunité conférée par les vaccins n'est pas connue. Les effets secondaires du vaccin en situation réelle et à long terme ne sont pas connus. Ne risquent-ils pas de sélectionner des souches plus virulentes que le vaccin ne prévient pas ? Autant dire que les femmes seront de bons sujets d'expérience ! Une équipe de l'Afssaps est chargée de suivre les grossesses après vaccination pour rechercher les risques malformatifs et suivre tous les « signaux » qui pourraient apparaître après vaccination… Ce vaccin est remboursé à 65 % pour les jeunes filles âgées de 14 ans et les jeunes femmes âgées de 15 à 23 ans qui n'auraient pas eu de rapport sexuel ou au plus tard l'année suivant le début de leur vie sexuelle. Le coût de la vaccination est de 135 euros par dose et 3 injections sont nécessaires pour une protection optimale.

10. La vaccination de masse a été lancée en France en 1994. En septembre 2004, la revue *Neurology* publiait une étude montrant que la vaccination contre l'hépatite B augmente, bien que de manière faible, les risques de sclérose en plaques dans les 3 ans suivant la vaccination. (Le risque est multiplié par 3 par rapport à la population générale : 6,7 % de 163 malades avec SEP contre 2,4 % des 1 604 témoins.) La vaccination chez les nourrissons est abusive, car la SEP soit une maladie de l'adulte. Ce vaccin est nécessaire pour tous les personnels médicaux du fait de leur contact avec le sang humain, et évidemment les groupes à risques : toxicomanes, homosexuels et hétérosexuels à multiples partenaires.

Ceux qui ont déjà essayé les clonages et autres sélections embryonnaires, et ils sont plus nombreux qu'on ne le croit, chez l'animal, et même illégalement chez l'humain, n'ont abouti à rien de sérieux[11].

Ainsi les expériences médicales chez l'humain sont devenues médicalement correctes, avec l'accord des comités d'éthique locaux, régionaux et même nationaux. Au nom de la science, on tire au sort (randomise) les malades en plusieurs groupes selon les traitements proposés. Peu d'études sont véritablement justifiées, elles le sont économiquement. En effet, un malade hospitalisé (nourri-logé) pris en charge par la sécurité sociale ne coûte rien au laboratoire promoteur de l'étude, alors que les mêmes tests chez l'animal le plus proche de l'homme (le chimpanzé) représenteraient des coûts faramineux aujourd'hui (achat des animaux + entretien + vétérinaire + personnel spécialisé +...).

Même en Angleterre, qui se targue d'avoir une législation plus « ouverte » que chez nous, le projet de clonage humain-animal fait partie de la logique scientifique impulsée par des dizaines d'années de recherches non éthiques. Quand la recherche ne va pas dans le sens d'un plus grand bonheur pour l'homme, qu'apporte-t-elle ? Créer des embryons hybrides humains-animaux, c'est-à-dire des chimères à partir d'ADN humain injecté dans un ovule de vache ou de lapin sans son noyau n'a pas de sens et n'aboutira à rien. On le sait déjà, mais les apprentis sorciers du XXIe siècle cherchent à faire rêver le peuple, qui en a grandement besoin, et les affaires se font sur son dos.

À aucun moment la médecine officielle ne prône des comportements simplement écologiques. Pourtant ils sont nombreux, faciles à comprendre et d'une grande efficacité. Pourquoi ces comportements ne sont-ils pas présentés aux heures de grande écoute sur les chaînes de télévision, au minimum sur les chaînes publiques[12] ? La réponse est

---

11. Voir le film *À ton image*, avec Christophe Lambert qui montre bien que les délires de la science n'apportent rien de positif à l'humain.

12. En tant que président de Familles de France et plus récemment vice-président de l'Union nationale des associations familiales (UNAF) nous demandons, depuis 5 ans, des temps de parole officiels pour les représentants des familles, sur les chaînes de radio et de télévision de France Télévisions. Des changements dans le cahier des charges de France Télévisions s'imposent et devraient nous permettre de proposer d'une manière originale des messages de santé publique de prévention à orientation familiale hors de tout sponsoring des lobbies.

simple : ces comportements ne rapportent rien en termes de profit financier.

Par contre nous dépensons des sommes folles en médicaments souvent inutiles. Les Français en 2004 ont dépensé 284 euros par habitant pour l'achat des médicaments, les Allemands 244, les Anglais et les Italiens 202, les Espagnols 193 euros.

Le changement des habitudes alimentaires est une urgence de santé publique. En effet, ils peuvent être à la source d'importantes économies pour le budget de la sécurité sociale. Les énormes sommes ainsi économisées seraient alors redistribuées sur les secteurs vitaux de la société : l'éducation, les universités, la recherche, l'aide au développement des pays les plus pauvres pour combler les fossés Nord-Sud, ou Est-Ouest.

La « cohérence santé » de l'humain que nous avons définie dans la première édition de ce livre, fait que toutes les découvertes qui concernent les relations entre nutrition et maladies s'appliquent concrètement et indistinctement à toutes les pathologies qui ont très souvent pour origine les conséquences de déficits d'immunité. Les cancers et le sida sont les plus caractéristiques.

Dans les 2 cas, il s'agit de restaurer l'immunité, c'est-à-dire les défenses de l'organisme, de lui donner les moyens de se battre contre le mal, de supporter les traitements souvent lourds et encore nécessaires. Cela est vrai aussi dans les suites des traitements subis pour guérir des maladies plus bénignes.

Il peut ainsi paraître curieux de retrouver des conseils nutritionnels identiques ou très proches dans toutes ces maladies. Parmi les plus originaux, la suppression des excès de laitages de vache qui contiennent plus que dans le passé des facteurs de croissance qui ne sont pas destinés aux humains. Ce n'est pas si simple dans un monde qui nous inonde de publicités lactées toujours plus attrayantes avec des allégations santé souvent fausses ou extrapolées. Ajoutons la suppression simultanée ou successive des aliments contenant du gluten lequel est reconnu comme un des allergènes digestifs les plus toxiques.

C – Changer ses habitudes alimentaires

Les 23 nouveautés dans les relations entre nutrition et maladies de civilisation

L'évolution scientifique de ces dernières années nous permet d'isoler 22 sujets essentiels. Les personnes en bonne santé doivent savoir tout cela, car leurs nouveaux comportements alimentaires et donc leur santé en dépendent. Ceux qui sont atteints ou ont été atteints doivent aussi le savoir car ils n'ont pas envie d'avoir une récidive. Il ne faut pas oublier que les causes d'un cancer, si elles sont maintenues, peuvent être à nouveau présentes pour une récidive quelques années plus tard. De même les maladies dites auto-immunes qui se caractérisent par des déficits immunitaires plus ou moins localisés dans l'organisme sont améliorées dès que les antigènes en cause disparaissent et que l'immunité est restaurée par une saine alimentation.

La déclaration du millénaire des Nations unies en septembre 2000 reconnaissait que la croissance économique est limitée si la population n'est pas en bonne santé. En particulier : « Les programmes destinés à promouvoir une alimentation saine et l'exercice physique devraient donc être considérés comme indispensables pour le développement et bénéficier d'un soutien tant politique que financier dans les plans nationaux de développement » (Stratégie mondiale pour l'alimentation, l'exercice physique et la santé – OMS, 57e Assemblée Mondiale de la Santé – 17 avril 2004).

1. Comment l'obésité augmente les risques de diabète, de cancers et de maladies auto-immunes ?

Comme le dit Christian Rémésy, notre environnement est devenu « obésogène ». L'obésité va devenir grande cause nationale et même mondiale du fait de la consommation de trop de sucres (boissons, glaces, laitages, pop-corn...) et de graisses (viandes rouges et laitages) et de l'insuffisante activité physique de la plupart de nos contemporains. Près de 35 % de la population des plus de 15 ans est obèse aux USA et 20 % en Europe.

L'obésité est considérée comme la première épidémie non infectieuse de l'histoire. Selon l'OMS chaque année plus de 320 000 personnes meurent prématurément des suites de l'obésité en Europe contre 400 000 aux États-Unis où 20 % des enfants sont obèses.

Le lien causal entre obésité et diabète de type 2 (plus de 90 % des diabètes) est scientifiquement établi. Sont en cause la sédentarité croissante et la surabondance de l'offre alimentaire. On comptait 189 millions de diabétiques dans le monde en 2003. Il est prévu 221 millions en 2010 et 324 millions en 2025, représentant 6,3 % de la population mondiale.

Attention à la publicité[13] : elle intoxique dès le plus jeune âge

En août 2007, la revue *Archives of Pediatrics & Adolescent Medecine* rapporte une étude démontrant l'impact des publicités sur les très jeunes enfants. « Les petits Américains de 3 à 5 ans trouvent la nourriture meilleure quand elle leur est présentée avec le logo de la chaîne de restauration rapide Mc Donald's. (Test sur un groupe de 63 enfants qui ont reçu des échantillons parfaitement identiques de nuggets de poulet, de hamburgers et de frites ainsi que des carottes et du lait.) » La chaîne dépense 1 milliard de dollars en publicité. En France même si l'enseigne s'est officiellement engagée dans un programme d'équilibre nutritionnel, les carottes sont trempées dans du sucre… et le clown Ronald continue d'attirer les enfants pour les faire consommer.

Dans le cadre du 2e programme national nutrition santé PNNS 2006-2010, le ministre de la Santé veut faire diminuer de 20 % la prévalence du surpoids en augmentant la consommation de fruits et légumes, la consommation de calcium, pallier les déficiences en vitamine D, réduire les cholestérolémies moyennes de 5 % et endiguer la contribution moyenne des apports de lipides totaux.

En défendant les familles et les enfants, nous avons pu obtenir la suppression des distributeurs de barres chocolatées dans les écoles, mais il reste beaucoup à faire : 15 % des enfants sont obèses en France et 11,3 % des adultes. Plus grave, on a repéré des disparités sociales fortes : l'obésité touche 17 % des foyers disposant d'un revenu mensuel inférieur à 900 euros contre 8,1 % de ceux vivant avec plus de 5 300 euros par mois.

---

13. Vaste conditionnement aboutissant à un mode unique de pensée, à une « consommation de signes » dont parlait le philosophe Baudrillard dès 1970. La matraquage publicitaire exacerbe la pulsion d'achat.

Écrire que c'est l'obésité qui rend pauvre et non l'inverse est une contre-vérité[14]. Mettre tout sur le compte de la génétique ou d'une origine infectieuse est scientifiquement faux, mais ne cesse d'être soutenu par certaines écoles médicales qui ferment les yeux sur les habitudes alimentaires. À moins qu'elles ne soient soutenues par de très puissants lobbies !

Nous avons lancé dès 2001 l'idée de remplacer dans les écoles toutes les sucreries et viennoiseries... par *un fruit frais à chaque récré* ou *récré fruitées*. Cela se met doucement en place dans les petites municipalités et à partir de septembre 2007 pour les 4000 enfants de l'agglomération de Narbonne dans les écoles publiques et privées[15].

Attention aux sucres qui se stockent en gras et aux faux sucres qui réduisent les défenses immunitaires

Les sucres en excès, l'alcool y compris (quand on dépasse la dose minimale d'un ballon de vin à chaque repas) et le gras en excès se stockent en gras dans les tissus de réserve. Ils s'accumulent dans 2 niveaux du corps : en priorité chez la femme les glandes mammaires et autour des hanches, chez l'homme la partie basse du corps, le bassin et le ventre.

Pour les sucres, même la marque Coca-Cola reconnaît être responsable de nombreux cas d'obésité chez les jeunes. Pour augmenter son marketing[16], elle innove avec le Coca-Cola Zero qui serait « sans sucres ou à teneur réduite en sucres ». Le contenu calorique moyen aurait diminué de 9,4 % en France pour l'ensemble des boissons gazeuses de

---

14. « Obésité de l'enfant : écartons-nous des sentiers battus ! » Information du Centre de recherche et d'information nutritionnelles, juillet-août 2007.

15. Dès 2002 les enfants du 13e arrondissement de Paris au groupe scolaire Wurtz se régalaient tous les midis autour d'un menu bio pour 400 repas par jour. Le repas coûte plus cher, 305 euros de plus pour les 400 enfants chaque jour, ce qui fait que les parents, même les plus démunis sont prêts à donner 1 euro par jour pour que leurs enfants soient nourris plus sainement avec une différence d'un euro par jour. Avec 1 euro par jour les enfants n'achètent souvent que des « cochonneries » !

16. Le budget publicité de Coca-Cola est supérieur au budget de l'OMS. La promotion de la « junk food » est un crime pour la santé, écrivait notre collègue Elio Riboli en avril 2007 dans le quotidien *Le Monde*. Soulignons que le ministère de la Santé français a signé le 26 février 2007 les promesses d'engagement nutritionnel dans le cadre du Programme national nutrition santé (PNNS) de 9 entreprises (Auchan, Carrefour, Monoprix, Casino, Ferrero France, Taillefine et Unilever) qui s'engagent à proposer des aliments sains : Coca-Cola promet de réduire de 15 % la teneur moyenne des sucres de ses boissons dans les 5 ans..., Mc Donald's réduira la présence des acides gras *trans* présents dans ses huiles de friture de 15 à 2 % et les acides gras saturés de 15 à 12 %... Et les autres !...

Coca-Cola et la firme s'est engagée à ne pas faire de publicité télévisée dans les programmes destinés aux moins de 12 ans. C'est évidemment sans risque. On nous fait croire qu'il s'agit d'un marketing responsable, mais c'est sans danger pour la firme puisque les enfants de 12 ans regardent tous les programmes. On retrouve évidemment les faux sucres sous la forme de Coca-Cola light ou Fanta light, Sprite light, Nestea light…

La « Semaine du goût » pour faire consommer des sucres !

Elle est destinée à mieux faire manger nos enfants et a été inventée par l'industrie sucrière. Elle existe depuis 1989, créée par le Cedus, organisme de défense et de promotion[17], quand la concurrence des édulcorants (tous faux sucres) menaçait la filière du sucre. Son budget est de 1 million d'euros. *La semaine* est même parrainée par le ministre de l'Agriculture. Cela, alors que l'obésité touche près de 20 % des enfants et devient un fléau social.

Il ne faut pas s'étonner que le « Gros », Groupe de réflexion sur l'obésité et le surpoids, s'interroge sur le Programme national de nutrition santé, car il y a toujours autant si ce n'est plus d'obèses. L'Europe aussi s'inquiète. Il n'est jamais trop tard.

Les « calories vides » des faux sucres, saccharine et aspartame ou Canderel

Depuis une vingtaine d'années, on constate une forte consommation de faux sucres. On les appelle aussi les « calories vides », c'est-à-dire dépourvues de nutriments d'intérêt[18]. Nous avons connu la saccharine, désormais abandonnée car responsable d'irritation de la muqueuse de la vessie et à la longue de cancer de la vessie. Aujourd'hui le produit le plus utilisé comme faux sucre est l'aspartame ou classique « sucrette »[19].

---

17. En octobre 2005 son N° 9 dénommé *Grain de sucre* avait pour titre *Apprendre le goût – Vers une nouvelle matière scolaire*, une publicité exemplaire tout au long des pages pour augmenter la consommation de « déliciosités » sucrées.

18. Pour Christian Rémésy qui dirige l'Unité de nutrition humaine de Clermont-Ferrand, ces calories vides représentent « l'erreur la plus grossière commise par l'industrie alimentaire depuis 50 ans. »

19. 200 fois plus sucrant que le sucre naturel – 6000 produits alimentaires en contiennent – 2000 tonnes par an consommées en Europe – 3,6 millions de personnes en consomment chaque année en France – au-delà de 30 °C il se dégrade en produits toxiques – 40 mg/kilo et par jour est la dose maximale autorisée par l'autorité européenne de sécurité des aliments (EFSA) – 30 euros : prix d'un kilo de Canderel – 1,43 euro : prix d'un kilo de sucre blanc – 2,73 euros : prix d'un kilo de sucre de canne roux.

Elle est utilisée par des millions de femmes dans le monde en surpoids ou prédiabétiques. Elle est présente dans plus de 5 000 produits alimentaires (sodas, jus d'orange, yaourts, gommes à mâcher, sucettes, bonbons divers, certaines confitures et chocolats) ou pharmaceutiques, et les consommateurs le plus souvent ne le savent pas.

Ce produit est une « excitotoxine » neurotoxique dont le risque le plus classique est digestif, ballonnement et diarrhée, mais aussi par des associations nutritionnelles désastreuses, responsable d'arthrose, de sclérose en plaques, Parkinson, du syndrome de fatigue chronique, toutes maladies dites « auto-immunes ».

L'aspartame contient 50 % de l'acide aminé dénommé « phénylalanine » et 40 % d'acide aspartique auquel le cerveau est très sensible. La phénylalanine à faible dose est inoffensive et indispensable au fonctionnement du corps. Mais à forte dose, elle peut provoquer des cas rares de tremblements. L'aspartame peut être dangereux, car celui-ci se dégrade dans l'intestin en phénylalanine et méthanol puis en formaldéhyde et enfin en acide formique, ce dernier étant un composé neurotoxique. Il traverse le placenta pouvant atteindre le cerveau de l'embryon en cours de constitution. Les 10 % restant sont du méthanol responsable de maux de tête, bourdonnements d'oreille, troubles digestifs…

Des risques de leucémies et lymphomes chez le petit animal ont été signalés en 2005 par l'équipe de l'Institut Ramazzini de Bologne. Ce produit est « capable de provoquer des lymphomes et des leucémies chez les rats femelles, y compris lorsqu'il est administré à des doses très proches de la DJA (Dose Journalière Admissible) pour l'homme. » Toutes ces boissons sont à éviter du fait de leurs faux sucres, comme les autres formes de Coca, soda qui n'apportent rien de bon pour la santé. Il faut en rester aux jus de fruits frais préparés sur place, mais alors pourquoi ne pas croquer le fruit ! On aura ainsi le jus et les fibres du fruit, indispensables à la santé. Attention aux jus de fruits en bouteille ou pack, qui disent contenir « tout le fruit ». Ils sont en réalité dépourvus des fibres les plus essentielles pour la santé et leur consommation n'est pas recommandée car elle évite la mastification indispensable à la fabrication de salive nécessaire à la première phase de la digestion.

Attention au stockage du gras qui devient cancérigène

Les accumulations de gras ont un rôle hormonal particulièrement délétère dans les zones de stockage. C'est dans ces tissus gras que des enzymes dénommées aromatases transforment des hormones non dangereuses en hormones cancérigènes. C'est pour cette raison que sont utilisées les *anti-aromatases* dans les traitements des cancers hormono-dépendants pour neutraliser les effets cancérigènes du tissu gras chez les personnes qui ont été atteintes de cancer du sein en particulier.

Une protéine « cible » impliquée dans le diabète et l'obésité est aussi présente chez les femmes atteintes de cancer du sein. C'est la « protéine tyrosine phosphatase1B » (PTB1B). L'enzyme PTP1B favorise la prolifération des cellules cancéreuses du sein et ses métastases.

Une étude de 2007 du National Cancer Institute a montré que l'obésité chez l'homme de plus de 65 ans favorise la récidive des polypes coliques qui peuvent dégénérer en cancer. De même la consommation quotidienne de fruits et légumes frais (6 portions pour 1000 calories) réduit d'un tiers les risques de cancer de la zone ORL.

On sait de façon certaine que sucres + alcool + gras en excès augmentent les risques de cancer du sein, de l'utérus et de la prostate. Il a été en particulier démontré que les excès d'alcools forts ou de vin en trop grande quantité augmentent les risques de cancer du sein. On en connaît les mécanismes qui passent par la forte cancérogénicité des œstrogènes :

• la surcharge alcoolique augmente chroniquement les taux d'œstrogènes, mal éliminés par le foie tandis que le foie transforme l'alcool en excès en graisse, il devient gras, c'est-à-dire en terme médical « stéatosique » ou foie gras.

• les acides gras jouent initialement le rôle d'hormones en favorisant la formation d'adipocytes à partir de cellules précurseurs présentes dans le tissu adipeux même à un âge très avancé. L'acide arachidonique (de la série oméga-6) peut être considéré comme une bombe à adipocytes, favorisant leur multiplication, tandis que les oméga-3 l'inhibent.

• les alcools + la pilule induisent des concentrations sériques d'œstradiol plus élevées et plus faibles de progestérone.

4 % des cancers du sein seraient liés à l'alcool (surtout alcoolisme mondain des alcools forts : whiskies, gin, Pernod Ricard, vodka), mais un ballon de vin rouge au milieu de chaque repas est sans danger (hors grossesse). Il joue même un rôle protecteur par ses oligo-éléments, ses polyphénols[20] qui ont un effet anti-oxydant, donc protecteur des cellules et du vieillissement.

---

20. L'homme ingère environ 1 g de polyphénols par jour.

En novembre 2007, une étude mondiale confirme que surpoids et obésité augmentent nettement les risques de cancer. Superbe contradiction de la vieille Académie de médecine, associée à la fédération des centres de lutte contre le cancer, l'Institut national du cancer et l'Institut de veille sanitaire qui minimisaient très nettement les risques quelques mois auparavant. Évidemment ces éminentes structures ne voient jamais de malades et sont plus ou moins liés aux lobbies de l'agro-alimentaire.

Le rapport du Word Cancer Research Fund (WCRF) est consacré aux liens entre cancers, activité physique, alimentation et nutrition. Il déconseille viandes rouges, boissons alcoolisées en excès, charcuterie et recommande comme nous le disons depuis 25 ans fruits et légumes, volailles et poissons (pas trop transformés industriellement) en plus de l'activité physique. Les experts confirment que surpoids et obésité conduisent à des dérèglements hormonaux particulièrement liés aux œstrogènes ou à des hormones dites de « croissance ». Quant aux compléments alimentaires, ils ne sont pas recommandés pour la prévention, mais l'allaitement maternel est conseillé pour les 6 premiers mois.

Sur 500000 études parues ces 20 dernières années, 22000 ont été retenues et finalement 7000 choisies pour l'élaboration de recommandations. En 1997, un seul type de cancer était lié à l'obésité : le sein, contre six aujourd'hui : côlon-rectum, prostate, pancréas, œsophage, rein, utérus.

Changez vos habitudes alimentaires : un trimestre au moins

Pour prévenir, on connaît parfaitement les solutions en plus d'une forte activité sportive pour brûler les sucres, les alcools et les graisses consommées en excès : choisir des aliments moins caloriques.

Il faut donc supprimer ou diminuer de son alimentation courante au plus vite les aliments suivants :

• Les aliments contenant des sucres à index glycémique élevé[21] que l'on trouve dans les sucres raffinés, le pain blanc, les pizzas et les

21 L'Index glycémique mesure le pouvoir glycémiant d'un glucide, c'est-à-dire sa capacité à libérer une certaine quantité de glucose dans le sang après la digestion. On peut dire alors que l'index glycémique mesure bien la biodisponibilité d'un glucide qui correspond à son taux d'absorption intestinale. Pour le connaître on enregistre la courbe d'évolution du taux de sucre dans le sang 2 heures après l'ingestion d'un aliment contenant 50 grammes de glucides. La valeur des index des aliments mesurés pour la même quantité de glucide pur (glucose) est alors déterminée par la formule suivante : surface du triangle du glucide testé divisé par la surface du triangle du glucose multiplié par 100.

pâtes et évidemment toutes les pâtisseries, viennoiseries et barres chocolatées ou coupe-faim... On les remplacera par des fruits frais et de saison accompagnés de fruits secs en petite quantité.

• Les boissons sucrées avec vrai ou faux sucres (light)[22] et les alcools forts ou les grandes quantités de vin ou de bière.

• Les aliments gras présents surtout dans les viandes et charcuterie, accompagnées de sauces.

• Les laitages sous forme de yaourts, crèmes glacées ou non, fromages[23], boissons lactées sous quelque forme que ce soit. Pas plus d'un laitage par jour.

2. Pourquoi le lait maternel est l'idéal pour la santé du bébé et de la mère ?

Le lait est l'aliment numéro 1 dans l'espace et dans le temps pour le nouveau-né. C'est évidemment le lait maternel qui est l'idéal nutritionnel du bébé. Les laits maternisés sont mal adaptés encore aujourd'hui. On ne dira jamais suffisamment que le lait maternel est le meilleur aliment pour la santé du bébé. Point besoin de faire vacciner l'enfant tant qu'il est ainsi nourri même partiellement. En France, les pouvoirs publics sont en retard. Ils ont fait la moitié du chemin. La maman n'est reconnue dans son choix d'allaitement que 3 mois, alors que l'OMS conseille 6 mois. Nous devrons nous battre pour l'imposer pour des raisons de santé publique pour les femmes qui en font le choix.

Ainsi, ont un index glycémique faible (< 55) : fruits et légumes frais ; légumineuses cuites « al dente » à la vapeur douce. Index glycémique moyen (55-70) : riz, banane, maïs doux – Index glycémique élevé (> 70) : pain blanc, cornflakes, pâtes, frites, pop corns, purée, riz blanc...

22. Le faux sucre le plus utilisé est l'aspartame. Chez le petit animal c'est un réducteur d'immunité, qui peut être responsable de lymphome (cancer des ganglions).

23. Dès le 1er juin 2007, les fabricants indiquent obligatoirement la teneur en matière grasse du produit fini et non plus le pourcentage de graisses exprimé après déshydratation. De plus tous les produits devront mentionner le traitement subi par le lait : « au lait cru = chauffé à moins de 40 °C » ; « au lait thermisé = température inférieure à la pasteurisation = chauffé entre 40 et 72 °C » ; « au lait pasteurisé = chauffé à 72 °C ou plus » ; « au lait microfiltré = mélange de lait écrémé et de crème chauffé à 80 °C ou plus ». Les fromages à pâte pressée dont le lait a été cuit à 50 °C minimum indiquent « fromage à pâte pressée cuite ». Les fromages de petit-lait (lactosérum) indiquent « produit pasteurisé », et ne vaudront jamais le lait maternel.

Le rôle de l'alimentation au cours de la grossesse et dès la naissance est l'objet de nombreuses études. Il y a en effet une relation directe entre le poids de naissance élevé et l'Index de Masse Corporelle (IMC) à l'âge adulte, mais aussi entre un faible poids de naissance et une obésité abdominale ultérieure qui serait liée à une prise de poids postnatale trop rapide.

Composition du lait maternel

Il est certain que le lait maternel, dans la mesure où la mère s'alimente correctement, contient tout ce qui est nécessaire à la croissance de l'enfant : les sucres du lactose (glucose + galactose), les acides aminés essentiels pour la fabrication des protéines, les vitamines A, C et B et les acides gras si importants pour la construction du système nerveux, central (le cerveau) et périphérique (la moelle épinière). Les acides gras se comportent comme de véritables hormones adipogéniques qui stimulent la formation des adipocytes.

Trois acides gras doivent être distingués : ARA = acide arachidonique, LA = acide linoléique et LNA = acide alpha-linolénique. Les deux derniers sont essentiels, ce qui signifie que notre corps ne peut les fabriquer, ils doivent provenir de l'extérieur et en premier de notre alimentation.

– L'acide arachidonique, issu de son précurseur l'acide linoléique (LA) est un acide gras de la série Ω 6. L'acide arachidonique est fortement adipogénique. Chez le porcelet de 5 jours, une faible supplémentation en cet acide gras dans la ration alimentaire entraîne en 2 semaines une augmentation de 27 % du poids corporel sans modification de taille.

– L'acide alpha-linolénique (LNA) qui est de la série Ω 3 est un acide gras essentiel, et il empêche un développement excessif du tissu adipeux.

Ainsi est apparue l'importance du rapport acide linoéique de la série Ω 6 (LA)/acide linolénique de la série Ω 3 (LNA) qui peut être au début de la vie responsable du développement précoce et excessif du tissu adipeux quand il est trop élevé.

Au cours des 40 dernières années aux USA, la proportion de LA dans le lait maternel des femmes allaitantes est passée de -6 % à -18 % alors que celle de LNA restait stable à -1 %. L'augmentation de LA est objectivée par la proportion similaire de LA dans les lipides du tissu adipeux des femmes américaines adultes, proportion qui est le reflet fidèle de ce qu'elles mangent au cours de la grossesse et de l'allaitement.

En France, les consommations de LA et ARA ont augmenté respectivement de 250 et 230 % alors que celle de LNA a diminué de 40 %. Ainsi le LA/LNA a quadruplé pendant cette période. Avec une consommation en LA deux fois supérieure à celle de LNA, elle-même deux fois inférieure aux apports nutritionnels conseillés. Dans les 40 dernières années (1960-2000), on observe en France une augmentation de 40 % des lipides consommés qui sont donc passés de 75 g/jour à 104 g/jour. Sont en cause les excès de graisses végétales et de laitages.

Quant aux laits commerciaux, leur composition est un reflet de celle du lait maternel. Leur rapport LA/LNA se situe entre 8,5 et 21,7 et leur taux en LA reste trop élevé, de l'ordre de 9 à 26 % des acides gras totaux. Ces taux ont été surestimés et il n'est pas exclu pour les experts[23] que les conditions nutritionnelles qui ont prévalu dans les dernières décennies au cours de la grossesse et de l'allaitement du bébé, caractérisées par un enrichissement en LA et une stagnation voire une diminution en LNA, aient favorisé un développement excessif de la masse adipeuse des enfants. L'obésité des enfants du primaire devient en effet un fléau social.

Concluons avec les chercheurs en affirmant que l'acide arachidonique (ARA) stimule in vitro comme in vivo la formation de cellules graisseuses, les adipocytes, et que son précurseur, l'acide linoléique (LA) de la série Ω 6 favorise le développement du tissu adipeux au cours de la période gestation/allaitement tant chez l'animal (souris) que chez la femme. Quant à l'acide alpha-linolénique essentiel (LNA) de la série Ω 3, il contrecarre cet effet.

Enfin soulignons que la proportion de LA consommée dans l'alimentation n'apparaît pas scientifiquement justifiée ni chez le bébé, ni chez l'enfant, ni chez l'adulte. Bien plus, une consommation excessive de LA a été associée à l'asthme et même au taux d'homicide[24].

En Europe le rapport LA/LNA pour la période 1990-2005 est de 13,6 + -11,6 tandis qu'aux USA il est pour la même période de 21,7 + -1,2.

---

24. Cunnane SC, « Problems with essential fatty acids: time for a new paradigm? » – Prog. Lipid Res 2003; 42: 544-568.

25. Hibbeln JR, Nieminen LR, Lands WE, « Increasing homicide rates and linoleic acid consumption among five Western countries », 1961-2000, Lipids 2004; 39: 1207-1213.

Le lait maternel : que des avantages pour la santé de l'enfant et de la mère

Pendant la lactation, la glande mammaire est un organe lymphoïde au service du nourrisson. Les avantages de l'allaitement tant que bébé en veut – 1 an s'il le veut – ne peut qu'être bon pour lui.

Grâce à l'allaitement avant de partir le matin, au retour le soir, bébé se sentira plus proche de vous. L'allaitement est particulièrement conseillé si bébé est en crèche et/ou habite en zone urbaine, du fait des risques liés à l'exposition aux maladies infantiles.

Quelques conseils pratiques

Pour fabriquer beaucoup de lait, la vache a besoin d'herbe et d'ombre. Chez l'humain, il s'agit de manger des fruits et des légumes à volonté. Vous retrouverez votre ligne beaucoup plus vite que si vous n'allaitez pas.

La semaine mondiale de l'allaitement maternel est à la mi-octobre de chaque année. La coordination française (CoFAM) demande 6 mois et plus. Elle édite une pochette, Smam, disponible sur Internet : www. coordination-allaitement.org

La succion de bébé provoque la sécrétion d'ocytocine (hormone fabriquée par le cerveau) et des contractions qui permettent à l'utérus de reprendre sa place et sa forme initiale.

Comment se préparer à allaiter, pour éviter les déconvenues de l'allaitement : crevasses, douleur intenable à la mise au sein ?

– Préparez vos bouts de seins en les frictionnant entre deux doigts matin et soir, dès 6 mois de grossesse : cela les renforce et évite les crevasses. Ces frictions du mamelon stimulent la formation de prolactine par l'hypophyse, petite glande située à la base du cerveau.

– La production de lait est suscitée par la succion du bébé (l'argument « il va vous abîmer les seins » est faux : l'allaitement est bon pour le sein.)

– Boire beaucoup, et dès que vous mettez bébé au sein : fluidité du lait, abondance.

– Adoptez une alimentation riche en légumes, fruits, crudités, poissons et fruits de mer ; pauvre en matières grasses ; pas trop de laitages !!! Que boit la vache ? de l'eau !! Et que mange-t-elle pour faire son lait ?

– N'acceptez pas les médicaments qu'on propose en maternités : pas de Parlodel !! Il inhibe la lactation.

– Refusez les « compléments » type laits « 1er âge », trafiqués, qu'on vous impose pour bébé, sous prétexte que vous n'avez pas assez de lait !

L'allaitement au jour le jour : minimum 3 mois ; idéal 6 mois. Bien connaître les inconvénients et dangers réels du refus de l'allaitement :

– Bébé malade, maman stressée, boulot difficile, absences imposées, visites répétées chez le pédiatre…

– Douleurs des montées naturelles de lait, que l'on coupe avec des médicaments à action « antiprolactine ». – L'utérus rétrécira moins vite (ventre gonflé, « bouées »…)

– Refuser de prendre la pilule pendant l'allaitement : les hormones passent dans le lait (le bébé n'en a pas besoin) et réduisent la capacité du sein à fabriquer le lait. Choisir une contraception masculine mécanique.

Le développement cérébral de l'enfant allaité est nettement meilleur

– Dans une étude américaine[26], les chercheurs ont suivi 5475 enfants d'une cohorte de 3161 femmes depuis 1979.

« L'étude prospective au cours de laquelle le QI des 5475 enfants était évalué par le test PIAT (Peabody Individual Achievement Test) a retrouvé des résultats bruts en conformité avec ceux des travaux précédents, à savoir que l'allaitement au sein était associé à une augmentation significative de 4 points de QI. »

« Il est apparu aussi que l'intelligence maternelle (mesurée par un test de qualification utilisé par l'armée, le AFQT) était en soi un facteur déterminant d'allaitement maternel (p. 80). Ainsi chaque élévation d'une déviation standard du QI maternel doublait les chances d'allaitement. Le niveau d'éducation avait, sur le taux d'allaitement, une influence allant dans le même sens, mais de moindre importance. »

« De plus la supériorité apparente des fonctions cognitives des enfants ayant été allaités au sein ne serait pas due à ce mode d'alimentation mais au fait que les femmes allaitant ont a priori (et en moyenne) un QI plus élevé que les autres et qu'elles transmettent naturellement à leur progéniture (génétiquement ou de façon environnementale) cette

---

26. Der G et coll. : « Effect of breast feeding on intelligence in children: prospective study, sibling pairs analysis, and meta-analysis », Br Med J 2006.

capacité intellectuelle supérieure. Enfin, dans cette cohorte initiale, les auteurs ont isolé 332 paires de jumeaux discordants, c'est-à-dire ayant été nourris de façon différente (ce nombre de jumeaux paraît d'ailleurs extrêmement élevé pour un groupe de 5000 enfants). Les résultats ont montré que, chez ces couples de jumeaux discordants, il n'y avait pas de différence significative de QI plus tard. » N'est-ce pas déjà la capacité d'adaptation, la *résilience* de Boris Cyrulnik ?

– Si les laitages de vache en excès peuvent être source de maladies de civilisation, c'est l'inverse pour le lait maternel, utile d'abord à l'enfant par les Immunoglobulines A (IgA) qui le protègent des infections du tube digestif et qui stimulent son système immunitaire pour qu'il fabrique ses propres IgA. De plus, le lait maternel contient des ferments lactiques spécifiques fabriqués par les « bifidobactéries ». Le lait maternel en contient jusqu'à 85 %, tandis que les laits de vache maternisés en contiennent seulement 10 %.

Réduction des risques de cancer du sein pour la mère

Pour la mère, les risques de cancer du sein, de l'ovaire sont d'autant moins importants que la durée de l'allaitement est autour de 6 mois. Interviennent, pour réduire les risques de cancers, le nombre d'enfants et l'âge de la première grossesse, autour de 26 ans. Chaque enfant allaité entre 3 et 6 mois réduit les risques cancer du sein de 8 %.

Chez les femmes à risque de cancer du sein, on n'hésite pas à conseiller un allaitement maternel plus long : 12 à 24 mois pour réduire les risques de 50 % par rapport aux femmes ayant les mêmes facteurs de risques.

Il est certain que les laboratoires sont encore très forts puisque seulement 57 % des jeunes mères allaitent leur enfant. Il faut les prévenir de refuser la prise de Parlodel, qui est un médicament neutralisant la sécrétion de l'hormone de la lactation, qui est la prolactine. On fait passer comme message aux femmes, pour leur prescrire cet anti-prolactinémiant, qu'elles sont fatiguées (ce qui est vrai), que l'allaitement va aggraver leur fatigue (ce qui est faux), que les seins vont se déformer (ce qui est faux) ou que leur lait contient de la dioxine (ce qui est faux) qui va intoxiquer leur bébé…

Seulement 57 % des jeunes mères allaitent !

3. Pourquoi les laitages de vache ne sont pas faits pour l'homme ?

Ils contiennent trop de calcium et des facteurs de croissance cellulaire et tissulaire qui augmentent les risques de nombreuses maladies invalidantes.

Une nouvelle addiction : le lactoolisme

Les nouveaux conditionnements alimentaires poussent à une forte consommation des laitages sous toutes leurs formes, avec des allégations santé plus que douteuses : desserts lactés, crèmes de toutes sortes, yaourts, fromages, glaces… au moins 3 par jour quand 1 seul suffit largement à tous les âges de la vie. Une nouvelle addiction est en train d'apparaître, le lactoo… lisme[27].

Les maladies dont sont responsables, en partie, les laitages

Consommés en excès (lait, yaourt, beurre, fromage, crème, glaces), ils augmentent les risques de nombreuses maladies de civilisation et ne réduisent pas l'ostéoporose, contrairement à ce qui est affirmé par la plupart des médias.

– l'obésité et le diabète dès le plus jeune âge, qui deviennent un fléau social. L'arrêt des laitages facilite l'équilibre du diabétique en évitant les à-coups de la glycémie, et peut réduire les doses d'insuline.

– les pathologies ORL des petits enfants : otites, angines, rhinites. Dès que le diagnostic est posé, l'arrêt des laitages suffit pour guérir l'enfant des lésions débutantes et éviter les traitements antibiotiques.

– l'inflammation du tube digestif : maladie de Crohn, rectocolites et cancers digestifs. Ces maladies sont reconnues comme étant la traduction d'un déficit immunitaire de l'intestin. L'arrêt des laitages facilite l'équilibre de la flore intestinale et la reprise d'une alimentation avec des fibres douces.

– les rhumatismes : polyarthrite et spondylarthrite, fibromyalgie, fatigue chronique… L'arrêt de tous laitages réduit rapidement la symptomatologie douloureuse.

---

27. Elle est analysée dans le livre de Thierry Souccar que nous avons préfacé : *Lait, mensonges et propagande*, 2007 et dans notre livre, écrit avec notre collègue le Dr Bérengère Arnal : *Comment enrayer l'épidémie des cancers du sein*, Éd. Fr.-X. de Guibert, Paris, 2006.

– les maladies nerveuses : dépression, sclérose en plaques, Parkinson, Alzheimer... L'arrêt de tous laitages diminue souvent les symptômes de la maladie.

– les cancers hormonodépendants : cancers du sein, de l'utérus, des ovaires et de la prostate... L'arrêt de tous les laitages est facteur de prévention des récidives.

– la maladie thyroïdienne : thyroïdite. La teneur en iode du lait est surtout liée à l'utilisation, dans les élevages laitiers, de compléments vitaminiques et minéraux et de produits d'hygiène de la traite, riches en iode. Les vaches recevant plus de ces compléments en hiver, le lait d'hiver est plus riche en iode que le lait de l'été. Les experts recommandent de baisser de 15 à 20 % la teneur en iode du lait d'hiver pour l'aligner sur celle de l'été. Une surconsommation d'iode peut être à l'origine d'une hyperactivité thyroïdienne (hyperthyroïdie) et d'une augmentation du risque de maladies auto-immunes, thyroïdites en particulier. En juin 2005, en Chine[28], un lait en poudre fabriqué par Nestlé en Chine a dû être retiré du marché, car il contenait un taux d'iode supérieur à la norme de 30 à 150 microgrammes par 100 grammes. Chez les enfants de moins de 3 ans, 50 % de leur apport iodé est d'origine lactée.

– les maladies cardiovasculaires : infarctus, accident vasculaire cérébral. L'apport en sucres et surtout en cholestérol doit être réduit au minimum, du fait des risques de récidives ou d'aggravation.

Attention, les laitages en excès ne sont pas seuls en cause. Ces maladies sont évidemment multifactorielles. S'ajoutent aux laitages en excès, la suralimentation en viandes, le tabac, le stress, la pollution[29]...

Les laitages peuvent être remplacés par des laitages végétaux (laits d'amande, de noisettes, de châtaignes, de riz, de soja, d'avoine...) et par des végétaux à forte concentration en calcium.

---

28. Des dentifrices fabriqués en Chine (Marque Terpan, Fresh-dent calcium et fluor, Gilchrist et Soame ToothPaste) ont été retirés du marché en août 2007 car ils contenaient le DEG (Diéthylène glycol) utilisé normalement comme solvant ou antigel. Il y avait des risques d'intoxication aiguë ou chronique par atteinte rénale chez le jeune enfant (formation d'oxalate de calcium pour des doses à partir de 20 mg/kg). Le DEG remplaçait la glycérine qui coûtait plus cher...

29. Selon les calculs de l'Ifen (Institut français de l'environnement), les déplacements des Français en voiture pour partir en week-end ou en vacances génèrent 12,4 millions de tonnes de CO_2 et les départs en avion pour l'étranger 13 millions de tonnes. À trajet égal, le train produit 12 fois moins d'émissions de gaz à effet de serre que la voiture.

Les excès de calcium augmentent les risques de maladie de Parkinson et les symptômes de cette maladie

Selon le Pr James Surmeier du Norwesth University de Chicago, les excès de calcium dans la cellule nerveuse « l'étouffent » peu à peu, ce qui augmenterait les risques de maladie de Parkinson.

La consommation de produits laitiers est encouragée, ne serait-ce que pour diminuer le risque d'ostéoporose. Une étude transversale suggère que ce bénéfice serait obtenu au prix d'une augmentation du risque de maladie de Parkinson. La population qui est à l'origine de cette étude se compose de 57 689 hommes et de 73 175 femmes inclus dans l'American Cancer Society's Cancer Prevention Study II Nutrition Cohort. Ont été sélectionnés, au sein de cette cohorte, 443 sujets des deux sexes (dont 250 hommes) atteints d'une maladie de Parkinson dont le diagnostic a été posé entre 1992 et 2001.

Une association positive a été mise en évidence entre la consommation de produits laitiers, exprimée en quintiles, et le risque de maladie de Parkinson. Une méta-analyse de toutes les études publiées sur le sujet confirme l'existence d'une augmentation modérée du risque de maladie de Parkinson chez les sujets qui consomment des produits laitiers en abondance. Dans les catégories extrêmes, le Risque Relatif (RR) atteint 1,6 dans les 2 sexes, 1,8 dans le sexe masculin et 1,3 dans le sexe féminin. (Quand RR = 1, le risque est celui d'une population « normale » consommant peu de produits laitiers.)

d. Le soleil, en stimulant la fabrication de vitamine D, diminue les risques de sclérose en plaques (SEP)

Le soleil pourrait avoir un effet protecteur de la sclérose en plaques, en stimulant la sécrétion de vitamine D. Les femmes qui prennent de la vitamine D ont 40 % de risque de moins que les autres de souffrir d'une SEP. Dans la revue *Neurology*, en juillet 2007 : pour 79 paires de vrais jumeaux (donc ayant le même patrimoine génétique, mais l'un d'eux souffrant de SEP), l'ensoleillement de l'enfance joue un rôle protecteur.

Chez les vrais jumeaux, si l'un est atteint de SEP, l'autre a 30 % de risque de l'être à son tour. Pour les frères et sœurs, le risque n'est que de 2 % et, pour la population générale, de 0,1 %. L'impact du soleil sur le système immunitaire est ainsi démontré, soit directement soit par l'intermédiaire de la vitamine D, pour protéger le système nerveux.

Les personnes âgées sont souvent carencées en vitamine D, car elles ne prennent pas suffisamment le soleil. Une supplémentation sera utile, correspondant à 400 Unités de cholécalciférol chaque jour, qui est le besoin de base chez l'enfant et l'adolescent.

Hormones et facteurs de croissance (GF = Growth Factor) des laitages de vache stimulent la multiplication des cellules normales ou cancéreuses en culture in vitro et probablement in vivo

Une production laitière maximale : « les vaches à lait »...

Les vaches qui fournissent leur lait sont évidemment en phase de lactation dès la première mise bas. Elles n'allaitent leur veau qu'une semaine. Ce premier lait est de couleur ocre et contient le maximum de facteurs de croissance, comme chez l'humain.

La vache fournit continuellement du lait parce qu'elle est soumise à une grossesse chaque année. La première a lieu à plus ou moins 2 ans et chaque grossesse dure 9 mois. Elle est donc traite pendant 10 mois, mais, dès le 3e mois, elle est de nouveau fécondée, le plus souvent par insémination artificielle.

Pendant 6 à 7 mois, elle est traite alors qu'elle est en cours de gestation. Cela signifie que le lait contient, en plus des facteurs de croissance pour le veau, les hormones du développement naturel de la gestation.

Ces hormones sont la prolactine (hormone de la lactation), les œstrogènes et la progestérone qui proviennent du placenta et des ovaires de la vache. Ces taux ne sont pas négligeables et sont évidemment présents dans les laitages consommés. Ils augmentent de manière excessive les taux hormonaux dans le sang, qui peuvent avoir des effets négatifs pour la santé.

Ainsi la vache fournit jusqu'à 6000 litres par an, soit 5 fois plus que dans les années 1950. La vache américaine fournit jusqu'à 8144 litres par an et la canadienne 7111 ! Évidemment, tous les efforts pour augmenter la production laitière augmentent la concentration de l'IGF-1. En novembre 2007, des chercheurs ont mis au point un moyen économique d'augmenter de 15 % la production de lait, en supprimant la sérotonine des glandes mammaires. La sérotonine est un neurotransmetteur dont le taux insuffisant dans le cerveau est associé à la dépression...

Les facteurs de croissance des laitages

Le lait humain, comme le lait de vache, contient évidemment des éléments chimiques nécessaires à la croissance. Le facteur de croissance le mieux connu est l'IGF-1 (« I » pour « Insuline ») très actif pendant la puberté en période de croissance rapide. Il stimule, avec les œstrogènes, la croissance des seins chez les jeunes filles.

Pendant la grossesse, il est à nouveau à un haut niveau, accompagné des autres hormones : prolactine, œstrogènes, pour stimuler la production des cellules des canaux mammaires (galactophores) en vue de l'allaitement. Les concentrations dans les laits de vache sont plus importantes que chez l'humain. On trouve aussi ce facteur de croissance dans la viande des vaches laitières d'où provient la plus grande partie du « bœuf » consommé. Même sans parler des « veaux trop beaux pour être honnêtes ».

En 2006, on poursuivait un éleveur qui dopait ses bêtes avec *le thiouracil*, molécule qui déclenche une prise de poids accéléré et fait baisser le taux de graisse dans le sang. D'où un poids à la vente de 15 % de plus ! Aux USA et au Canada, les hormones de croissance sont licites, mais heureusement l'Union européenne n'en veut pas. Elle paye une amende de plus de 100 millions de dollars à l'Organisation mondiale du commerce depuis qu'elle a perdu ses procès, en interdisant les viandes aux hormones en Europe, depuis 1989.

Les facteurs de croissance sont des polypeptides de poids moléculaire peu élevé qui régulent la croissance et les fonctions des cellules, grâce à une fixation sur des récepteurs spécifiques cellulaires de grande affinité.

– Autrefois, en faisant bouillir le lait pour le stériliser, on détruisait les facteurs de croissance qui étaient floculés (couche épaisse de la crème du lait) et devenaient alors inactifs.

– Aujourd'hui, avec les conservations à Ultra Haute Température (UHT), les laitages contiennent pour la plupart les facteurs de croissance actifs. La durée de montée thermique à 140 °C est trop courte (3 à 4 secondes) pour détruire les facteurs de croissance. L'IGF-1 n'est pas détruit par la pasteurisation du lait, pas plus que les autres facteurs de croissance (EGF et TGF).

Il existe 3 grandes familles de facteurs de croissance qui ont des actions différentes et complémentaires. Présents dans les laitages, ils ne sont pas détruits par la digestion, contrairement à ce qui est affirmé par les lobbies des laitages.

En effet, la protéine principale du lait, la caséine, empêche le lait de se séparer de la crème, ce qui pourrait accroître le risque de niveaux élevés, dans le sang, d'hormones et autres éléments chimiques qui favorisent le développement des cancers hormonodépendants, les hormones telles que prolactine et œstrogènes.

– L'IGF = Insulin Growth factor : facteur de croissance insulinique qui joue un rôle essentiel pour la construction des glandes telles que sein et prostate, mais aussi dans le système digestif avec le pancréas, le foie et la régulation de l'apport de sucre à l'organisme. Ce facteur de croissance consommé en excès chez l'humain stimule la croissance des tissus et organes et, comme leurs cellules se renouvellent à leur rythme même chez l'adulte, l'IGF peut induire des multiplications cellulaires excessives et anormales au niveau des organes constituant le système digestif : tube digestif et glandes annexes (pancréas, foie) et leur système de défense (les nœuds lymphatiques) mais aussi au niveau des cartilages de membres.

– L'EGF = Epidermal Growth factor : facteur de croissance épidermique, il fait partie d'une famille d'une douzaine de facteurs de croissance impliqués dans le développement et le fonctionnement normal de différents organes : la peau et les extrémités haute (bouche et annexes) et basse du tube digestif (canal anal), ainsi que cœur, poumon, système nerveux, glande mammaire… Le récepteur de l'EGF fut le premier récepteur à activité tyrosine kinase. Ainsi les inhibiteurs de l'activité kinase de l'EGF Récepteur provoquent souvent des rashs cutanés caractéristiques. Deux molécules de ce type, Iressa et Tarceva, sont approuvées pour le traitement du cancer du poumon.

– Le TGF = Transforming Growth factor, facteur de croissance transformant qui joue un rôle essentiel pour la construction des tissus osseux, articulaires, musculaires, et aussi intestinaux… de l'organisme auquel il est apporté. Les consommateurs excessifs de ce type de facteur de croissance auront donc des anomalies articulaires, osseuses, musculaires, tendineuses mais aussi intestinales…

Une cellule cancéreuse affiche plusieurs anomalies comparée à une cellule normale. Ces anomalies se traduisent entre autres par une sur-expression (un surnombre) du récepteur de l'EGF (récepteur de l'hormone de croissance).

Cette sur-expression de récepteurs, ainsi que leur activation, favorisent l'apparition d'un ensemble de caractères typiques du processus cancérigène, à savoir: la croissance et la prolifération tumorales, l'accroissement du potentiel invasif et colonisateur vers d'autres tissus (les métastases), la formation de nouveaux capillaires sanguins nécessaires à l'apport nutritionnel de la tumeur (l'angiogenèse) et la résistance à l'apoptose. Ainsi, le récepteur de l'EGF constitue une cible intéressante pour le traitement du cancer.

Depuis plus de vingt ans, le récepteur de l'EGF a fait l'objet de nombreuses investigations. Jusqu'à présent, toutes les stratégies mises en place contre le récepteur de l'EGF consistaient à inhiber (bloquer) le récepteur par différents moyens, pour l'empêcher de favoriser le développement ou la progression du cancer.

Les facteurs de croissance agissent donc sur les cellules souches tumorales, qui partagent, avec les cellules souches normales des tissus où naissent les tumeurs, une capacité d'auto-renouvellement indéfini en culture in vitro et l'aptitude à générer, par division asymétrique, des progéniteurs dont la multiplication va peupler la tumeur, tout en maintenant une population minoritaire de cellules souches tumorales.

Le lait de vache dans l'alimentation des bébés de 3 mois ou moins, peut ainsi créer un diabète précoce[30] par réaction allergique aux protéines du lait de vache. Les cellules bêta du pancréas endocrine (celles qui fabriquent l'insuline) se détériorent ainsi plus ou moins rapidement.

Les Américains et les Scandinaves, plus grands buveurs de lait, ont les taux les plus élevés de diabète et d'ostéoporose.

Le lait de vache contient 3 fois plus de protéines (9 g/l) que le lait humain (2,4 g/l). L'IGF est le plus important au début de la vie quand la croissance est rapide. C'est le facteur le plus facilement dosable. Parmi les facteurs de croissance, on a pu en isoler dans le lait de vache au moins deux : les « Transforming Growth Factor » (TGF a et ß) qui participent à la croissance et à la différenciation des cellules de l'intestin, « l'Insulin Growth Factor » (IGF-1) véritable agent anabolique (de construction des tissus du pancréas et du foie), donc de type dopage, destiné à fabriquer du muscle et du cartilage.

---

30. Virtanen et Aro : « Les facteurs alimentaires dans l'étiologie du diabète », Ann. Med. 26(6) : 469-478, déc. 1994) (Fava et coll., « Relation entre la consommation de produits laitiers et l'apparition du diabète insulino-dépendant chez l'enfant en Italie », Diabetes Care 17(12) : 1488-90, déc. 1994). Une protéine bovine serait le déclencheur du diabète insulino-dépendant (Norris et Pietropaolo, J. Endocrin. Invest. 17(7) : 1488-1490, juillet-août 1994 de l'Université du Colorado).

Si le lait de vache contient des peptides « bioactifs » qui peuvent être considérés comme « atout pour la santé » pour le veau, ils contiennent surtout des facteurs de croissance qui peuvent, en excès, détériorer notre santé.

Facteurs de croissance des laitages et maladies articulaires

Parmi les hormones, il ne faut pas oublier aussi l'hormone de croissance, laquelle, quand elle est consommée par des personnes en quête de l'éternelle jeunesse, n'est pas sans risque, en plus de son coût (plus de 1 000 dollars par mois). Selon une étude publiée en janvier 2007, dans *Annals of Internal Medicine*, cette hormone, dont la distribution sans ordonnance est illégale, « peut avoir des effets secondaires néfastes, comme le gonflement des articulations accompagné de douleurs et de tendinites des poignets, ainsi qu'une tendance à une augmentation du nombre de cas de diabète et de prédiabète ». Pour notre collègue le Dr Hau Liu de Stanford en Californie, l'hormone de croissance a un effet modeste sur l'accroissement de la masse musculaire et la disparition de la graisse.

Au niveau des articulations, la construction du cartilage dépend en partie de la stimulation de ses cellules, les chondrocytes, par les facteurs de croissance. Quand la croissance est terminée, l'excès des facteurs de croissance crée un déséquilibre au niveau articulaire dont une des conséquences, sur le long terme, sera l'arthrose avec tous ses symptômes au niveau, en particulier, des grosses articulations. Les processus de différentiation sont sous la dépendance de l'IGF-1, de bFGF (basic Fibroblast Growth Factor[31]) et des hormones sexuelles. La maturation du cartilage de croissance est sous la dépendance du bFGF et de l'IGF-1 qui favorisent la différenciation terminale du cartilage.

Ainsi, en plus des risques de cancérisation au niveau des tissus cibles que sont le sein et la prostate, les facteurs de croissance ont des effets délétères sur le système articulaire et aggravent le phénomène de l'arthrose qui se généralise chez les grands buveurs de lait de vache. D'où des douleurs lombaires et au niveau des grosses articulations:

31. Le FGF, Fibroblast Growth Factor, est le facteur de croissance des fibroblastes. Il appartient à la famille des TAF = Tumor Angiogenesis Factor (Facteur de l'angiogénèse tumorale). Les FGF appartiennent à une famille qui compte actuellement 23 membres.

hanches, genoux, épaules et la nécessité, à partir d'un certain âge, de procéder aux remplacements prothétiques de ces articulations.

Dans un certain nombre de cas, il est démontré que les cellules tumorales utilisent des facteurs de croissance tels l'EGF ou le FGFb produits par les cellules du stroma (tissu entourant les cellules cancéreuses). À l'inverse, elles produisent un certain nombre de facteurs, tel le TGFß inhibant en partie les réponses immunologiques anti-tumorales

Risques de cancers du sein, de l'utérus et de la prostate

On pense maintenant que cette forte concentration de IGF-1 chez les humains constitue un facteur de risque de cancer du sein et de la prostate. En 1998, une étude chez des femmes en pré-ménopause a révélé que celles qui avaient un haut niveau de IGF-1 dans le sang couraient trois fois plus de risque de contracter un cancer du sein que celles qui avaient un niveau bas. Chez les femmes de moins de 50 ans, le risque était multiplié par sept !

Chez les hommes atteints par le cancer de la prostate, le volume prostatique est augmenté de 32 % par rapport à un sujet normal et de 23 % par rapport à un patient en surpoids. En France, 40 % de la population est en surpoids et 10 % sont obèses.

Il est intéressant de remarquer que les récents efforts pour augmenter la production de lait augmentent en même temps le niveau de IGF-1 chez la vache. Est-ce que l'IGF-1 du lait et de la viande de vache peut s'accumuler chez les humains pendant des années et provoquer la division aberrante des cellules ? Bien que nous produisions notre propre IGF-1, les surplus que nous ingérons avec les produits laitiers pourraient être directement en cause dans la nette augmentation de l'incidence des cancers hormonodépendants et aussi des cancers du pancréas, du tube digestif et du foie.

L'IGF-1 n'est pas détruit par la pasteurisation, mais les critiques prétendent qu'il est détruit par la digestion et désactivé.

La prolactine, qui stimule la production de lait chez la vache, pourrait avoir un effet similaire sur les cellules du sein, et déclencherait le même type de mécanisme chez la femme. De fait, plusieurs études ont confirmé que la prolactine favorise la croissance in vitro de cellules prostatiques cancéreuses.

Une autre hormone, l'œstrogène, considérée comme un des principaux facteurs de risque du cancer du sein, est présente dans le lait en petites quantités. Mais même de très petites quantités d'hormones sont capables de provoquer de sévères dégâts biologiques. Des quantités microscopiques d'œstrogène dans nos rivières sont suffisamment puissantes pour que les poissons mâles changent de sexe. Même si l'œstrogène dans le lait ne constituait pas une menace directe aux cellules, il peut tout à fait stimuler l'expression de l'IGF-1 qui, à la longue, provoquera l'apparition d'une tumeur.

Chez 117 000 Danoises suivies, a pu être établi un lien entre croissance et cancer du sein[32].

– Une croissance rapide entre 8 et 14 ans confère un risque additionnel de cancer du sein, indépendant de la taille finale de la femme.

– La consommation de lait de vache élève les taux circulant dans le sang du facteur de croissance Insulin-like 1 (IGF-1), et est associée à une taille plus grande.

– Entre 1950 et 2000, on observe chez les femmes une augmentation du volume mammaire de 10-20 %, une taille augmentée de près de 10 cm et une augmentation de poids de 10 kg.

Ainsi, le facteur de croissance IGF-1 a une incidence sur les cancers de la prostate et du sein chez les humains puisqu'il favorise la croissance des cellules. Une étude de l'Université Harvard a révélé qu'il y a un lien entre le niveau de l'IGF-1 dans le sang et le cancer de la prostate. Une exposition à ces molécules facteurs de croissance est possible tout au long de la vie par une consommation excessive de produits lactés.

Les anti-facteurs de croissance utilisés comme traitements pour lutter contre les cancers agressifs

Beaucoup de travaux récents se sont intéressés à la néo-angiogénèse, processus par lequel les cellules tumorales, par l'intermédiaire d'un certain nombre de facteurs de croissance, tel le VEGF (Vascular Endothelial Growth Factor), actif sur les cellules endothéliales vasculaires, induisent la prolifération de néo-vaisseaux, contribuant ainsi à l'irrigation de la tumeur et à son développement.

Une nouvelle facette de la thérapeutique anti-tumorale consiste dans le développement de molécules ciblées inhibant des facteurs de

32. *New England Journal of Medicine*, 14 octobre 2004, p. 1619 et 1679.

croissance, ou leurs récepteurs, ou les signaux de transduction intracellulaire favorisant ces interactions cellulaires et, en particulier, la néoangiogénèse. Les tumeurs dépendantes de l'angiogénèse se développent en 2 phases: la phase préangiogénique latente et une phase angiogénique agressive.

Certains de ces nouveaux agents anti-facteurs de croissance ou anti-angiogéniques ont déjà apporté la preuve de leur efficacité thérapeutique potentielle en cancérologie humaine.

Parfois même, ces nouveaux médicaments à l'action particulièrement spécifique et ciblée deviennent eux-mêmes des outils de découverte. Un exemple caractéristique: la mise en évidence d'un nouveau type de cellules immunitaires tueuses, issues des cellules dendritiques et activées par l'association GLIVEC-Interleukine 2. Ces cellules, nommées IKDC (Interferon gamma producing Killer Dendritic Cells), ont spontanément une activité antitumorale importante et sont capables d'induire en 48 heures l'apoptose de nombreux types de cellules tumorales in vitro, comme in vivo.

De nouvelles voies de traitement anti-tumoral ont donc résulté de la manipulation intelligente de ces interactions entre les cellules tumorales et leur environnement, dans lequel les effets les plus périphériques de l'alimentation doivent être pris en considération pour la prévention des métastases et des récidives.

4. Comment le gluten avec son constituant essentiel la gliadine, consommé en excès avec le pain blanc, augmente les risques de cancer du rein ?

Le gluten, et donc la gliadine, sont présents en grande quantité dans le pain, les pizzas et les pâtes. L'organisme les considère comme des antigènes ou allergènes et réagit contre eux, tant au niveau du système digestif, dans les zones d'absorption de l'intestin grêle, qu'au niveau de la filtration rénale des déchets. Des pathologies inflammatoires peuvent apparaître secondairement sous forme de maladie cœliaque, avec mauvaise absorption intestinale à l'origine de diarrhée et de dénutrition grave, ou d'atteinte rénale quand l'allergène atteint le tissu du rein (néphropathie glomérulaire = anomalie au niveau de la filtration des reins).

Il vient d'être démontré que les excès de gluten, surtout du pain blanc, augmenteraient les risques de cancer du rein. En octobre 2006, une équipe de Milan a publié une étude dans l'International Journal of Cancer portant sur 2301 personnes suivies entre 1992 et 2004 : 767 adultes avaient un cancer du rein et 1534 étaient indemnes, considérés comme contrôles.

En plus des données classiques sociodémographiques, des mesures anthropométriques, du mode de vie, des antécédents médicaux, ont été faites, et un questionnaire alimentaire de 78 items a été rempli par tous les participants. La consommation de pain est directement corrélée avec les risques de cancer du rein (OR = 1,94) ; pour les pâtes et le riz, l'OR est de 1,29 et le risque de cancer diminue avec la consommation de volaille, fruits et légumes.

L'association avec la consommation de produit à Index glycémique élevé pourrait être due à l'implication de ces aliments dans les Insuline-like Growth Factors qui sont des facteurs de croissance des cellules et des tissus…

L'association inverse avec les fruits et légumes pourrait être liée aux contenus en micronutriments : caroténoïdes, flavonoïdes et phytostérols, tous anti-oxydants qui protègent du cancer et des maladies auto-immunes.

5. Quel est le meilleur moyen de cuisson : pourquoi la vapeur douce[33] et le barbecue vertical ?

Un peu d'histoire

Nous avons bien connu, dès 1986, André Cocard, inventeur du « Vitaliseur »[34]. Chercheur génial, il parcourut la planète pour connaître tous les moyens de cuisson, à la recherche de la cuisson idéale. Il testa même les habitudes alimentaires du grand public en restauration. Il travailla près d'une année dans le laboratoire de Nutrition et Chirurgie expérimentale que nous dirigions. Avec lui, nous avons pu vérifier que la cuisson à la vapeur douce est scientifiquement idéale, car elle permet de conserver une température inférieure à 95 °C qui ne dégrade pas la

---

33. *Tout à la vapeur douce – Pourquoi et comment – 100 nouvelles recettes*, Christine Bouguet-Joyeux, Éd. François-Xavier de Guibert, 2006.

34. Vitaliseur : Société Coplan, Tél. 04 37 65 17 17, www.vitaliseur.com

qualité nutritionnelle des aliments, conservant donc les vitamines, les oligo-éléments, les phytohormones sans détérioration des fibres et des sucres.

La supériorité de la cuisson à la vapeur douce sur les cuissons à haute température démontrée[35]

Une étude chez le sujet jeune et sain a été réalisée par notre collègue J.-M. Lecerf de l'Institut Pasteur de Lille, en collaboration avec le CHU de Toulouse et le CH de Beauvais[36].

Elle porte sur 62 volontaires sains, non fumeurs, soumis au hasard successivement à 2 régimes contrastés quant à leur niveau de contamination pendant 4 semaines. Le premier est standard avec des produits grillés et frits, riches en composés néoformés indésirables. Le second est le « régime vapeur » équivalent sur le plan nutritionnel, mais dont les aliments ont subi la cuisson à la vapeur douce afin de limiter la production de composés néoformés. Le niveau d'ingestion de chaque aliment a été mesuré précisément par double pesée et le contenu en nutriments et contaminants néoformés a été dosé dans un broyat de l'ensemble des produits ingérés dans la journée et dans quelques aliments cibles.

À l'issue des 2 régimes, les contaminants néoformés ont été mesurés dans les milieux biologiques : des indicateurs du stress oxydant, du métabolisme des sucres, des lipides et de l'état inflammatoire.

Les chercheurs observent avec la cuisson vapeur une baisse significative de contamination des milieux biologiques de 10 à 40 % ; un niveau d'apport en moyenne 3 fois plus faible de contaminants (1,6 à 45 fois moins selon le contaminant concerné). Il s'agit surtout de la carboxyméthyllysine (CML) qui est un bon indicateur de la réaction de Maillard. Elle est retrouvée en quantité moins concentrée dans les urines des sujets au régime vapeur (40 % de moins). De même la vapeur douce induit après un mois une baisse très significative de l'indice de résistance à l'insuline (-17 %) et les triglycérides du sang diminuent de 10 % comme le cholestérol HDL, alors que le profil lipidique des 2 régimes

35. Publiée par l'université d'été de Nutrition du Centre de recherche en nutrition humaine d'Auvergne dirigé par Christian Rémésy, p.99-103, 2007.

36. Institut polytechnique LaSalle Beauvais et AgroParisTech : « Ines.birlouez @lasalle-beauvais.fr ».

est identique. Soulignons enfin que le taux sanguin des oméga-3 augmente de 10 à 25 %, ainsi que celui des vitamines antioxydantes : C et E (+10 %).

Les huiles ne sont utilisées qu'en fin de cuisson. C'est l'huile d'olive qui supporte le mieux la cuisson

Les « acroléines » mutagènes et réactifs sont pire que le benzopyrène. Ils sont présents dans la fumée de cigarette (10 à 500 microgrammes par cigarette), 1 000 fois plus que les hydrocarbures polycycliques aromatiques (HPA) et jouent un rôle plus important dans la genèse des cancers du poumon.

En dépassant les 200 à 250 °C se forment des « acides gras trans » qui sont mauvais pour la santé[37].

« Les dangers des acides gras trans sont surtout présents dans les huiles de cuisson. Nous en consommons 2,7 g en moyenne par jour quand les Américains en consomment 8 à 10 g. Ils sont nocifs s'ils constituent plus de 2 % de l'apport énergétique total, ce qui est le cas de 5 % de la population française et de 10 % des garçons de 12 à 14 ans. On les trouve dans les frites et aussi les cookies (0,1 à 0,5 g pour 100 g), mais aussi, de façon naturelle, dans les viandes et les produits laitiers.

---

37. Les acides gras trans sont les lipides les plus délétères pour les risques cardio-vasculaires. Ils sont produits par hydrogénation partielle des corps gras, un procédé industriel longtemps utilisé dans l'industrie des margarines et aujourd'hui pour élaborer des « shortenings » pour l'industrie des biscuiteries et viennoiseries. Les termes « huiles végétales partiellement hydrogénées » signent la présence d'acides gras trans (AGT). Le Danemark interdit depuis 2003 les teneurs en AGT supérieures à 2 % dans les matières grasses végétales hydrogénées. Aux USA depuis le 1er juillet 2007, sont interdites les teneurs en acides gras trans d'origine industrielle supérieures à 0,5 g par portion dans 22 000 restaurants de New York. Dans notre alimentation, les AGT proviennent de 2 sources : les matières grasses partiellement hydrogénées et les produits issus des ruminants qui seraient moins dangereux. Les teneurs en AGT des laitages – d'origine dite naturelle – sont variables en fonction de l'alimentation du bétail allant de moins de 1 % à moins de 10 % des acides gras totaux. On comprend pourquoi les industriels cherchent à alimenter les vaches avec plus d'acides gras essentiels de la série oméga-3 et des anti-oxydants naturels. En consommant dans les végétaux de l'acide linoléique principalement et de l'acide alpha-linolénique secondairement, la vache en ruminant, par biohydrogénation, fabrique l'acide ruménique qui est un acide gras trans biologiquement actif (acide linoéique conjugué C9 principal CLA = Conjugated Linoeic Acid). Cet acide gras aurait des effets anticancers in vitro (cytotoxique, antiprolifératif et antiangiogénique) et aussi des effets contre l'athérosclérose et le diabète. Chez l'humain, rien n'est prouvé pour le moment.

Ils apparaissent quand les huiles liquides sont transformées en graisses solides par hydrogénation partielle. Le processus permet d'améliorer la durée de conservation et la texture des préparations en rendant les frites ou les biscuits plus croustillants. On les trouve ainsi dans les produits frits, les viennoiseries, le pain, les barres de céréales, les gâteaux pour apéritifs ou les pâtes à tarte... Mac Do et ses concurrents Quick ont décidé en mai 2007 de changer leurs huiles de cuisson. Évidemment la nouvelle huile coûtera 15 à 20 % plus cher... »

Pourquoi le barbecue vertical ?

Le barbecue est très utilisé dans les pays méditerranéens, mais quand le feu est disposé horizontalement sous l'aliment à cuire, la cuisson génère des produits cancérigènes tels que benzopyrènes. Aussi l'idéal est le barbecue vertical. Le feu est à la verticale, et les aliments à cuire sont disposés parallèlement de chaque coté. Nous avons pu montrer qu'il n'y avait pas de formation de benzopyrènes (*Evaluation of the Induction of Polycyclic Aromatic Hydrocarbons – PHA – by Cooking on Two Geometrically Different Types on Barbecue* – H. Joyeux et coll. Journal of Food composition and analysis, 1992, 5, 257-263).

6. Comment les viandes rouges augmentent les risques et les récidives de cancer du sein et du côlon ?

Les risques de cancer du sein liés à la viande rouge

Ils sont chiffrés : « Archives of Internal Medicine 2006, 166 : 2173 : Une consommation élevée de viande rouge favorise la survenue d'un cancer du sein à récepteurs aux œstrogènes et à la progestérone positifs (ER+/PR+) chez les femmes non ménopausées. C'est la conclusion de l'étude américaine Nurse's Health Study II, chez près de 100 000 fermières. Le risque relatif passe à 1,14 pour une consommation 3 à 5 fois par semaine ; 1,42 pour plus de 5 fois par semaine à 1 fois au plus par jour ; 1,2 pour 1 à 1,5 plat de viande par jour ; 1,97 au-delà de 1,5 plat par jour. »

Les risques de cancers du côlon et de récidive liés à la viande rouge

La consommation de viandes rouges et de graisses saturées triple le risque de récidives chez les patients qui ont souffert d'un cancer du côlon.

On savait que la consommation de viande rouge était associée à un risque plus élevé de cancer du côlon, mais qu'en est-il pour ceux qui ont déjà souffert de cette maladie ? Il semble que ces patients devraient être encore plus attentifs au contenu de leur assiette. Une nouvelle étude américaine vient en effet de mettre en évidence qu'une alimentation trop riche en viande rouge et en graisses saturées multiplie par trois le risque de récidive et la mortalité liée au cancer du côlon.

Pour parvenir à ces conclusions, le docteur Jeffrey Meyerhardt et ses collègues de l'Institut du cancer Dana-Farber de Boston (Massachusetts)[38] ont suivi plus de 1 000 patients qui avaient été atteints d'un cancer du côlon soigné par chimiothérapie et intervention chirurgicale, auxquels ils ont demandé de remplir un questionnaire pour savoir ce qu'ils mangeaient.

Les chercheurs ont ainsi pu définir deux types de régime alimentaire chez leurs patients. D'un côté, le régime « occidental » avec au menu : viande rouge, graisses, céréales raffinées, sucreries. De l'autre côté, un régime appelé « prudent », riche en poissons, en fruits et en légumes qui se rapproche en fait du régime méditerranéen[39].

Les patients de l'étude ont été suivis pendant 5,3 ans pour surveiller les récidives de cancer du côlon. Au terme de ce délai, 324 personnes ont vu la maladie refaire son apparition et 223 en sont décédées. En rapprochant ces chiffres des habitudes alimentaires rapportées par les patients, les chercheurs se sont aperçus que le régime suivi était déterminant : les patients qui suivaient un régime « occidental » avaient trois fois plus de risques de récidive !

« Ces résultats sont importants car c'est une préoccupation qui revient régulièrement chez les patients, souligne le docteur Jeffrey

---

38. Jeffrey A. Meyerhardt; Donna Niedzwiecki; Donna Hollis; Leonard B. Saltz; Frank B. Hu; Robert J. Mayer; Heidi Nelson; Renaud Whittom; Alexander Hantel; James Thomas; Charles S. Fuchs. « Association of Dietary Patterns With Cancer Recurrence and Survival in Patients With Stage III Colon Cancer ». JAMA, August 15, 2007; 298: 754-764.

39. Fruits, légumes frais et poissons ont été comparés au régime dit « occidental » : viande-frites-produits raffinés, dans une étude prospective d'hommes (51 529) suivis pendant 12 ans quant au développement des maladies respiratoires que sont les bronchopneumopathies chroniques obstructives (Bpco). Le régime occidental multiplie par 4 les risques de Bpco (Thorax, 2007; 1-6). De même, le cannabis multiplie par 2,36 les risques de réduction de la fonction respiratoire par rapport aux non-fumeurs. Si la personne fume, le risque est multiplié par 8 et par 18 par rapport à celui qui n'a jamais fumé.

Meyerhardt. Ils se demandent souvent comment ils devraient manger pour augmenter leurs chances de guérison ». Cette étude leur apporte des éléments de réponse : laisser de côté la viande rouge et les sucreries au profit du poisson, des fruits et des légumes, les plus frais possible.

7. Comment les risques de cancer du pancréas sont liés en partie à une mauvaise mastication et à une surconsommation d'alcool, de viandes rouges et de laitages de vache ?

Le cancer du pancréas est une localisation de plus en plus fréquente en cancérologie

Les causes de ce cancer sont de mieux en mieux cernées aujourd'hui. Il faut bien connaître à la fois la forme, la localisation dans le corps du pancréas et aussi les fonctions du pancréas pour essayer de comprendre ce qui se passe quand des anomalies surviennent dans la glande pancréatique. Car le pancréas est une glande cachée au fond du ventre qui a 3 parties, de droite à gauche, la tête du pancréas, puis le corps pancréatique et, enfin, la queue du pancréas, très proche de la rate.

Des tumeurs peuvent se développer dans les 3 parties de la glande. Au niveau de la tête du pancréas passe le canal de la bile qui est souvent comprimé quand le cancer se développe autour de lui. Il en résulte un obstacle au passage de la bile, ce qui explique l'ictère dit rétentionnel, car la bile est retenue dans le foie et des pigments biliaires passent dans le sang, d'où la « jaunisse » qui couvre tout le corps.

La glande pancréatique a deux fonctions essentielles pour notre équilibre nutritionnel

– celle du pancréas « endocrine » : responsable de l'équilibre du sucre dans le sang à 1 g par litre de sang. Des cellules spécialisées regroupées en îlots (dits de Langherans) fabriquent l'insuline, qui est l'hormone maintenant le taux de sucre dans le sang en équilibre. Trop de sucre dans notre alimentation impose un sur-travail au pancréas qui régule en envoyant dans le sang l'insuline dont le corps a besoin. Forcer le pancréas avec trop de boissons ou aliments sucrés augmente les risques de dérèglement pancréatique dont le plus connu est le diabète. Le taux de sucre, la glycémie, dépasse 1 g/l de sang et aura des conséquences délétères sur beaucoup d'organes : le pancréas d'abord, puis les reins, la rétine, les vaisseaux périphériques. C'est d'abord le pré-diabète, puis le diabète. Les obèses qui consomment de trop grandes quantités de sucres ont le maximum de risque de diabète.

– celle du pancréas « exocrine » : responsable de la digestion des graisses alimentaires. Les cellules spécialisées fabriquent à la demande le liquide pancréatique, en général 1 litre par jour. Ce liquide participe activement à la digestion des graisses. Il est facile de comprendre que, si l'on force le pancréas avec une alimentation trop grasse et en particulier des graisses brûlées (benzopyrènes, nitrosamines...), celui-ci risque de se détériorer sous la forme d'inflammation plus ou moins chronique, dénommée pancréatite chronique.

Forcer tout le pancréas (endocrine et exocrine) par des mélanges d'alcool, de graisses, de sucres et y associer, comme nous l'avons observé récemment, de la drogue, des plus douces aux plus hard, ne peut maintenir le pancréas en bonne forme. Les 3 derniers cas de cancer du pancréas vus en consultation chez des personnes jeunes (moins de 40 ans) m'ont confirmé les conséquences immunitaires très négatives des drogues, auxquelles il faut ajouter le tabagisme et, chez les personnes plus âgées, les dangers des facteurs de croissance (IGF + EGF + TGF) des laitages consommés en excès.

La mastication est la première étape de l'alimentation et de la digestion

Elle facilite la meilleure absorption des aliments et ainsi l'équilibre nutritionnel. Mieux les aliments seront mastiqués, plus ils seront mélangés à la salive et plus ils seront prêts à subir, sans les forcer, la digestion au niveau de l'estomac (1 litre par jour de liquide gastrique) et au niveau du pancréas (1l/24 h). Ainsi est-il logique que la mastication joue un rôle protecteur pour le pancréas.

En effet, une étude épidémiologique a repéré l'augmentation des risques de cancer du pancréas associée à une mauvaise mastication.

Nous possédons 6 glandes salivaires qui ont de tout petits canaux pour amener la salive dans la bouche afin qu'elle soit bien répartie dans toutes les zones au-dessus, au-dessous et autour des dents : 2 parotides, 2 sous-maxillaires et 2 sublinguales. Ces glandes fabriquent normalement au minimum 1 litre de salive par jour, laquelle contient des enzymes de la digestion. Ce qui fait dire que la digestion commence dans la bouche. Elle imprègne les aliments broyés par la mastication permise par les dents (16 en haut, 16 en bas), les joues et la langue. Molaires et prémolaires peuvent exercer des pressions jusqu'à 25 kilogrammes par centimètre carré. Ainsi se constitue le bol alimentaire. En même temps que le bol se ramollit, les enzymes de la salive jouent leur rôle de début de digestion.

Pour mastiquer, il est indispensable de croquer les aliments, car la mastication est nécessaire à la salivation. La consommation excessive de produits lactés liquides ou semi-liquides, de fromages à pâte molle ne facilite pas la mastication et trouble ainsi la digestion. Les conséquences de cette mal-digestion gastrique et pancréatique se retrouvent dans toute l'évolution du bol alimentaire et, donc, dans la malabsorption des nutriments, comme dans leur élimination.

En dehors des repas, la salive est avalée au cours de 1 500 à 2000 déglutitions quotidiennes. La salive contient au moins une enzyme antibactérienne, le lysozyme, qui a des vertus antiseptiques permettant le début de la stérilisation des aliments. Les autres enzymes sont la ptyaline ou amylase qui transforme l'amidon en maltose et isomaltose. Chez le nourrisson, la salive contient une lipase pour faciliter la digestion des lipides du lait maternel.

Une relation a été démontrée entre une inflammation gingivale dénommée « parodontite » et les risques de cancer du pancréas. Avec une parodontite, il existe un taux élevé de bactéries dans la bouche, signe d'une mauvaise et insuffisante mastication. Et la conséquence sera une mauvaise digestion.

Chez 51 500 professionnels de la santé suivis de 1986 à 2002, 216 cas de cancer du pancréas sont comptabilisés. Surtout, chez ces patients, 67 étaient atteints d'une parodontite. Après ajustement selon l'âge, le tabagisme, l'existence d'un diabète, l'IMC (Index de Masse Corporelle) et de nombreux autres facteurs, il devient clair qu'une parodontite augmente les risques de cancer du pancréas de 63 % et il y a doublement du risque chez les non-fumeurs, alors que l'on sait la responsabilité du tabac dans ce type de cancer[40].

---

40. *Journal of the National Cancer Institute,* 17 janvier 2007.

8. Comment les processus de cancérisation et de vieillissement se ressemblent ?

L'alimentation peut être tout autant oxydante, responsable d'immunodépression, de vieillissement et de cancers de toutes sortes, quelle que soit la localisation, ou au contraire antioxydante. Elle est alors protectrice, stimulant l'immunité, et préventive autant du cancer que d'un vieillissement prématuré.

Les cellules normales, comme les cellules cancéreuses, sont sensibles aux changements environnementaux provenant de stimuli ou d'agressions externes. Toutes les cellules ont des systèmes de défense contre le stress métabolique interne et occasionné par des agents physiques et chimiques. L'activité cellulaire comporte des risques permanents d'endommagement, notamment par le métabolisme oxydatif produisant des radicaux libres oxygénés. De plus, les cellules sont soumises à de multiples stress génotoxiques venant de différents types de rayonnements ionisants et non ionisants, et de sources chimiques environnementales, industrielles ou médicales. C'est ce que l'on appelle l'*épigénétique*.

La présence de systèmes de défense est donc primordiale pour le maintien d'une stabilité génétique et d'un fonctionnement cellulaire normal.

Le système de défense est le système immunitaire[41], constitué de plusieurs familles de globules blancs dénommés leucocytes. Parmi ceux-ci, les polynucléaires neutrophiles sont destinés à lutter directement contre l'infection. Par exemple, lors d'une appendicite, ou de la constitution d'un panaris ou d'une appendicite, ces globules blancs se multiplient, leur taux dans le sang dépasse alors les 10 000/mm^3 de sang. L'hyperleucocytose est le signe biologique majeur de l'appendicite qu'il faut opérer souvent en urgence. La deuxième famille de globules blancs qui joue un rôle majeur dans le système immunitaire, ce sont les lymphocytes, lesquels ont 15 « sous-familles », chacune ayant un rôle particulier.

Tout le réseau lymphatique appartient au système de défense, constitué par de fins canalicules de 1 à 3 mm de diamètre, qui suivent les trajets de vaisseaux et se réunissent au niveau de « nœuds lymphatiques », qui sont les ganglions situés partout dans l'organisme : au

41. En plus des différentes enveloppes de notre corps et des organes : peau et système osseux.

niveau du cou, des aisselles, des régions inguinales, de part et d'autre du sexe, mais aussi dans l'abdomen et dans le thorax, autour du cœur et des poumons.

La défaillance du système de défense immunitaire est à l'origine de processus de vieillissement prématuré et/ou de cancer qui, en fin de vie, se confond avec le vieillissement. Les études moléculaires récentes des mécanismes liant l'induction de lésions dans l'ADN au dysfonctionnement cellulaire et au développement de cancers montrent clairement que la cancérogenèse est un processus multi-étapes comprenant l'initiation, la promotion, la progression et le développement du cancer.

Ceci implique l'induction de lésions au niveau de l'ADN dans telle ou telle cellule somatique, l'absence de réparation ou une réparation fautive et, ainsi, l'apparition de mutations activant un oncogène ou inactivant des gènes suppresseurs de tumeur par une altération, une perte ou une amplification de matériel génétique, suivie d'une instabilité génomique, d'une sélection clonale et de l'apparition de cellules transformées et malignes.

La caractérisation des lésions induites par des stress génotoxiques a permis de mieux comprendre l'importance du type de lésion et la mise en place de systèmes de défense correspondants : (1) les systèmes anti-radicalaires et antioxydants, (2) les systèmes de réparation de l'ADN, (3) l'élimination par l'apoptose (mort naturelle et non pas « suicide » de la cellule) des cellules endommagées.

L'expression de certains gènes est également sous contrôle épigénétique. L'*épigénétique* est donc la possibilité de voir s'exprimer un gène du cancer sous l'influence d'un ou plusieurs facteurs stimulants dits « génotoxiques » : physique, chimique dont les facteurs de croissance et les hormones ou les pesticides de notre environnement alimentaire, respiratoire ou cutané.

La signalisation intra et intercellulaire des lésions est devenue un élément-clé de la réponse des cellules aux agents génotoxiques.

Certains défauts de réparation (comme dans la réparation des cassures double brin) affectent les défenses immunitaires et donnent lieu à une prédisposition aux lymphomes ou aux leucémies par atteinte directe des globules blancs et, en particulier, des lymphocytes.

Les mécanismes de défense cellulaires sont modulés en fonction des différents niveaux d'endommagement. Ils constituent un rempart efficace contre le cancer et également des cibles thérapeutiques privilégiées.

C'est le système immunitaire qui devrait prévenir la formation des métastases par l'élimination des cellules tumorales circulantes ou micrométastatiques. La croissance des foyers tumoraux indique une défaillance de la surveillance immunitaire.

La *nutrition hypotoxique*, selon la méthode Seignalet, a un grand avenir, comme stimulant d'immunité. Contrairement aux causes génétiques du cancer qui affectent la séquence de l'ADN, les modifications épigénétiques résultent d'activités enzymatiques et sont réversibles, ce qui ouvre des perspectives prometteuses en thérapie, grâce à la découverte d'inhibiteurs spécifiques.

Ces inhibiteurs sont présents dans les aliments frais, en particulier les fruits et les légumes, et ceux qui sont cuits d'une manière qui conserve aux aliments leurs meilleurs composants. La cuisson à la vapeur douce ne dépasse pas 95 °C. Le rôle de la cuisson est double, destruction des germes dangereux dans l'aliment et facilitation de la digestion. Les excès de cuisson en stérilisant l'aliment lui font perdre la plupart de ses qualités gustatives et nutritionnelles pour la santé.

9. Comment les fruits frais[42] sont-ils les aliments majeurs contre le cancer et le vieillissement ?

Manger chaque jour 400 g de fruits et légumes pour limiter l'apparition de tumeurs malignes est, enfin, conseillé par la Ligue contre le cancer qui a mis beaucoup de temps à promouvoir ce que nous disions depuis 20 ans. Elle préférait donner de l'espoir avec des chimiothérapies ou des greffes de moelle inutiles et dangereuses, chez les malades atteintes de cancer du sein ou de l'ovaire, qui ont coûté très cher en souffrances inutiles et en argent gaspillé.

Ainsi 70 millions de fruits et légumes frais ont été mis en vente dans les lieux habituels en novembre 2006, avec la mention « recommandé par la Ligue contre le cancer ». De la même façon que la Ligue a repris l'idée que nous avions lancée personnellement d'un « *fruit frais à chaque récré... récré fruitées* » dans le primaire et qui commence à se mettre en place dans les collèges et lycées. N'oublions pas que 60 %

42. *Les aliments contre le cancer. La prévention du cancer par l'alimentation*, Dr Richard Béliveau et Dr Denis Gingras, Éd. Solar, 2006.

des Français sont en sous-consommation. La Ligue avance aussi, sans la moindre explication, que cette consommation, associée à une activité physique, peut réduire jusqu'à 30 à 40 % des cancers et, à terme, voir une diminution globale de 100 000 cas par an en France.

Ce qui est certain, c'est que la consommation des fruits et légumes, par leur constitution, est un atout majeur pour la santé et la prévention des cancers. En plus de l'eau, du fructose, des vitamines et minéraux, ils apportent des fibres qui sont essentielles pour l'absorption des nutriments, après la digestion qui transforme les aliments en nutriments. C'est l'absorption intestinale qui permet le passage dans le sang des nutriments essentiels à la vie. Ce qui n'est pas absorbé sera « retravaillé » dans la zone des côlons (droit, transverse, gauche et sigmoïde) avant l'évacuation des déchets stockés dans le rectum.

Ainsi les fibres des aliments vont jouer un double rôle, mécanique (ratissage) et biologique, pour équilibrer la flore intestinale (donc les différentes colonies de germes qui sont présentes sous forme de milliards de germes – colibacilles, entérocoques et bien d'autres…).

C'est la flore intestinale qui permet la fabrication de la vitamine K (nécessaire à la coagulation du sang), ainsi que de la source énergétique princeps des cellules du côlon que sont les acides gras à chaîne courte (acides acétique, propionique et butyrique). Les fibres sont donc à la base du « balai-brosse » qui permet l'évacuation des déchets. Évidemment, pour faire avancer le balai brosse et ainsi éviter la constipation, il faut que la musculature intestinale fonctionne. C'est un des composants du vin – rouge, en particulier – qui participe à la contraction des côlons et ainsi à l'avancée des matières avant leur évacuation. Du temps du cardinal de Richelieu, c'était sa tisane !

Les fruits FRAIS sont tous riches en vitamine C, laquelle joue un rôle majeur pour le maintien et la stimulation de l'immunité. On sait désormais que les lipides inverseraient l'effet protecteur de l'acide ascorbique[43].

---

43. Dans l'estomac, en présence de lipides, l'acide ascorbique pourrait induire la formation de nitrosamines par conversion des nitrites présents dans la salive. Ces nitrosamines pourraient contribuer à l'apparition de lésions précancéreuses dans la partie haute, proximale de l'estomac (Gut juillet 2007). En présence d'un taux de lipides de 10 %, l'acide ascorbique majore respectivement les taux de N-nitrosodiméthylamine, de N-nitrosidiéthylamine et de N-nitrosopipéridine d'un facteur 8, 60 et 140 comparé aux mêmes réactions en présence de lipides, mais en l'absence de vitamine C. Les lipides pourraient donc inverser le rôle protecteur de la vitamine C, même à distance des repas, car en trop grande quantité, ils restent « accrochés » à la muqueuse gastrique.

Trop de graisses dans l'estomac inhibent les effets santé de la vitamine C. Les fruits contiennent aussi des composés anti-cancéreux que peu de cancérologues connaissent.

Les agrumes – pamplemousse, orange, citron, mandarine – contiennent des quantités importantes de polyphénols, les « flavanones », qui participent aux effets antiscorbutiques[44] de ces fruits. L'hespéridine fut anciennement appelée vitamine « P » à activité anti-inflammatoire et anticancer.

Ces composés bloquent la croissance des tumeurs en réduisant la capacité des cellules de se reproduire et en modulant les systèmes de détoxication des substances cancérigènes. L'orange contient près de 200 composés différents, dont une soixantaine de polyphénols et plusieurs membres d'une classe de molécules très odorantes, les terpènes.

Le pamplemousse contient une molécule, la « désoxybergamottine » qui bloque une enzyme du foie laquelle augmente, dans le sang, les concentrations des composés anti-cancéreux.

C'est la consommation du « fruit entier » qui est la plus logique pour la santé : « un fruit frais à chaque récré… » dès la petite école. Ce concept tend à s'étendre dans les écoles primaires et devrait, dans l'avenir, gagner les collèges et lycées dans toute l'Europe.

Les petits fruits rouges, framboises, fraises, myrtilles, ont un potentiel anticancéreux avec :

– l'acide ellagique, molécule anticancéreuse puissante (elle prévient l'activation des substances cancérigènes en toxiques cellulaires, mais aussi est un inhibiteur très puissant de 2 protéines cruciales pour le développement des tumeurs (VEGF et le PGDF[45]). Elle est présente dans les grains de la framboise (90 %) et la pulpe des fraises (95 %). La variété de fraise « l'authentique d'Orléans », développée au Canada, en contient la plus grande quantité. Les framboises contiennent de l'acide ellagique[46], comme les fraises, airelles (bleuets au Canada) et

---

44. Le scorbut est la maladie due à la carence en vitamine C.

45. VEGF = Vascular Endothélial Growth Factor – PGDF = Platelet Growth Derived Factor.

46. Acide ellagique en mg/portion de 150 g (1 tasse pour les fruits) et portion de 30 g pour les noix : Framboises et mûres 22 ; Noix 20 ; Noix de pécan 11 ; Fraises 9 ; Canneberge 1,8 ; bleuets-agrumes-pêches-kiwis-pommes-poires-cerises… moins de 1 (selon USDA National Nutrient Database for Standard Reference).

myrtilles, canneberges, noix de pécan, cerises, poires, pommes, kiwis[47]...

– les anthocyanidines, classe de polyphénols responsables des couleurs rouge, rose, mauve, orange et bleue des fleurs et fruits, ayant une forte activité antioxydante[48]. Elles sont capables d'arrêter la synthèse de l'ADN et donc la croissance des cellules, mais aussi d'inhiber l'angiogénèse par l'intermédiaire de la « delphinidine », capable elle-même d'inhiber l'activité du récepteur au VEGF associé au développement de l'angiogénèse à des concentrations proches de celles atteintes par l'alimentation. La malvidine des myrtilles a une forte activité antioxydante. L'airelle (bleuet au Canada) peut en contenir jusqu'à 500 mg/100 g. L'apport quotidien peut atteindre 200 mg chez les grands consommateurs de fruits.

– les proanthocyanidines[49] sont des polyphénols complexes, assemblage de plusieurs unités d'une même molécule : la catéchine.

---

47. Le kiwi a de nombreuses vertus anticancer : antitumoral (comparable aux effets du cyclophosphamide chez l'animal porteur de tumeur) ; antimutagène (avec la vitamine C il bloquerait la formation des nitrites) ; immunostimulante (capable d'accroître l'activité des lymphocytes tueurs) ; maintient une meilleure résistance de l'ADN des lymphocytes aux attaques oxydantes et une meilleure réparation de cet ADN) et aurait en plus les mêmes effets cardio-vasculaires que l'Aspirine (fluidité du sang, réduction du taux des plaquettes, réduction des taux des graisses dans le sang, en particulier des triglycérides).

48. Activité antioxydante de certains fruits et légumes par portion : valeur en unité de pouvoir antioxydant par rapport à un homologue de la vitamine E comme référence standard : airelle sauvage 13 427 ; canneberge 8 983 ; mûre 7 701 ; framboise 6 058 ; fraise 5 938 ; pomme 5 900 ; cerise 4 873 ; poire 3 172 ; kiwi 698 ; fève rouge 13 727 ; cœur d'artichaut 7 904 ; asperge 1 480 ; oignon 1 281 ; patate douce 1 195 ; brocoli 982 ; laitue 144... Tous ces chiffres sont tirés du livre des Dr Richard Béliveau et Denis Gingras, *Les aliments contre le cancer*, 2006, Éd. Solar.

49. Teneur en proanthocyanidines en mg/100 g : cannelle 8 108 ; cacao en poudre 1 373 ; fève rouge 563 ; noisette 501 ; canneberge 418 ; bleuet sauvage 329 ; fraise 145 ; pomme avec peau 128 ; raisin 81 ; vin rouge 62 ; framboise 30 ; jus de canneberge 13...

50. Jacques Cartier écrit en 1535 dans son livre de bord concernant son équipage : « La bouche devenait si infecte et pourrie par les gencives que toute la chair en tombait, jusqu'à la racine des dents, lesquelles tombaient presque toutes. » Il décrivait ainsi le scorbut (mot médiéval provenant de la langue néerlandaise) ! Domagaya, un Iroquois qui avait accompagné Cartier en France lors de son premier voyage, lui révéla le secret d'une tisane faite à partir de l'écorce et des aiguilles d'un conifère canadien que l'on croit être le Thuya occidentalis, le cèdre blanc du Canada. Tous les marins furent rapidement guéris et on sait maintenant que cette guérison « miraculeuse » est due au contenu exceptionnel de cette « tisane » en proanthocyanidines, qui parvint à contrer les effets du manque en vitamine C.

Elles ont un important pouvoir antioxydant[50]. La molécule inhibe la croissance de différentes cellules cancéreuses, notamment au niveau du côlon… Elles pourraient contribuer à contenir les micro-tumeurs dans un état latent en les empêchant d'acquérir les vaisseaux nécessaires à leur progression. Elles réduiraient aussi la synthèse des œstrogènes et ainsi contrecarreraient les effets néfastes de trop d'œstrogènes au niveau des seins et de l'utérus.

De plus une étude portant sur 257 000 personnes suivies pendant 13 ans, a pu montrer que la consommation de 5 fruits par jour diminue de 26 % les risques d'accidents vasculaires cérébraux et d'hémorragies (Committee of Physician's Health Study Research Group).

Toutes les études convergent pour démontrer, dans le cadre de la prévention l'importance des fruits et légumes frais, idéalement 5 de chaque, dans notre alimentation, chaque jour.

10. Pourquoi un règlement européen relatif aux allégations nutritionnelles et de santé ?

Le règlement européen concernant les allégations nutritionnelles et de santé, dont le projet avait été voté en mai 2006 par le Parlement européen, est entré en vigueur en janvier 2007.

Ce texte établit une liste limitative d'allégations nutritionnelles et définit les conditions que doivent remplir les produits pour être autorisés à les utiliser. Ainsi, un produit ne pourra se dire de « faible apport énergétique » que s'il apporte moins de 40 kcal/100 g. Les produits devront respecter des profils nutritionnels prenant en compte la composition nutritionnelle globale du produit. Ces profils nutritionnels seront définis par la Commission européenne en concertation avec les industriels et les associations de consommateurs et sur avis scientifique de l'Autorité Européenne de Sécurité des Aliments (AESA), 18 mois après l'entrée en vigueur du règlement.

Par ailleurs, une liste positive d'allégations fonctionnelles génériques concernant le rôle d'un nutriment sur une fonction dans l'organisme sera établie après évaluation scientifique de l'AESA. De même, les allégations de santé seront interdites sauf autorisation spécifique préalable de l'AESA pour un produit précis. Les allégations nutritionnelles et de santé devront donc désormais répondre à deux principes directeurs : ne pas figurer sur des produits « déséquilibrés » (trop gras, trop sucrés ou trop salés), et être prouvées par des études scientifiques. Entré en vigueur en janvier 2007, le règlement prévoit des mesures transitoires pour laisser aux industriels un délai leur permettant de s'adapter.

Il reste aux consommateurs que sont les familles et donc à leurs représentants d'être vigilants et de tout faire pour que la loi européenne soit appliquée avec rigueur.

11. Pourquoi en plus des mauvaises habitudes alimentaires, les hormones de la pilule et du THS[51] sont la cause première des cancers hormono-dépendants (sein, utérus-ovaires) ?

À la séance commune de l'Académie des sciences-Académie nationale de médecine le 25 avril 2006, notre collègue, le Pr Henri Rochefort, Membre de l'Académie des sciences et de l'Académie nationale de médecine, ancien directeur de l'Unité 540 d'Inserm à Montpellier, a pu enfin affirmer que les cancers hormono-dépendants concernent essentiellement les cancers des organes cibles des hormones stéroïdes sexuelles œstrogènes et progestérone (sein-utérus-ovaires) chez la femme, et androgènes chez l'homme (prostate). Belle évidence !

Il est en effet démontré que les estrogènes stimulent et les antiœstrogènes[52] inhibent la croissance et la division des cellules cancéreuses en étroite interaction avec les facteurs de croissance qui, via des récepteurs membranaires, stimulent l'activité d'une cascade de protéines kinases.

51. Voir notre livre *Comment enrayer l'épidémie des cancers du sein et des récidives*, Pr H. Joyeux et Dr Bérengère Arnal. Préface du Pr Lucien Israël, Éd. François-Xavier de Guibert, 2007.

52. Pourquoi dit-on aux femmes traitées pour un cancer du sein qu'on leur donne un traitement hormonal, alors qu'il s'agit d'un traitement anti-hormonal ? Tout simplement parce que beaucoup de médecins craignent que les femmes accusent les traitements hormonaux, pilule ou THS qu'elles ont consommés sans en connaître les dangers pendant de nombreuses années. Heureusement, les femmes commencent à savoir et à comprendre face à l'épidémie des cancers du sein qu'elles observent autour d'elles et qui est affolante (46000 nouveaux cas par an en 2000 et plus de 1000 nouveaux cas de plus chaque année chez des femmes de plus en plus jeunes, y compris à 25 ans !). Si les femmes ne sont pas informées, cette épidémie va se poursuivre et atteindre des femmes de plus en plus jeunes ! Cette « épidémie » tue chaque année en France 11000 femmes !

Le clonage des récepteurs hormonaux, la définition de leurs domaines fonctionnels et leur analyse structurale tridimensionnelle ont aidé à l'introduction des anti-estrogènes, dont le tamoxifène, comme première thérapie des cancers ciblée sur les récepteurs des estrogènes (RE) que l'on dose en routine dans la tumeur du sein après son exérèse chirurgicale.

« L'activité mitogène des estrogènes est le principal responsable de la stimulation de croissance des cancers hormono-dépendants chez la femme et de leur rôle comme promoteurs de tumeurs. Outre des facteurs de croissance et des protéases comme la cathepsine D, qui sont sécrétées et ont une action autocrine sur les mêmes cellules ou paracrine sur les cellules voisines, les estrogènes induisent également des facteurs intracrines, tels que fos, jun, c myc, cyclines D1 et E qui accélèrent la transition G1-S du cycle cellulaire. Certaines enzymes induites par les estrogènes, telles que la cathepsine D, ou par les progestatifs, tels que l'acide gras synthétase (AGS), permettent aux cellules cancéreuses, après leur migration métastatique, de survivre et de se multiplier de façon autonome dans un environnement étranger. »

« Ces enzymes sont également surexprimées dans les cancers RE – (récepteurs aux estrogènes négatifs) et constituent de nouvelles cibles thérapeutiques potentielles. S'il y a une très bonne cohérence pour les estrogènes entre les études fondamentales qui ont été transférées avec succès en clinique, avec les anti-estrogènes et les anti-aromatases[53], ce n'est pas encore le cas pour les progestatifs. »

En effet, les anti-progestérones sont peu utilisés dans les traitements des cancers du sein. L'antiprogestérone la plus efficace est la mifepristone, plus connue sous le nom de RU 486, utilisée comme produit chimique destiné à l'avortement chimique. On l'utilise aussi dans le traitement des tumeurs bénignes des méninges – les méningiomes – car ce type de tumeur contient des récepteurs hormonaux.

De grandes études épidémiologiques d'observation et des essais contrôlés contre placebo montrent que l'association aux estrogènes de progestatifs augmente le risque de cancer du sein chez la femme ménopausée, alors que ces progestatifs s'opposent à l'effet mitogène des œstrogènes en culture de cellules. Les étapes initiales de la cancérogenèse

53. L'enzyme dénommée « aromatase » transforme, dans le tissu gras du sein, les hormones utiles à la santé en hormones cancérigènes.

mammaire sont encore mystérieuses car beaucoup plus difficiles à étudier par manque de modèle adapté, et du fait du délai (10-15 ans ou plus) entre ces premières étapes et la révélation clinique du cancer.

L'étude in vivo des lésions précancéreuses par comparaison aux glandes normales chez la même femme, et l'étude des cellules souches dont certaines contiennent des récepteurs hormonaux, pourraient améliorer leur compréhension. Les cancers du sein n'exprimant pas de RE (Récepteurs aux Estrogènes) d'emblée, correspondraient à des précurseurs cellulaires différents pour lesquels d'autres cibles thérapeutiques et préventives doivent être trouvées.

Nous sommes d'accord avec Henri Rochefort quand il affirme : **« On ne peut accepter comme une fatalité, sans réagir,** l'augmentation régulière d'incidence des cancers du sein dans le monde occidental (une femme sur 8 puis sur 7 sera atteinte au cours de sa vie). En France l'incidence a doublé en 20 ans. Malgré les progrès des thérapies et les actions de dépistage qui sont lancées, le cancer du sein reste chez la femme en France la première cause de mortalité par cancer. Des essais de prévention sont initiés dans le monde, un effort supplémentaire doit être entrepris en France, basé sur une bonne recherche fondamentale cherchant à comprendre les mécanismes responsables afin de mieux les prévenir. Là encore, un dialogue constructif et bidirectionnel sera nécessaire entre médecins et scientifiques pour aboutir, à partir de faits scientifiques établis et adaptés à ce type de cancer, à des actions de prévention réalisables en pratique. »

Curieusement, notre collègue Rochefort n'a pas mentionné l'annonce des grands médias en 2005, au mois d'août, quand tout le pays était en vacances : « La pilule est cancérigène classe I, comme l'hormonothérapie ménopausique »[54]. J'ai reçu, quelques jours plus tard, un courrier pendant mes vacances, signé d'un de mes anciens maîtres, avec lequel j'étais en désaccord scientifique sur ce point depuis plus de 30 ans : « Au Pr HJ, tu avais raison bien avant, dont acte. » Pas un mot de

---

54. International Agency for Research on Cancer. Communiqué de presse n° 167 : le programme des monographies du CIRC classe les contraceptifs œstroprogestatifs et l'hormonothérapie ménopausique comme cancérogènes. Il faut savoir aussi que l'association œstrogènes et progestérone à long terme, ou la progestérone à haute dose entraînent expérimentalement une augmentation des tumeurs malignes chez la chienne (Misdorp W., « Tumors and Dysplasias of the Mammary Gland »). In Meuten DJ editor. *Tumors in Domestic Animals*. 4th ed. Ames, Iowa State Press, 2002, 575-606.

ce collègue dans les médias, alors qu'il avait pourtant un service de presse impressionnant à la Ligue contre le cancer !

Aux USA, un rapport de l'Institut national du cancer présenté le 14 décembre 2006 au Symposium sur le cancer du sein à San Antonio, Texas, enregistre une baisse de 7 % du nombre de cas de cancer du sein en 2003. Cette baisse est liée à l'arrêt du traitement hormonal substitutif par de nombreuses Américaines, après la publication en 2002 de résultats associant hormones et cancer. Le rapport n'ose pas affirmer pour le moment clairement qu'il y a bien un lien entre l'abandon, par les femmes américaines ménopausées, du traitement hormonal substitutif (THS) qu'elles suivaient jusqu'alors, ou qu'elles envisageaient de suivre, et le cancer du sein, mais il le suggère fortement. Le nombre de cas, en effet, a surtout baissé chez les 50 ans et plus, et le déclin est plus marqué pour les types de cancers du sein sensibles aux œstrogènes, c'est-à-dire ceux qui sont le plus affectés par la prise d'un traitement hormonal.

Ces résultats sont d'une extrême importance pour expliquer « la fabrication du cancer du sein » à cet âge. Si 2 ans seulement suffisent pour voir régresser le nombre de cas de femmes atteintes de cancer du sein à la ménopause, cela signifie que 2 ans seulement suffisent, autour ou après la ménopause, pour induire un cancer du sein avec des hormones exogènes dont le corps n'a pas besoin. Par contre, chez les jeunes femmes, il faut un temps plus long d'intoxication hormonale car les glandes mammaires ont reçu à la puberté (de 12 à 16 ans environ) les facteurs de croissance et les hormones pour se construire et elles sont soumises régulièrement chaque mois aux sécrétions hormonales des ovaires.

Mais les surdosages de la pilule (10 à 50 fois pour les œstrogènes et 10 à 100 fois pour la progestérone)[55] prennent le dessus par rapport aux fabrications hormonales physiologiques des ovaires qui se mettent au repos. Les seins sont alors soumis prioritairement aux hormones exogènes, artificielles, qui sont dangereuses pour le sein, puisque toujours en surdosage par rapport aux sécrétions hormonales naturelles.

Après des consommations de pilule dès 14-15 ans, on voit aujourd'hui malheureusement de plus en plus souvent des cancers du sein à 25 ans. Mais qui ose le dire dans l'Éducation nationale ou dans la

55. Voir notre livre paru en 2007 : *Des hormones, de la puberté à la ménopause – Femmes, si vous saviez*, Éd. François-Xavier de Guibert, Paris, 2007.

grande presse ? Les informations sur ce sujet sont en général données au compte-gouttes et dans des caractères illisibles.

Alors que les chercheurs américains attendaient 200000 nouveaux cas de cancers en 2003, ils en ont enregistré 14000 de moins. Tous les registres du cancer sur le territoire américain rapportent une baisse. Le taux est passé de 134 cas pour 100000 femmes en 2002 à 124 cas pour 100000 en 2003. Une étude séparée, conduite par l'American Cancer Society, sera prochainement publiée par un journal médical. Elle confirme ces données. L'incidence du cancer du sein a augmenté de 20 % entre 1990 et 1998 aux USA, puis a commencé de diminuer légèrement au-delà de l'an 2000, quand les THS de la ménopause ont été réduits à leur plus simple expression.

En juillet 2002, l'étude WHI (Women's Health Initiative Study) a été arrêtée prématurément lorsqu'il s'est avéré que le groupe qui prenait un THS avait plus de cancers du sein et de problèmes cardiovasculaires. Cette étude a donné le signal d'un retournement d'opinion, aussi bien chez les médecins qui, jusqu'ici, encourageaient les femmes à prendre des hormones que chez les femmes elles-mêmes. En un an, le nombre de femmes américaines prenant un THS a été divisé par 2. En France également, cette étude a eu des répercussions sur les comportements. Aujourd'hui, le THS est proposé aux doses les plus faibles et pour des durées les plus courtes possible, mais encore trop de gynécologues proposent des traitements substitutifs « personnalisés » (business oblige ou difficultés à accepter les dangers réels ?).

Les laboratoires tranquillisent encore les gynécologues en leur faisant croire à l'innocuité des traitements hormonaux de substitution en France, sous prétexte que les médicaments français sont moins dangereux que ceux utilisés aux USA. Les médecins généralistes et les cancérologues savent, même s'ils n'osent pas le dire ouvertement, que tout cela est faux et passent leur temps à réduire les traitements prescrits par leurs collègues.

Le fait de *valoriser la bénignité* du cancer du sein au milieu du mois d'octobre chaque année, avec le slogan « Le cancer du sein ! et après... » n'enlève rien à sa gravité. Ce type de cancer touche chaque année près de 50000 nouvelles femmes et en tue 11000 parmi toutes celles qui sont atteintes depuis des années. Elles sont de plus en plus jeunes.

Les labos se battent, et beaucoup de spécialistes suivent, pour maintenir les femmes sous leur tutelle thérapeutique, en leur exprimant une grande compassion pour les troubles de leur ménopause qu'ils majorent sans cesse. Ces comportements sont loin d'être désintéressés, car le nombre de femmes concernées en France atteint 15 millions, ce qui signifie un énorme marché.

Le Dr Peter Radvin, du MD Anderson Cancer Center de Houston (Texas), qui présentait les nouveaux chiffres, a jugé que la baisse actuelle des cas de cancer « est si rapide qu'elle conduit à penser que les cancers étaient déjà là et qu'ils ont été arrêtés dans leur croissance au point de non-détection. On sait, en effet, que le THS provoque moins les cancers du sein qu'il ne les fait se développer. L'arrêt des hormones peut conduire une tumeur à régresser. L'utilisation d'hormones moins dosées a aussi pu jouer un rôle. »

Les hormones données aux USA sont, pour l'essentiel, assez différentes de celles prescrites en France. Les Américaines ont longtemps pris des œstrogènes équins tirés de l'urine de jument et de la progestérone de synthèse.

En France, les laboratoires, pour éviter les risques de procès et faire poursuivre la consommation d'hormones par les femmes autour de la ménopause (le marché est donc énorme), essayent par tous les moyens de convaincre les femmes qu'existent des « hormones sans danger » qui ne sont plus, comme ils l'ont affirmé très longtemps, les œstrogènes et la progestérone de synthèse, mais d'autres faisant appel à des hormones *bio-mimétiques*, identiques aux hormones naturelles.

En plus, ils conseillent aux médecins spécialistes de donner le choix à la femme. Évidemment, ils n'ont pas envie de se trouver en procès en cas de complications. Ils considèrent que c'est aux femmes à choisir un traitement qui n'est pas sans danger, mais ils se gardent bien de les prévenir. S'il y a complication, cancéreuse, cardio-vasculaire ou cérébrale, c'est la femme qui est responsable, puisqu'elle l'a voulu !

Cette conception de la médecine est incohérente et dangereuse.

Les différences entre Amérique et Europe sont minimes et il n'y a aucune raison que la cancérogénicité des différents THS soit moindre chez nous. Les seules hormones naturelles sont celles qui sont fabriquées par les ovaires et les surrénales (en moindre quantité) de la femme. Selon les résultats de l'étude prospective E3N, ces hormones-là n'augmenteraient pas le risque de cancer. En réalité, le recul n'est pas suffisant et les laboratoires ne sont pas gênés de prendre les femmes pour des cobayes ! Le temps fournira les réponses que nous attendons, car il n'y a aucune raison que ces hormones non naturelles ne provoquent pas les mêmes effets que les précédentes.

Il suffit de connaître les effets des hormones sur les organes cibles que sont les seins, l'utérus et les ovaires, pour prévoir l'augmentation des risques de cancers hormonodépendants avec ces traitements.

En prenant un THS ou les œstroprogestatifs de la pilule, sous quelque forme que ce soit, les fabrications hormonales (œstrogène et progestérone) des ovaires et des surrénales tendent vers zéro et les glandes s'atrophient. La conséquence première pour les ovaires est la disparition des ovulations. Quand cela dure des années (la moyenne de consommation de la pilule en France est de 11 années[56] et ne fera qu'augmenter si les femmes ne sont pas averties) et que la femme souhaite commencer une grossesse, elle peut avoir les plus grandes difficultés car les ovaires, au repos, ne fonctionnent plus.

Cela fait le bonheur des spécialistes de la Procréation Médicalement Assistée (PMA).

---

56. Une organisation très huilée : les laboratoires avaient prévu une consommation hormonale contraceptive de près de 30 ans, pour une fécondité de 15 ans à 50 ans, soit 35 années consécutives. Ils comptaient en moyenne 5 ans pour les grossesses… Les femmes commencent à comprendre mais le marketing médiatique reste très puissant et touche désormais les jeunes filles dès le collège. L'Éducation nationale et le planning familial soutenus, directement ou indirectement, par les laboratoires qui fournissent les échantillons et des bandes dessinées très bien faites, ont leur part de responsabilité. Dans le but de prévenir les grossesses adolescentes, ces institutions poussent les consommations hormonales contraceptives et même abortives dès 14, 15 ans sous forme de pilule, implant hormonal à l'avant-bras, déposé sous anesthésie locale ou anneau hormonal déposé dans le vagin… Aucune information ne leur est donnée quant aux dangers (on leur dit même que cela protège du cancer), l'essentiel étant de faire au plus tôt des consommatrices. En septembre 2007, les laboratoires sont parvenus à faire passer le message très subtil comme un tranquillisant : « *les 8 premières années, la pilule préserverait du cancer* » ! Dans le texte du message, il est précisé : « la pilule diminue de 12 % les risques de cancer (colorectum-utérus et ovaires) si on la prend pendant moins de 8 ans, mais elle les augmente de 22 % si on la prend pendant plus longtemps (cancer du col et sein). » (Étude réalisée en Écosse à Aberdeen par 1 400 médecins qui ont surveillé pendant 36 ans depuis 1968, 46000 femmes.) Le 2e slogan est évidemment : « Les bienfaits de la contraception orale dépassent largement les risques qu'elle implique. »

Il apparaît ainsi logique de proposer le vaccin contre le cancer du col utérin dès 12 ans, du fait de la multipartenarité sexuelle dès 15 ans et parfois plus tôt ! Ce cancer est devenu une MST (Maladie Sexuellement Transmissible) liée à l'infestation par le « papilloma virus » porté par le sexe masculin.

Remarquons aussi qu'avant même que les femmes sortent de la maternité, on leur propose une contraception hormonale sans la moindre explication. Évidemment PAS d'information quant aux dangers.

Les stimulations ovariennes deviennent alors nécessaires d'où des grossesses multiples qui ne sont pas toujours souhaitées, avec embryons surnuméraires.

Nous sommes de moins en moins seuls à affirmer ce qui était parfaitement prévisible il y a 30 ans, mais que l'on a caché aux femmes pour des raisons financières, en prônant sans cesse l'immense argument de *la libération de la femme*. Les idéologues contre le grand capital ne sont pas à une contradiction près ! Et les femmes payent très cher de telles incohérences.

Mais nous sommes confiants dans les médias car, avec Teilhard de Chardin, nous savons « *qu'une vérité scientifique est comme l'eau, elle finit toujours par passer.* »

12. Pourquoi les phytohormones des fruits, légumes, légumineuses protègent des cancers digestifs, mais aussi des cancers hormono-dépendants et même de l'ostéoporose ?

La prévention des cancers digestifs

Un cocktail de fruits et légumes frais est un facteur protecteur, grâce aux isoflavones[57]...

Chez 183518 habitants de Californie et Hawaï, un régime riche en flavonols[58] réduit les risques de cancer pancréatique chez les fumeurs. Ils sont présents dans oignons, pommes, baies, chou frisé et brocoli... Les risques sont réduits d'un facteur de 23 entre ceux qui en consomment beaucoup et ceux qui en consomment peu, et le risque est réduit de 59 chez les fumeurs.

Un aliment « fonctionnel » : le brocoli

Il est riche en composés soufrés, en particulier la *glucoraphanine*, qui est un glucosilonate qui aurait un rôle protecteur dans le cancer de la prostate. Cet effet est décuplé si on ajoute un oligo-élément fortement

---

57. En mettant en contact un métabolite qui résulte de la digestion des crucifères, le DIM (diindolylméthane) avec le génistéine, dans des cultures de cellules cancéreuses, on assiste à un arrêt total de leur potentiel de mobilité.

58. Trois flavonols sont essentiels, le second étant le plus important : la quercitine (oignons et pommes) ; le kaempférol (épinards et choux) et la myricétine (oignons et baies).

anti-oxydant, le sélénium, d'où l'intérêt de cultiver le brocoli sur des terres riches en cet oligoélément. Il faut tenir compte de la compétition entre soufre et sélénium quant à l'absorption racinaire. L'idéal serait d'apporter le soufre par la racine et le sélénium par les feuilles.

Leur mode d'action

Les phytohormones sont des nutriments de nature hormonale d'origine végétale. Elles ressemblent aux hormones naturelles, peuvent se fixer sur les récepteurs hormonaux (d'estrogènes = RE ou de progestérone = RP et de testostérone = RT) des cellules des tissus cibles (hormonodépendants) et sont agonistes ou antagonistes des œstrogènes, de la progestérone chez la femme ou de la testostérone chez l'homme.

Les phytohormones sont les précurseurs des œstrogènes, des androgènes, et de la progestérone, donc de toutes les hormones sexuelles, de la femme comme de l'homme. Il y a donc des phyto-œstrogènes, phyto-progestérones, mais aussi les phyto-testostérones. L'organisme masculin est capable, par ses enzymes spécifiques, de transformer les phyto-œstrogènes et phyto-progestérones en phyto-testostérone. Leur isolement date seulement des années quatre-vingts.

Dans des cultures cellulaires, les phytohormones ont 7 modes d'action *santé*.

1. Antioxydante : effet « antirouille » au niveau de la cellule et anti-vieillissement.
2. Anti-angiogénique, inhibant la microvascularisation destinée à la tumeur.
3. Apoptotique[59] ou tueur de la cellule cancéreuse qui se multipliait anormalement.
4. Inhibiteur de l'aromatase, enzyme de conversion en œstrogènes cancérigènes.
5. Inhibition de la topo-isomérase de type I et II, de la tyrosine-kinase et d'autres enzymes impliquées dans la cancérogenèse.
6. Inhibiteur de la cholestérol 7 alpha-hydroxylase, d'où le rôle hypocholestérolémiant.
7. Action anti-carcinogène.

59. L'apoptose, c'est la mort naturelle de la cellule.

Il faut aussi savoir qu'à des doses supra-physiologiques – donc nettement supérieures à la normale –, on obtient l'inverse d'une protection cellulaire, donc une stimulation de la croissance tumorale. C'est ainsi qu'il ne faut pas prescrire ou consommer des phytohormones en excès (soja, surtout, sous toutes ses formes) quand il y a eu un cancer ou même un pré-cancer du sein (hyperplasie atypique et cancer in situ au stade 0).

Les effets favorables sur le système osseux et pour réduire les méfaits de la ménopause

À la ménopause, les phytohormones ont deux activités spécifiques : d'une part, au niveau vaginal, avec une cytologie vaginale accrue de 19 %, démontrée par une supplémentation en soja, prévenant donc la sécheresse vaginale ; d'autre part, une activité tyrosine-kinase inhibiteur, qui réduit l'activité des ostéoclastes, donc diminue la destruction osseuse et prévient l'ostéoporose, en réduisant l'excrétion modérée de calcium. Un bon point pour prévenir l'ostéoporose.

En plus des phytohormones, les fruits, légumes et légumineuses apportent le meilleur calcium, le végétal, qui est beaucoup mieux absorbé (50 à 74 %) que le calcium des laitages animaux (30-35 %).

L'efficacité des phythormones n'est donc pas exclusivement sur les glandes hormonales ; elle s'étend en plus au tube digestif, au système cardio-vasculaire, au système osseux et à l'immunité générale.

En 1992 déjà, la FDA américaine considérait le BBI (Bowen Burk Inhibitor) inhibiteur de protéases, isolé à partir du soja. Il s'agit d'un agent de chimiothérapie anticancéreuse, qui jouerait son rôle tant in vitro qu'in vivo. On soulignait déjà son éventuel rôle préventif anticancéreux, mais aussi dans les maladies cardio-vasculaires.

La consommation de 40 g par jour de graines de lin moulues, durant six semaines, aurait pour effet de réduire de moitié les bouffées de chaleur chez les femmes qui en souffrent. En 2005, une équipe du Centre hospitalier universitaire de Québec (Université Laval), sous la direction du Dr Sylvie Dodin, a publié les résultats d'un essai clinique

60. Pruthi S., Thompson S.L., et al. « Pilot evaluation of flaxseed for the management of hot flashes ». *J Soc Integr Oncol*. 2007 ; 5 (3) : 106-12.

Dodin S., Lemay A., et al. « The effects of flaxseed dietary supplement on lipid profile, bone mineral density, and symptoms in menopausal women : a randomized, double-blind, wheat germ placebo-controlled clinical trial ». *J Clin Endocrinol Metab*. 2005, 90 (3) : 1390-7.

avec placebo mené auprès de 199 femmes ménopausées[60]. Les participantes consommaient, durant un an, 40 g par jour de graines de lin moulues ou un placebo (germe de blé). Comparées au placebo, les graines de lin ont eu pour effet d'abaisser les taux sanguins de cholestérol. Il n'y a toutefois pas eu de différence sur les bouffées de chaleur qui ont diminué d'environ 30 % dans les deux groupes.

L'effet placebo est toujours de l'ordre d'environ 30 % dans les essais cliniques portant sur les bouffées de chaleur, explique le Dr Dodin. Selon elle, il est possible que la prise de graines de lin réduise le nombre et l'intensité des bouffées de chaleur durant la ménopause. Il est cependant difficile de mesurer l'ampleur de cet effet, ajoute-t-elle. « *Nos résultats auraient peut-être été plus probants, fait-elle remarquer, si l'essai avait porté sur des femmes dont les bouffées de chaleur étaient plus fréquentes et plus intenses… Une telle intervention diététique présente un intérêt certain,* souligne-t-elle, *puisque les graines de lin ont, par ailleurs, des effets intéressants pour la santé des femmes, notamment sur le profil lipidique.* »

Dans les graines de lin et en particulier dans les huiles de lin, de chanvre et d'onagre existent aussi de fortes concentrations d'acides gras essentiels en quantités égales, les oméga-6 et 3 (ratio 1/1) : acide linoléique, acide alpha-linolénique et gamma-linolénique. Le laboratoire Nutergia a conçu une préparation très efficace autour de la ménopause pour réduire les bouffées de chaleur, les troubles cutanés et la sécheresse, dénommée ERGYLINE contenant en 2 à 4 capsules par jour pour une capsule : 300 mg d'huile de lin, 160 mg d'huile de chanvre et 40 mg d'huile d'onagre, avec en plus 5 mg de vitamine E et des antioxydants sous forme d'extrait de romarin.

Les chercheurs attribuent aussi les effets des graines de lin aux lignanes qu'elles renferment, des phyto-œstrogènes qui auraient une action anti-œstrogénique et qui pourraient protéger contre le cancer du sein.

Leurs effets pour éviter ou réduire le surpoids

Ses effets natriurétiques (élimination urinaire du sel) sont à opposer aux effets délétères des œstro-progestatifs artificiels de la pilule et des traitements substitutifs de la ménopause qui sont des effets anti-natriurétiques. Les femmes le savent, parce qu'elles prennent souvent du poids, de la « cellulite », du fait d'une nouvelle répartition de l'eau dans leur organisme qui est mal éliminée.

Pour prévenir les cancers génitaux et favoriser l'équilibre hormonal

Quant aux effets des phytohormones chez la femme et l'homme, ils sont fort utiles pour la santé.

– Une concentration élevée des métabolites des isoflavones est notée dans les urines des femmes consommant du soja et ayant un taux bas de cancers génitaux et mammaires. Quant aux dosages des isoflavones dans le sang de ces femmes, ils sont discordants.

– Chez l'homme, il y a peu d'études. Cependant la légende dit « qu'un Prince qui ne se nourrissait que de pois chiches aurait défloré plusieurs vierges en une seule nuit ». Voilà une publicité qui dépasse celle du Viagra !

– Les nouveau-nés nourris au lait de soja ont des concentrations sanguines de génistéine élevées, 10 fois supérieures à celles qui, chez l'adulte, ont une action hormonale. Leur utilisation peut déclencher, à un âge plus avancé, une puberté précoce, tant chez les filles que chez les garçons. Heureusement, chez le nouveau-né, le premier mois, les isoflavones sont absorbées par le tube digestif, restent inactifs et sont éliminés tels quels dans les urines. Ils ne servent à rien. N'oublions pas que rien ne vaut le lait de la mère.

– Dans les cancers du pancréas, on a montré un effet protecteur sur des cultures cellulaires de tumeurs pancréatiques, plus grand pour les cellules provenant de tumeurs féminines que celui observé pour les cellules provenant de tumeurs masculines.

Aussi est-il contre-indiqué de consommer des phytohormones en comprimés à fortes doses, et indispensable de savoir précisément la dose de phytohormones présente dans les médicaments ou pseudomédicaments présentés au grand public.

13. Pourquoi l'activité physique régulière a des effets anticancer, anti-vieillissement et permet d'éliminer les produits toxiques de notre environnement ?

Bougez et transpirez ! Une hormone du système osseux agit sur les cellules graisseuses

En septembre 2007, l'un de nos collègues français travaillant à New York, Gérard Karsenty, a démontré que, chez la souris, le squelette joue le rôle d'un organe hormonal, fabriquant au moins une hormone, *l'ostéocalcine*, dont la fonction est unique dans le métabolisme énergétique.

Elle réduit les réserves en graisses et régule la glycémie. Voilà la confirmation scientifique de l'intérêt d'une activité physique sérieuse pour réduire tant l'obésité que les risques de diabète. Cette ostéocalcine agirait directement sur les cellules du pancréas et sur les cellules graisseuses, dites adipocytes.

L'activité physique régulière a, en plus, des effets anti-cancers, anti-vieillissement et permet d'éliminer les produits toxiques de notre environnement

Une activité physique soutenue est un excellent moyen préventif pour tous les cancers. Elle évite le tabagisme, réduit le tissu gras en excès, améliore les fonctions hépatiques en réduisant la « stéatose » (le sucre stocké en gras dans le foie), augmente la masse musculaire, permet d'éliminer, par la sudation, tout ou partie des pesticides que nous respirons, mangeons, ou en contact avec notre peau, et enfin favorise un sommeil réparateur.

Les pesticides les plus dangereux : une « pandémie silencieuse » responsable de nombreuses pathologies surtout chez l'enfant

Le règlement Reach voté par le Parlement européen en décembre 2006 est entré en vigueur en juin 2007, introduisant une procédure d'autorisation pour les substances « *extrêmement préoccupantes* » au nombre de 1 500. Elles peuvent induire des cancers, des baisses de fertilité ou des malformations congénitales. Tant que les industriels n'auront pas réalisé les substitutions nécessaires, la transpiration sera le meilleur moyen d'éliminer tous ces produits toxiques de l'environnement qui parviennent à notre organisme.

Le Lindane est un insecticide qui peut donner des troubles neurologiques comme des **tremblements et des ataxies** (défaut de coordination des mouvements) ou des polynévrites. C'est, comme le DDT, « un organochloré », interdit depuis 1998, qui a été utilisé pendant près de 60 ans pour lutter contre les insectes parasites des plantes et pour lutter contre les poux des animaux ou des hommes.

D'autres organochlorés, tels que le difocol et l'endosulfan, ont été repérés comme pouvant augmenter les **risques d'autisme** chez les enfants dont les mères ont subi ce type d'exposition. Des scientifiques californiens de l'Institut de santé publique d'Oakland, du Département des services de santé de Californie de Richmond et de l'École de santé publique de l'université de Berkeley, ont cherché à savoir si l'exposition environnementale des femmes enceintes à ces pesticides utilisés dans des zones agricoles proches (moins de 500 mètres), pendant les premières semaines de grossesse, pouvait augmenter le risque, pour les enfants à naître, de développer des pathologies comme l'autisme. Les femmes les plus exposées par leur environnement à difocol et endosulfan risquent de donner naissance à des enfants autistes 6 fois plus que les femmes ne vivant pas près des zones agricoles.

L'étude montre que le risque augmente en fonction des quantités de pesticides utilisées et de la proximité de la zone d'habitation des zones d'utilisation des pesticides. Cette étude[61] montre également que la période d'exposition du fœtus est fondamentale, le risque étant maximal pendant les semaines 1 à 8 de la grossesse (période de développement du système nerveux du fœtus).

Une étude parue dans la revue *Diabetes Care* (2007, 30 ; 622-628) démontre que les organochlorés sont pourvoyeurs de diabète de type 2. Il y aurait une association entre les doses de ces pesticides dans le sang et la résistance à l'insuline, facteur précurseur du diabète non-insulinodépendant. De plus, il y a une relation entre ces taux sanguins et le tour de taille des patients, laissant penser, ce qui est logique, qu'il y a des relations entre pesticides et **obésité**, puisque les pesticides se stockent dans le tissu gras.

Pour le président de la Société française de biologie, le professeur Robert Bellé, après plusieurs années de recherches, ses travaux sur les cellules des oursins démontrent que l'herbicide le plus répandu en Occident est hautement cancérigène. Il s'agit du Roundup, qui aurait un effet toxique sur les cellules embryonnaires. Il perturberait la synthèse d'œstrogènes, ce qui expliquerait des fausses couches et des naissances d'enfants présentant **des malformations sexuelles.**

Le composant actif qu'il contient, dénommé glyphosate, n'est pas le seul élément toxique de cet herbicide. Ce sont les produits de formulation l'accompagnant qui rendent l'ensemble particulièrement dangereux pour la santé. Pour être efficace, le glyphosate doit pénétrer dans

---

61. « Maternal Residence Near Agricultural Pesticide Applications and Autism Spectrum Disorders Among Children in the California Central Valley », Eric M. Roberts, Paul B. English, Judith K. Grether, Gayle C. Windham, Lucia Somberg, and Craig Wolff, *Environmental Health Perspectives*, 2007.

les cellules des plantes. Ce produit est **cancérigène** parce qu'il engendre un dysfonctionnement du point de surveillance de l'ADN. Le gène de l'oursin est le plus proche de celui de l'homme. Sur un embryon d'oursin, l'herbicide en question est dévastateur. Ses composants, le glyphosate et les produits de formulation, affectent alors l'ADN de l'oursin, jusqu'à inhiber le point de surveillance. Du coup, certaines cellules échappent à la surveillance de l'ADN, conduisant ainsi aux tumeurs et aux cancers (parfois trois à quatre décennies après le stress initial). Chez l'homme, le processus et les conséquences sont identiques.

En particulier chez l'humain, les risques sont les **cancers des voies respiratoires** puisque le produit pulvérisé contient la formulation à des concentrations très supérieures (500 à 2 500 fois plus) à celles qui engendrent le dysfonctionnement du point de surveillance de l'ADN.

Il y a aussi les « *additifs alimentaires* ». Ce sont surtout des colorants artificiels et des conservateurs dont le célèbre E102 et suivants. Ils sont suspectés d'accroître **l'hyperactivité infantile**, en particulier l'acide benzoïque[62] (E211). Ces produits sont mentionnés sur les pochettes des friandises. Selon une étude britannique parue dans *The Lancet* de début septembre 2007, ils peuvent rendre impulsifs, suractifs et inattentifs, surtout chez les enfants de moins de 3 ans. L'autorité européenne de sécurité des aliments (EFSA) est saisie.

Relations sommeil et surpoids

Une durée insuffisante de sommeil est associée à un risque de surpoids chez l'enfant et l'adulte.

Relations activité physique et réduction des risques de cancer du sein

L'activité physique réduit les risques de cancer du sein. Selon une étude de *Women's Health initiative*, les femmes pratiquant 1 h 15 à 2 h 30 de marche rapide par semaine diminueraient le risque de cancer du sein de 18 % par rapport aux femmes inactives. La réduction du risque serait d'autant plus élevée que l'activité sportive est conduite dans l'adolescence et à l'âge adulte et que le nombre d'années d'exercice augmente. L'étude E3N sur les facteurs de risque du cancer du sein auprès de 100 000 femmes suivies depuis 1990 – Françoise

---

62. Cet acide perturberait la production d'acides aminés essentiels et les mécanismes dopaminergiques de la transmission neuronale.

Clavel-Chapelon, Inserm IGR – démontre que 5 heures hebdomadaires, ou plus, d'intensité soutenue diminuent de 38 % les risques (même les femmes ayant des ATCD familiaux ou autres facteurs de risque de cancer du sein). Alors, Mesdames, n'hésitez pas à bouger, il n'est jamais trop tard.

Les femmes qui font 14 heures ou plus de travaux ménagers légers par semaine voient leur risque de développer un cancer du sein diminuer de 18 %, contre 38 % pour les femmes qui pratiquent 5 heures hebdomadaires, ou plus, d'activités de loisirs à intensité soutenue, par rapport à celles qui ne pratiquent aucune activité physique.

Cette relation est également valable chez les femmes présentant des facteurs de risque : antécédent familial, surpoids, n'ayant pas eu d'enfant, utilisatrices d'un traitement substitutif de la ménopause qu'il est recommandé d'arrêter sans tarder.

Ainsi l'activité physique favorise le contrôle du poids, de la prise alimentaire, de la tension artérielle, de la fréquence cardiaque. Elle diminue les risques d'hyperglycémie, donc de diabète, diminue aussi les risques d'hypoglycémie, si elle est bien gérée…

Quelque 74000 femmes âgées de 50 à 79 ans ont été suivies durant cinq années en moyenne. Durant cette période, 1780 événements cancéreux mammaires ont été dénombrés. Les analyses révèlent que les femmes ayant débuté une activité modérée au moins trois fois par semaine vers l'âge de 35 ans présentent un risque diminué de 14 % par rapport aux sujets les moins actifs.

Chez les jeunes filles, il n'est jamais trop tôt pour bien faire. Sports d'équipe : volley-ball, basket-ball, football, ou sports individuels : jogging, patinage, équitation, natation, vélo… Une saine pratique du sport retarde la puberté, en faisant baisser le flux d'œstrogènes et réduit la vulnérabilité au cancer du sein.

Les femmes qui prennent plus de 15 kg entre l'âge de 20 et 50 ans ont un sur-risque de cancer du sein de 50 %.

L'activité soutenue c'est 6 fois la dépense d'énergie au repos. Il a pu être calculé : jogging = 8 fois l'énergie au repos ; natation = 4-11 fois l'énergie au repos ; vélo = 4-10 fois l'énergie au repos ; arts martiaux = 10 fois ; squash = 12 fois. Chez les jeunes, il n'est jamais trop tôt pour bien faire et ainsi éviter le surpoids et toutes ses conséquences.

Indépendamment de l'alimentation et de la corpulence, le Centre international de recherche contre le cancer affirme que les plus actifs sportivement (2 à 3 heures par jour) ont une diminution de 20 % des cancers coliques, et les modérément actifs de 14 %.

Le cerveau régule aussi la formation osseuse

La leptine, hormone anorexigène fabriquée par les adipocytes, est un régulateur très puissant de la masse osseuse, via un relais cérébral par fixation de la leptine sur les neurones de l'hypothalamus. Les cellules nerveuses de l'intestin grêle et celles de l'hypothalamus fabriquent une neuromédine U, également anorexigène. Cette hormone, qui agit en aval de la leptine, inhibe la formation osseuse.

Il faut encourager l'activité physique à tout âge.

14. Pourquoi la phobie de l'ostéoporose et comment la prévenir sans apport excessif de laitages animaux ?

Une phobie entretenue

L'ostéoporose représente pour les laboratoires pharmaceutiques un marché colossal. Il est donc logique qu'ils inondent la presse féminine de ce sujet, en cherchant à ce que le maximum de femmes soient consultées et traitées pour « prévenir l'ostéoporose et le vieillissement… »

Le THS est devenu dangereux, cancérigène et thrombogène, il faut donc trouver autre chose.

Les femmes sont très sensibles au vieillissement, à leur look, de la tête aux pieds, et les hommes commencent à s'y mettre car on parle aussi d'ostéoporose chez l'homme. Le phénomène est identique chez la gent masculine, mais les hommes, pour le moment, sont plus sensibles aux Viagra, Cialis et autres médicaments de l'érection assurée… Chaque chose en son temps.

La ménopause n'est pas une maladie. Il faut le répéter tant les femmes ont reçu des informations affolantes, dans le but essentiel de les faire consommer des médicaments le plus tôt possible. On leur a parlé de pré-ménopause pour les préparer, on leur a même dit qu'il faudrait être traitées au moins 10 ans, d'autres leur ont dit « à vie ». Vous imaginez la manne pour les laboratoires pharmaceutiques et l'inverse pour la sécurité sociale, quand il y a en France 15 millions de femmes autour de l'âge de la ménopause.

Les femmes ont donc été d'abord affolées avec la ménopause, l'objectif étant de leur faire consommer le THS (Traitement Hormonal Substitutif) pour rester jeune, éviter les bouffées de chaleur, la sécheresse vaginale, l'ostéoporose, les problèmes cardiaques et de mémoire… Les résultats des études épidémiologiques dans le monde entier ont démontré l'inverse de ce qui était espéré et largement médiatisé : de forts risques cancérigènes, de maladies cardiovasculaires, y compris de « démence ».

Les laboratoires français font tout pour minimiser les dangers et se servent de collègues gynécologues féminines et des magazines féminins pour promouvoir les THS à la française et proposer aux femmes des traitements à la carte, en les assurant d'une surveillance régulière de prévention des cancers. Tout cela n'a qu'un seul but, le marketing, pour l'énorme cible des 15 millions de femmes françaises en âge d'être ménopausées. Et, bien évidemment, toutes les femmes d'Europe entrent dans la cible.

Les hommes vont sous peu entrer dans la cible. Les médias annoncent déjà que « plus de 800000 hommes souffrent d'ostéoporose après 50 ans », tandis que 2 à 3 millions de femmes ont la même maladie, dont un quart de plus de 50 ans. Et l'on évalue approximativement un taux de mortalité chez l'homme de 10 à 14 %, tandis qu'il serait chez la femme de 5 %.

Un seul objectif, faire peur aux hommes pour les rendre consommateurs de médicaments – remboursés au maximum par la sécurité sociale – dès l'âge de 50 ans et jusqu'à 110 ans.

Une grande étude épidémiologique dénommée Strambo, menée sur des hommes de 20 à 90 ans, permettra d'enfoncer le clou. Heureusement, une étude parue dans le *New England Journal of Medicine*, en octobre 2006, démontre que l'arsenal thérapeutique d'apport de calcium, de vitamine D, n'assure qu'une protection limitée. La meilleure parade est l'exercice physique quotidien dès l'adolescence et une alimentation équilibrée.

Face à la phobie de l'ostéoporose, il a fallu trouver un examen complémentaire pour évaluer les risques d'ostéoporose – il s'agit de *l'ostéodensitométrie* – et de tout faire pour qu'elle soit acceptée par un maximum de femmes. Cet examen indolore a pour but de « mesurer la densité osseuse, facteur déterminant de la solidité de l'os, et d'estimer le risque de fracture qui permet d'établir un diagnostic précoce d'ostéoporose. »

Les résultats décrivent le plus souvent une densité à la limite de la normale (légère ostéopénie), qui demande à être surveillée, ce qui multiplie les examens, le plus souvent inutiles mais qui rapportent.

La sécurité sociale a dû mettre le holà en juillet 2006, en décidant au regard des études les plus sérieuses que l'ostéodensitométrie serait remboursée seulement tous les 6 ans et sous certaines conditions.

La peur de l'ostéoporose a fortement profité aux lobbies des laitages, qui ont matraqué et matraquent chaque jour l'opinion avec les produits lactés sous toutes leurs formes. On a fait croire que seuls les produits lactés contiennent du calcium. Ainsi est-il de plus en plus difficile de conseiller l'arrêt des laitages tant aux femmes à la ménopause (qui ont peur de l'ostéoporose) qu'aux jeunes filles dont le visage souffre de l'acné et de surpoids (qui ont peur pour leurs os) ou qu'à une mère qui craint pour la croissance de ses enfants. Et pourtant tous ces conseils qui vont jusqu'à proposer 3 à 4 laitages par jour n'ont pas d'intérêt pour la santé, bien au contraire.

On parle aujourd'hui de yaourts pour avoir la peau douce, de ceux qui feraient baisser les taux de cholestérol ou limiteraient le vieillissement, de beurre anti-cholestérol. Et des mutuelles, pour augmenter leurs adhérents, sont entrés dans le jeu en favorisant l'achat par la perspective du remboursement. Les allégations santé, la plupart du temps non prouvées, aussi fantaisistes qu'elles soient, ne sont choisies que dans un but marketing.

Aussi est-il difficile de faire comprendre que le *gavage aux laitages* ne réduit pas l'ostéoporose ! Les pays qui ont le plus grand nombre de femmes ostéoporotiques sont scandinaves et ils sont les plus gros consommateurs de laitages de vache !

Comment éviter l'ostéoporose ? Consommer plus de calcium végétal, de fibres et de potassium par des aliments alcalinisants

Le meilleur calcium est celui qui provient des végétaux. Très peu de personnes, y compris de médecins, le savent et donc le disent.

Les viandes, les céréales et les produits laitiers sont acidifiants, faisant fuir l'ion calcium. Ils sont associés à une charge acide élevée par rapport aux aliments alcalinisants comme les fruits et légumes, lesquels aident à la fixation du calcium sur l'os.

En effet, les protéines animales des viandes et des laitages, quand elles sont dégradées par les enzymes de l'estomac et du tube digestif, génèrent en particulier des acides aminés qui ont tendance à acidifier le sang et, donc, les urines qui éliminent le trop-plein d'ions acides.

Des aliments acides et aliments alcalins : des viandes et laitages aux fruits et légumes

On utilise l'indice de PRAL qui correspond au « Potential Renal Acid Level » qui indique la charge acide rénale potentielle d'un aliment. On sait ainsi s'il est acidifiant ou alcalinisant. C'est dans l'urine que l'on mesure la charge en ions acides ou alcalins en milliéquivalents.

C'est dans l'urine que l'on obtient la mesure de cette charge, dont l'unité est le milliéquivalent (mEq). Tous les chiffres au-dessus de 0 révèlent un excès d'acide.

Les produits céréaliers (environ 10 mEq/100 g) et les aliments riches en protéines, comme la viande et certains fromages (25 mEq/100 g dans certains cas), sont très acides. Les deux seuls groupes d'aliments alcalinisants sont les fruits et les légumes (autour de -3 mEq/100 g en moyenne). L'asperge est à -0,4 ; la pomme de terre -4 ; l'épinard -14 ; le riz +4,6 ; les pâtes +7,14 ; le pain +4,3 ; le raisin -21. Pour le lait et les yaourts, le PRAL est à +1-1,5 et pour les fromages entre +8 et 34.

Laits et produits laitiers génèrent en moyenne 1 mEq d'acidité pour 100 g d'aliments (parmesan jusqu'à +30 mEq) ; viandes, poissons, volailles et céréales, en moyenne 7 mEq pour 100 g d'aliments. Les légumes, par exemple, combinent une forte teneur en calcium, magnésium, sodium et potassium (minéraux alcalins) à une faible teneur en chlore, soufre et phosphore (minéraux acides). On sait qu'une diminution de l'acide de l'urine aide la calcification des os, surtout chez les femmes ménopausées, et qui ont une activité sportive.

D'une façon générale, les habitudes alimentaires occidentales et modernes[63] contiennent trop d'aliments acides et pas assez d'aliments

---

63. Nos ancêtres, comme l'a démontré notre collègue Jean Seignalet, n'avaient pas d'ostéoporose. Ils se nourrissaient exclusivement d'animaux et de plantes sauvages. L'apport en potassium et fibres était important. L'apport en potassium atteignait 300 mEq de potassium par jour, alors qu'aujourd'hui il n'excède pas 80. Tandis que les apports en sodium sont passés de 30 mEq à 100-300 mEq/24 h. Le rapport K/Na s'est inversé passant de 10 à 1. Ainsi s'expliquent en partie l'hypertension artérielle, les lithiases rénales et l'ostéoporose aggravée de personnes qui ont réduit en plus de façon drastique leur activité physique. L'homme moderne vit en Acidose Métabolique Lente (AML) qui reste bien compensée, se traduisant par un pH du sang normal. C'est surtout le rein qui compense en éliminant plus d'acidité.

alcalins. Pour atteindre cet équilibre, il suffit de consommer plus de légumes à chaque repas, ainsi que des fruits. Parallèlement, on réduit les portions de viandes et laitages au minimum (pas plus de 60 g de protéines par repas), ainsi que la quantité de pain et de produits céréaliers (pas plus d'une à deux portions par repas). Ainsi une forte consommation de fruits et légumes, riches en sels de potassium, peut contribuer au maintien du tissu osseux.

Le rôle du système osseux dans l'équilibre calcique: calcium du sang et calcium des urines

Les minéraux osseux alcalins contribuent à l'équilibre du pH du sang dans l'organisme. Le squelette agit comme un tampon, libérant le calcium à partir de l'os qui est finalement excrété dans les urines. Une alimentation riche en fruits et légumes réduirait le besoin de piocher dans les réserves de calcium squelettique. Dans une étude publiée dans le *New England Journal of Medicine* en 1997 (336; 1117-1124), l'augmentation de la consommation de fruits et légumes de 3,6 à 9,5 portions par jour réduit la calciurie de 157 mg/24 h à 110 mg/24 h.

L'ostéocalcine[64], protéine du tissu osseux, joue un rôle dans la calcification des os. C'est la vitamine K qui permet à la protéine d'agir. Les légumes à feuilles vertes représentent la source la plus riche en vitamine K. Les études de population ont montré qu'une faible teneur alimentaire ou sanguine en vitamine K[65] est associée à une faible densité osseuse. Les adolescentes qui consomment au moins 3 fruits et légumes par jour ont une surface et un contenu minéral osseux plus important que celles qui en consomment moins de 3 par jour (*Am J Clin Nutr*, 2004; 79; 311-7).

---

64. L'ostéocalcine est une protéine spécifique des tissus osseux favorisant la fixation du calcium à la substance fondamentale. L'ostéocalcine est donc un des marqueurs de l'ostéoformation. C'est la protéine non collagénique la plus abondante de la matrice osseuse. Elle est synthétisée par les ostéoblastes sous l'influence de la vitamine K et de la 1,25-dihydroxy-vitamine D3. L'ostéocalcine est assimilée par l'os, mais une fraction (environ 10 %) passe dans le sang sous forme intacte, et surtout sous forme de fragments lors de la résorption. Le taux d'ostéocalcine dans le sérum est donc directement lié à l'intensité du remodelage osseux.

65. La vitamine K est fabriquée dans le côlon droit. Elle joue un rôle important comme facteur de coagulation du sang. Après l'ablation du côlon droit (hémicolectomie droite), on observe des troubles de la coagulation et souvent des troubles de la décalcification (ostéoporose).

Le calcium des laitages moins bon que le calcium végétal

L'assimilation du calcium laitier atteint un taux record de 30 à 35 %[66]. C'est le calcium de référence pour les produits animaux.

Pour un enfant de 8 ans recevant 900 mg de calcium par jour sous forme de laitages, des mesures avec des isotopes stables ont montré que seulement 28 % de ce calcium est absorbé soit 246 mg.

Chez l'enfant qui ne reçoit que 360 mg de calcium par jour, les mêmes techniques montrent que 63 % du calcium est absorbé, soit 226 mg. Plus il y a de calcium animal dans l'alimentation, moins il est absorbé (*British Journal of Nutrition,* 1994 ; 72 : 883-897).

Il faut surtout retenir que l'augmentation de l'apport alimentaire en calcium animal n'augmente pas l'apport calcique à l'os, au contraire.

L'assimilation du calcium végétal est nettement supérieure pour des végétaux fortement consommés (50 à 74 %) quand ils ne sont pas captés par les phytates et oxalates, eux-mêmes présents dans les végétaux, qui empêchent l'absorption digestive.

Le calcium des épinards une fois cuits n'est absorbé que pour 5 %, soit 6 mg, alors qu'ils en contiennent 100 mg pour 100 g. L'idéal est de consommer les feuilles tendres d'épinards frais en salade. L'absorption du calcium peut alors dépasser 50 mg.

Voici les niveaux d'absorption du calcium qui sont supérieurs à ceux des laitages animaux, quand les végétaux sont consommés crus ou cuits à la vapeur douce : radis cru 74 % ; cresson frais 67 % ; choux de Bruxelles 64 % ; rutabaga 61 % ; choux vert 59 % ; brocolis 53 % ; feuilles de navet 52 %. Évidemment le nombre de rations de ces végétaux à consommer est supérieur à une ration d'un quart de litre de lait qui apporte 315 mg de calcium dont 32 % est absorbé soit 101 mg. Elles sont respectivement en suivant l'ordre des végétaux cités de 9 ; 6,6 ; 5,3 ; 3,9 ; 1,8 ; 4 et 1,8.

Un laitage par jour est donc largement suffisant. Les excès de calcium sont dangereux pour la santé. Les 1 200 mg par jour pendant l'adolescence, la grossesse ou l'âge avancé, sont excessifs. Nous éliminons chaque jour environ 500 mg de calcium, il faut donc en apporter au minimum 500 mg pour maintenir l'équilibre calcique et 1 000 mg sont suffisants en période de croissance, de grossesse, de lactation ou de vieillissement. On retrouve 99 % du calcium dans les os et 1 % dans le sang.

66. Source Cidil : *Le lait numéro un de la santé.*

Pour bien fixer le calcium sur l'os, il faut associer chez l'enfant, comme chez la personne âgée, plusieurs éléments

– la vitamine D, nécessaire pour le passage du calcium de l'intérieur de l'intestin dans le sang (absorption intestinale), est fabriquée par notre peau grâce à l'exposition solaire[67]. Elle est stockée dans le foie, mais aussi dans le muscle et le tissu adipeux. Sa demi-vie dans l'organisme est de 4 à 6 mois, ce qui permet d'attendre les belles saisons ensoleillées. Dans un œuf de poule, il y a 10 % du besoin quotidien en vitamine D et 20 % des besoins quotidiens en vitamine E de l'enfant, et 10 % des besoins adultes.

Nous en consommons pour 100 g d'aliment, avec le beurre 1,4 microgramme et 1,3 microgramme avec un œuf de poule. Le thon rouge en contient 23 microgrammes pour 100 g. Le besoin journalier varie avec l'âge : 5 microgrammes jusqu'à 50 ans, 10 microgrammes de 50 à 70 ans, 15 microgrammes après 70 ans. En général, une exposition normale au soleil et une alimentation équilibrée permettent de répondre à ces besoins. L'excès de vitamine D est nocif et peut entraîner des troubles divers : maux de tête, nausées, vomissements, perte de poids, fatigue intense... La prise de vitamine D n'est pas recommandée en cas d'hypercalcémie (excès de calcium dans le corps).

– le magnésium est indispensable à l'absorption calcique. D'une façon générale, l'idéal est d'apporter une ration calcique équivalente à 4 fois la quantité de magnésium. Le rapport Ca/Mg alimentaire est donc idéalement de 4.

– les fibres et la vitamine C sont également nécessaires à l'absorption calcique, ce qui démontre bien la cohérence de notre organisme qui a besoin de fruits, de légumes et de légumineuses, tous présents dans l'alimentation méditerranéenne.

– l'huile d'olive contient l'acide oléique qui est le meilleur transporteur du calcium sur l'os.

---

67. Une exposition au soleil, au moins visage et mains, de 30 minutes deux fois par semaine ou mieux 10 à 15 minutes par jour, pour la synthèse de la vitamine D qui se fait sous la peau. La vitamine D est indispensable pour l'absorption du calcium par l'intestin grêle. Si la peau est très pigmentée, elle peut avoir besoin de 30 minutes à une heure par jour de soleil et parfois jusqu'à 3 heures par jour. C'est facile en Afrique. Sans vitamine D, chez l'enfant, c'est le rachitisme et, chez l'adulte, l'insuffisance de calcification osseuse qui ramollit les os dénommée « ostéomalacie ». Le bébé a besoin d'une exposition visage et mains d'au moins 2 heures par semaine, et plus si la peau est sombre. Les personnes âgées ont besoin de 2 fois plus de soleil que les plus jeunes, car leur peau synthétise moins de vitamine D.

Avec l'huile d'olive, en 2006, la direction des fraudes (DGCCRF) en France a détecté 56 % des 211 échantillons analysés non conformes à la réglementation (défauts organoleptiques, acidité, origine des fruits erronée... un échantillon contenait jusqu'à plus de 50 % d'huile de tournesol), certaines étaient impropres à la consommation.

Par contre, les produits AOC étaient tous conformes, voilà ceux qu'il faut choisir.

Les Français en fabriquent 5 500 tonnes, en consomment 100 000 tonnes par an, soit, en 2007, 4 % de plus qu'en 2006. L'Espagne est le premier producteur, avec des oliviers qui portent 3 fois plus de fruits (de 80 à 120 kg) que leurs homologues français.

L'activité physique au moins 2 fois par semaine pendant 30 minutes

Prenons un exemple facile à comprendre. Si vous avez une fracture du tibia en faisant du ski, vous aurez droit à un plâtre pendant un mois. Au bout d'un mois, on vous enlève le plâtre et vous êtes étonné par votre mollet atrophié par comparaison avec celui du côté opposé. Pourtant, les 2 mollets ont reçu la même alimentation pendant le mois post fracture. De plus, la zone fracturée a bien consolidé aux dépens, en partie, des extrémités de l'os immobilisé. Il y a eu « *priorité biologique de consolidation* ».

Ainsi, pour prévenir l'ostéoporose, deux écoles s'opposent: l'approche conventionnelle avec laitages + supplémentation en calcium et vitamine D, ou bien une alimentation riche en fruits et légumes frais, légumineuses, poissons avec peu de produits laitiers, car le calcium le plus biodisponible pour l'organisme adulte, répétons-le, provient du calcium végétal et non du calcium animal.

La « biodisponibilité » représente la quantité d'un élément nutritif de source alimentaire qui est **absorbée** et **utilisée** par l'organisme. Par exemple, la vitamine E des aliments (huile d'olive) est utilisée à 100 % par l'organisme, tandis que la biodisponibilité de la vitamine de synthèse varie entre 10 et 40 %. C'est pourquoi les fabricants proposent des formules à très forts dosages espérant compenser cette perte d'assimilation.

Voici comment consommer du calcium sans trop de produits laitiers

290 mg de Ca dans 100 g de sardines fraîches
250 mg de Ca dans 100 g d'amandes
255 mg de Ca dans 100 g de soja en grains

200 mg de Ca dans 100 g de persil frais
200 mg de Ca dans 100 g de crevettes
175 mg de Ca dans 100 g de noix et noisettes
165 mg de Ca dans 100 g de pissenlits
160 mg de Ca dans 100 g de cresson
160 mg de Ca dans 100 g de figues sèches
140 mg de Ca dans 100 g de jaune d'œuf
100 mg de Ca dans 100 g d'olives vertes
104 mg de Ca dans 100 g d'épinards
100 mg de Ca dans 100 g d'endives
60 mg de Ca dans 100 g de figues fraîches
55 mg de Ca dans 100 g d'abricots secs
50 mg de Ca dans 100 g de brocolis frais
40 mg de Ca dans 100 g d'oranges
19 mg de Ca dans 100 g de pamplemousses
16 mg de Ca dans 100 g d'abricots
14 mg de Ca dans 100 g de coings
4 mg de Ca dans 100 g de pommes

Les meilleurs produits laitiers ne viennent pas de la vache, mais de la chèvre ou de la brebis, car ils contiennent moins de calcium.

– Vache : 1000 mg de Ca dans 100 g de gruyère et 300 mg de calcium dans 250 ml de lait ou 300 g de fromage blanc ou 2 yaourts.
– Brebis : 700 mg de Ca dans 100 g de roquefort.
– Chèvre : 190 mg de Ca dans 100 g de fromage.

Il y a évidemment plus de calcium dans tous les fromages et laitages, mais il est moins biodisponible que le calcium végétal.

Dans nos études de recherche[68], nous avons pu démontrer que le roquefort (fromage de brebis par excellence) labellisé AB, c'est-à-dire provenant de lait de brebis de l'agriculture biologique contient presque

68. Projet ABARAC que j'ai dirigé avec le Dr Mariette Gerber mené en coopération avec l'Inserm à l'Institut du cancer de Montpellier, visant à comparer les qualités nutritionnelles de 20 aliments provenant des 3 procédures culturales : agriculture biologique AB, agriculture raisonnée AR et agriculture conventionnelle AC (voir notre site www.professeur-joyeux.com).

deux fois plus de calcium que celui provenant des laits de brebis élevées en agriculture conventionnelle (AC).

Les fromages de chèvre AB contiennent en moyenne deux fois plus d'acide gras essentiel (alpha-linolénique) que les fromages de chèvre provenant de l'agriculture conventionnelle.

Composition du lait de différentes espèces animales comparée à celle du lait humain. Dans les fromages la concentration en calcium varie selon la densité de la pâte

100 g de lait de	Femme	Vache	Chèvre	Brebis
Protéines g	1.2	3.3	3.7	5.3
Graisse g	3.7	3.8	3.9	6.3
Sodium mg	15	48	42	30
Potassium mg	53	157	177	182
Calcium mg	31	120	123	183
Phosphore mg	15	92	103	115
Magnésium mg	4	12	13	11
Vitamine C mg	4	2	2	4

Lait	Châtaigne	Amande	Noisette	Noix	Soja	Riz	Quinoa
Protéines	7 g	13 g	12 g	11 g	16 g	0,2 g	8 g
Glucides	79 g	62 g	67 g	68 g	58 g	0	79 g
Lipides	4 g	1 g	0,7 g	12 g	1,6 g	1 g	8 g
AGMI	3 g	9 g	9 g	4 g	4 g	5 g	
AGPI	1 g	4 g	4 g	7 g	5,3 g	2 g	
Sodium	0,2 g	0,2 g	0,02 g	0,1 g	0,2 g	0,12 g	
Calcium	40 mg	200 mg	160 mg	70 mg	(suppl. 120 mg)	21 mg	75 mg
Val. cal.	391	550	410	426	371	360	423

– Les laits végétaux

Composition des laits végétaux

– pour 100 g ou 100 ml –

Diluer 1 à 2 c. à soupe dans 100 ml d'eau
Nourrissons : 3 c. à café pour 100 ml d'eau

En cas d'hypothyroïdie, évitez la consommation de soja qui contient de la goîtrine, une enzyme qui inhibe l'absorption de l'iode au niveau de la thyroïde.

Ces préparations d'origine totalement végétale ne contiennent ni lactose, ni gluten, ni cholestérol, et sont une alternative nutritionnelle très intéressante dans les intolérances aux produits laitiers d'origine animale, qu'elles soient digestives, intestinales, articulaires, dermatologiques ou ORL.

15. Comment mettre la psychologie et le stress à leur juste place dans la genèse des cancers ? Le stress rejoint l'obésité

La psycho-endocrinologie est une nouvelle discipline. Le stress, l'angoisse, l'effroi ont des conséquences hormonales bien connues qui se traduisent biologiquement par les classiques sécrétions d'adrénaline dans l'urgence, et de corticostéroïdes secondairement. Ces deux hormones sont fabriquées respectivement par la partie centrale (médullosurrénale) ou périphérique de la surrénale (corticosurrénale). Les à-coups d'adrénaline sont responsables d'à-coups d'hypertension artérielle et les corticostéroïdes fabriqués en excès peuvent induire une immunodépression plus ou moins forte. La maladie mentale est un enjeu majeur de notre société. 27 % de la population européenne a souffert ou souffrira de troubles mentaux au cours de son existence, avec, au premier chef, l'anxiété et la dépression.

La « *positive attitude* » est par ailleurs très utile pour supporter les traitements lourds parfois nécessaires, ne pas les interrompre et avoir ainsi le maximum de chances de guérison.

Comme l'écrit très justement l'excellente journaliste Agnès Diricq dans le hors-série n° 14 de *Ça m'intéresse* de fin 2006 : « Lorsqu'un cancer est découvert, la rumeur l'associe à un drame dans le passé du malade. Les études actuelles ne lient pas formellement psychisme et cancer. Cependant, un stress émotionnel important, comme la perte d'un conjoint, affaiblit le système immunitaire de défense. À l'inverse, les gens éprouvant un réel bien-être (mesuré par des tests psychiatriques) ont un système de défense plus efficace. Il est vrai que le soutien psychologique accroît chez les femmes opérées d'un cancer du sein le nombre de lymphocytes T4, essentiel dans la lutte contre les cellules cancéreuses. Certes, l'augmentation est faible, + 5 % contre -5 % sans soutien psychologique. »

Le traumatisme psychologique ou le stress[69], à lui seul, n'a rien à voir avec les causes de cancer, sauf s'il est responsable d'un retard de diagnostic, d'une prise de médicaments à action indirectement hormonale (antidépresseurs, anxiolytiques, hypnotiques...), d'un refus de traitement ou d'une interruption de traitement(s)... On peut donc différencier les causes personnelles et les causes liées à l'environnement, ce que l'on respire, ce que l'on mange, ce que l'organisme reçoit et dont il n'a pas besoin (médications abusives).

Sans mettre comme certains collègues la pollution partout, il reste qu'il faut en tenir compte. La France demande notamment à l'Europe de reconnaître le caractère cancérigène des formaldéhydes présents partout. Il faudra résoudre la contradiction entre isoler et aérer pour éviter les concentrations de polluants (1 appartement sur 10 présenterait des taux élevés de polluants).

Tout stress détermine une sécrétion plus ou moins importante d'hormone corticostéroïde qui peut être dosée sous forme de cortisol dans le sang. Le cortisol fabriqué par les glandes surrénales suite à un stress, fait monter le taux du sucre dans le sang (hyperglycémie) qui, brutalement, a un plus grand besoin de calories glucidiques pour faire face à l'agression. Bien des gens stressés sont de gros consommateurs de sucreries que l'on retrouve dans le surpoids, l'obésité, qui sont des facteurs cancérigènes.

Les sucreries des boissons sucrées, des glaces, crèmes glacées tous parfums confondus, des viennoiseries, barres chocolatées de toutes sortes, flattent le goût et ainsi peuvent neutraliser un certain nombre de traumatismes psychologiques. C'est ce que nous appelons les « *caresses gastriques* ».

---

69. Qui n'a pas, dans les 5 années précédentes, à telle ou telle période de sa vie, subi un choc psychologique : perte d'un être cher, trouble professionnel ou familial, cambriolage, accident de toute nature ?? Aujourd'hui, on voit apparaître en cancérologie le « tout psychologique ». Cette dérive « tendance » plus ou moins consciente, souvent entretenue par des psychologues désinformés par des cancérologues et trop accro des média, est une magnifique orientation qui permet de ne pas voir les véritables causes et de trouver le « bouc émissaire » au fond de l'être du malade ou dans sa famille. Tout cela est très dangereux, n'a aucune valeur scientifique et ne fait que prolonger d'éventuels conflits familiaux.

Le minimum nécessaire de cholestérol chaque jour pour la fabrication des hormones stéroïdes (sexuelles, et aussi des stéroïdes qui jouent un rôle dans le stress et la régulation du métabolisme des sucres) correspond à la consommation d'un jaune d'œuf par jour 5 jours par semaine[70]. Le « cortisol », qui est l'hormone stéroïde fabriquée par les glandes surrénales en cas de stress, a été dosé chez des patients déprimés. Son taux est anormalement élevé et pourrait avoir un impact négatif sur les organes sensibles. On retrouve une association entre le taux de cortisol élevé et les risques de diabète, d'ulcère à l'estomac, l'hypertension artérielle et, possiblement, les cancers[71].

La psycho-endocrinologie devenue une nouvelle discipline nous apprend que le stress chronique est responsable de concentrations élevées de cortisone et d'adrénaline qui réduisent les défenses immunitaires. De plus, la sécrétion brutale de prolactine due au stress est un des facteurs responsables de cycles anovulatoires (sans ovulation) qui peuvent rendre la femme stérile.

Concernant les chocs psychologiques, nous avons relevé deux études australiennes. Suite à un « stress grave », tel le décès d'un être cher, perte d'emploi ou divorce…

Moins de 2 ans avant le diagnostic de cancer du sein, on remarque que les femmes ayant eu un soutien émotionnel ont 10 fois moins de cancer du sein que les femmes n'ayant pas eu ce soutien. En 1996, l'incidence de cancer du sein est 12 fois plus grande chez les femmes ayant subi un deuil, perte d'emploi ou divorce dans les 5 années précédant le diagnostic. Malheureusement, dans ces études, il n'a pas été tenu compte des consommations médicamenteuses, de type anxiolytiques, antidépresseurs, somnifères, ce qui rend les conclusions peu fiables. En effet, on sait que ces médicaments font sécréter de façon excessive et prolongée la prolactine qui, associée aux œstrogènes, peut être responsable de cancer du sein.

Pour ce qui concerne les rechutes de cancer du sein, le stress a été innocenté. Cela a pu être affirmé par le Dr Jill Graham qui a suivi 222

70. Les « végétaliens » qui ne consomment pas de produits animaux, ni viandes, ni poissons, ni œuf, ni laitages, sont fortement carencés en cholestérol et en hormones sexuelles et du stress. Les études épidémiologiques ont démontré qu'ils vivent moins longtemps que les « végétariens » lesquels ont une alimentation à forte orientation végétale, mais consomment des œufs et des laitages.

71. E. Sherwood Brown et coll., *Biological Psychiatry*, 15 octobre 2003.

femmes de moins de 60 ans traitées pour un cancer du sein, entre mai 1991 et juillet 1994.

La psycho-endocrinologie relie les évolutions hormonales de l'organisme et les réactions hormonales aux troubles psychologiques. On ne peut pas s'empêcher de relier la longue consommation hormonale de stéroïdes par l'intermédiaire des œstrogènes et des progestatifs (en moyenne pendant 11 ans), présents dans presque toutes les formes de pilules, et la multiplication des cas de cancer du sein chez des femmes de plus en plus jeunes.

Quant aux causes purement psychiques, mon collègue le Pr David Khayat répond fortement, en mars 2004, dans une interview d'un magazine santé : « Cette mythologie populaire sur la psychogenèse du cancer est des plus néfastes. Qu'un individu se découvre porteur de cette maladie est déjà assez terrible, pour qu'on n'aille pas en plus, lui faire porter sur soi un regard culpabilisateur. Le premier respect que l'on doit aux malades est de leur laisser le soin de mobiliser leur énergie dans la lutte contre le mal, et non de les affaiblir par le biais d'une inutile introspection sur leur propre responsabilité. »

Le rôle des psycho-oncologues dans nos institutions est bien d'aider les patients à formuler leur angoisse naturelle et, plus encore, de les aider à accepter les traitements indispensables, si lourds soient-ils. Nous leur recommandons la lecture de l'excellent livre de notre collègue de Toronto le Dr Yvon Saint-Arnaud : *La guérison par le plaisir* (Éd. Novalis, 2002).

16. Pourquoi l'instinctothérapie ou le végétalisme sont des erreurs nutritionnelles majeures ?

– L'instinctothérapie que nous avons qualifiée dès 1985 de « régime à éviter car dangereux » n'a pas de support scientifique réel. Il nous a été reproché par des collègues d'avoir préfacé le livre de Jean Seignalet qui s'était orienté vers la suppression de toute cuisson, dénommant sa méthode de « régime ancestral ». Cela nous a même valu des sites Internet anonymes, destinés à détruire nos messages de santé publique. La personne, courageusement anonyme, se cachant derrière ces sites, est maintenant identifiée et poursuivie par la justice.

Mon ami Jean Seignalet était convaincu des dangers des cuissons excessives et il avait scientifiquement raison. Il ne connaissait pas la *cuisson à la vapeur douce* quand il a écrit les premières éditions de son livre. Il a ensuite évolué, en particulier sous l'influence de nos travaux scientifiques et, dès qu'il a connu ceux menés dans mon propre laboratoire par André Cocard, père du Vitaliseur, instrument longuement testé, et idéal pour une cuisson à la vapeur douce ne dépassant pas 95 °C. Malheureusement, il n'a pas eu le temps d'écrire la nouvelle version qui aurait mis à sa juste place l'instinctothérapie.

Jean Seignalet, comme Catherine Kousmine, que nous avons tous les deux bien connus, étaient en avance sur le temps scientifique. L'intuition géniale de Jean prenait sa source dans sa double formation de clinicien, gastro-entérologue et rhumatologue, et dans celle du biologiste hématologue hypercompétent qui fut à l'origine de la découverte des groupes sanguins parmi les globules blancs, avec le prix Nobel, Jean Dausset.

Le livre de Jean Seignalet reste un best-seller qui intéresse de plus en plus le grand public et que je recommande régulièrement. Il a largement dépassé nos frontières, en Espagne, Italie, Canada, et a encore un grand avenir. Comme me le disait récemment un de mes collègues qui venait de le découvrir grâce à un patient, c'est un livre à offrir à son médecin. La prochaine édition s'appellera *Alimentation, première médecine*, c'est le plus bel hommage que l'on puisse rendre à Jean Seignalet.

Les « *végétaliens* » nous les nommons « *les talibans du végétal* ». Ils ne consomment pas de produits animaux, ni viandes, ni poissons, ni œuf, ni laitages. Ils sont donc fortement carencés en cholestérol et en hormones sexuelles et du stress. Les études épidémiologiques ont démontré qu'ils vivent moins longtemps que les « végétariens », lesquels ont une alimentation à forte orientation végétale, mais consomment des œufs et des laitages. Il peut donc être recommandé aux personnes gavées de viandes rouges et de laitages animaux de prendre des habitudes alimentaires à orientation végétarienne.

17. Quel est l'intérêt réel des aliments OGM pour la santé publique ?

Notre société s'est malheureusement divisée entre les pro-OGM et les anti-OGM. Les premiers seraient pour la science et les seconds contre le progrès. Notre ministre actuel de l'Agriculture a raison de réclamer un débat démocratique serein et apaisé. Mais est-ce vraiment au peuple de décider ? À quoi servent les experts ? Ce qui est gênant, c'est qu'il y a des experts sérieux des deux côtés. Comment donc se faire une idée juste ?

Nous sommes représentant au « Grenelle de l'environnement » de l'Union nationale des associations familiales. Pour les familles, nous voulons savoir d'abord ce que les OGM ont apporté ou apportent en termes de santé publique à l'homme. Qu'ils soient intéressants économiquement, c'est possible, mais nous savons qu'économie ne rime pas nécessairement avec santé.

Comme le dit le ministre Michel Barnier, « parce qu'il concerne notre avenir et nos fonctions vitales – se nourrir, se soigner –, ce débat est légitime et doit se tenir sans tabou dans la plus grande transparence. » La recherche sur les OGM est certainement nécessaire, mais est-elle suffisamment probante pour aboutir à la commercialisation ? Nous savons bien que les Américains ou les Chinois ne s'embarrassent pas de soucis éthiques ou de santé. Seul le business compte.

Les espérances ou les promesses ne peuvent suffire. Les voici : meilleure résistance aux parasites, à la sécheresse, déterminant une amélioration des rendements ou des progrès en matière de nutrition animale ou humaine. Il y a aussi les applications industrielles, telles « le peuplier contenant moins de lignine réduisant la pollution des eaux pour les papeteries ». Quant aux nouvelles thérapies pour les malades, souffrant par exemple de mucoviscidose, elles restent du rêve et auraient déjà abouti si elles étaient réalisables.

Pour la commercialisation, seul le maïs MON810 est cultivé en France depuis 1998, sur 0,75 % de la surface totale du maïs. C'est peu, nous dit-on, mais quel en est l'intérêt pour la santé humaine ou pour l'environnement ? On nous parle de la recherche aux USA ou en Chine qui nous dépassera, nous plaçant en situation de dépendance ! Mais l'avenir peut aussi démontrer l'inverse, même si 100 millions d'hectares d'OGM sont cultivés par 24 pays, dont 5 pays en Europe pour 100 000 hectares. Les Allemands ont obtenu un moratoire pour le maïs transgénique, en particulier pour les cultures en plein champ avant la pollinisation.

Les OGM sont autorisés en France, mais « à l'issue d'une procédure d'évaluation rigoureuse qui a démontré l'absence de risques pour la santé ». Légalement, ceux qui font pousser du maïs transgénique sont obligés d'informer les cultivateurs des parcelles voisines et de maintenir une distance minimale de 50 mètres entre les plans génétiquement modifiés et ceux qui ne le sont pas. Comment les 400 inspecteurs qui sillonnent le pays peuvent-ils prévoir ou éviter les pollinisations au gré des vents ?

Remarquons qu'un OGM autorisé en alimentation humaine crée, chez des rats nourris avec MON863 pendant 3 mois, des dysfonctionnements au niveau du foie et des reins[72]. Il s'agissait de diminution de volume des reins et de prise de poids du foie. La firme Monsanto[73] avait conclu à des anomalies non significatives et, d'après les scientifiques, a même dissimulé des données cruciales provenant des tests d'urine. En juillet 2007, une contre-expertise publiée par l'autorité européenne de sécurité des aliments a mis en cause les résultats précédents, affirmant que le maïs MON863 est aussi sûr que le maïs conventionnel. Les anomalies observées dès octobre 2003 seraient le fruit du hasard. La Commission française du génie biomoléculaire ne pouvait pas se déjuger par rapport à sa première évaluation.

De même, le colza GT73 de Monsanto a une toxicité rénale et hépatique chez le rat nourri 28 jours. On nous a parlé des bananes qui vaccinent, des plants de tabac qui produisent de l'hémoglobine humaine, et aussi d'une souche de riz transgénique conçue pour prévenir les allergies au pollen du cèdre du Japon... Du rêve !

Cruciale sera aussi l'utilisation des nanoparticules pour créer des OGM, en implantant en même temps un gène et le produit chimique qui va l'activer. La cellule végétale, contrairement à la cellule animale, possède plusieurs génomes. Seul le génome contenu dans le noyau participe à la fabrication du pollen. Ceci permettrait de cibler des gènes vers des génomes non nucléaires et de créer des plantes OGM dont le pollen ne serait pas transgénique. Et, ainsi, d'éviter que les plantes transgéniques n'essaiment.

La recherche en laboratoire n'a pas fini d'évoluer et elle doit continuer en attendant que des tests sérieux chez les animaux se montrent positifs pour la santé animale et humaine.

---

72. Étude publiée dans la revue américaine *Archives of Environmental Contamination and Toxicology* disponible sur www.criigen.org/full_article.pdf

73. Monsanto possède plus de 75 % des brevets mondiaux.

Avec les OGM, le taux de pollution a été fixé au-delà de 0,9 %, mais on ne sait pas d'où vient ce chiffre. Donc le taux de pollution 0,9 % est le seuil d'étiquetage[74]. On avertira le consommateur au-delà de ce taux. Ce qui est sûr, c'est qu'on ne sait toujours pas comment évaluer la toxicité à long terme des aliments OGM.

Sur 69 échantillons d'aliments prélevés pour la plupart à base de soja, 17 contenaient des traces d'OGM. Ces traces ne dépassaient pas 0,9 % et les OGM détectés étaient tous autorisés à la commercialisation. Dans 5 cas, des produits étiquetés « sans OGM » en contenaient. La contamination est plus importante dans l'alimentation destinée aux végétaux. 70 % des 102 échantillons analysés contenaient des OGM tous autorisés, dont 1/3 à des taux compris entre 0,9 % et 20 %. L'étiquetage « sans OGM » était employé souvent de façon abusive. Jusque dans nos assiettes, les OGM ont été retrouvés l'été 2006, avec du riz génétiquement modifié et importé des USA. Ainsi 11 des 39 prélèvements effectués en France par la DGCCRF étaient concernés.

En agriculture, les contaminations par les OGM sont précises. dans les parcelles situées à 15 m du champ OGM, la contamination atteint 0,3 %, et 0,1 % dans la parcelle située à 95 m. À 305 m, des traces d'OGM sont détectées mais non quantifiables. Quant au pollen des ruches placées dans un périmètre de 1 200 m autour du champ OGM, il est, lui aussi, contaminé à des taux de 40 à 50 %. Toutes ces informations sont indispensables à connaître pour la prochaine loi qui doit traiter des OGM et, en particulier, de la dissémination dans l'environnement (Source INC, octobre 2006).

Comme le dit Carlo Petrini, fondateur du mouvement international Slow Food, « Manger est un acte agricole, produire est un acte gastronomique ». Il est vrai que nous devons rester vigilants, car il prévoit que « les OGM peuvent être l'arme la plus sournoise et la plus puissante d'une stratégie commerciale destinée à s'approprier la filière productive ».

80 % de la population française est opposée aux OGM et demande donc des résultats scientifiques sérieux et non contestables.

---

74. En 2007, aucune directive européenne ne fixe le seuil admissible pour les OGM non autorisés venant contaminer les semences. Sur 1 450 millions d'hectares de terres arables, 90 millions sont cultivées en OGM dont 55 % aux USA.

18. Pourquoi des couples cancéreux autour de la ménopause et de l'andropause ? Toutes les générations peuvent être touchées dans la famille

Nous voyons aujourd'hui, en consultation de cancérologie, de plus en plus de couples atteints par le cancer. Pour la femme, il s'agit des cancers hormono-dépendants, du sein, de l'utérus ou des ovaires, et pour l'homme, de la prostate. Les statistiques ne sauraient tarder.

Le plus souvent, la femme est atteinte avant l'homme, car en plus des mauvaises habitudes alimentaires, elle consomme ou a consommé des hormones par le THS ou la contraception œstro-progestative. Ces produits ont des effets immunosuppresseurs et sont connus aujourd'hui comme cancérigènes en fonction des dosages.

Quant à l'homme, il est atteint au niveau de sa prostate 3 à 5 ans après sa femme. Leurs habitudes alimentaires sont évidemment identiques et ont les mêmes conséquences délétères. Il est donc utile de doser le taux de PSA (Prostatic Specific Antigen) dans le sang annuellement chez tous les hommes dont la compagne est ou a été traitée pour un cancer du sein, de l'utérus ou des ovaires.

Dans le domaine de l'alimentation, c'est le gras en trop et les aliments à index glycémique élevé qui sont responsables et qu'il faut chasser pour prévenir.

On voit aujourd'hui de plus en plus de membres de la famille atteints par le cancer. Il n'y a pas nécessairement de causes génétiques. Les recherches génétiques sont négatives. Les mauvaises habitudes alimentaires sont les mêmes pour tous, auxquelles il faut ajouter, chez les plus jeunes, la consommation de drogues qui est loin d'être sans danger, associée aux alcools forts. Le surpoids des jeunes est de plus en plus inquiétant. Sont en cause les consommations excessives de boissons sucrées plus ou moins alcoolisées, les laitages sucrés, les aliments tout préparés, souvent hypercaloriques.

À cela il faut ajouter, chez les jeunes filles dès le plus jeune âge, les prises hormonales œstro-progestatives (pour des raisons contraceptives ou esthétiques : acné, peaux grasses…) qui réduisent les défenses immunitaires et sont responsables de prise de poids par rétention d'eau.

Soulignons enfin que l'on voit aussi plus de pathologies cancéreuses chez les enfants. Ces pathologies sont certainement induites pendant le temps embryonnaire (jusqu'au 3e mois de la grossesse) ou fœtal (jusqu'au 6e mois). On se souvient des cancers des voies génitales ou des reins chez les enfants ayant reçu pendant leur vie intra-utérine du Distilbène pris par leur mère pendant le premier trimestre de la grossesse. Aujourd'hui encore nous ne connaissons pas tous les facteurs responsables des cancers des enfants, de même que ceux des « maladies de naissance ». Nul doute que les recherches des 10 prochaines années permettront rapidement de répondre à toutes ces questions.

19. Quels sont les effets de la nutrition méditerranéenne pour stimuler l'immunité : des cancers au sida ?

Les fruits et légumes frais

Manger 5 fruits ou légumes par jour est un minimum. Cela représente 400 grammes, ce qui est vite atteint. On peut sans effort arriver à 700 grammes par jour. Ces produits apportent l'eau, les sucres, en particulier le fructose, les vitamines, les minéraux, les oligo-éléments, les fibres et ont un effet de satiété, évitant ainsi de manger autre chose en excès.

Les poissons et fruits de mer, 2 à 4 fois par semaine

Le poisson gras une fois par semaine **réduirait le risque de cancer du rein.** Dans le *JAMA* du 20 septembre 2006, les Suédois Alicja Wolk et coll. ont interrogé précisément 61 433 femmes de 40 à 76 ans, sans antécédent de cancer à l'entrée dans l'étude, entre 1987 et 1990. Pendant un suivi de 15,3 années, entre 1987 et 2004, on a observé la survenue de 150 cas de cancer du rein. Après ajustements pour des facteurs confondants potentiels, les chercheurs ont observé une association inverse entre la consommation de poisson gras et le risque de cancer rénal (p = 0,02). Globalement, par rapport à l'absence de consommation de poisson, le RR (rate ratio), pour une consommation de poisson au moins une fois par semaine, était de 0,56 (*JAMA*, pp.1371-1376).

La consommation d'aliments riches en acides gras oméga-3 pourrait **abaisser le risque de cancer de la prostate** chez les sujets génétiquement prédisposés. Chez la souris, ces acides gras inhibent le développement des tumeurs prostatiques, en favorisant la destruction des cellules anormales[75]. Le ratio acides gras oméga-6/oméga-3 est trop

75. *Journal of Clinical Investigation*, juillet 2007.

élevé dans les alimentations de type européen ou américain. Le rapport moyen est proche de 30 et, chez les plus mal nourris, il est proche de 50. Il devrait être inférieur à 5. La relation mauvaises habitudes alimentaires et cancer prostatique est bien confirmée.

Les acides gras essentiels sont bons pour la cognition. En association avec le rôle protecteur des antioxydants, les oméga-3 sont associés à un moindre risque de démence dans une étude chez 9000 personnes de 3 villes, Bordeaux, Dijon et Montpellier. Dans les formes légères de maladie d'Alzheimer, la supplémentation en EPA et DHA a donné des effets bénéfiques.

En janvier 2004, la revue américaine *Science* faisait état de la présence de PCB (polychlorinate biphényl), de dioxine et de 2 pesticides, le dieldrine et le toxaphène, en quantités plus élevées chez les saumons d'élevage que chez les saumons sauvages pêchés en mer.

D'où le conseil de ne manger du saumon d'élevage qu'une fois par mois, et, même, une demi-portion. Les espèces de poissons les plus grasses sont les cibles privilégiées de ces substances toxiques. L'élevage du saumon est passé de 50000 tonnes au milieu des années quatre-vingt-dix à plus d'un million de tonnes en 2004. La production aquacole a dépassé la pêche en 1999. L'atout majeur des saumons d'élevage est sa fraîcheur, tandis que les pêchés peuvent rester en cale pendant de longues périodes.

L'huile d'olive, l'idéal pour la santé

On a observé une augmentation de 4 % de la consommation entre 2006 et 2007. La France en consomme 100000 tonnes et en produit moins de 6000 par an. L'huile d'olive contient de l'hydroxytyrosol qui est un antioxydant majeur. C'est un polyphénol qui protège la vitamine E contre l'oxydation.

De plus, l'acide oléique de l'huile d'olive est fort utile pour transporter et fixer le calcium sur l'os. Il joue donc un rôle essentiel dans la prévention de l'ostéoporose.

L'huile d'olive, riche en acide oléique, est la principale graisse présente dans le régime méditerranéen dont la teneur élevée en acides gras mono-insaturés est le garant de son succès diététique.

La consommation de polyphénols a été associée à une moindre incidence des cancers et à une moindre mortalité par maladie coronaire. Les phénols jouent un rôle dans son profil « thérapeutique ». Dans cette optique, l'huile d'olive vierge est encore plus riche en phénols que la forme raffinée. Les polyphénols alimentaires ont des vertus anti-oxydantes et anti-inflammatoires. Ils sont en outre capables d'améliorer le dysfonctionnement cellulaire et le profil lipidique.

L'effet anti-inflammatoire de l'huile d'olive a été publié dans *Nature* en septembre 2005, en la comparant avec l'anti-inflammatoire nommé Ibuprofène. Cinquante grammes d'huile d'olive vierge fraîchement pressée, équivalent à environ 10 % de la dose d'Ibuprofène recommandée pour calmer les douleurs chez l'adulte.

Les bénéfices du régime méditerranéen seraient liés à une synergie entre les agents phytochimiques et les acides gras.

Une étude randomisée[76], de type croisé, a inclus 200 hommes volontaires sains qui ont consommé successivement et alternativement pendant 3 semaines consécutives, 3 types d'huile d'olive qui se distinguaient uniquement l'une de l'autre par leur composition en phénols : 1) faible (2,7 mg/kg d'huile d'olive) ; 2) moyenne (164 mg/kg) ; 3) élevée (366 mg/kg). Les phases d'intervention ont été séparées par des périodes de wash-out, c'est-à-dire sans aucune consommation d'huile d'olive, de 2 semaines chacune.

« La concentration de HDL-cholestérol a augmenté de manière linéaire avec la teneur en polyphénols des huiles d'olive précédentes, les variations moyennes étant, en effet, respectivement de 0,025, 0,032 et 0,045 mmol/l. Le rapport cholestérol total/HDL-C a également diminué de manière linéaire avec le contenu en phénols des huiles, tandis que les taux de triglycérides diminuaient en moyenne de 0,05 mmol/l, quel que soit leur type ». Les marqueurs du stress oxydatif ont également diminué avec l'élévation du contenu phénolique. Les variations moyennes des taux de lipolipoprotéines oxydées de faible densité ont été respectivement de -1,21, -1,48 et -3,21 u/l, pour les trois types d'huile. Cette étude randomisée suggère que l'huile d'olive est plus qu'une graisse mono-insaturée. Son contenu en phénols s'avère bénéfique sur le plan thérapeutique, au travers d'une double action sur les lipides plasmatiques et le stress oxydatif.

L'huile d'olive, a en plus, des effets anti-cancer spécifiques dans le traitement du cancer du sein et joue certainement un rôle dans sa prévention.

---

76. Covas M.I. et coll. : « The effect of polyphenols in olive oil on heart disease risk factors. Arandomized trial. » *Ann Int Med*, 2006 ; 145 : 333-341.

Une étude in vitro sur les lignées de cellules de cancer du sein a démontré, en janvier 2005, que l'acide oléique, le principal acide gras mono-insaturé de l'huile d'olive, tend à normaliser la surexpression d'un oncogène, l'oncogène Her-2/neu, promoteur d'une forme grave (1 patiente sur 5) du cancer du sein.

Les chercheurs de Chicago[77] ont donc trouvé un mécanisme moléculaire qui explique les effets protecteurs de l'huile d'olive contre le cancer du sein chez les femmes consommatrices. De plus, l'acide oléique stimule l'activité de l'herceptine qui est le traitement de choix qui cible le gène Her-2/neu. L'acide oléique réduit de 46 % l'oncogène et l'herceptine de 48 %. Ensemble (acide oléique + herceptine), on observe une synergie d'effets avec réduction de 70 %.

Le vin rouge

Un « ballon de vin » au milieu de chaque repas, telle est la bonne dose pour la santé. Pour Louis Pasteur, le vin bu avec modération est « la plus saine et la plus hygiénique des boissons ». Les études comportementales ont démontré que celles et ceux qui consomment du vin[78] ont un mode de vie plus sain que les buveurs de bière.

Des chercheurs danois[79] se sont penchés pendant 6 mois sur le contenu des chariots de supermarché de leurs concitoyens, grâce à la coopération de 96 magasins. Leur enquête a porté sur 3,5 millions de tickets de caisse qu'ils ont été méticuleusement analysés. Les buveurs de vin achètent plus volontiers des « produits de santé » tels que des olives, fruits et légumes, la volaille, des huiles de cuisson, des produits légers en matières grasses et, plus généralement, des produits dits de régime méditerranéen.

Au contraire, les buveurs de bière sont plus attirés par les plats cuisinés, la charcuterie, les sucreries, les viandes grasses, les chips et

---

77. Javier Menendez & coll in *Annals of Oncology,* janvier 2005.

78. Rappelons qu'en 1555, les vendanges de la mi-octobre en Île-de-France furent catastrophiques du fait des fortes pluies. Le « jus d'octobre » fut de la piquette, que les pauvres buvaient quand même – quand le Bourgogne remontait par le fleuve. Cette piquette faisait tourner la tête, était bue en se trémoussant la tête, vin des « deux oreilles », car les gens se secouaient la tête sous la violence de l'aigreur, comme un chien qui s'ébroue. Ce vin aigre fut appelé « ginguet » puis « guinguet », le premier « u » donnant une sonorité sautillante, et le cabaret, « guinguette ». L'une des plus célèbres fut celle de Maître Ramponneau, patron à la main rude, sur les pentes viticoles de La Courtille. Le jus d'octobre de 1555 fut *un vin à faire danser les chèvres*...

79. Johansen D. et al. *Brit Med J.*, 2006 ; 332 : 519-522.

les sodas. Ainsi, une partie non négligeable des effets bénéfiques cardiovasculaires attribués au vin rouge sont le résultat d'une alimentation beaucoup plus saine que celle des buveurs de bière.

Le potentiel du vin rouge a été démontré contre le cancer de la prostate et de la mamelle chez les souris. Chez la souris mâle, boire du vin rouge diminue le risque de survenue de cancer de la prostate. L'équipe de Birmingham en Alabama a testé chez les rongeurs dès l'âge de 5 semaines, prédisposés génétiquement à ce cancer, l'administration quotidienne de « resvératrol[80] », polyphénol présent dans la peau des raisins.

Par rapport aux animaux qui n'en reçoivent pas, l'incidence des cancers de la prostate est 7,7 fois moindre. La protection maximale est obtenue au bout de 7 mois de supplémentation avec le vin rouge. Chez les souris ayant déclaré le cancer, le traitement a permis de réduire ou stopper, dans 48 % des cas, la croissance tumorale. La même équipe avait démontré, en 2006, dans *Carcinogenesis*, les mêmes effets pour réduire considérablement le risque de cancer de la mamelle.

– Les trois religions monothéistes sont d'accord. « Les trois religions monothéistes donnent au vin une place d'honneur. L'Ancien Testament propose le vin la première fois à Noé pour se remettre des émotions du déluge ; le Christ transforme l'eau en un vin délicieux et nous laisse le vin nouveau ; et six siècles plus tard, le Prophète voit des fleuves de vin au Paradis d'Allah : « Il s'y trouvera des ruisseaux d'un lait au goût inaltérable, des ruisseaux de vin, volupté pour les buveurs, des ruisseaux de miel clarifié… » (Coran, Sourate 47, verset 16). « Le vin coule au Ciel et sur la terre ; dans la Loi, les Psaumes (80/9) et les Prophètes (Is. 5), la vigne symbolise le peuple d'Israël, choisi, planté, soigné, choyé par Dieu ; et le Seigneur, maître de la vigne, se réjouit quand le vin est abondant » (Mt 21-37 et Jn 15, 1). Une nouvelle béatitude : « heureux celui qui boit un verre de vin à chaque repas… »[81], tonique, eupeptique, régulateur du transit intestinal, diurétique, bactéricide,

---

80. Le resvératrol est présent dans le vin rouge aux taux de 6 à 60 mg par bouteille selon les crus. Chez la souris, ce polyphénol est actif à la dose de 2,5 mg/kg/jour contre le diabète de type 2 (*Cell Metabolism*, oct. 2007, vol. 6, p. 307-319). Pour obtenir un effet équivalent chez l'homme, une dose de 15 mg de resvératrol par jour devrait être suffisante, ce qui impose de consommer certes un verre de vin à chaque repas, soit 250 ml/jour ou 1 à 1,5 mg, mais surtout ce polyphénol provenant d'autres sources.

81. *In vino alacritas*, de Béatrice Prunel princesse Tala, à l'ENS en 1996

anti-allergique. C'est donc avec raison que Paul écrit à Timothée (1re épître, 5, 23) : « Cesse de ne boire que de l'eau. Prends un peu de vin à cause de ton estomac et de tes fréquents malaises. »

	Vin rouge à 12°	**Sang humain**
Thréonine	16,4	9-36
Valine	21,7	19-42
Méthionine	6,2	2-10
Tryptophane	14,6	4-30
Phénylalanine	25,5	7-40
Isoleucine	12,4	7-42
Leucine	32,2	10-52
Lysine	51,7	14-58

Assimiler vin et alcool est d'ailleurs une erreur. Le vin a deux sortes de constituants anti-alcool : ceux qui participent à la métabolisation de l'alcool (thiamine : vitamine B1) et les autres vitamines du groupe B, d'autre part, qui modulent les effets de l'alcool.

Nous retiendrons aussi son apport en acides aminés essentiels, à des taux très proches de ceux observés dans le sang humain. Parmi les 4 éléments C, H, O et N, l'azote, symbole de vie humaine, est présent dans l'acide aminé essentiel spécifique de l'homme, à la base de ses protéines vitales.

« Dieu n'a pas trouvé de plus auguste matière pour la transformer en son sang », écrivait Huysmans dans *L'oblat*.

Ajoutons que le vin rouge est plus riche en calcium (8 mg/100 ml) et moins riche en calories (56,2 cal) que le vin blanc (7 mg de calcium et 71 cal/100 ml), et contient le même taux d'acides aminés essentiels que le sang humain.

En effet, déjà Hippocrate avait tout dit :

« Le vin est une chose merveilleusement appropriée à l'homme si, en santé comme en maladie, on l'administre avec à-propos et juste mesure, suivant la constitution individuelle. »

Ce que fabriquent les abeilles est excellent pour notre santé, en plus du miel

Nous avons eu la chance de connaître le plus grand spécialiste européen de tout ce que fabriquent les abeilles pour l'homme. Il s'agit de Patrice Percie du Sert, ingénieur agronome qui a su valoriser toutes les qualités nutritionnelles de ce que les abeilles font pour nous. Il est le créateur d'une merveilleuse structure près d'Agen dénommée « Pollenergie », à La Grabère (47450 Saint-Hilaire-de-Lusignan). Voir son site très bien conçu : www.pollenergie.fr. C'est à lui que nous empruntons les données qui suivent ainsi qu'à son excellent livre : *Ces pollens qui nous soignent*, Éd. Trédaniel, 2006.

– La gelée royale : nommée aussi lait d'abeille, sécrétée par les abeilles, destinée à l'alimentation des larves au premier stade de leur développement, elle constitue l'alimentation exclusive de la reine durant toute son existence. Dans la Chine antique, elle assurait longévité et vigueur sexuelle. Elle contient des acides aminés, des minéraux, oligo-éléments et vitamines du groupe B, indispensables pour le système nerveux. Efficace de 0,5 g à 1 g par jour, elle peut être prise toute l'année et surtout dans les périodes d'épidémie de grippe ou de baisse de vitalité.

– Le pollen : né de l'abeille et de la fleur, le pollen est un aliment fragile, plein de substances antioxydantes. Il peut jouer le rôle de probiotiques protégeant notre tube digestif de la flore pathogène. Le pollen contient 1 à 10 millions de ferments lactiques par gramme. Cette flore est parfaitement conservée par la congélation et détruite si on sèche le pollen. Ce système microbien empêche tout germe de putréfaction de s'établir dans le pollen. L'INRA de Toulouse a pu montrer que le pollen peut inhiber 7 germes pathogènes : les proteus vulgaris et mirabilis, souvent responsables d'infections urinaires ; le staphylococcus aureus, responsable d'intoxication alimentaire jusqu'à la septicémie ; la yersinia entérocolitica, responsable de gastro-entérites, et les salmonelles, responsables de la typhoïde et autres salmonelloses.

Pollenenergie propose 4 types de pollen : pollen de saule (riche en lutéine et zéaxanthine, caroténoïdes protecteurs de la rétine et du cristallin), pollen de châtaignier (riche en antioxydants puissants), pollen de ciste, très apprécié des enfants (riche en fibres, ferments lactiques et caroténoïdes + vitamine E) et pollen de bruyère (riche en vitamine E et en rutine, flavonoïde qui renforce la paroi des vaisseaux sanguins et la contraction intestinale).

– La propolis : il s'agit de la résine que les abeilles vont chercher sur les bourgeons de peupliers de mai à septembre. Les abeilles en enduisent tout l'intérieur de la ruche pour maintenir une aseptie absolue dans la ruche, digne d'une salle d'opération. La propolis stimule l'activité des cellules impliquées dans notre immunité naturelle. Hippocrate déjà, 400 ans avant J.-C., la prescrivait pour réduire toute la gamme des maux de gorge jusqu'aux ulcères. Elle est riche de 300 composés, essentiellement des bioflavonoïdes, des acides aromatiques et leurs esters. Elle est connue pour ses propriétés antiseptiques, notamment antifungiques et elle est aussi un puissant modulateur de l'immunité. La propolis est plus efficace si elle est récoltée fraîche, avec des grilles dans les ruches pour la récolter.

Les vertus anti-cancer de la propolis

Chez les petits animaux auxquels on greffe des tumeurs malignes d'origine humaine, la propolis a un rôle immunostimulant sensibilisant, facilitant l'efficacité de la chimiothérapie pour la destruction tumorale. Les Japonais en consomment 500 tonnes par an dans le domaine de la santé. (Susuki L., Hayashi L., Takaki T., Groveman D.S., Fujimiya Y., 2002.)

– « Antitumor and anticytopenic effects of aqueous extracts of propolis in combination with chemotherapeutic agents », *Cancer Biotherapy and Radiopharmaceuticals*, Orsolic N., Kosalec I., Basic I., 2005. 17 (5) : 553-562.

– « Synergystic antitumor effect of polyphenolic components of water soluble derivate of propolis against Ehrlich ascite tumour », Biol. Pharm. Bull., 28 (4) : 694-700.

De même a été démontré un effet préventif des métastases du cancer de la mamelle chez la souris par les pollens de colza et de châtaignier : baisse de 38,66 % du nombre de métastases induites, avec le pollen de colza et de 23,52 % avec le pollen de châtaignier (Orsolic N., Basic L., Faculty of Science, University of Zagreb – Croatia – publié dans le livre *Ces pollens qui nous soignent*, de Percie du Sert). Comme sur les souris, la propolis, en protégeant l'immunité, devrait démontrer sur l'homme une augmentation de l'efficacité des chimiothérapies, tout en diminuant les effets délétères de celle-ci. C'est sans danger.

De tels résultats permettent d'imaginer une étude clinique en double aveugle chez des patients soumis à des chimiothérapies à visée-curative ou palliative.

20. Pourquoi les aliments issus de l'agriculture biologique sont meilleurs pour la santé ? Les résultats du programme ABARAC et les confirmations internationales

Le programme de recherche ABARAC a été mis au point autour de l'an 2000.

Sous la pression des consommateurs, malades et bien-portants, nous avons entrepris avec le Dr Mariette Gerber, du Groupe d'épidémiologie métabolique du Centre de recherche en cancérologie et de l'Inserm à Montpellier, une étude visant à comparer la valeur nutritionnelle des aliments courants provenant des trois types d'agriculture (Biologique avec le label AB, Raisonnée dite AR[82] et Conventionnelle dite AC), d'où le nom du projet ABARAC.

C'est, en effet, l'apport alimentaire dans son ensemble qu'il faut considérer, et non un seul aliment, quand on se place dans la perspective de la prévention nutritionnelle.

Notre curiosité était d'autant plus grande que nous avions remarqué empiriquement l'efficacité – en termes de meilleur état de santé objectif et subjectif – du changement des habitudes alimentaires dans des cas très précis de maladies graves, cancéreuses ou pas.

D'autre part, nous étions, comme tout un chacun, médiatiquement conditionnés pour penser qu'il n'y avait aucune différence dans la qualité nutritionnelle des aliments provenant de ces trois procédures culturales. Il était donc important, tel était un de nos objectifs inconscients, de démontrer à tous ceux qui nous interrogeaient que la bio ne servait à rien. Précisons que nous avons refusé d'être aidés ou « sponsorisés » par le milieu de la bio, afin de garder toute notre liberté de discernement et de publication lors des résultats.

Les divers rapports publiés par les agences de différents pays européens concluaient à l'absence de différence ou à un petit avantage en faveur des produits biologiques en ce qui concerne les xénobiotiques ou les nutriments. Le risque de contamination par les mycotoxines, bactéries ou parasites, apparaissait comparable dans les deux types

82. Aucune réglementation n'entoure ce type d'agriculture. Il ne doit pas y avoir confusion avec l'AB, le Label rouge, ou les produits AOC... Remarquons que 90 % des consommateurs déclarent avoir du mal à déchiffrer les étiquettes nutritionnelles des produits. La simplification des étiquettes s'impose.

d'agriculture AB et AC. La Soil Association, s'appuyant sur une sélection rigoureuse des études publiées, montrait un avantage nutritionnel pour les produits issus de l'agriculture biologique.

En France, l'Afssa (Agence française de sécurité sanitaire des aliments – www.afssa.fr) a publié un rapport, synthèse des publications depuis 1980, indiquant la supériorité de l'agriculture biologique en ce qui concerne les résidus de pesticides et les nitrates, l'absence de différences quant au risque mycotoxique et microbiologique, mais ne peut conclure en regard de la valeur nutritionnelle, étant donné le peu de résultats statistiquement significatifs publiés.

Les aliments étudiés

Vingt-deux aliments issus de l'agriculture biologique (AB), 7 labellisés ou issus de l'agriculture raisonnée (AR) et 22 de l'agriculture conventionnelle (AC), ont été analysés. Parmi ces 22 aliments, 9 sont d'origine animale: poulets, œufs, lait, yaourts, pélardon, roquefort, viandes de bœuf, agneau et veau, et 13 d'origine végétale: pommes de terre, épeautre, pains (blanc et complet), lentilles, laitues, tomates, oignons, pêches, huile d'olive (2 variétés), vins (2 cépages).

La chambre d'agriculture de notre région a assuré l'échantillonnage de la plupart des produits animaux. Les échantillons des viandes de bœuf, agneau et veau, ainsi que le lait et les yaourts ont été négociés par contact direct entre les auteurs et les producteurs.

L'échantillonnage de la plupart des produits végétaux a été réalisé par un grossiste (Bioprim de Perpignan), à partir de produits de producteurs identifiés dans les mêmes zones des Pyrénées-Orientales.

Ceux des produits végétaux issus de l'agriculture raisonnée provenaient tous de producteurs adhérents au réseau Farre (Forum de l'agriculture raisonnée respectueuse de l'environnement – www.farre.org). Les mêmes cultivars ont été comparés, sauf dans le cas de la tomate. Les huiles d'olive et les vins ont été obtenus par contact direct entre les auteurs et les producteurs. 20 des 22 produits proviennent du même terroir. Le cultivar et le temps de maturation sont précisés pour tous les fruits et légumes.

Des analyses chimiques complexes et coûteuses

Elles ont été réalisées par le laboratoire Lara, accrédité par le Cofrac (Comité français d'accréditation) pour tous les produits, sauf les phyto-œstrogènes dosés au laboratoire d'agro-physiologie de l'École supérieure d'agriculture de Purpan à Toulouse. Les échantillons ont été transportés à +4 °C et conservés à -18 °C avant analyse. Les diverses unités d'un même produit ont été mélangées et homogénéisées, puis on a procédé à l'extraction ou au séchage au four à 80 °C pendant 48 heures avant les dosages requis.

Les xénobiotiques (résidus des produits phytosanitaires) qui ont été recherchés sont :

• des composés organophosphorés : 51 différents ont été recherchés dans les pains blancs et complets, et dans les huiles d'olive, par chromatographie gazeuse à détection thermo-ionique.

• des composés organochlorés : 19 différents dans les produits laitiers, les œufs, les pommes de terre et l'huile d'olive, par chromatographie gazeuse à détection par capture d'électrons. La dioxine a été mesurée dans les produits laitiers par chromatographie gazeuse couplée à la spectrométrie de masse à haute résolution (méthode de l'Environment Protection Agency).

• des pyréthrinoïdes de synthèse : 10 différents ont été recherchés dans les pains blancs et complets, et dans les huiles d'olive, par chromatographie gazeuse capillaire avec détection par capture d'électrons.

• des carbamates : 10 d'entre eux ont été recherchés dans les pommes de terre, les pêches, les oignons et les huiles d'olive, par chromatographie liquide à haute performance (HPLC), à détection fluorimétrique.

• des métaux lourds : le cadmium et le plomb ont été dosés dans les viandes de poulet et les œufs par absorption atomique électrothermique (AAE). Le mercure a été recherché dans les mêmes produits par génération de vapeur froide couplée à l'AAE.

• les mycotoxines : l'ochratoxine A a été recherchée dans les pains et les vins par HPLC à détection fluorimétrique. Le déoxynivalénol (DON) était mesuré dans les mêmes produits par Elisa.

• des stéroïdes : recherchés dans les 3 viandes par chromatographie gazeuse couplée à la spectrométrie de masse.

• les nitrates/nitrites : mesurés dans les 3 viandes, les pommes de terre et la laitue, par chromatographie ionique à haute performance après extraction aqueuse.

• la matière sèche : mesurée dans le lait, les lentilles et les oignons, après séchage au four.

• les lipides totaux : mesurés dans les viandes de poulet, bœuf, agneau et veau, après extraction à l'hexane.

• les acides gras : mesurés par la chromatographie gazeuse des éthers de méthyle, après extraction à l'hexane dans les viandes, les produits laitiers, l'épeautre et les huiles d'olive.

• les acides aminés : mesurés dans les pains par dérivation à la ninhydrine après séparation par HPLC.

• les fibres alimentaires : mesurées dans les pains, les pêches, les lentilles, ainsi que l'amidon résistant des pommes de terre, par la méthode enzymogravométrique AOAC et exprimées en pourcentage du poids frais.

• les minéraux : mesurés par absorption atomique après minéralisation, sauf le phosphore (par détection colorimétrique selon la méthode au vanadomolybdène).

L'absorption atomique à flamme ou électrothermique a été utilisée selon la concentration minérale attendue dans l'échantillon. Le calcium et le phosphore ont été mesurés dans les produits laitiers ; le fer dans les viandes et les lentilles ; le cuivre et le zinc dans les œufs ; le cuivre, le fer et le calcium dans les vins ; le sélénium, le zinc, le calcium et le fer dans l'épeautre et les pains ; le calcium, le potassium, le fer, le soufre, le magnésium et le sélénium mesurés dans les légumes et les pêches.

• les vitamines : les vitamines B1 et B6 ont été dosées par HPLC, et la vitamine B5 par méthode microbiologique, dans les pains. La vitamine C a été mesurée dans tous les légumes et les pêches par HPLC.

• les caroténoïdes ont été mesurés dans les tomates, la laitue et les pêches par HPLC.

• les composés phénoliques ont été estimés par l'index de Folin dans les vins et par HPLC avec détection par ultraviolets dans les huiles d'olive. Les isoflavones à activité phyto-oestrogénique ont été dosés dans les lentilles par HPLC.

Les résultats observés pour la qualité nutritionnelle

Les xénobiotiques d'origine environnementale : la dioxine a été mise en évidence à la fois dans les laits AB et AC (AB : 0,388 ; AC : 0,265 équivalents toxiques) et les yaourts AB et AC (AB : 0,0008 ; AC : 0,002 équivalents toxiques). Un faible taux de PCB (polychlorobiphényles) a été observé dans les œufs AC (0,003 mg/kg).

Parmi les pesticides: du thiabendazole (0,02 mg/kg) a été observé dans les pommes de terre AB et 0,02 mg/kg de chlorotalonyl dans les pommes de terre AC, mais seulement les pêches AC se sont montrées contaminées avec du dithiocarbamate (0,037 mg/kg). Tandis que le pain AB (farine de type 85) montrait des traces de tétraconazole, les 3 pains AC (type 150) étaient contaminés par 2 différents organochlorés (pyrimiphos-méthyl: 0,150, 0,130 et 0,090 mg/kg; malathion: 0,100, 0,055 et 0,030 mg/kg).
Les métaux lourds: un taux plus élevé de cadmium a été trouvé tant dans le pool d'œuf AB que dans le pool AC correspondant (AB: 0,017 mg/kg; AC: 0,009 mg/kg), et un taux comparable de plomb dans les 3 pools d'œuf AB et AC (AB: 0,03, 0,04 et 0,04 mg/kg; AC: 0,02, 0,03 et 0,03 mg/kg). Mais du mercure n'a été trouvé que dans un pool d'œuf AC (0,03 mg/kg).
Pour les mycotoxines: des taux comparables de DON (déoxynivalénol) ont été mesurés dans un pain AB et un AC (type 85), 0,11 et 0,13 mg/kg, respectivement. Mais on en a trouvé dans les 3 pains AC (type 150), 0,13, 0,12 et 0,11 mg/kg et pas dans les 3 pains AB (type 150). On a trouvé de l'ochratoxine A à des taux comparables dans les vins merlot et cabernet-sauvignon AB (52,0 et 53,9 µg/l, respectivement) et AC merlot et cabernet-sauvignon (54,2 et 56,9 µg/l, respectivement).
Les nitrates ont été mesurés dans les pommes de terre et les laitues. Leur taux est plus élevé dans les produits AC que dans les AB et AR: taux dans les pommes de terre AB inférieur de 88 % à celui des AC; taux dans les laitues AB inférieur de 22 % à celui des AC; taux AR inférieur de 38 % à celui des AC; pas de différence entre AB et AR pour les laitues, mais 60 % de plus dans les pommes de terre AR par rapport aux AB.
Résultats pour les produits animaux: il n'y a pas de différence de matière sèche entre les laits AB et AC. Le rapport maigre/gras évalué dans les viandes est significativement plus élevé dans les échantillons de poulet AB que dans ceux de poulets Duc, considérés comme AR, et ceux de poulet AC. Il n'y a pas de différence significative entre AB et Label rouge, celui-ci étant supérieur au poulet Duc de façon marginale, mais de façon nette à l'AC. Le poulet Duc est comparable au poulet AC. Il n'y a pas de différence du rapport maigre sur gras entre les viandes de bœuf AB et AC, par contre ce rapport est plus élevé de 60 % pour l'agneau AB que pour l'agneau AC, et de 67 % pour le veau AB comparé au veau AC. La concentration de calcium est plus élevée dans

les produits laitiers AC que dans les AB, mais l'écart est inférieur à 20 %, sauf dans le cas du pélardon : 30 %.

Le profil d'acides gras montre qu'il y a plus d'acides gras polyinsaturés (AGPI) dans les produits AB que dans les AC, à l'exception du poulet AC qui présente un taux d'acide gras oméga-3 plus élevé que le poulet AB (écart de 42 %). Il n'y a pas de différence entre les roquefort AB et AC, ni entre les huiles d'olive AB et AC.

Résultats pour les produits végétaux : c'est seulement dans les oignons qu'on a observé une différence dans la matière sèche. AB : 152 g/kg ; AC : 107 g/kg, différence de 30 %.

La quantité de fibres est comparable dans les lentilles AB et AC, de même l'amidon résistant dans les 3 types de pommes de terre. Il existe une légère différence entre les pains à la farine type 150, mais elle n'est pas significative. AB : 8,94 ± 1,5 % ; AC 8,00 ± 1,2 %.

Dans les mêmes pains, ***la lysine et la somme des acides aminés essentiels*** est également comparable (AB : 24,35 ± 2,81 g/kg ; AC : 22,87 ± 0,5 g/kg) et non significative.

Le taux des minéraux est en général comparable entre les produits AB et AC. Les lentilles AC ont un taux de fer (mg/kg) significativement supérieur à celui des lentilles AB (AB 79,33 ± 8,5 ; AC : 101,33 ± 13,05). Le magnésium est plus élevé dans le pain type 150 AB que AC (AB : 825 ± 138 mg/kg ; AC : 560 ± 199 mg/kg), mais la différence n'est que marginalement significative. Les vins AC montrent un contenu en fer légèrement supérieur (écart de 23 %) à celui des vins AB, mais ceux-ci contiennent plus de calcium (écart de 79 %) et moins de cuivre (écart de 74 %) que les vins AC.

Dans les oignons AB, le calcium, le soufre et le potassium sont 2 à 3 fois plus élevés que dans les oignons AC.

Parmi les vitamines et phyto-microconstituants, la vitamine B1 était significativement plus élevée dans les pains AB type 150 que dans les pains type 150 AC (AB : 0,130 ±0,007 mg/100 g ; AC : 0,096 ± 0,008 mg/100 g).

Les aliments végétaux AB présentent un taux de vitamine C supérieur à celui des AC (tomates : 27 % ; laitues : 35 % ; pommes de terre : 20 %). Le contenu en vitamine C des produits AB et AR est comparable pour les tomates et les pommes de terre, et très proche dans les laitues : 23 %. Ce contenu est plus élevé pour les tomates AR que AC (34 %) ; il n'y a pas de différence pour les laitues et la comparaison n'a pu être faite pour les pommes de terre.

Le taux de vitamine E est plus élevé dans les yaourts (AB : 0,29 mg/100 g ; AC : inférieur à 0,05 mg/100 g), et dans les tomates : AB supérieur à AC et à AR de 47 % ; AR supérieur à AC de 42 %. Il est également légèrement plus élevé dans l'huile d'olive de variété picholine (AB : 27,0 mg/100 g ; AC : 21,0 mg/100 g ; écart de 22 %).

Les caroténoïdes ont été trouvés en quantité supérieure d'une façon constante dans les produits AB, comparés aux produits AR et AC, mais les différences sont plus marquées dans les laitues que dans les tomates (ß carotène tomates : AB supérieur à AC et à AR de 25 % ; AR supérieur à AC de 21 % ; laitues : AB supérieur à AC de 66 % ; AB supérieur à AR de 27 % ; AR supérieur à AC de 57 % ; pêches : AB supérieur à AR et à AC de 60 %).

La teneur en lutéine est aussi supérieure dans les laitues AB comparées aux AC (écart de 45 %) et aux AR (écart de 38 %). Il n'existe pas de différence entre les laitues AR et AC pour la lutéine[83].

Le lycopène est en concentration faiblement supérieure dans les tomates AB que dans les AC (écart de 25 %), alors que les tomates AR ne sont différentes ni des AB ni des AC.

La teneur en composés phénoliques est comparable dans les deux cépages de vin AB et AC, mais celle en oleuropéine est plus élevée dans l'huile d'olive (variété Bouteillan) que dans l'huile d'olive AC correspondante (AB : 1 067 mg/kg ; AC : 707 mg/kg ; écart de 34 %). Cette différence est plus faible pour l'huile d'olive de variété picholine (AB : 1 038 mg/kg ; AC : 837 mg/kg ; écart de 19 %).

Les aliments issus de l'agriculture biologique ont une meilleure qualité nutritionnelle

Quand ils sont contaminés, cela provient de l'environnement agricole conventionnel. C'est ce dernier qu'il faut éradiquer sans tarder. Ces résultats confirment la supériorité du « profil nutritionnel » des aliments issus de l'AB, bien que ce ne soit pas à 100 %.

Notre étude rejoint les conclusions d'autres études. Moins de **xénobiotiques** ont été trouvés dans les produits AB que dans les produits

83. La lutéine est aussi présente dans les épinards. Il faudrait en consommer 300 g par jour en cas de dégénérescence maculaire de la rétine liée à l'âge. Elle est aussi présente dans le pollen de saule (voir www.pollenergie.fr).

AC, 2 résidus contre 5 dans 16 des pools étudiés d'origine animale et végétale. Il est intéressant de constater que les xénobiotiques se concentrent dans le son de blé, ce qui amène à dire que la recommandation nutritionnelle de consommer du pain complet devrait s'assortir de celle de consommer du pain complet biologique.

Cependant, les produits issus de l'agriculture biologique ne sont pas indemnes de contaminants environnementaux, telle la **dioxine**, renforçant la nécessité d'éliminer ce type de pollution. Traag et coll. ont montré que les poulets élevés en batterie avaient moins de chances d'être contaminés par la dioxine que ceux ayant accès à un libre parcours. Mais la dioxine peut contaminer par la voie alimentaire.

La présence de **PCB** dans un pool d'œufs pourrait venir d'une alimentation contaminée par des farines animales. On a pu dire que le taux de métaux lourds était potentiellement plus élevé dans les œufs et poulets issus de l'agriculture biologique, puisque ceux-ci, élevés en libre parcours, picorent le sol. Cependant, il n'y a pas de publication scientifique appuyant cette opinion. En fait, dans les 6 pools de chaque origine, 2 métaux lourds ont été trouvés dans les produits AB et 3 dans les AC. Ceci est peut-être dû à l'absence d'utilisation de boues d'épuration dans l'agriculture biologique.

On a aussi pensé que les **mycotoxines** devaient être en concentration plus élevée dans les produits issus de l'agriculture biologique, étant donné l'absence d'utilisation de fongicides. Cependant, l'agriculture biologique privilégie des pratiques culturales favorisant l'absence de contamination par les fusarium (champignons connus pour leur aptitude à synthétiser certaines mycotoxines) dans les champs, induisant une moindre contamination des céréales par les fuminosines et les trichotécènes dans la période de culture et de récolte.

Effectivement, du DON (un trichotécène) a été retrouvé dans 4 pains AC et 1 dans 1 pain AB, dans notre étude. Cette mycotoxine n'est pas cancérigène, mais peut être responsable de problèmes de type neurotoxique, hématopoïétique et immunotoxique. Les mycotoxines, comme l'ochratoxine, surviennent à la récolte et ensuite (stockage, vinification, etc.) Dans ce cas, les conditions climatiques (humidité et chaleur) et les règles d'hygiène de stockage, qui sont les mêmes pour l'agriculture biologique et conventionnelle, vont produire les mêmes effets dans les deux cas.

L'ochratoxine, classée dans le groupe 2 des carcinogènes par le Centre international de recherche sur le cancer (Lyon), a été trouvée aussi bien dans les vins AB que AC de notre étude, à des taux qui paraissent relativement élevés, même si le règlement communautaire (JOCE L75 du 16/03/02) n'a pas encore fixé de teneur maximale pour le vin. D'autres rapports font état de résultats comparables en concentration, mais aussi en pourcentage de produits étudiés.

L'ingestion de **nitrates** est associée à deux problèmes sanitaires potentiels : la méthémoglobinémie pouvant entraîner une mort subite chez les nourrissons, et le risque de cancers (estomac et côlon) par la voie nitrates-nitrites-nitrosamines. Les légumes sont les plus forts contributeurs à cet apport.

La charcuterie qui contient aussi des nitrites arrive ensuite, puis l'eau. Comme attendu, et souvent rapporté, nous avons observé plus de nitrates dans les produits AC que dans les AB.

En ce qui concerne la qualité nutritionnelle, notre étude suggère un avantage des aliments issus de l'agriculture biologique, puisqu'on a trouvé cet avantage dans 7 produits animaux AB sur 9, pour 1 seule fois dans les produits AC, et 8 fois sur 13 pour les produits végétaux AB, pour 2 fois dans les produits AC.

Les études rapportent généralement que les produits issus de l'agriculture biologique sont plus denses : rapport maigre/gras plus élevé dans les aliments issus de l'agriculture biologique que dans les conventionnels. Sur 7 études revues, 4 rapportent un taux plus élevé de matière sèche : 2 sur 3 dans des laitues et 2 sur 4 dans des choux.

La plupart des études (8 sur 10) rapportent que les céréales issues de l'agriculture biologique contiennent moins de protéines par grain que les conventionnelles, mais qu'il peut exister un enrichissement en lysine, ce que notre étude a observé, bien que la différence ne soit pas statistiquement significative.

Les résultats de Gundersen et coll. sur les minéraux des oignons sont différents des nôtres, puisqu'il a mesuré des taux de calcium plus faibles dans les produits issus de l'agriculture biologique, et des taux similaires pour le potassium. Cette différence peut venir du fait de la plus grande quantité de matières sèches dans notre étude, ou de la différence de nature des sols.

En ce qui concerne **les minéraux**, on peut dire que, généralement, les différences entre produits issus de l'agriculture biologique et conventionnelle apparaissent minimes. Le magnésium est celui qui est le plus fréquemment retrouvé en quantité supérieure dans les produits issus de l'agriculture biologique, alors que le contenu en fer serait plus important dans les produits AC (selon notre étude).

La principale différence entre AB et AC a porté sur **les acides gras et les phyto-nutriments** et constituants. Les acides gras poly-insaturés, essentiellement de la série des oméga-3, ainsi que les vitamines antioxydantes et les microconstituants contribuent à la protection contre les maladies-cardiovasculaires, et peut-être contre les cancers. Ainsi ils jouent un rôle important dans la prévention des maladies chroniques dégénératives et la réduction de la mortalité toutes causes.

Les acides gras polyinsaturés (AGPI) sont en plus forte proportion dans la plupart des produits animaux, comme observé par Lund et coll., Dufey et coll. et Patushenko et coll. La plus forte quantité d'AGPI peut être expliquée par une plus grande activité possible des bactéries dans le rumen des animaux nourris et/ou par des aliments enrichis en graines de lin, pour ce qui est de l'acide alpha-linolénique (ALA). Celui-ci était toujours plus élevé dans les produits AB, sauf dans le roquefort (taux comparable), ou dans le poulet (AC supérieur à AB). Ceci était inattendu puisqu'il a été rapporté que les lipides des poulets élevés en libre parcours présentaient une plus forte proportion d'ALA que ceux des poulets élevés en batterie.

Une explication possible est l'alimentation de ces poulets par des tourteaux de soja contaminés de lipides. Une plus grande proportion d'ALA a également été observée dans l'épeautre, information jamais rapportée, à notre connaissance.

La littérature dispose de peu données sur le contenu comparatif en **vitamines B** des produits issus de l'agriculture biologique et conventionnelle.

Quelques résultats portent sur les céréales et montrent des différences assez faibles, comme dans notre étude. La concentration en **vitamine C** a été trouvée plus élevée dans la moitié des 8 études qui l'ont recherchée dans les pommes de terre, ce qui correspond sensiblement à nos résultats. Borel et coll. (communication personnelle) ont mesuré une concentration plus élevée de **ß-carotène** dans les tomates issues de l'agriculture biologique comparées aux conventionnelles, mais pas de lycopène.

Dans leur étude, le contenu en **vitamine C** était également plus important, mais pas dans celle de Pither et coll. Cette variation de teneur des micronutriments dans la tomate peut être liée (à variété égale) à la différence de maturité des échantillons, puisque la vitamine C décroît avec la maturation, alors que les caroténoïdes augmentent.

Cet argument ne peut être retenu dans notre étude pour expliquer la différence entre AB et AC, puisque les tomates AB ont à la fois plus de vitamine C et de caroténoïdes que les AC.

Les études sur des aliments, tels les pommes de terre, le maïs doux, les choux et les pommes, n'ont pas montré de différence quant à la teneur en **vitamine E**.

Gutiérrez et coll. ont montré que l'huile d'olive issue de l'agriculture biologique avait un contenu en vitamine E plus élevé que l'huile conventionnelle, en accord avec nos résultats, et Martin et coll. ont rapporté que les animaux qui se nourrissent dans les pâturages ont un lait plus riche en vitamine E et caroténoïdes, donc avec une plus forte capacité antioxydante.

Les deux études conduites sur les pommes, 1 sur 3 pour les fraises, la seule réalisée sur les poires, 1 sur 3 pour les tomates, 1 sur 2 pour les pommes de terre et la seule réalisée sur les oignons ont montré des taux plus élevés de **composés phénoliques** dans les produits issus de l'agriculture biologique comparés aux produits conventionnels. Cette observation n'est pas vraie pour le cassis (2 études) et les courgettes (1 étude). Contrairement à nos résultats, Levite et coll. ont trouvé un taux plus élevé de resvératrol dans le vin issu de l'agriculture biologique comparé au vin conventionnel, tandis que Guttiérez et coll. ont montré qu'il y avait une plus forte concentration de composés phénoliques dans l'huile d'olive, en accord avec nos résultats.

En conclusion, nous avons étudié 22 aliments de façon à avoir une vision globale de l'alimentation, puisqu'en matière de prévention c'est le profil alimentaire qui est important, avec notamment l'importance du nombre d'aliments « sains » régulièrement consommés. La majorité des produits AB (18 sur 22 comparés à 3 sur 22 en AC) tend à un avantage en sécurité sanitaire (moins de xénobiotiques, de métaux lourds, de mycotoxines et de nitrates) et/ou un avantage nutritionnel (acides gras, vitamines et microconstituants). De plus, certains produits sont plus riches en plusieurs micro-nutriments ou constituants, c'est le cas des tomates pour les vitamines C et E, le ß-carotène et le lycopène.

Impossible d'affirmer aujourd'hui scientifiquement les effets positifs pour la santé d'une alimentation constituée d'aliments issus de l'AB

Notre étude ne peut dire si les différences observées peuvent se traduire dans l'organisme par une plus forte concentration de ces nutriments, et ultérieurement par un avantage en termes de santé. Une telle affirmation requiert un autre type d'étude : une étude d'intervention à court terme évaluée par des marqueurs biologiques pertinents selon un protocole croisé, et/ou des études d'observation sur des consommateurs réguliers et anciens de produits biologiques, pourraient répondre à cette question.

Un protocole de recherche est prêt, mais il demandera du temps et de l'argent pour être réalisé avec les règles scientifiques indispensables. Deux populations devront être sélectionnées et randomisées (tirées au sort). Elles mangeraient les mêmes menus à tous les repas, mais l'une recevrait exclusivement des aliments venant de l'AB et l'autre les aliments provenant de l'AC. Quand l'agriculture raisonnée (AR) sera scientifiquement organisée, labellisée, on pourra prévoir un troisième groupe consommant les aliments venant de cette procédure culturale. Combien de temps devra durer l'étude ? Quinze jours, un mois seront-ils suffisants pour observer des différences significatives ?

Il reste une question éthique que l'on doit se poser. Si les deux ou trois groupes de personnes testées sont bien informées, ce qui est leur droit, accepteront-elles de consommer des aliments de l'AC sans le savoir, mais en sachant qu'ils peuvent contenir des produits toxiques, même si leur taux ne dépasse pas la dose journalière admissible (DJA) ?

Avant que les scientifiques ne répondent, nous ne pouvons pas déconseiller la consommation d'aliments provenant de l'AB. Au-delà des critères subjectifs couleur-odeur-saveur, les résultats scientifiques obtenus comparant la qualité nutritionnelle des aliments venant des 3 procédures culturales AB, AR et AC confirment que les personnes qui choisissent de manger « mieux et meilleur », en s'orientant vers une alimentation de type méditerranéen et en consommant le plus possible les aliments provenant de l'AB, font les bons choix.

Les confirmations nationales et internationales

Les études parues en 2004 et 2007, provenant de Californie, confirment que les tomates issues de l'AB sont plus riches en flavonoïdes antioxydants que celles cultivées en agriculture conventionnelle. Les études ont été réalisées sur une période de 10 ans[84], en recherchant les

84. « Ten Year Comparison of the influence of Organic and Conventional Crop Management Practices on the Content of Flavonoïds in Tomatoes », *J Agric Food Chem*, 2007 jun 23.

concentrations en quercétine et kaempférol de tomates séchées provenant de l'AB et de l'AC. Ces 2 substances ont des actions protectrices contre les troubles cardio-vasculaires, les cancers de la prostate et, probablement, du sein, et la démence associée au vieillissement. Les tomates AB contiendraient près de 80 % de plus de quercétine que celles de l'AC et cette proportion atteindrait 97 % pour le kaempférol. Pour le lycopène, une fois séchées, les taux seraient identiques.

En France, les enquêtes de la DGCCRF sur les résidus de pesticides dans les fruits et légumes n'en détectent pas dans la moitié des échantillons et trouvent des traces supérieures à la LMR (Limite Maximale de Résidus) dans moins de 5 %.

Que la généralisation de l'agriculture biologique *ne soit ni possible ni souhaitable* fait partie des déclarations des anciens ingénieurs de l'INRA qui ont été les grands utilisateurs et promoteurs de l'agriculture productiviste où seul comptait le profit. De plus, en faisant croire aux paysans que c'était la seule façon de nourrir l'humanité.

Selon Albert Jacquard, « il y a eu un magnifique rapport fait par l'ONU, sous la direction de Madame Bruntland qui est Premier ministre de Norvège aujourd'hui, paru il y a 6 ou 7 ans, et qui essayait de répondre à la question : combien la terre pourrait-elle nourrir d'hommes ? Avec les conditions actuelles, on peut en nourrir facilement 15 milliards et, avec des progrès, on arriverait à 30, 35 milliards. Nous ne sommes que 6 milliards ! »

La FAO, en mai 2007 a même affirmé que l'Agriculture Biologique pouvait nourrir aujourd'hui 10 milliards d'hommes. Les sites suivants sont très clairs : www.fao.org/newsroom/fr/news/2007/1000550/index.html et www.fao.org/ORGANICAG/frame3-f.htm.

Au Grenelle de l'Environnement, d'août à septembre 2007, où nous étions présents au titre de l'Union nationale des Associations Familiales (UNAF), nous avons fait 2 propositions concrètes pour les familles.

1. Créer 2 régions pilotes, pôles d'Agriculture Biologique, avec augmentation des surfaces cultivables de 5 % par an sur 5 ans pour rattraper notre retard européen (nous sommes bons derniers).

– L'Alsace, pour des raisons économiques locales et d'exportation facile vers l'Allemagne, l'Autriche et les pays scandinaves, tous gros consommateurs.

– La Provence-Côte-d'Azur, puisqu'elle s'étend de la mer à la montagne avec toutes les cultures végétales et animales utiles à la santé (habitudes méditerranéennes).

Les deux régions proposées, Alsace et Paca, sont celles enregistrant déjà le plus fort taux de croissance sur les 5 dernières années (autour de 5 %, chiffres de l'Observatoire national de l'agriculture biologique pour l'année 2006) mais d'autres régions, Nord ou Île-de-France, sont en perte de vitesse.

2. Imposer au Bureau de vérification de la publicité une charte Éthique et Santé, car actuellement – sans être excessif – on est obligé de conseiller aux familles de ne pas acheter ce que les publicités proposent parmi tous les produits alimentaires, tellement ces publicités sont contre-productives en termes de santé publique.

Aujourd'hui, un agriculteur français nourrit près de 80 personnes, dont 70 sur le territoire national, tandis qu'un employé de l'agroalimentaire approvisionne 125 consommateurs, dont 100 en France.

Quant aux coûts des aliments AB, si ce sont des choix ponctuels de tel ou tel aliment « bio », il est certain qu'on le payera plus cher, 20 à 25 % de plus. Par contre, l'orientation vers une alimentation de produits de l'agriculture biologique ne déterminera pas des coûts supplémentaires. C'est ce qui est observé par notre collègue Lylian Le Goff[85], en restauration collective à Lorient depuis 1998, à Langouët, au nord de Rennes, depuis 2004 en restauration scolaire. Ce qui a permis une diminution des coûts et la création d'un emploi.

21. L'impact de la nutrition pour freiner ou stopper les symptômes des maladies de l'immunité : les cancers et les maladies auto-immunes, des polyarthrites à la sclérose en plaques et à la maladie d'Alzheimer

Pourquoi une mauvaise alimentation peut induire des maladies de l'immunité, du cancer aux maladies auto-immunes ?

Une mauvaise alimentation est source de mauvaise digestion, car les aliments pèsent sur l'estomac et les enzymes de la salive et du liquide gastrique peuvent être débordées. Au-delà de la digestion, on va logiquement observer des troubles de l'absorption au niveau de l'intestin.

---

85. *Manger mieux, c'est pas du luxe*, Éd. Terre vivante, 2006.

C'est, en effet, la digestion, sous l'effet d'enzymes spécifiques, qui transforme les aliments en nutriments, lesquels, simplifiés sous forme de fines molécules, passent la barrière intestinale pour se diluer dans le sang qui va vers le foie, puis vers le cœur et, de là, à tous les organes. Les plus grosses molécules (lipoprotéines) passent par les lymphatiques et rejoignent le cœur par le système lymphatique, puis veineux.

Si la barrière intestinale est agressée par les aliments ou nutriments, des molécules « anormales ou toxiques » peuvent passer et se porter sur tel ou tel organe de notre corps, jouant le rôle d'antigène auquel l'organe répond localement par la formation d'anticorps. C'est le complexe antigène-anticorps qui est à l'origine d'une inflammation locale, puis d'une réaction immunitaire locale, puis générale. Celle-ci crée alors des anomalies organiques qui peuvent être à l'origine d'une maladie chronique, surtout si l'intoxication persiste de manière chronique.

La maladie cancéreuse est la plus grave, car après avoir atteint un organe, pour constituer le « *cancer primitif* », au niveau d'un organe ou d'une région du corps, elle essaime sous forme de métastases (*cancers secondaires*) vers d'autres organes : les ganglions, les os, le foie, les poumons, les surrénales, le cerveau, la peau…

On sait maintenant que près de 45 % des cancers sont liés à de mauvaises habitudes alimentaires. Mais il faut être prudent avec cette affirmation scientifique, car il serait dangereux de faire croire qu'une saine alimentation guérit du cancer. Quand le cancer est « en route », seuls les traitements dits « carcinologiques » peuvent le supprimer[86]. Cependant il est évident que si le patient poursuit ses *mauvaises habitudes alimentaires,* il augmente les risques de récidives. Le fumeur traité et guéri d'un cancer du poumon ou de la vessie, s'il continue ou reprend l'intoxication tabagique, même à petites doses, aura le maximum de risques de récidives. Nous l'avons vérifié de multiples fois. Il en est de même pour l'alimentation.

Nous sommes d'accord avec notre collègue David Servan-Schreiber quand, dans son livre[87], il affirme que l'épidémie des cancers dans le monde occidental est liée surtout au bouleversement de nos modes de

---

86. Voir notre livre : *Guérir définitivement du cancer – Oser dire quand et comment*, Éd. François-Xavier de Guibert, 2006.

87. *Anticancer – Prévenir et lutter grâce à nos défenses naturelles*, Éd. Robert Laffont, 2007.

vie depuis 1940, avec 3 facteurs majeurs en cause : 1. l'alimentation avec l'augmentation de la consommation des sucres, 2. notre exposition à de nombreux produits chimiques, auxquels s'ajoutent 3. le stress et l'absence d'exercice physique.

Oui, comme l'écrit notre collègue, il est possible de se construire une « *biologie anticancer* » et nous ajoutons que cela est aussi vrai pour ceux qui sont atteints et traités pour cancer – car il faut éviter les récidives – que pour ceux qui ne veulent pas en avoir.

Parmi les maladies auto-immunes, nous prenons pour exemples quatre tissus ou organes qui peuvent être touchés :

– les articulations à l'origine de polyarthrite chronique plus ou moins évolutive ;

– le système nerveux à l'origine de sclérose en plaques ou de maladie d'Alzheimer.

La polyarthrite chronique évolutive (PCE)

Il s'agit d'une inflammation portant simultanément sur plusieurs articulations. Elle est encore appelée « polyarthrite rhumatismale ». Elle prédomine chez les femmes, débutant vers la quarantaine. Les chromosomes 6 et 3 qui jouent un rôle dans la régulation du système immunitaire seraient impliqués. Les premières manifestations se localisent aux mains, puis aux poignets, aux pieds, aux genoux. Les articulations sont tuméfiées, chaudes, douloureuses, enraidies, surtout le matin au réveil. Peu à peu des déformations apparaissent qui aboutissent à l'ankylose.

Sur les radiographies des pieds, on observe la présence d'érosions qui est un critère diagnostique très important, ainsi que la mise en évidence d'une déminéralisation en bandes des articulations des pieds au niveau des métatarso-phalangiennes. Ces lésions sont très souvent symétriques. Lorsque les signes sont les plus évocateurs, l'horaire des douleurs est mixte : réveillées par les mouvements dans la journée et se manifestant également la nuit, empêchant le sommeil. La raideur s'accentue, le gonflement articulaire augmente, l'impotence s'aggrave.

Un nouveau marqueur biologique spécifique permet en particulier de détecter les polyarthrites rhumatoïdes débutantes. Ce sont les anticorps antifilagrine-citrulline qui ont une spécificité de 95 à 98 % et dont la sensibilité atteint 60 à 70 % dans les formes débutantes. Ces autoanticorps ont également une valeur pronostic intéressante, car statistiquement leur présence est associée à une évolution sévère.

L'évolution se fait par poussées entrecoupées de rémissions, mais l'ankylose augmente inéluctablement. Les facteurs de mauvais pronostic sont :

– un début polyarticulaire,

– un syndrome inflammatoire important,

– la présence d'érosions articulaires à un stade précoce,

– un titre élevé du facteur rhumatoïde,

– l'existence d'anticorps antikératine…

Chez la femme en activité génitale, sous traitement par méthotrexate, une grossesse doit être évitée. Il est préférable d'interrompre ce traitement au moins six mois avant d'envisager une grossesse. En effet, la prise de méthotrexate présente le risque élevé de malformations fœtales. De plus, ce traitement induit une carence en folates susceptible d'être à l'origine d'un spina-bifida, de retard mental, d'hydrocéphalie ou d'anomalies cardiaques. En cas de début de grossesse sous méthotrexate, il faut interrompre ce traitement et adjoindre, si cela n'a pas encore été fait, de l'acide folique (vitamine B9). L'allaitement est déconseillé si le traitement par méthotrexate reste obligatoire.

C'est dans la PCE[88] que mon collègue Jean Seignalet a le plus vite mesuré l'efficacité de son « régime sans aucun laitages, sans gluten avec des produits les plus frais et les moins cuits », en associant des « compléments alimentaires » selon les données du bilan bionutritionnel de Nutergia (Bilan Iomet : www.nutergia.fr). Les effets sont spectaculaires en termes de réduction des douleurs et de l'inflammation, traduisant bien les relations entre nutrition et système articulaire. Et d'une façon générale, les corticoïdes et le méthotrexate peuvent être diminués progressivement, puis supprimés.

Évidemment, les déformations de mains et des pieds ne régresseront pas. Les compléments (www.nutergia.fr) les plus efficaces sont surtout :

– Ergypaïne plus à raison de 2 gélules matin et soir, 1 h 30 avant chaque repas

– Ergyphilus, 2 gélules le matin et Ergyprotect, 2 cuillerées à café et Ergyphytum 1 bouchon par jour.

---

88. Des améliorations spectaculaires sont également observées avec le même régime dans la Spondylarthrite ankylosante (SPA).

Dans cette maladie, les facteurs de croissance et les protéines des laitages, ainsi que les molécules venant de la dégradation du gluten sont en cause puisque leur suppression radicale améliore la plupart des patients.

La sclérose en plaque (SEP) et les relations aliments-nutriments et système nerveux central

La sclérose en plaques (SEP) est une des maladies inflammatoires du système nerveux central, surtout au niveau de la moelle épinière.

Il existe une susceptibilité d'origine génétique, mais qui ne suffit pas pour que se produise la maladie. La répartition par sexes indique une prédominance féminine : à peu près 3 femmes pour 2 hommes. L'étude des âges montre que le début clinique se situe entre 20 et 40 ans dans 70 %.

Dans le cadre de la pathologie inflammatoire, auto-immune, la SEP est la principale maladie non tumorale du système nerveux chez l'adulte jeune. Elle peut évoluer sur des dizaines d'années, entraînant au fil du temps des déficits de plus en plus invalidants.

• Les acides gras libres et la satiété

On sait aujourd'hui que les acides gras peuvent être utilisés non comme substrats énergétiques par les neurones, mais comme messagers cellulaires informant les neurones du statut énergétique de l'organisme. Les variations périphériques de concentration des Acides Gras Libres (AGL) peuvent être détectées par des neurones spécialisés, notamment dans l'hypothalamus et le tronc cérébral qui est la tige réunissant le cerveau à la moelle épinière.

Ainsi les AGL régulent finement, par leur effet central, le comportement alimentaire, la production de glucose par le foie, mais aussi la sécrétion d'insuline par le pancréas. Obici et coll. ont montré que la perfusion d'AGL dans la cavité des ventricules du cerveau pendant 6 heures chez le rat, provoque une baisse de la production hépatique de glucose et une diminution de la prise alimentaire (*Diabetes*, 2002, 51 : 271-275). Cette expérience mime, selon les auteurs, l'apport d'acides gras consécutifs à un repas, qui joue le rôle de signal satiogène (régulation de l'appétit). Il apparaît de plus en plus sûr que les neurones de l'hypothalamus et du tronc cérébral seraient des relais essentiels sensibles aux AGL pour réguler la balance énergétique.

• **Les vitamines du groupe B (B3, B1, B6, B9, B12)**

L'exemple le plus typique est celui de la **vitamine B3,** responsable, en cas de carence, de la pellagre. Cette maladie comporte une composante neurologique avec des signes variables, comme l'irritabilité, la perte de mémoire, l'anxiété, l'insomnie et, à terme, la démence. Prise assez tôt, la supplémentation en vitamine B3 (nicotinamide et acide nicotinique) permet de juguler rapidement cette maladie. Elle a donc des effets neuro-protecteurs.

La carence en **vitamine B1** est responsable de béribéri, touchant des populations consommant surtout, et comme seul aliment, du riz poli hautement raffiné. Des signes de lassitude, de changements d'humeur, une baisse des capacités cognitives et intellectuelles sont observées après quelques jours de déficience en vitamine B1.

La carence en **vitamine B6 (Pyridoxine)** est responsable de troubles psychiatriques avec irritabilité et dépression, mais cette carence est souvent imbriquée à d'autres carences en vitamines du groupe B, comme la vitamine **B9 ou acide folique**. Chez la femme enceinte, la carence en acide folique peut être responsable de malformations congénitales, en particulier des anomalies de fermeture du tube neural nommée « spina-bifida ». Une supplémentation réduit de 40 à 75 % les risques. Chez les personnes âgées, la carence en folates est responsable d'anémie, de troubles de la mémoire, du sommeil et du comportement, ainsi que de troubles cérébelleux et de déclin cognitif.

La déficience en **B12** peut donner des signes cérébelleux et même psychiatriques (labilité affective, dépression, troubles de la mémoire). Elle est observée chez 10 % des personnes âgées.

Les anomalies observées au niveau du système nerveux

Une « démyélinisation » : c'est-à-dire une destruction de la myéline dans la substance blanche de l'encéphale et de la moelle épinière, respectant les axones (dissociation myélino-axonale, au moins relative).

La « démyélinisation » est inflammatoire, comme en témoignent les lésions jeunes où l'œdème et l'infiltrat inflammatoire accompagnent la désintégration active des gaines de myéline. Les lésions anciennes sont le siège de la sclérose du tissu nerveux ; ce que Jean-Martin Charcot a décrit en 1868, c'est le stade cicatriciel des lésions, celui de la sclérose.

Ces lésions démyélinisantes ont une répartition et une topographie singulières, en plaques multiples et disséminées dans le système nerveux central (encéphale, nerf optique, moelle épinière), pouvant toucher n'importe quel secteur de la substance blanche, mais avec des sites de prédilection : tronc cérébral, zones autour des ventricules cérébraux.

La SEP a une répartition géographique inégale avec des zones de haute prévalence (autour de 100 pour 100 000 habitants) en Scandinavie, Écosse, Europe du Nord, au Canada et au Nord des États-Unis, des zones de prévalence moyenne (autour de 50), Europe centrale et de l'Ouest, Sud des États-Unis, des zones de prévalence basse (inférieure à 20), autour de la Méditerranée et au Mexique. La maladie est exceptionnelle en Afrique dans la population noire.

Le diagnostic de SEP repose sur la mise en évidence par la discussion des syndromes cliniques et électro-physiologiques observés de plus d'un site lésionnel, l'obligation de retenir plusieurs localisations, et sur le constat d'une évolution qui se prolonge ou se ranime au-delà de quelques mois. La plus caractéristique est l'évolution par poussées successives (65 % des cas), qui régressent en quelques semaines, avec ou sans séquelle, pour faire place à une accalmie ou une stabilité jusqu'à la poussée suivante. Quelquefois, après une phase d'évolution de quelques années, commence une aggravation de type continu progressif. On évalue à 13 % les SEP continues progressives d'emblée, formes dont le profil est très différent et le pronostic sévère.

On peut prévoir à quelle forme évolutive on se trouve confronté selon quelques critères simples :

– l'intervalle entre la première et la deuxième poussée ;
– le nombre de poussées dans les 2 premières années ;
– la date d'entrée dans une progression continue ;
– le niveau atteint sur l'échelle d'invalidité à 5 ans, à 10 ans.

Mais il ne s'agit jamais que de probabilité, la prévision pouvant se trouver démentie par l'évolution de la maladie. Il y a des formes éteintes de SEP. C'est cela qu'il faut obtenir et, pour cela, le changement radical des habitudes alimentaires s'impose.

L'IRM est la seule méthode qui montre les lésions dans le système nerveux central, mais non spécifique.

C'est le changement progressif mais radical des habitudes alimentaires qui permettra de réduire les traitements lourds et peu efficaces de la maladie : en premier, les corticoïdes qui ne protègent pas contre le retour des poussées, mais exposent à toutes les complications de la corticothérapie (dont l'amyotrophie, l'excès pondéral et l'ostéoporose). Ils doivent être déconseillés. Il faudra les réduire progressivement lors du sevrage médicamenteux, remplacés par le changement des habitudes alimentaires.

Il en est de même des « immuno-suppresseurs »: l'azathioprine (Imurel); le cyclophosphamide (Endoxan) avec ses complications digestives, vésicales; le mitoxantrone avec sa toxicité cardiaque; l'interferon-bêta. Ce dernier, sur une période de 3 ans, réduirait de 30 % la fréquence des poussées et la progression de la charge lésionnelle sur l'IRM. Les effets secondaires sont dominés par un syndrome pseudogrippal dans les heures qui suivent l'injection. Il est le seul médicament à avoir obtenu l'AMM pour la SEP. Son coût est élevé: 1 200 euros environ par mois.

Face au diagnostic de SEP, en plus des changements des habitudes alimentaires, des compléments nutritionnels (www.nutergia.fr) peuvent être nécessaires:

– Ergyphilus: 2 gélules le matin;

– Biotaurine: 2 gélules le soir;

– Ergyline qui apporte un rapport oméga-6/oméga-3 égal à 1:3 gélules par jour.

La maladie d'Alzheimer

Elle concerne 860 000 personnes en France et au-delà de 75 ans, 20 % des femmes sont atteintes et 13 % des hommes.

Comme le dit notre collègue neurologue, le Pr Jacques Touchon doyen de la faculté de médecine de Montpellier, c'est une « épidémie silencieuse », devenue en 2007 grande cause nationale. Il est vrai qu'on parvient aujourd'hui à identifier les sujets à risque, mais on n'a pas encore de médicaments arrêtant le processus.

N'oublions pas que le cerveau est « plastique » et, donc, que plus on le stimule, plus on va fabriquer des connexions qui vont former une sorte de réserve. Ce concept de réserve cérébrale est capital à comprendre, car quand on stimule son cerveau depuis la petite enfance et qu'on continue à le stimuler tout le temps, le cerveau devient plus résistant aux agressions.

Ainsi, si on stimule le cerveau, on se protège. Il faut en plus ne pas oublier que le cerveau a besoin constamment d'une énergie de qualité, laquelle lui est apportée par les aliments. Le glucose est l'énergie princeps du cerveau libérée par le foie, au fur et à mesure des besoins de l'organisme, du cerveau en particulier.

Pour notre collègue Jean-Marie Bourre[89], il existe une relation directe entre la manière de nous alimenter et notre psychisme. Une alimentation de qualité permet de produire plus de sérotonine, qui agit comme antidépresseur. La sérotonine est fabriquée au niveau de l'estomac. Pour Boris Cyrulnik[90], il faut distinguer les petits porteurs de sérotonine, qui s'efforcent de s'organiser une vie sécurisante en évitant les grands stress, et les grands « porteurs de sérotonine », capables de survivre à de très grands stress et éprouvant le besoin de vivre à risques.

Face au diagnostic d'Alzheimer, en plus des changements des habitudes alimentaires, des compléments nutritionnels (www.nutergia.fr) peuvent être nécessaires :

– Biortho (complexe d'anti-oxydants essentiels) : 2 gélules le matin ;
– Biotaurine : 2 gélules le soir ;
– Bionisol : 1 bouchon le matin.

D'autres maladies auto-immunes

Il est évident que les maladies auto-immunes peuvent toucher, selon les sensibilités des patients, notre protection cutanée, le système tendineux et musculaire, le tube digestif ou le système vasculaire.

Les atteintes de la peau à l'origine de sclérodermie ou de lupus érythémateux, ou les atteintes des muqueuses à l'origine de maladie de Gougerot-Sjögren (GS)

Le syndrome de GS (SGS) se caractérise par une sécheresse oculaire et buccale qui définit le *syndrome sec*. Sur des atteintes visibles au microscope, ce syndrome se caractérise par une infiltration de globules blancs lymphocytes et plasmocytes des glandes salivaires. La maladie peut être primitive, c'est-à-dire isolée, ou secondaire, c'est-à-dire associée à une affection systémique telle que la polyarthrite rhumatoïde, la sclérodermie ou la polymyosite. La complication la plus redoutable du syndrome de Sjögren est la survenue d'un syndrome lymphoprolifératif, c'est-à-dire d'un lymphome pouvant évoluer vers une forme de leucémie.

---

89. *La nouvelle diététique du cerveau*, Éd. Odile Jacob, 2006.
90. *De chair et d'âme*, Éd. Odile Jacob, 2006.

– Les autres affections dysimmunitaires pouvant être associées à un SGS

- Polyarthrite rhumatoïde ;
- Lupus érythémateux disséminé ;
- Sclérodermie ;
- Connectivite mixte (Syndrome de Sharp) ;
- Cirrhose biliaire primitive ;
- Polymyosite ;
- Vascularites (Maladie de Horton) ;
- Thyroïdite auto-immune ;
- Hépatite chronique active.

– Les tendons et les muscles atteints par *la fibromyalgie*, souvent rencontrée par les médecins généralistes et les rhumatologues.

– Le tube digestif, en particulier l'intestin grêle à l'origine de maladie de Crohn qui peut toucher le côlon et la zone ano-rectale.

Dans toutes ces maladies, les changements d'habitudes alimentaires doivent être essayés en première intention. La cohérence de l'organisme humain et l'« *unicité individuelle* » font que chaque être humain ayant les mêmes mauvaises habitudes que son voisin, peut réagir différemment.

Les uns, plus fragiles sur le plan digestif, réagiront au niveau digestif par des maladies inflammatoires qui, à la longue – sur une ou plusieurs dizaines d'années d'évolution – se transformeront en cancer.

D'autres, plus sensibles au niveau cutané ou articulaire, développeront des maladies sur ces sites.

D'autres plus rarement, sensibles au niveau du système nerveux auront des symptômes neurologiques.

Si les causes de ces maladies sont en partie liées à notre mode de vie et, en particulier, à nos mauvaises habitudes alimentaires – lesquelles se surajoutent à des facteurs de susceptibilité, y compris génétiques –, alors il ne faut pas tarder, dans l'évolution de la maladie, à modifier les habitudes alimentaires en mangeant mieux et meilleur. Et d'une façon générale, les symptômes les plus gênants pour le patient régressent dans les 3 mois qui suivent.

22. Pourquoi la prévention doit être prioritaire en matière de santé ?

Les premiers états généraux de la prévention ont été organisés en octobre 2006 par le ministère de la Santé en France. Il fut précisé que les tâches administratives des médecins devaient être allégées pour qu'ils se consacrent plus à la prévention.

Première prévention : promouvoir l'allaitement maternel

Dès le début de la vie, les parents doivent savoir que la prévention santé commence. On sait déjà que les mauvaises habitudes des parents risquent de passer dans leurs enfants. Même pendant la grossesse, un certain nombre de conseils doivent être suivis. Au-delà des conditions physiques de la grossesse, il faut absolument penser à la prévention embryonnaire et fœtale, afin que le développement de l'être humain in utero se fasse dans les meilleures conditions et évite ainsi les anomalies dites « congénitales » ou de « naissance ».

Les apports en fer, car l'embryon puis le fœtus peuvent être source d'anémie par détournement du fer maternel, doivent être envisagés si nécessaire. Le meilleur apport, si les taux de fer dans le sang et des protéines qui le transportent (ferritine) sont bas, est le Supraminéral de Nutergia, à raison de 1 à 2 bouchons par jour (voir www.nutergia.fr).

De même pour l'apport en acide folique ou vitamine B9, pour prévenir les anomalies de fermeture du tube nerveux à la partie basse de la moelle épinière, évitant ainsi le spina-bifida.

L'allaitement maternel idéal peut durer 6 mois selon les recommandations de l'OMS. Le sevrage se fera progressivement en faisant consommer à l'enfant sans tarder, écrasés, des fruits et des légumes frais de saison, des légumineuses, du poisson, des viandes blanches…

Pour les laitages, s'il ne supporte pas le lait de vache (allergie ou absence de la lactase pour le digérer), on le remplacera par du lait de chèvre ou de brebis, ou par des laits végétaux, en excluant le lait de soja qui, à cet âge, apporte trop de phytohormones.

Toute la petite enfance, l'enfant sera nourri le plus naturellement possible, en évitant les petits pots, sans couleur-sans odeur-sans saveur, qui lui sont destinés par les publicités et sont sans intérêt nutritionnel du fait de leur contenu en aliments dégradés.

Deuxième prévention : pendant toute la scolarité

Dès le primaire et jusqu'au lycée, il faut stimuler la consommation des fruits et légumes et réduire les consommations excessives de laitages sous toutes leurs formes. Nous avons obtenu du ministère de l'Éducation nationale qu'il impose des *fruits frais à chaque récré,* avec les « *récré fruitées* » qu'il faudra généraliser à toute l'Europe. La première grande ville à avoir installé les récré fruitées est Narbonne, au carrefour du Sud de l'Europe. La généralisation demandera du temps, mais c'est ainsi que l'on pourra améliorer la santé des plus jeunes.

D'après une enquête de l'Afssa (Agence française de sécurité des aliments), seuls 34 % des collèges et lycées ont inscrit l'équilibre alimentaire dans leur projet d'établissement. Des informations de prévention nutritionnelle doivent être imposées à la restauration collective.

Troisième prévention : les médias bien utilisés avec une éthique santé publique

Des messages audio-visuels simples et justes sur le plan scientifique doivent être délivrés au grand public. Point besoin de sponsors qui cherchent toujours, ce qui est logique, à tirer profit des fonds qu'ils mettent dans la publicité. Les messages de santé publique doivent être proposés par des spécialistes de la prévention et testés au niveau des familles, selon les générations. Et ces messages destinés à la collectivité doivent être donnés sur des plages horaires gratuites, prévues par la loi dans le cahier des charges de France Télévisions.

Quatrième prévention : au niveau des médecins et des assurances

Les consultations de prévention doivent être officialisées et imposées régulièrement selon les âges et les risques professionnels, en particulier. Évidemment, il faudra former les médecins généralistes à cette approche nouvelle. Ils sont demandeurs, car blasés par les enseignements post-universitaires sponsorisés et organisés par les laboratoires pour faire connaître leurs produits.

Une consultation de prévention ne doit pas prescrire des médicaments mais des conseils. Ces conseils seront inscrits sur « *l'ordonnance de prévention* » qui sera délivrée au malade et contresignée par lui. Le patient sera re-convoqué aussi souvent que nécessaire pour vérifier le suivi des conseils qui lui auront été donnés. À chaque consultation, l'ordonnance de prévention lui sera délivrée. Il la contresignera avec son médecin référent. Le non-suivi des conseils donnés devra être signalé dans le dossier médical, afin de responsabiliser le patient quant à son état de santé.

En cas de refus de *conseils de prévention,* le patient sera averti – au-delà d'un certain nombre de consultations où les conseils ne sont pas intégrés dans le mode de vie – qu'il entre dans un processus de remboursement selon le système des assurances dans l'automobile, du Bonus-Malus. Évidemment, toutes ces idées de bon sens doivent être adaptées à chaque individu, selon son histoire et ses capacités à intégrer et mettre en pratique les conseils qui lui sont donnés.

La déclaration du millénaire des Nations unies, en septembre 2000, reconnaissait que la croissance économique est limitée si la population n'est pas en bonne santé. En particulier : « Les programmes destinés à promouvoir une alimentation saine et l'exercice physique devraient donc être considérés comme indispensables pour le développement et bénéficier d'un soutien tant politique que financier dans les plans nationaux de développement » (Stratégie mondiale pour l'alimentation, l'exercice physique et la santé – OMS 57e Assemblée Mondiale de la Santé – 17 avril 2004).

23. Le repas en famille, source d'équilibre et de santé : tous centenaires en bonne santé physique et psychique

Il faut parfois rappeler des évidences. Les méfaits des mauvaises habitudes alimentaires étant de plus en plus connus du grand public, des opportunités se présentent pour aider tout un chacun à orienter ses habitudes alimentaires dans le bon sens.

C'est d'abord dans la famille que cela a le plus de chances de réussir. Au moins un repas par jour doit être pris en famille. C'est le meilleur rempart anti-malbouffe[91]. C'est dans le réfrigérateur familial que se situent les bons ou les mauvais aliments. Aujourd'hui, il faut faire la chasse à presque tous les lactés qui sont tellement présents en termes de publicité.

L'enseignement de la nutrition doit être un plaisir, un jeu, car les plus jeunes sont les meilleurs acteurs de la nutrition.

---

91. *Protégez vos enfants de la malbouffe*, Cyril Lignac, Éd. Michel Laffont, 2007.

À Okinawa, un archipel au large du Japon, on compte quatre fois plus de centenaires qu'ailleurs dans le monde. Pour percer le secret de cette longévité exceptionnelle a été lancée, il y a plus de vingt-cinq ans, la plus importante et plus prestigieuse *enquête sur les centenaires*. À sa tête, le Dr Bradley Willcox, son frère Craig et le Dr Makoto Suzuki[92].

Les deux frères, quand ils étaient étudiants à Toronto au début des années quatre-vingt-dix, menaient une étude sur le régime des Japonais, les graisses corporelles et les problèmes de prostate. Le plus vieux des participants était un homme âgé de 105 ans, originaire d'Okinawa, qui était en très bonne santé... Plus tard, ils ont trouvé que les habitants de cet archipel étaient ceux qui avaient le moins de problèmes de prostate de tout le Japon, pays qui a, lui-même, le plus faible taux de problèmes de prostate au monde... À Okinawa, ils ont rencontré le Dr Makoto Suzuki, le principal auteur de l'étude des centenaires d'Okinawa. Depuis, ils ont pu découvrir les clés de leur santé, leur minceur et leur longévité. L'étude soutient l'hypothèse que les habitants d'Okinawa vieillissent plus lentement, sûrement grâce à leur régime alimentaire pauvre en calories et leur mode de vie actif.

L'étude des centenaires d'Okinawa va durer aussi longtemps que le ministère de la Santé japonais et les Instituts nationaux de la santé des États-Unis continueront de la financer.

Les auteurs prévoient une étude originale pour savoir si des outils sur Internet peuvent aider à perdre du poids et à ne pas le reprendre. Les participants devront être capables de suivre le régime Okinawa à l'aide d'outils Internet, surveiller leur poids et leur quantité de graisse, accéder à des menus quotidiens goûteux et pauvres en calories, discuter avec des gens qui vivent la même expérience... Ils espèrent que cela aidera les gens à atteindre un poids de forme et à le conserver tout au long de leur vie, aussi bien qu'à leur donner accès à des informations pour savoir comment vieillir en bonne santé. Le site Internet est awadiet.com.

Ils prévoient aussi de nombreuses autres études pour comparer les styles de vie des habitants d'Okinawa avec celui de leurs compatriotes vivant à Hawaï. Cette étude permettra de déterminer le rôle de la génétique dans cette population.

---

92. Willcox B., Willcox C., Suzuki M., *The Okinawa Diet Plan*. Clarkson-Potter, New York (New York, USA), 2004.

Les gènes jouent un rôle majeur dans l'espérance de vie. En changeant un simple gène chez un rat, on augmente son espérance de vie de 50 %. Mais le même résultat peut être obtenu par la restriction calorique : en diminuant de moitié la ration calorique d'un rat, il vivra 50 % de plus. Si vous avez de bons gènes, vous avez des chances de vivre plus longtemps, ça ne fait aucun doute. L'étude montre que les centenaires d'Okinawa ont généralement des bons gènes mais ce n'est pas toujours le cas. Une bonne alimentation et une bonne hygiène de vie peuvent faire d'un individu qui n'a pas forcément les meilleurs gènes un centenaire. C'est toujours un mélange des deux facteurs.

Notre collègue et ami le Pr Walter Willett (de l'École de santé publique d'Harvard) va dans le même sens. Il recommande de privilégier les aliments à index glycémique bas, les acides gras monoinsaturés (huile d'olive) et les oméga-3, plutôt que les acides gras saturés, et plus de protéines végétales que de protéines animales.

Trois recommandations peuvent être tirées des comportements alimentaires à Okinawa.

– Une habitude nommée « *hara hachi bu* » qui consiste à cesser de manger avant d'avoir atteint la satiété.

– Les légumes sont consommés *croquants,* c'est-à-dire *al dente,* ce qui préserve les nutriments positifs pour la santé.

– Le poisson est consommé 3 fois par semaine : thon, saumon, maquereau, riches en acides gras oméga-3, ainsi que les algues très riches en iode et calcium. L'apport de 150 mg/jour d'iode pour un adulte peut être couvert par quelques grammes secs d'algues (les laminaires et algues brunes étant les plus riches). Une des plus intéressantes pour la santé est la spiruline, micro-algue bleue d'eau douce, utilisée traditionnellement par les Aztèques et plusieurs tribus du Tchad, elle tient son nom de sa forme spiralée[93].

L'Association américaine de cardiologie (American Heart Association) conseille de manger au moins deux portions de poisson gras par semaine, ce qui revient à démontrer la cohérence de notre organisme.

---

93. La spiruline contient 55 à 70 % de protéines très digestibles à raison de 2,5 g à 3,5 g par dose de 5 g. C'est une excellente source de caroténoïdes (22 mg/5 g) avec une grande quantité de bêta-carotène (12000 à 25000 UI par 5 g) et de calcium (70 mg/10 g) et de fer (95 mg pour 100 g soit 4,75 mg pour 5 g).

En effet, une saine alimentation est aussi bonne pour le cœur, les reins, le foie et les poumons et permet de rester le plus longtemps en bonne santé. L'idéal pour devenir centenaire, avec toute sa tête et de bonnes jambes.

Chapitre II

RELATIONS ENTRE ALIMENTATION ET CANCERS ET PLACE DE L'AGRICULTURE BIOLOGIQUE DANS L'ALIMENTATION

1. Alimentation et cancers : certitudes

Les relations « mauvaises habitudes alimentaires » et cancers : d'innombrables preuves

Les 10 dernières années n'ont fait que confirmer ce que j'écrivais avec les premières preuves scientifiques dès 1985 dans la première édition de ce livre. Les mauvaises habitudes alimentaires sont à l'origine de nombreuses maladies. Des plus simples, surpoids et pré-diabète, aux plus graves, cancer dans un grand nombre de ses localisations, mais aussi maladies dites de système ou de l'immunité. De nouvelles preuves ont déclenché une avalanche de publications. Malheureusement des livres ou magazines grand public se sont souvent contredits et ont empêché d'y voir clair. Surtout, d'un côté, ils ont freiné de nombreuses personnes pour changer vraiment d'habitudes alimentaires, de l'autre ils les ont laissées s'orienter vers des régimes aussi farfelus qu'inefficaces. De plus, certains, en particulier ceux qui n'ont aucune formation en nutrition et qui souhaitent que vous ne changiez pas – pour que la médecine s'occupe de vous – vous diront : « Il faut une vie pour changer les habitudes. » Ce n'est pas vrai, quelques mois de « manger mieux et meilleur » suffisent pour orienter votre santé dans le bon sens.

Ce qui est certain et de plus en plus précis : le « mal manger » peut conduire au cancer

La dernière conférence « Alimentation et Santé » qui s'est tenue à Londres à l'automne 2001, avec 600 participants, a confirmé les principaux facteurs de risques à l'origine de maladies cardio-vasculaires, cancers, diabètes. Surpoids et obésité, consommation insuffisante en fruits, légumes et céréales complètes. Ont été retrouvés pour le risque majeur d'obésité, l'exercice physique insuffisant, une consommation excessive de sucres simples (à index glycémique élevé[1]).

Évidemment l'alimentation n'est pas seule en cause dans le déclenchement de ces maladies. Les succès (relatifs) des campagnes antitabac[2] ont eu pour l'instant plus d'effets pour réduire les récidives des maladies cardio-vasculaires que les risques de cancer. En général il faut moins de temps pour faire un infarctus du myocarde (4 à 5 ans) que pour développer un cancer du poumon (10 à 20 ans).

Un style de vie sédentaire et inactif favorise plus le diabète que les risques cardio-vasculaires ou de cancer. Et l'activité physique à visée préventive et protectrice de ces maladies est évaluée actuellement au minimum de 2 à 3 heures d'exercice physique fatigant par semaine. Fatigue qui impose de se doucher pour éliminer les effets de la sueur sur le corps, même après une heure à la piscine.

Les stress conduisent au « mal manger » et au « mal-être »

Et le stress ? Beaucoup pensent qu'il n'est pas évaluable, d'autres retrouvent un « grand stress » à l'origine de chaque cancer. Les onco-psychologues (psychologues des malades atteints de cancer) sont de plus en plus présents dans les centres de traitement des cancers et c'est une bonne chose. Mais attention de ne pas dériver, avec eux trop souvent, vers la désinformation inconsciente qui consiste à « rejeter la responsabilité du cancer sur l'individu ».

Quand il y a tabagisme et alcoolisme, le malade a sa part de responsabilité, c'est logique. Le malade le sait très bien, point n'est besoin de le

---

1. L'index glycémique est l'augmentation du taux du sucre dans le sang mesurée après l'ingestion d'un aliment contenant des sucres simples ou complexes. Il est le plus élevé avec le sucre blanc et les sucres des pâtisseries, il est faible avec le fructose qui est le sucre principal des fruits frais. C'est pour cette raison que les diabétiques peuvent consommer des fruits frais avec modération.

2. En Angleterre les campagnes antitabac menées essentiellement par les médecins généralistes permettent de sauver 40 000 vies chaque année. En France l'orientation semble en bonne voie depuis les décisions prises par l'OFT (Office français du tabagisme) de former les médecins généralistes à la prévention.

3. Quel média grand public féminin par exemple osera publier en première page de magazine le résumé de 2 publications scientifiques récentes ? « La contraception orale augmente le risque de cancer du sein en cas d'antécédents familiaux » Les

lui souligner. En revanche, quand les causes ne sont pas encore reconnues par les grands spécialistes qui ont peur des lobbies – c'est le cas pour le cancer du sein[3] – alors on se tourne vers le choc psychologique, vers le conflit avec la mère, le conjoint ou la voisine... La plupart des psychologues aujourd'hui ne sont pas informés sur ces sujets éminemment scientifiques. On leur répète tous les jours : « On ne connaît pas *encore* les causes des cancers du sein... » Alors, il est facile de retrouver chez n'importe quel individu, le « mégastress » qui est « la cause première de cette misère que vous n'avez pas pu surmonter ». Ces informations font la une des magazines et commencent à apparaître dans romans et nouvelles.

Les lobbies pharmaceutiques se lavent les mains, influençant autant les médecins que le grand public. Ils se blanchissent à peu de frais, en affirmant qu'ils ne sont pas en cause, puisque le psy a pu trouver le mécanisme causal.

Nous ne nions pas les effets délétères du stress. En particulier les excessives prescriptions médicamenteuses, de toutes sortes, reconnues de tous et entretenues, qui empêchent le ou la malade d'assumer le problème en cause. Comme s'il n'en était pas capable. Ce qui ne fait que retarder les solutions et ajouter à la maladie physique, déjà difficile à gérer, une maladie psychique et de l'âme que de nouveaux médicaments – dangereux lorsqu'ils sont utilisés sur plusieurs années – essayeront de neutraliser. Et le cercle vicieux stress-médicaments-stress continue.

Toutes ces notions, rôles de l'alimentation, du stress, des hormones, devraient être retransmises par presse, radio, Internet et en particulier à la télévision par une chaîne spécialisée où l'éthique dominerait sur l'économie. Nous en sommes encore loin.

Actuellement c'est le médecin généraliste de famille qui est le mieux placé pour guider et conseiller. Cependant sa formation reste encore insuffisante.

---

risques chez les soeurs et filles des patientes sont 1,6 à 6,7 fois (en moyenne 3,3) plus grands que dans une population de filles ou soeurs dont les mères n'ont pas été atteintes de cancer du sein (*JAMA* 2000 ; 284, 1791 et 1837). En revanche on médiatise à outrance la démonstration du NEJM de fin juin 2002 qui affirme que la pilule ne serait pas en cause. Jusqu'à quand ? Quel média féminin osera écrire que le traitement hormonal substitutif (THS) augmente nettement les risques de cancer du sein ? Ils préfèrent écrire que s'il y a cancer du sein, c'est un bon cancer ou que l'augmentation est minime, liée au fait que les femmes sont mieux surveillées, que nous sommes de meilleurs médecins, alors que l'augmentation est, chiffres en main, importante ! (Voir notre livre *Femmes si vous saviez... Hormones, Ménopause, Ostéoporose. Comment rester jeune naturellement ?*, Éd. François-Xavier de Guibert.)

Dans cette optique nous comptons proposer aux autorités compétentes la création de la « Consultation Annuelle de Prévention Familiale (CAPF) » qui permettrait à chaque famille et à chacun de ses membres de recevoir des conseils de santé spécifiques pour tout ce qui concerne ce que nous respirons, ce que nous mangeons, notre façon de faire du sport régulièrement, notre vie relationnelle… dans le but de stimuler la santé au sens défini par l'OMS (Organisation Mondiale de la Santé), santé du corps, de l'esprit et des relations en société.

Ce qui est sûr et certain : des objectifs à atteindre

Ces objectifs peuvent aujourd'hui prendre une dimension européenne, ce qui est nettement en marche avec l'European Cancer Prevention Organization (ECPO).

Les études scientifiques épidémiologiques et en laboratoire ont rendu certain ce qui paraissait probable et dont on se doutait. Les preuves abondent désormais :

– la consommation excessive de viandes rouges augmente les risques de cancer du côlon et du rectum mais aussi de la prostate ;

– l'excès de poids et l'inactivité physique sont responsables d'au moins un quart à un tiers de cancers du côlon, du sein, de l'utérus (corps), du rein, de l'oesophage. Le tissu graisseux en excès joue un rôle délétère, on parle de « glande hormonale à effet négatif » ;

– la réduction de 50 % de l'incidence (nombre de nouveaux cas) des cancers du côlon et du tube digestif haut (œsophage, jonction œsophage-estomac et estomac) est confirmée avec une consommation quotidienne d'environ 500 grammes de fruits (2 grosses pommes) et légumes frais.

Tout le monde peut y arriver. Nous recommandons au moins 4 fruits frais[4] chaque jour : 1 au petit déjeuner, 1 au repas de midi, 1 au repas du soir et 1 avant de se coucher…

– le pourcentage de risques de cancer du côlon et du rectum induit

4. « Un fruit frais à chaque récré » tel est le slogan que nous avons fait passer depuis le 25 septembre 2001, en installant un « bar à fruits » dans l'école primaire de la rue de la Victoire à Paris dans le 9e. Comme Mendès-France avait instauré le verre de lait dans les maternelles, c'est le mouvement « Familles de France » qui est à l'origine de ce concept et qui participe à ces installations dans tous les départements de métropole et des DOM TOM. L'objectif de « Familles de France » est évidemment que toutes les écoles s'équipent de Bar à Fruits, les collèges comme les lycées, et que les pauses café dans les colloques et les congrès soient au plus vite remplacées par des « pauses fruits ».

par les viandes conservées est le même pourcentage qui réduit les risques de ce type de cancer par la consommation équivalente de poissons. Et la consommation de volailles va dans le même sens que celle des poissons. Ces analyses n'ont pas pris en compte les méthodes de cuisson et en particulier la consommation d'amines hétérocycliques générées par les fours, barbecues et autres...

– l'association tabac-alcool augmente les risques de cancer des voies aérodigestives supérieures (un paquet de cigarettes par jour multiplie les risques par 8 par rapport à celui du non-fumeur ; et une consommation de plus de 60 g d'alcool par jour multiplie les risques par 9 ; la conjonction des deux multiplie les risques du fumeur-buveur par 50) :

• les phytohormones ont aussi des effets préventifs de cancer, mais les mécanismes commencent à peine à être abordés[5],

• l'ail et le romarin (qui contient des polyphénols qui inhibent les processus de formation des cancers) peuvent jouer un rôle dans la prévention des phases précoces du cancer. L'ail est riche en éléments soufrés, tel le disulfure de diallyle qui empêche l'activation des substances cancérigènes,

• parmi les fruits, la grenade (32 calories/100 g et 613 pépins) semble avoir des vertus inattendues : par un effet antioxydant puissant, ce fruit et son jus (Cardiogranate) auraient des propriétés contre le cholestérol et peut-être contre le cancer et le sida par l'effet stimulant de l'immunité. Sa partie phytohormonale serait fort utile à la ménopause pour lutter contre les bouffées de chaleur. Le vin de grenade et l'huile extraite de ses pépins aurait des effets freinateurs sur les cellules cancéreuses, donc stimulerait « l'apoptose » (mort naturelle de la cellule).

Les relations « mauvaises habitudes alimentaires » et cancers : des dérives dangereuses

Ce qui est douteux et que vous pouvez repérer autour de vous

Des milliers de régimes sont proposés chaque année dès que le printemps et l'été approchent, aussi ridicules les uns que les autres, mais estampillés par quelque nouveau spécialiste de la nutrition sorti de

---

5. Nous les avons largement expliqués dans notre livre *Femmes si vous saviez... Hormones, Ménopause, Ostéoporose... Comment rester jeune naturellement ?*, Éd. François-Xavier de Guibert.

son laboratoire où il nourrit des cultures de cellules ou de petits animaux de laboratoire.

Tout cela est bien loin de notre assiette, de notre santé et explique les dérives de l'instinctothérapie, des régimes dissociés, du végétalisme pur, de la macrobiotique, de ce que les Américains appellent les « fondamentalistes de l'alimentation ». Des méthodes qui vous permettent en un temps record de perdre 10 à 20 kilos… et de les reprendre souvent aussi vite. Il y a aussi tous ces coupe-faim[6] (anorexigènes), dont on connaît mieux les dangers, et opposés à toutes ces barres chocolatées qui inondent les pub et les distributeurs automatiques du métro qui stimulent tranquillement l'obésité des plus jeunes. Et peu importe à ceux qui les mettent sur le marché. Pour eux l'essentiel est de « stimuler le marketing ».

A priori méfiez-vous de tout ce que racontent, pub à l'appui, les magazines dits féminins qui vivent pour la plupart de la publicité des pommades, crèmes de beauté, baumes ou shampooings dits nutritionnels. Comptez dans un magazine le nombre de pages ou d'encarts publicitaires et vous saurez à quoi vous en tenir. Vous pouvez laisser ces produits sur le rayonnage.

Malheureusement quelques collègues (retraités) utilisent leur autorité, souvent scientifiquement largement dépassée, pour cautionner ce type de magazines. Et si, poussé par quelque jeune journaliste, encore naïf, vous proposez à la direction du journal qui vous interroge, des nouveautés qui ne vont pas dans le sens des sponsors publicitaires[7], le directeur tombe malade ou se fait remplacer par un assistant qui a pour mission de vous endormir avec la belle phrase : « Nous en tiendrons le plus grand compte. » Les mois passent et rien de ce que vous avez dit ne paraît ou enfin dans un coin du magazine où il faut une loupe pour lire l'entrefilet.

Certains ont vu le business qu'ils pouvaient faire avec tous ces régimes farfelus. Les dérives se sont retrouvées dans des sectes[8] à conno-

---

6. L'Isoméride ou Redux (son nom américain) a été retiré du marché en septembre 1997, du fait de l'affection gravissime dont il peut être la cause : « une hypertension artérielle pulmonaire » responsable d'essoufflement anormal à l'effort, puis de syncopes, qui peut nécessiter des traitements lourds jusqu'à la greffe des deux poumons.

7. En février 2002 la presse annonçait qu'une journaliste médicale de l'hebdomadaire *Impact Médecine Hebdo* réclamait l'ouverture de la clause de conscience : elle accuse sa direction d'avoir modifié un de ses articles sans son accord, sous la pression d'un laboratoire pharmaceutique, et d'avoir publié sa prose sous une signature fantaisiste.

8. Ces dérives ont été mises à jour en février 2002…

tation presque religieuse tout autant que dans des laboratoires pseudo-pharmaceutiques, la plupart non contrôlés, qui ont proposé des extraits de concentrés de produits ayant des vertus essentiellement anti : anti-vieillissement, anticancer, antioxydantes, antisida... C'est ce qu'on a appelé les suppléments alimentaires. Il y en a de toutes sortes et pour toutes les bourses. Les pharmaciens de plus en plus les prescrivent sans surveillance médicale et ils ont tort.

Toutes ces vertus de papier non seulement coûtent fort cher, mais ne sont pas toujours sans danger. Car elles peuvent empêcher de suivre les traitements adéquats que la médecine actuelle propose avec certitude d'efficacité. Malheureusement, il ne se passe pas de semaine où je ne voie en consultation des malades qui ont suivi des gourous pseudo médicaux.

Et ceux-ci se développent d'autant plus que la médecine traditionnelle exagère trop souvent avec des thérapeutiques harassantes pour les malades, sans les moindres chances d'efficacité. Je veux parler des chimiothérapies de 3e ou 4e ligne qui sont proposées dans des protocoles thérapeutiques souvent tirés au sort (randomisés) où le malade devient cobaye. Tandis que le laboratoire fournisseur du médicament de la dernière chance teste son médicament à moindres frais. Ce sont ces excès qui génèrent les dérives vers les médecines douces ou parallèles, vers des suppléments alimentaires, pris n'importe comment, alors qu'ils peuvent avoir une réelle efficacité pour supporter des traitements lourds de chimiothérapie, radiothérapie ou les suites d'intervention chirurgicale longues.

Il convient donc de rester prudent et d'être bien conseillé.

Attention aux conseils suspects, y compris de la médecine officielle

Voilà tout ce que vous entendrez ou entendez déjà : « Changer d'habitudes alimentaires ne sert à rien, d'autant que dans nos pays la durée moyenne de vie n'a jamais été aussi longue, donc la santé de nos concitoyens est excellente... Il faut beaucoup de temps pour que les effets des changements alimentaires apparaissent... Mieux vaut un médicament qui agit tout de suite, ce qui vous tranquillisera... Votre cancer est guéri, nous vous surveillons et s'il y a récidive, nous vous soignerons. Pas d'inquiétude. Ne changez rien à vos habitudes... Tout cela ne sert à rien. »

Tous ces conseils traduisent d'abord le manque de formation en nutrition de la plupart des médecins, spécialistes surtout : dermato-, neuro-, gynéco-, rhumato-, cardio-logues qui n'ont eu pour formation pendant leurs études que les régimes du diabétique, du goutteux, de l'obèse qu'on va pousser à se faire opérer parce que c'est la mode. On lui placera dans l'estomac un anneau qui réduira la capacité de cette poche de digestion et l'empêchera de se goinfrer. Ces conseils traduisent aussi une grave insuffisance des EPU (Enseignements Post-Universitaires) qui pour la plupart restent sponsorisés par les laboratoires pharmaceutiques et axés sur les derniers médicaments. Évidemment il n'y a pas de laboratoires ni de remboursement par la sécurité sociale pour manger des fruits et des légumes frais, pour une alimentation plus saine.

Ces considérations ne sont destinées qu'à vous aider à discerner dans le dédale des conseils-santé parfois opposés que les médias diffusent sans se rendre toujours compte qu'ils sont eux-mêmes manipulés.

II. « Manger mieux et meilleur » pour prévenir de nombreux cancers

Quelques notions récentes : liens fer-calcium-vitamines D et C

Trop de calcium gêne l'absorption du fer

Les relations entre le calcium, nécessaire à l'ossification (et prévention de l'ostéoporose) et le fer, minéral indispensable au fonctionnement normal des globules rouges et à leur rôle de transporteur de l'oxygène (pour prévenir l'anémie), sont importantes à signaler. Des études chez l'homme ont démontré une association négative significative entre l'apport en calcium et le taux de ferritine dans le sang, lequel, quand il est bas, est un signe précoce de l'insuffisance en fer. Un apport trop important en calcium peut être à l'origine d'anémie par manque de fer.

Un exemple de calcul de ratio d'absorption montre que si l'apport en calcium passait de 700 mg/jour à 1 000 mg/jour, si en même temps l'apport en fer demeurait constant à 13 mg/jour et si les concentrations de tous les autres inhibiteurs de l'absorption du fer demeuraient stables, l'absorption relative du fer après l'augmentation de l'apport en calcium tomberait à 84 % de son niveau antérieur.

Si les apports en calcium passaient de 700 mg/jour à 1 310 mg/jour, les concentrations de ferritine sérique révélatrices d'un mauvais bilan en fer (entre 13 µg/l et 16 µg/l) atteindraient un nouveau point d'équilibre évoquant un déficit en fer (<= 12 µg/l).

Un apport excessif en calcium, surtout sous forme de suppléments alimentaires, peut être dangereux et responsable du syndrome du lait et des alcalins (SLA). Cette maladie se caractérise par la triade suivante : hypercalcémie (trop de calcium dans le sang), alcalose (trop de bicarbonates dans le sang) et insuffisance rénale. Il s'accompagne, dans les cas les plus graves, d'une atteinte rénale sévère ainsi que d'une calcification irréversible des tissus mous.

Pour prévenir le SLA, on recommande 2,9 g/jour comme apport maximal tolérable total pour le calcium. Ce sont évidemment les apports en produits laitiers qui peuvent être excessifs, en particulier sous l'influence des publicités télévisées répétées autour des heures des repas.

Les végétariens ne consommant pas de viande seraient carencés en fer. Ce n'est pas si sûr. Dans son étude sur le végétarisme, l'Office fédéral allemand de la santé, basé à Berlin, affirme : « Nos recherches ont montré que les femmes végétariennes ont un niveau plus faible de fer et d'hémoglobine. Cependant, aucune conséquence clinique n'a pu être démontrée. Récemment d'autres théories ont fait leur apparition au sujet des besoins en fer : certains scientifiques considèrent qu'un niveau plus faible de fer dans le sang est plus sain. » La nécessité de consommer des suppléments en fer est très discutable.

L'étude de Berlin n'est pas la seule consacrée à ce thème. Toutes les recherches sérieuses arrivent à la même conclusion (les études financées par l'industrie du lait ou de la viande arrivent bien sûr à des résultats contraires à ceux mentionnés précédemment !). Une étude de l'Institut des sciences de l'alimentation de l'université Justus Liebig de Giessen souligne que : « Le niveau de fer chez les végétariens est généralement plus bas que la moyenne. Mais comme la valeur standard se base sur celle des consommateurs de viande, il faut se poser la question de savoir si cette norme est valable pour les autres. Cette discussion repose sur la constatation qu'un niveau de fer plus bas que la moyenne offre une meilleure protection contre les maladies infectieuses et les infarctus. » Certaines études vont même plus loin et affirment qu'il y a une relation entre les maladies de civilisation et une surconsommation de fer. Cela est le cas pour la maladie d'Alzheimer ; on constate en effet une teneur très élevée en fer dans le cerveau des personnes atteintes de cette maladie.

Il est également très important de nourrir les bébés avec du lait maternel et de ne pas le remplacer par du lait de vache car cela diminue la capacité d'absorption du fer chez les enfants (l'ajout de fer dans le lait de vache n'arrive pas à compenser cet effet).

En moyenne une personne omnivore absorbe 25 à 30 % de la quantité totale de fer ingérée avec des aliments d'origine animale (viande, poisson, œufs, lait…). Cela signifie que les consommateurs de viande tirent la plus grande part de fer d'aliments végétaux. Le fait que la viande soit la seule source alimentaire de fer est faux. Il faut souligner que chez les végétariens ayant consommé toute leur vie une nourriture végétale équilibrée, on ne constate pas de manque de fer. L'organisme des végétariens assimilerait-il mieux le fer que celui des consommateurs de viande ? Une nouvelle hormone, l'hepcidine, découverte chez les mammifères, jouerait un rôle essentiel dans le métabolisme du fer. Elle serait au fer comme l'insuline est au glucose.

La vitamine C indispensable pour absorber le fer en particulier des végétaux

Les aliments à haute teneur en vitamine C doivent être consommés en grande quantité, car la vitamine C facilite l'assimilation du fer. Si les consommateurs de viande ressentent souvent un grand besoin de boissons contenant de la caféine (café, thé noir, cacao, cola), c'est parce que l'absorption de ces boissons fait baisser la teneur en fer de leur organisme, trop élevée du fait de la consommation de viande. Et chez eux la prise de vitamine C est le plus souvent insuffisante.

Les végétaux contenant le plus de fer en mg/100 g sont : ortie : 41 ; levure de bière : 17,5 ; gingembre : 17 ; graines de sésame : 10 ; farine de soja : 10 ; millet : 9 ; seigle : 9 ; graines de soja : 8,6 ; persil cru : 8 ; graines de blé : 7,5 ; pistaches : 7,3 ; lentilles : 6,9 ; chanterelles : 6,5 ; avoine : 5,8 ; (pâté de foie : 5,4) ; amandes : 4,7 ; noisettes : 3,8 ; froment : 3,3 ; (tranche de veau : 3) ; riz : 2,6 ; maïs : 1,5 ; (l'œuf : 1,4) ; (la truite : 0,7) – en référence le foie de porc contient 22 mg.

Le soleil pour la fabrication de la vitamine D chez l'homme et C dans les végétaux

Il reste vrai que le calcium et la vitamine D sont reliés puisque la vitamine D est indispensable à l'absorption du calcium pour maintenir un taux normal de calcium dans le sang. N'oublions pas que la vitamine D est synthétisée sous la peau grâce aux effets des rayons solaires. L'ensoleillement est donc indispensable autant à notre peau pour fabriquer la vitamine D qu'au mûrissement des fruits et des légumes. Ce qui permet de mieux comprendre l'importance de la nutrition méditerranéenne. Il est donc logique que les chercheurs aient démontré que le risque de cancer colo-rectal était inversement proportionnel à l'apport en vitamine D et en calcium alimentaire végétal.

« Manger mieux et meilleur » : une meilleure santé immédiate et à long terme

Moins de maladies cardio-vasculaires pour ceux à risque et moins de récidives

Nos collègues cardiologues et spécialistes de la prévention sont très attentifs à donner à leurs patients à risque des conseils nutritionnels de plus en plus précis qui se résument en ces deux mots : « régime crétois » ou méditerranéen. Les preuves aujourd'hui sont établies et il y a consensus en médecine sur tous les continents. Tellement que toutes les maisons de ré-éducation cardiologique intègrent dans leur programme des mesures d'hygiène alimentaire strictes, des formations pour les malades et leur famille. En plus des traitements spécifiques de l'infarctus du cœur ou de l'angine dite de poitrine, il y a les changements d'habitudes alimentaires. Et il est prouvé, c'est l'honneur de l'équipe française dirigée par Serge Renaud, que ces changements réduisent de façon très significative les risques de récidives de la maladie cardiaque.

Moins de cancers dans les 5 à 10 ans qui viennent pour ceux à risque

Il ne se passe pas de consultation en cancérologie où le spécialiste ne devrait s'enquérir des habitudes alimentaires du patient et par voie de conséquence lui donner des conseils nutritionnels précis. Ceux-ci peuvent être résumés et présentés de façon agréable. Il ne s'agit pas d'un régime au sens médical du terme, mais d'apprendre à « manger mieux et meilleur ».

Nous ne possédons pas encore de marqueurs nutritionnels qui permettraient de savoir précisément ce qui manque ou ce qui est consommé en excès. Cependant, c'est d'ici une à deux années que nous verrons apparaître ce que l'on peut appeler le « Status Hormonal Nutritionnel » (SHN).

À partir d'un seul millilitre de sang, on pourra doser précisément les taux dans le sang des principales phytohormones de notre alimentation qui, chez la femme, jouent un rôle homéopathique œstrogéno-progestéronique, et chez l'homme testostéronique. Ce SHN permettra de savoir précisément si la consommation des fruits et légumes frais est suffisante. Il traduira à la fois la présence suffisante ou insuffisante des fibres dans la ration alimentaire[9] et leur efficacité à participer à l'absorption des phytohormones. En même temps ce SHN signera l'absorption du calcium, du magnésium et du phosphore, minéraux indispensables pour prévenir l'ostéoporose, stimuler la fibre intestinale – ce qui préviendra la constipation –, éviter les hypocalcémies et hypomagnésémies responsables de fatigue, de spasmophilie ou tétanie[10], équilibrer aussi l'immunité.

Nous allons donc voir s'élargir et se préciser les bilans biologiques au-delà des taux de sucre (glycémie pour rechercher un pré-diabète), d'acide urique (uricémie pour une consommation excessive de viandes rouges ou de gibier), de cholestérol[11] (cholestérolémie pour les excès de beurre, œufs, viandes rouges), de créatinine (pour une insuffisance rénale), les enzymes hépatiques (transaminases, phosphatases et gamma glutamyl transférase) pour un alcoolisme chronique ou des séquelles d'hépatite.

Ces marqueurs biologiques, associés au poids le plus souvent excessif, resteront des indicateurs pour changer ses habitudes alimentaires quotidiennes, du petit déjeuner au dernier fruit avant de se coucher.

Essayons donc de résumer ces nouvelles habitudes alimentaires :

– réduction des produits animaux qui seront remplacés par les végétaux,

• moins de viandes rouges[12] et plus de viandes blanches venant des animaux à deux pattes,

• plus de poissons et de fruits de mer frais, plutôt des océans,

---

9. Voir notre livre *Cancers digestifs : de la prévention au traitement*, tome I, Éd. François-Xavier de Guibert, 2000.

10. Syndrome caractérisé par des contractions musculaires des doigts de la main qui se crispent en « main d'accoucheur ».

11. Le 8 août 2001, le géant allemand Bayer (180 milliards de francs de chiffre d'affaires) retire du marché un de ses médicaments vedettes, l'anticholestérol vendu en France sous les marques Staltor et Cholstat. 6 millions de personnes dans le monde dont 500000 en France l'ont utilisé. En association avec un autre médicament (le Gemfibrozil, Lipur en France) il a provoqué la mort de 52 personnes aux USA.

12. Cela n'empêche pas de manger une bonne entrecôte ou un pavé de bœuf bien français une fois par semaine.

• 4 fruits frais et de saison au minimum chaque jour[13],
• 4 légumes au minimum, frais ou cuits à la vapeur[14],
– une bonne portion de fromage de chèvre ou de brebis à chaque repas, car ils ont du goût et on est plus vite rassasié qu'avec les fromages blancs ou les yaourts, même à 0 % de matière grasse,
– toutes les salades seront arrosées d'huile d'olive et de jus de citron,
– une céréale complète et une légumineuse deux fois par semaine au moins,
– comme boisson, un verre de bon vin (plutôt rouge, moins calorique et ayant 1 mg de plus de calcium que le blanc) au milieu de chaque repas, 2 à 4 verres d'eau, un bon bol de 500 ml de thé vert dès le petit déjeuner, qui pourra être renouvelé au moins deux fois dans la journée.

Tous ces conseils peuvent paraître simples et faciles à suivre. Dans la réalité c'est plus difficile. Car les mauvaises habitudes reviennent vite. Les études des comportements alimentaires ont bien montré la réduction de la consommation de viandes mais celles-ci ont été remplacées par les fromages provenant du lait de vache. Et ce n'est pas mieux. Si nous voulons voir diminuer l'incidence (nombre de nouveaux cas de cancers), il faudra y mettre les moyens. Il s'agit d'abord de bien communiquer, de faire passer les bons messages et de vérifier qu'ils sont compris, puis mis en application. Tout ce qui est semé aujourd'hui ne sera pas récolté immédiatement. Il faudra attendre au plus tard le temps d'une génération, entre 20 et 25 ans, pour voir diminuer nettement le nombre de nouveaux cas de cancer du sein et stopper la spirale infernale. Et cela est aussi vrai pour les cancers du tube digestif, de la prostate, du poumon…

---

13. Ces conseils simples devraient passer chez les adolescents à l'âge où l'équilibre hormonal se met en place. Ce sont de trop fortes quantités de graisses animales dans l'alimentation (type Mac Do) qui sont d'abord responsables de l'acné. À cela s'ajoute une insuffisance en phytohormones qui sont normalement consommées par les fruits frais, légumes et légumineuses cuits à la vapeur douce. En février 2002 le ministère de la Santé a dû une nouvelle fois mettre en garde contre les dangers du Roaccutane (Isotrétinoïne) responsable de graves anomalies foetales si la femme est enceinte. **Ce médicament ne peut être prescrit qu'après un test de grossesse négatif, pour un mois non renouvelable**. Le pharmacien devra vérifier que l'ordonnance mentionnant ce test date de moins de 7 jours.

14. Voir le livre de Christine Bouguet-Joyeux qui traite du domaine pratique : *Guide pratique de gastronomie familiale – L'art et le plaisir pour la santé*, Éd. François-Xavier de Guibert, 2003.

Aujourd'hui, dans nos pays, le consommateur a tout ce qu'il lui faut à disposition. Même l'Europe s'oriente vers un étiquetage plus précis des aliments. Ils comporteront la mention des ingrédients lorsqu'ils constituent plus de 25 % du produit final, mais aussi les produits susceptibles de créer des allergies, chez 8 % des enfants et 3 % des adultes. Cela n'empêche pas les consommateurs de poser des questions pertinentes.

Depuis la crise de la vache folle, du veau aux hormones, des rillettes à la listeria, des poulets à la dioxine, le grand public est devenu plus exigeant sur la qualité des aliments qui lui sont proposés. Et l'agriculture propose désormais non seulement un immense choix de produits alimentaires, mais en plus de choisir l'origine de ces produits. Ainsi voit-on de plus en plus sur les marchés des aliments provenant de l'agriculture dite biologique, d'autres venant d'une agriculture dite raisonnée et tous les produits de l'agriculture conventionnelle. C'est donc de plus en plus fréquemment que les malades atteints ou non de cancer posent la redoutable question suivante : « Docteur, puis-je manger bio ? »

S'y mettre sans tarder, pour une efficacité « santé-bien-être » dans les semaines qui suivent

Qui n'a pas repéré aujourd'hui un certain nombre de ses mauvaises habitudes alimentaires ? Qui ne rêve pas de prendre le temps de manger, avec plaisir, entouré des amis ou en famille ? Qui ne rêve pas de mettre dans son moteur la bonne énergie, parce qu'il sent que cela ne va pas bien ? Surpoids ou obésité qu'on cherche à réduire dès qu'on part en vacances, inscription à un club de gym qu'on prend et qu'on a des difficultés à suivre, ballonnements, brûlures du bas-ventre, hémorroïdes, constipation ou l'inverse. Et toutes les peurs-santé d'aujourd'hui : cancer, allergies, rhumatismes chroniques… Tout cela n'est pas futile, car fait le lit de maladies plus graves qui se construisent lentement.

Les changements d'habitudes alimentaires auront des conséquences positives sur votre santé plus vite que vous ne le croyez. En moins d'une semaine, les impressions de ballonnements, lourdeurs, demi-ensommeillement après les repas disparaîtront. Vous serez rapidement mieux, votre moral s'en ressentira, et même votre mémoire. Votre peau sera moins sèche, vos urines plus claires et moins malodorantes, votre transit intestinal s'en trouvera amélioré. Ce bien-être n'est pas un leurre, vous en parlerez autour de vous car vous aurez envie d'en faire profiter ceux qui vous entourent, votre famille et vos amis. Et à l'âge de la préménopause, vous arriverez à gérer beaucoup mieux les premières bouffées de chaleur. En plus du fait que vous aurez compris ce qui se passe dans votre corps, vous vous orienterez naturellement vers de nouvelles habitudes.

Le « bien manger » peut éviter des cancers et probablement des récidives

Le changement des habitudes alimentaires aura aussi évidemment un effet sur le long terme. De même que l'arrêt complet du tabac met au moins 7 années pour effacer les plus grands risques du tabagisme, de même vous mettrez un peu de temps pour éliminer les produits plus ou moins toxiques, venant de votre alimentation et qui se sont fixés dans votre corps. Désencrasser notre corps demande du temps. Nos métabolismes ont été habitués à fonctionner dans un sens et il faut les réhabituer à tourner dans le bon sens. Ces explications sont très schématiques, mais globalement justes.

En cancérologie, beaucoup de nos collègues n'osent pas penser (et donc ne peuvent dire) que changer ses habitudes alimentaires ne peut être que positif pour la santé. Il est démontré qu'une alimentation saine et riche en « immuno-stimulants » a des effets sur la santé, très opposés à ceux de l'alcoolisme ou de toute intoxication alimentaire chronique associés à la consommation de drogues plus ou moins douces.

C'est vrai, les études manquent pour démontrer le rôle de l'alimentation dans la réduction des risques de récidives de cancer. Si l'alimentation est en cause dans de nombreux cas, il est logique de penser que le maintien des mauvaises habitudes ne peut favoriser une guérison définitive et qu'au contraire elle peut être en cause dans le développement d'une récidive. L'exemple de l'évolution du cancer du sein est frappant, il est comme un modèle qui peut être longuement suivi. Nous savons que les risques de récidive s'étalent, chez toute femme qui a été atteinte, sur les 27 années qui suivent le premier traitement, et que les récidives à 7 ans, 12, 17 ans ne sont pas rares. Ce sera évidemment difficile de démontrer que la seule alimentation, bien conduite, diminue statistiquement les risques de récidive. Mais quels sont les risques de prendre les meilleures habitudes alimentaires ? Accepteriez-vous d'être tirée au sort et d'être choisie parmi le groupe qui garderait de mauvaises habitudes ? Même le comité national d'éthique vous le déconseillerait.

III. Docteur, puis-je et dois-je manger « bio » ?

Des résultats scientifiques préliminaires et indicateurs

C'est donc à cette question que nous avons décidé d'essayer de répondre en collaboration avec le Dr Mariette Gerber qui dirige le Groupe d'épidémiologie métabolique de l'Inserm au centre régional de lutte contre le Cancer de Montpellier.

Un quintuple argumentaire pour répondre à une question simple

1. Malgré les mises en garde de l'OMS, les pratiques agricoles modernes sont imposées aux producteurs pour s'adapter aux lois de la concurrence : produire toujours plus, à un coût de plus en plus réduit. Il en résulte une qualité nutritionnelle parfois discutable, actuellement scientifiquement évaluable.

2. Le consommateur est de plus en plus vulnérable aux infections, allergies et même cancers[15]. L'incidence de tous les cancers est en augmentation, et celle-ci n'est pas seulement liée au vieillissement de la population. Certaines maladies nouvelles liées à l'alimentation – l'affaire de « la vache folle » l'a révélé avec l'encéphalite spongiforme ou maladie de Kreuztfeld-Jacob – ont rendu le grand public très attentif à la qualité des aliments qui lui sont proposés. Comme à celle des aliments consommés par les animaux qui se retrouvent indirectement dans l'assiette du consommateur. Les farines animales apportent 55 % de protéines, les tourteaux de soja 47 % (meilleur substitut). Ainsi 600 000 tonnes de tourteaux de soja pourraient remplacer les 430 000 tonnes de farines animales nécessaires à l'élevage français. Mais il faudra les importer, car la politique agricole commune (PAC) a réduit les surfaces cultivées en oléo-protéagineux depuis 20 ans et a laissé des milliers d'hectares en jachère… C'est ainsi que le recours au soja transgénique d'outre-Atlantique devient curieusement la seule solution (60 % du soja cultivé aux USA est transgénique). L'Europe devra donc augmenter de

15. En dix ans en France le nombre de nouveaux cas de lymphomes (cancers des ganglions) a augmenté de 67 % et de tumeurs du cerveau de 46 % ; ces augmentations ne sont pas seulement dues à de meilleurs scanners ou IRM, comme on essaye de le faire croire…

30 % ses surfaces en colza, tournesol et pois pour remplacer toutes les farines de viande.

Le consommateur attend des scientifiques des réponses précises et argumentées.

La loi sur la « veille sanitaire et la sécurité des produits destinés à l'homme » ne suffit pas, pas plus que toutes les agences ou institutions créées dans l'urgence en 1998 : Institut de veille sanitaire, Agence du médicament, Agence française de sécurité sanitaire des aliments et la prochaine Agence santé environnement ou la future « Autorité alimentaire européenne ». Ils remplaceront utilement le Conseil Supérieur d'Hygiène Publique de France (CSHPF) qui a « parfois donné une place déterminante à des experts liés à certaines corporations sur des dossiers qui risquaient de mettre en cause leurs intérêts », selon André Aschieri.

3. Dans les aliments, sont en cause des produits plus ou moins toxiques générés par certains modes de cuisson, mais aussi les résidus des intrants agricoles : engrais chimiques, pesticides (herbicides, insecticides, fongicides, rodenticides contre les rongeurs, nématicides contre les vers du sol), antibiotiques... Cette chimie laisse dans les aliments des résidus plus ou moins toxiques pour la santé de l'homme. Cinq pour cent des pesticides pulvérisés atteignent les végétaux, le reste se dispersant dans l'atmosphère. Les agriculteurs sont les premières victimes des pesticides agricoles et semblent ignorer leurs dangers.

Les cancers professionnels chez les agriculteurs existent. Ils devraient faire l'objet de recherches rigoureuses, car tous les agriculteurs ne sont pas fumeurs... Et de même qu'on peut qualifier et suivre la traçabilité des aliments, de même on pourra suivre les agriculteurs de la bio et les comparer sur le plan santé à ceux qui pratiquent les deux autres procédures culturales.

Ainsi les nutriments peuvent être altérés par les modes de culture et d'élevage intensifs. De plus, ils peuvent perdre une partie de leurs qualités nutritionnelles par les traitements ultérieurs, conservation-stockage, raffinage... Quant aux biotechnologies des OGM (Organismes Génétiquement Modifiés), il n'est pas encore prouvé qu'elles participent au maintien ou à l'amélioration des qualités nutritionnelles et gustatives des aliments.

Pour l'instant on fait rêver avec des aliments qui contiendraient des produits à action antibiotique ou anticancéreuse... qui pourraient être utiles en prévention. Nous pensons qu'il faut encore rester vigilant, car aucune preuve formelle de l'intérêt de ces aliments génétiquement modifiés

(AGM) n'a été apportée en 2002. Pour l'instant c'est plutôt le contraire[16]. Nous restons ouverts aux avancées de la science et attendons des preuves indiscutables. L'important reste que le consommateur soit bien informé. Or, manifestement, des OGM sont utilisés sans prévenir. Par exemple en janvier 2002, sur 103 aliments très courants contenant du maïs et du soja, 36 contenaient des OGM, selon les analyses pratiquées par *60 millions de consommateurs*. Les surfaces cultivées déjà en OGM sont importantes : 52,6 millions d'hectares au total, avec : aux USA 35,7 millions d'hectares, en Argentine 11,8 ; au Canada 3,2 ; en Chine 1,5 ; le soja représente 63 % des surfaces cultivées, puis le maïs, le coton et le colza.

4. En Europe les consommateurs sont demandeurs d'aliments sains et naturels : 48 % des Français consomment « régulièrement ou parfois des produits issus de l'agriculture biologique » (cf. sondage Institut Louis Harris des 27/28 février 1998). En avril 2001, 73 % des personnes interrogées citent la santé comme principale motivation de l'achat bio ; 40 % parlent de sécurité alimentaire ; les deux tiers considèrent que la qualité et la saveur sont réellement supérieures à celles des autres productions et 57 % acceptent volontiers le surcroît de coût.

Reconnue comme un signe officiel de qualité, l'agriculture biologique est encouragée par la réglementation de l'Union européenne pour les productions végétales. Une harmonisation réglementaire européenne est en cours pour les productions animales.

Le taux d'accroissement des surfaces agricoles biologiques est au moins de 5 % par an. L'agriculture biologique ne représentait en 2001 que 1 % des exploitations agricoles, ce qui oblige à importer 70 % de notre consommation, essentiellement d'Allemagne et d'Italie. En France des mesures d'aide agri-environnementales favorisent la conversion à

---

16. En octobre 1999 le *Lancet* a osé publier les éléments préliminaires du travail d'un biochimiste Árpád Pusztai, qui consistait à nourrir des rats avec des pommes de terre (crues ou cuites) génétiquement modifiées par le gène provenant de bulbes du perce-neige et commandant la fabrication d'une protéine, la lectine, qui est un pesticide qui défend contre les insectes. Ces pommes de terre ont eu des effets délétères sur le système immunitaire et digestif des rongeurs. Les firmes seraient en train de mettre au point des plantes résistantes aux insectes dotées d'un gène de lectine. Le chercheur de l'Institut Rowett d'Aberdeen a été mis à la retraite... après avoir montré en plus que dans le sang humain certains globules blancs ont à leur surface de nombreux récepteurs capables de se lier avec l'insecticide lectine.

Au Brésil la culture expérimentale de riz transgénique élaboré par Hoechst Schering Agrevo do Brasil Ltda qui voulait la planter dans l'État de Rio Grande do Sul a été interdite et la première plantation a été détruite.

l'agriculture biologique. Le chiffre d'affaires de l'AB en France était de 3 milliards de francs en 1994 et serait de 15 milliards en 2000. En Allemagne, le ministre de l'Agriculture envisageait de convertir 20 % des exploitations agricoles vers le bio d'ici 2010, alors qu'elle ne représente en 2002 que 2,6 %.

5. Actuellement les critères de sélection des produits de l'AB sont exclusivement dépendants des modes de culture et de conservation, du procédé d'agriculture qui conduit à l'aliment, mais ne prennent pas en compte la qualité intrinsèque finale des aliments proposés aux consommateurs.

Des résultats qui pourraient avoir des conséquences inattendues pour les spécialistes

Cette importante étude a pour objectifs de tenter de répondre à deux questions actuelles des spécialistes, et une du grand public.

1. Dans le cadre de « l'alimentation méditerranéenne », les aliments de l'agriculture biologique (AB) sélectionnés sont-ils nutritionnellement supérieurs à ceux issus des autres modes de l'agriculture actuelle: l'agriculture intégrée ou raisonnée[17] (AR) et l'agriculture conventionnelle (AC) ? D'où le nom du projet « ABARAC ».

2. Pour garantir le choix des consommateurs, le « cahier des charges » officiels des aliments issus de l'AB, de l'AR ou de l'AC devrait-il être augmenté de critères qualitatifs précis pour chaque type d'aliment ?

3. Pour un type d'aliment, quel est le mode de préparation et de cuisson qui détériore le moins les qualités nutritionnelles et organoleptiques (couleur, odeur, saveur) ?

La première étape: le protocole des comparaisons AB-AR-AC

Vingt types d'aliments ont été choisis selon au moins 3 arguments liés à leur consommation par le grand public. À l'intérieur de chacun d'eux ont été dosés 2 à 3 micronutriments considérés par les spécialistes comme positifs pour la santé et 2 à 3 micronutriments négatifs considérés

17. Plus de 300 exploitants non bio sont regroupés au sein du réseau Farre: *www.farre.org*. Leur objectif n'est pas de proscrire les engrais et les pesticides, mais de les utiliser au plus juste des besoins des plantes.

comme toxiques (dénommés le plus souvent « xénobiotiques ») dans le cadre d'une consommation chronique.

Pour chaque produit toxique, nous avons recherché dans la littérature internationale, les limites maximales de résidus (LMR) ou à défaut des teneurs indicatrices (TI), la dose sans effet (DES), la dose journalière admissible (DJA) et la concentration maximale admissible (CMA) exprimée en poids de substance par unité de poids corporel.

Les 12 Polluants Organiques Polluants (POPs)

Ils favorisent, mais de façon différente, l'apparition de cancers, l'affaiblissement du système immunitaire et une baisse de la fertilité chez l'homme. Ils se dégradent mal, sont stockés dans les tissus graisseux des poissons et mammifères marins, et affectent les populations dont le régime est constitué de poisson.

Il faudra donc que les spécialistes apprennent à détruire les POPs sans provoquer l'émission de nouveaux POPs (100 000 tonnes sont stockées en Afrique sans condition de sécurité).

• *Les huit pesticides*

1. L'Aldrine contre les termites et les insectes parasites du maïs, de la pomme de terre et du coton.

2. Le Chlordane, protection des cultures et contrôle des termites.

3. Le DDT contre les moustiques vecteurs du paludisme. Encore utilisé dans certains pays pauvres pour combattre la malaria.

4. et 5. La Dieldrine et l'Heptachlore contre les termites et les insectes du sol.

6. L'Endrine, protection des graines de coton contre les insectes, les rongeurs et les oiseaux.

7. Le Mirex, utilisé contre les fourmis ; il entre dans la composition des plastiques pour les empêcher de brûler.

8. Le Toxaphène contre les tiques et les mites du bétail.

• *Deux produits chimiques à usage industriel et deux produits d'incinération*

1. Les PCB, PolyChloroBiphényles ou composés carbonés chlorés comme réfrigérants des transformateurs à haute tension et des condensateurs. (1 % des 3 000 ours polaires des îles arctiques seraient hermaphrodites, du fait de fortes concentrations de PCB dans leurs tissus adipeux. Idem chez les mouettes.)

2. L'Hexachlorobenzène employé dans le traitement du bois et des peaux.

3. et 4. Sous-produits d'incinération et de processus industriels : la Dioxine et le Furane.

Tous ces polluants organiques sont interdits depuis mai 2001 à l'échelle planétaire. « Ces produits sont dans l'air[18], le sol, et peuvent être retrouvés dans l'organisme humain par bio-accumulation », selon Klaus Töpfer, directeur exécutif du Programme des Nations unies pour l'environnement.

Les pluies qui tombent sur Paris ne sont pas seulement polluées par les HAP[19] (Hydrocarbures Aromatiques Polycyliques) et le PCB[20] (PolyChloroBiphényles) ; elles sont aussi chargées en pesticides, tel l'Atrazine, herbicide utilisé en ville ou au bord des autoroutes où les surfaces sont nues et l'évaporation importante. Pour cet herbicide, on est passé de 2 kg par hectare en 1980, à 1 kg par hectare aujourd'hui. Il perturbe le développement sexuel des grenouilles. Atrazine et triazines devaient être interdits en France à partir du 30 septembre 2002.

Et les métaux lourds dangereux : mercure, plomb, cadmium...

À l'opposé des oligo-éléments tels fer, zinc, sélénium, cuivre, utiles à la santé, les métaux lourds sont dangereux pour la santé s'ils sont pris en trop grande quantité ou trop régulièrement. La pollution atmosphérique se retrouve dans le sol et les eaux. On évalue en 1998, en France seulement, à 3 336 tonnes les rejets métalliques dangereux.

Le *mercure* (Hg, qui se répand sous forme de pluies dans le milieu aquatique d'où sa possible présence dans les poissons qui vont l'accumuler leur vie durant – mieux vaut déguster le poisson jeune, en évitant

---

18. Les plans de protection de l'atmosphère ne concernent que les agglomérations de plus de 250 000 habitants et les sites où les valeurs limites de qualité de l'air sont dépassées ou risquent de l'être. Une directive européenne d'avril 1999 a abaissé les seuils pour tous les polluants. Une augmentation de la mortalité de 0,5 % est observée chaque fois que le taux de particules dans l'air augmente de 10 microgrammes par mètre cube. Le *Lancet* en 2001 estimait que la pollution est à l'origine de 40 000 décès prématurés en France, en Suisse et en Autriche.

19. Les eaux de pluie de Paris sont contaminées 4 fois plus que les zones rurales. 16 de ces molécules sont produites par les moteurs d'automobile, le chauffage et l'activité industrielle.

20. Produit industriel utilisé dans les transformateurs électriques. Il s'accumule dans les graisses ; il entre dans la composition du pyralène dont la combustion peut générer des dioxines.

les gros poissons –; les poissons de la mer du Nord, de la Baltique ou de la Méditerranée sont plus chargés en mercure et cadmium qu'en Atlantique) est dangereux pour le système nerveux, les reins et la peau. La contamination est détectée par une analyse de cheveux. Le mercure n'est plus dans nos thermomètres et beaucoup moins dans les piles…

Le *plomb* (contamination par voie aérienne, donc les feuilles des plantes sont exposées, d'où la nécessité de nettoyer soigneusement les fruits et légumes) à partir des écailles de peinture au plomb, passe de la mère à l'enfant par le lait maternel. Responsable du saturnisme qui crée une diminution de l'activité motrice, une irritabilité, des troubles du sommeil et une réduction du quotient intellectuel de 4 à 15 points. Il n'y a plus de plomb dans l'essence et la peinture…

Le *cadmium* (il pénètre la plante par le sol et les racines d'où sa concentration éventuelle dans le riz et les champignons ; il est aussi présent dans les céréales et les végétaux à feuillage vert d'autant plus que les pesticides en contiennent) serait cancérigène et toxique pour le rein et les os. Le fumeur en absorbe deux fois plus qu'un non-fumeur.

Une bonne nouvelle, le vin rouge (un verre à chaque repas) rend les métaux lourds moins « biodisponibles »

Au départ, l'objectif de notre projet impliquait de comparer les aliments AB et AC. Nous avons eu recours aux chambres d'agriculture pour identifier les producteurs. L'étude de la méthode AR a été décidée à l'instigation des organismes consulaires et du conseil régional du Languedoc-Roussillon qui nous ont dirigés vers des producteurs l'appliquant déjà dans notre région, ce qui sera probablement retenu dans le cahier des charges spécifique à cette pratique. Qu'ils en soient remerciés.

Je tiens personnellement à remercier les responsables de Languedoc-Roussillon Élevage (LRE), en particulier monsieur Éric Fargeas, ingénieur spécialiste d'Aviculture et Diversification. Il a eu la responsabilité de sélectionner des échantillons pour les œufs et viandes de poulets et nous a guidés pour les choix des produits à doser en collaboration avec les éleveurs. De même chez Bioprim Import, exportateur des produits de l'agriculture biologique, monsieur Vincent Joly, responsable commercial et développement, a été un aide précieux pour la sélection des échantillons des aliments d'origine végétale et les choix des produits à doser en collaboration avec les agriculteurs eux-mêmes.

Enfin monsieur Daniel Perez de Nîmes nous a aidés pour la sélection des échantillons d'huile d'olive et olives en collaboration avec les agriculteurs et les spécialistes du comité économique de l'Olivier.

Les 20 aliments testés en AB, AR, AC

Vingt produits issus des 3 pratiques culturales (aussi souvent que possible) sont examinés pour leur contenu en nutriments et xénobiotiques pertinents.

1. FROMAGES : roquefort (brebis), chèvre, comté (vache)
Rapport calcium/phosphore – profil des acides gras – diènes conjugués (HPLC) organochlorés.

2. VOLAILLES : poulet AB, poulet fermier non AB, poulet en batterie pourcentage de masse maigre et masse grasse – profil des acides gras – antibiotiques et anticoccidiens.

3. PORC : jambon cuit AB, AR, AC
Fer et autres métaux lourds éventuellement : mercure, plomb, cadmium – profil des acides gras – masse maigre/masse grasse – hydrocarbures polycycliques – nitrates/nitrites – ochratoxines – antibiotiques polyphosphates – ascorbate de sodium, CLNA, saccharose et lactose.

4. VIANDE ROUGE : bœuf rumsteack AB, AR, AC
Fer, plomb, cadmium, dioxine – profil des acides gras – masse maigre – nitrates/nitrites (NO_3, NO_2) – ochratoxines – taux de graisse saturée – activateurs de croissance, en particulier stéroïdes... – vitamines du groupe B, en particulier : B12, PP – vitamine E.

5. AGNEAU AB, AR, AC (de 16 à 22 kg – carcasse de 14 kg en moyenne)
Les éléments utiles : fer – profil des acides gras – masse maigre/ masse grasse. *Les éléments toxiques* : nitrates/nitrites (NO_3, NO_2) – ochratoxines – taux de graisse saturée – activateur de croissance, en particulier stéroïdes... oxytétracyclines.

6. LAIT : pasteurisé et UHT
Rapport : calcium/phosphore – organochlorés dont le Lindane – recherche de la dioxine dans le lait (5 pg/g qui est le seuil minimum).

7. ŒUFS FRAIS
Cholestérol – vitamine A – profil des acides gras – organochlorés et métaux lourds : plomb, cadmium, mercure + anticoccidiens.

8. POMMES DE TERRE
Amidon résistant, fibre – magnésium, vitamine C (en corrélation inverse avec le taux de NO_3 – organochlorés – fongicides : dithiocarbamates (mancozèbe est le plus utilisé) – benzéniques = chlorothalonil anti-germes (substances de croissance) – le chlorprophame (CIPC) métabolite = 3 chloro-aniline et le prophame (IPC) – 3 chloro-aniline – hydrazine – NO_3 – NO_2 (nitrates, nitrites).

9. TOMATES
Minéraux : zinc, potassium, fer – vitamine C – caroténoïdes, lycopène, composés phénoliques, folates – procymidone : teneur maximale = 2 mg/kg – fongicides.

10. SALADES : laitues + endives (sous serre exclusivement pour laitues)
Vitamine C – minéraux – lutéine (caroténoïdes) – glucosinolate – isothiocyanate – Insecticides : O.P. + pyréthrynoïdes – sur laitues et/ou endives, fongicides : dithiocarbamates – herbicides : NO_3 – NO_2 sur laitues seulement, car faibles sur endives.
Dans les endives : asulame : teneur max 0,05 mg/kg ; tecnazène : teneur max 0,3 mg/kg (non homologué en France) de vinchiozoline : teneur maximale 2 mg/kg (y compris 3-5 dichloro-aniline = métabolite final).

11. CAROTTES : tout en « plein champ »
Caroténoïdes, bêta-carotène, alphacarotène – magnésium – zinc – organochlorés et organophosphorés en bloc – herbicides : urées substituées dont Linuron et Métoxuron.

12. SOJA : Lait de soja et tofu AB et AC
Isoflavonoïdes – organophosphorés à rechercher s'il y a eu traitements de conservation (silos) – pyréthrinoïdes de synthèse = lambdacyhalotrine : LMR = 0,02 mg/kg – herbicide alachlore (amide), très utilisé sur sojas conventionnels.

13. POMMES : deux variétés (Reinette et Golden)
Magnésium – potassium – zinc – sélénium – polyphénols, vitamine C – fibres (pectine) – patuline – fongicides – dithiocarbamates – triazoles.

14. HUILE D'OLIVE ET OLIVES (il n'y a pas d'olive AB actuellement) Profil des acides gras – polyphénols + vitamine E – organochlorés et organophosphorés – pyréthrynoïdes – carbamates.

15. PAIN : blanc et semi-complet (sur farine à taux de blutage égal dans les deux cas)
Vitamines du groupe B – fibres – sélénium – phyto-œstrogènes – organochlorés – organophosphorés : pyrimiphos-méthyle, chlorpyriphos-méthyl, malathion, dichlorvos, etc. – insecticide de stockage du blé ou de la farine : phénoxy-acides.

16. PÊCHES : 2 variétés
Minéraux : potassium, magnésium, calcium, phosphore, soufre, zinc sélénium, iode – vitamine C – fibres caroténoïdes – dithiocarbamates (zirame) – carbamates fongicides B.M.C. – insecticides phosphorés + pyréthrynoïdes de synthèse.

17. LENTILLES ET POIS CHICHES : des 3 origines
Phyto-œstrogènes – fer – fibres insecticides : carbofuran (famille des carbamates, très forte toxicité) – fongicides : carbamates fongicides B.M.C. dont carbendazime – imides cycliques : iprodione + procymidone – herbicides : aclonifen (molécule chloro-nitro-phénoxy aniline) – diuron (de la famille des urées substituées très rémanentes et pouvant entraîner des résidus).

18. OIGNONS des 3 origines
Flavonoïdes – sélénium, potassium, soufre, phosphore, calcium – glucosinolates – matière sèche – insecticides : O.P. + pyréthrynoïdes de synthèse – fongicides : dithiocarbamates – imides cycliques : iprodione + procymidone, antigermes (substances de croissance) – hydrazine maléique. Recherche indispensable (mutagène et cancérogène) – herbicides : chlorprophame C.I.P.R. + métabolite 3-chloro-aniline – pendiméthaline – ioxynil (tératogène/grossesse).

19-20. VINS ROUGES ET BLANCS : des 3 origines AB, AR, AC Micronutriments positifs : taux de polyphénols, fer, acides aminés essentiels, cuivre, zinc. Micronutriments négatifs : recherche OTA (ochratoxine A) dans 1/3 des vins rosés et la moitié des vins rouges avec 1, 24 microgamme/litre pour un vin italien et une moyenne de 0,06 à 0,34 microgramme/litre pour les autres en particulier du Languedoc-Roussillon.

Nous avons choisi la méthode des pools d'échantillons qui permet de prendre en compte une certaine variance sans trop grever le budget.

Un soin particulier est apporté à assurer la comparabilité des produits issus des 3 pratiques culturales différentes, AB, AR et AC : terroir, variété, maturation, période de récolte, stockage et transport.

Les dosages effectués par le laboratoire LARA reconnu au niveau international sont ceux exécutés en routine de vérification des produits, plus les dosages de nutriments spéciaux dont le laboratoire maîtrise les techniques. Chacun des produits devant être traité sur des chaînes différentes pour éviter les contaminations ; la possibilité de dosage en aveugle est exclue.

Les nutriments mesurés ont été sélectionnés en se basant sur leurs propriétés démontrées ou suspectées en physio-pathologie humaine.

Les mêmes critères associés à l'importance de leur différence entre les 3 pratiques culturales guideront le choix des nutriments dont on testera la biodisponibilité, c'est-à-dire la capacité de l'organisme à les utiliser (métaboliser).

En effet, dans l'avenir, nous comptons tester les effets d'une alimentation exclusivement AB comparativement à une alimentation identique, mais complètement AR ou AC.

Des volontaires humains ingéreront successivement et suivant un « cross-over design » (par lequel un sujet réalise son propre contrôle) les aliments sources issus des 3 pratiques culturales. On suivra par des dosages appropriés la variation des taux plasmatiques, et l'excrétion urinaire des nutriments sélectionnés. La puissance de l'échantillon sera calculée en fonction des différences observées dans les échantillons des différentes pratiques culturales.

Les résultats préliminaires d'ABARAC

Les résultats sont exprimés en milligrammes par kilo ou en pourcentage pour d'autres nutriments.

1. Salades (laitues)
Deux producteurs ont été sélectionnés pour chaque procédure culturale : AB et AR ou AC.
Éléments dosés : nitrates, vitamine C, bêta-carotène, lutéine, divers produits toxiques.
Nous n'avons pas trouvé de différence significative entre AB, AR et AC pour les produits toxiques. Par contre la différence apparaît de façon probante pour :
– Vitamine C : AC : 17 mg/kg ; AR : 20 mg/kg, AB : 26.
– Bêta-carotène : AC : 2,48 ; AR : 5, 35 ; AB : 7,31.
– Lutéine : AC : 8,07 ; AR : 9,05 ; AB : 14,6.

En tête est le bio pour ces deux vitamines essentielles et pour cet antioxydant puissant qu'est la lutéine.
Pour les nitrates, ce sont les salades de l'AR qui en contiennent le moins. AC: 1782; AR 1104; AB: 1312.

2. TOMATES
Le lycopène est une substance antioxydante utile pour la prévention du cancer. Quand vous mangez des tomates, surtout mangez la peau car il y a davantage de lycopène dans la peau que dans la pulpe.
– Lycopène dans les pools de tomates AB: 41,8; AR: 34,7; AC: 31,3.
– Bêta-carotène: AB: 6,1; AR: 5,8; AC: 4,6.
– Vitamine C: la différence est en faveur du raisonné. La raison réside dans la nature de l'échantillon étudié. Dans le raisonné, la maturité était légèrement différente. AC: 10,5; AB: 13,5; AR: 16.
– V itamine E: AB: 0,81; AR: 0,74; AC: 0,43.
– Zinc: AB: 1,99; AR: 1,67; AC: 1,47.
– Potassium: AB: 2353; AC: 2102; AR: 1892.
– Fer: trop de fer dans l'AC 3,9; AR: 3; AB: 3,2.
Au total, dans les tomates AB on retrouve des taux plus élevés de lycopène, bêta-carotène, vitamine E, zinc et potassium.
Dans les tomates AR, taux plus élevés de vitamine C, mais inférieurs en caroténoïdes. Ils peuvent indiquer une moindre maturité, car la vitamine C décroît avec la maturité, tandis que les caroténoïdes augmentent.
Dans les tomates AC, les taux de micronutriments qui varient avec la maturité sont tous plus faibles, donc le taux inférieur est indépendant du niveau de maturité.
Quant aux produits toxiques: ils ne sont présents, ni dans l'AB, ni dans l'AR, ni l'AC.

3. POMMES DE TERRE
Les taux de nitrates sont excessifs dans les AC. AB: 14; AC: 126.
– Vitamine C: AC: 45; AB: 63.
Parmi les produits toxiques: présence de thiabendazole dans les pommes de terre AC.

4. OIGNONS JAUNES
AB: 1 variété, 1 producteur – ramassés sur champ le 29 juillet 1999; AR: pas de producteur et AC: 1 variété, 2 producteurs, l'un de la Drôme, l'autre de Côte-d'Or.
– Matières sèches: AB: 152; AC 107.

– Calcium : AB : 415 ; AC : 230.
– Potassium : AB 3440 ; AC 1130.
– Phosphore, très utile pour le cerveau : AB : 309 ; AC : 171.
– Soufre (sulfures d'allyle) : AB : 5010 soit trois fois plus que AC : 1776.

5. POULETS (juillet 2000)
La sélection des poulets (souches hybrides identifiées) a été difficile. Trois producteurs par type d'élevage ont fourni les échantillons.
– AB : Poulets bio (parcours extérieur) sacrifiés à 91 jours, 3 producteurs de la Lozère (1).
– AR + : Poulets « Label rouge fermier » (parcours extérieur) sacrifiés à 81 jours, 3 producteurs du Gard (2).
– AR --: Poulets claustration, sacrifiés à 56 jours, « certifié Duc » (régime identique toute l'année), 3 producteurs du Gard (3).
– AC : Poulets claustration, sacrifiés à 42 jours, standard, 3 producteurs du Gard (4).
Les échantillons : cuisse + blanc de 2 poulets pour chaque producteur.

	Maigre/ Gras	AG oléique	AG linoléique	AG linolénique	Plomb	Cadmium
AB(1)	8,9	39,5	14,0	0,6	< 0,005	< 0,02
	11,3	40,0	15,7	0,7	< 0,005	< 0,02
	10,1	41,3	16,4	0,6	< 0,005	< 0,02
AR(2)	8,3	40,4	10,8	0,5	< 0,005	< 0,005
	10,0	38,7	12,1	0,7	< 0,005	< 0,02
	6,6	38,6	8,9	0,3	< 0,005	< 0,02
AR (3)	3,4	49,7	1,3	1,1	< 0,005	< 0,02
	6,2	39,8	10,6	0,9	< 0,005	< 0,02
	4,8	43,9	7,1	0,3	< 0,005	< 0,02
AC (4)						
	3,9	47,9	13,0	1,6	< 0,005	< 0,02
	2,2	45,8	12,8	1,8	< 0,005	< 0,02
	3,1	48,7	10,8	1,1	< 0,005	< 0,02

(1) 91 jours ; (2) 56 jours ; (3) 81 jours ; (4) 42 jours. AG = Acide gras.

Aucun des échantillons n'a montré de traces d'antibiotiques. Interprétation provisoire :
1. AB : meilleur rapport viande/gras (facteur 3 en faveur de l'AB). Meilleur apport d'acide gras essentiel linoléique.
2. AR : on ne retrouve pas d'homogénéité semblable à celle des AB.

3. AC : le taux plus élevé d'acide linolénique dans ces poulets provient probablement de l'alimentation par des tourteaux de soja.

6. PÊCHES JAUNES

AB 2 Gladys, 2 producteurs / lots de 1 kg récoltés 30/08. AR 2 Gladys, 2 producteurs / lots de 1 kg récoltés 01/09. AC 2 Gladys, 2 producteurs / lots de 1 kg récoltés 01/09.

(Tout en mg/kg)

	Bêta Car.	Fibr.	Lycop.	Vit.	Ca	P	S	Se	Mg	K	Zn	Dithiocar. carbamates
AB	0,09	2,10	< 0,03	38	76	154	41	< 0,01	85	2 210	1,4	nd
	0,07	2,00	< 0,03	39	64	154	41	< 0,01	85	2 210	1,5	nd
AR	< 0,03	2,00	< 0,03	41	49	183	29	< 0,01	86	1 890	1,2	nd
	< 0,03	1,70	< 0,03	34	76	193	55	< 0,01	100	1 890	1,4	nd
AC	< 0,03	2,20	< 0,03	34	84	245	55	< 0,01	105	2 350	1,2	0,037 mg/kg
	< 0,03	2,80	< 0,03	39	68	212	5,6	< 0,01	115	2 480	1,4	nd

(nd : non détecté.)

Interprétation provisoire :

1. AB : 2 à 3 fois plus de bêta-catorène par rapport à AR et AC. 2. AC : présence de produits toxiques dans 1 sur 2 des prélèvements.

7. PETIT ÉPEAUTRE DE HAUTE-PROVENCE (PEHP) cuit à la vapeur douce

Deux échantillons ont été comparés :

AB PEHP blanchi cuit au vitaliseur 30 minutes (2 échantillons).

AC PEHP blanchi cuit au vitaliseur 30 minutes (5 échantillons).

	Zinc mg/kg	Vit. C mg/kg	B12 mg/100 g	B6 mg/100 g	B9 mg/100 g	Ac. oléi. %	Ac. linoléi. %	Ac. linoléni. %
AB blanchi	18,5	< 10	id.	0,098	0,007	33,4	39,8	2,7
AC blanchi	15,9	< 10	id.	0,072	0,006	39,2	14,9	0,9

Interprétation provisoire :

Dans le PEHPAB, on retrouve plus de zinc, plus de vitamines B6 et B9, nettement plus (plus de deux fois plus) d'acides gras essentiels (linoléique et alphalinolénique).

8. Les Œufs

6 œufs ont été sélectionnés pour chaque groupe étudié.

Des pesticides organochlorés, en particulier le Lindane (indicateur d'alimentation par les farines animales), des métaux lourds[21] comme le cadmium, le mercure et le plomb ont été retrouvés dans les œufs conventionnels.

Éléments positifs pour les œufs AB : le cholestérol dont les taux restent homogènes, la vitamine A et le profil des acides gras

	Chol. g/kg	Vit. A mg/kg	Ac. oléi. %	Ac. linoléi. %	Ars mg/kg	Cad	Hg	Pb	Cu	Zn	PCB
AB I	4,1	1,22	35,5	22,3	< 0,02	< 0,005	< 0,02	0,03	< 1	11	nd
AB II	5,0	1,03	33,4	24,3	id.	< 0,005	id.	0,04	id.	13	nd
AB III	5,1	0,86	30,7	24,9	id.	0,017	id.	0,04	id.	14	nd
AC I	6,1	1,05	33,6	23,7	id.	0,009	id.	0,02	id.	13	0,003
AC II	2,9	1,07	36,1	19,9	id.	< 0,005	id.	0,03	id.	13	nd
AC III	3,5	0,84	37	19,8	id.	< 0,005	0,03	0,03	id.	12	nd

Les taux d'acide gras essentiel, linoléique, est légèrement supérieur dans les œufs bio.

9. Trois types d'huile d'olive

1 bouteille pour chaque origine en Languedoc-Roussillon.

	Vit. E mg/100 g	Ac. oléique %	Polyphénols
AB	3,8	70,4	155 mm^2
AR	20,6	58,9	90 mm^2
AC	17,3	65,7	231 mm^2

Interprétation provisoire :

La plus grande quantité d'acide oléique dans l'huile AB n'est significative que si les variétés d'olives sont identiques. Le faible taux de vitamine

21. Le mercure pris de façon chronique entraîne une dégradation du système nerveux, le cadmium perturbe les fonctions rénales, le plomb affecte les vaisseaux sanguins et le cerveau.

E dans l'huile AB peut être le résultat d'une oxydation des fruits ou de l'huile. La plus grande quantité de polyphénols dans l'huile AC n'est significative que si les fruits avaient le même degré de maturité, et la présence élevée de vitamine E dans les lots peut traduire une addition (illégale).

10. FROMAGES DE CHÈVRE (Pélardon, novembre 2000)
AB : 3 éleveurs, 5 fromages chacun.
AR : 3 éleveurs, élevage sur parcours (cahier des charges AOC), 5 fromages chacun.
AC : 2 éleveurs, élevage type hors sol, 5 fromages chacun.

	Ac. oléi. %	Linol. %	Linoléni. %	Stéari. %	Palmiti. %	Myristi. %	Diènes conjugués
AB I	24,6	3,4	1,3	8,7	28,8	12,0	0,99
AB II	26,3	3,0	1,2	15,1	23,4	10,3	1,10
AB III	24,9	3,2	1,2	8,3	27,9	12,6	0,29
AR 4	30,4	3,4	0,7	11,3	25,8	10,5	1,05
AR 5	24,7	2,7	0,8	7,8	27,6	13,9	0,55
AR 6	24,8	2,8	0,7	12,8	26,7	11,7	0,84
AC 7	26,0	3,4	0,9	7,9	26,9	12,8	0,88
AC 8	26,0	3,2	0,9	10,6	26,6	11,5	1,12

	calcium	phosphore	organochlorés
AB I	1650	2800	nd
AB II	921	1985	nd
AB III	1265	2130	nd
AR 4	1150	1150	nd
AR 5	1510	1510	nd
AR 6	1300	1300	DDE : 0,001 mg/kg
AC 7	2110	2695	nd
AC 8	1490	2495	nd

Interprétation provisoire :
Dans les fromages AB il y a plus d'acide gras essentiel alpha-linolénique, et dans les AR moins de phosphore et présence d'organochloré dans un échantillon.

11. FROMAGES DE BREBIS (roquefort) (janvier 2001)
Deux échantillons de 3 fabrications différentes ont été sélectionnés :
1 : Roquefort fait avec du lait AB.
2 : Roquefort fait avec du lait AC.

	Ac. oléi. %	Linol. %	Linoléni. %	Stéari. %	Palmiti. %	Myristi. %	Diènes conjugués
AB	25,8	2,9	1,2	12,3	24,8	11,8	0,97
AC	26,0	2,8	1,0	12,2	24,7	12,2	1,10

	calcium	phosphore	organochlorés
AB	5840	3870	nd
AC	3420	4080	nd

Interprétation provisoire :
On observe une légère supériorité des taux en pourcentage des acides gras essentiels dans le roquefort AB, lequel contient plus de calcium que le roquefort AC.

12. LES PAINS
La sélection des pains a été difficile. En effet 80 % des pains labellisés « AB » proviennent de farines dont les grains sont écrasés par meule de pierre dite T85 ou T150. Ces farines T150 permettent de fabriquer le pain complet.
Dans une première étude, ont été sélectionnés des pains De Lauza, la farine étant obtenue par le procédé de la meule de pierre type 85 et 150, AB et AC. Certains pains dits de l'agriculture raisonnée sont réalisés avec une farine de type 65 obtenue sur cylindre, mais il n'existe pas de pains AB réalisés avec ce type de farine. La comparaison scientifique impose donc de ne comparer que les pains dont les farines ont été obtenues de la même façon.
La deuxième partie de l'étude a été réalisée avec des pains dont les procédés de fabrication des farines étaient réalisés avec des meules de pierre T85 pour 3 types de pains AB et AC.
L'étude a porté sur les éléments suivants :
A/ Des micronutriments utiles pour la santé :
1. Les minéraux : calcium, phosphore, magnésium.

2. Les vitamines B1, B6, acide pantothénique.
3. Les tocophérols.
4. Les composés phénoliques: acides férulique, vanillique, caféique et p-coumarique.
5. Les lignanes.
6. Les fibres.

B/ Des micronutriments dangereux pour la santé:

1. Insecticides:
- Organochlorés: lindane, etc.
- Organophosphorés: pyrimiphos-méthyl, chlorpyriphos-méthyl. malathion, dichlorvos, etc.

2. Herbicides:
- Phénoxy-acides: toxicité directe moyenne à faible, carcinogènes – analyse au point de tous les phénoxy-acides.
- Toluidines (Pendiméthaline): structure chimique de di-nitroanilines:

3. Les phytates.
4. Un fongicide, l'Atrazine, car l'absence de traitement fongicide rend vulnérable aux mycotoxines.
5. L'OTA = Ochratoxine A[22]: mycotoxine provenant de moisissures essentiellement des céréales (en particulier du blé et du maïs).

Les résultats des comparaisons

Comparaison entre les pains AB et AC 85 et les pains « complets » AB et AC 150 (en mai 2001):

- Les pains AB ne contiennent pas d'organophosphorés (pyrimiphos-méthyl et malathion) tandis que les pains AC en contiennent, certes à des taux faibles mais détectables (inférieurs à 0,01 mg/kg);
- Les pains AB et AC contiennent tous les triazoles, en particulier des tétraconazoles à des doses variant entre 0,015 et 0,038 mg/kg;
- Les taux de phytates sont nettement inférieurs dans les pains AB;
- Les taux de magnésium sont supérieurs de 15 à 95 mg dans les AB,

---

22. Néphrotoxique, immunodépresseur, cancérigène des voies urinaires supérieures (1/3 des 30 cas des cancers du rein, vessie) – pour le CIRC, Groupe 2B des produits potentiellement cancérigènes. Dose Journalière Tolérable (DJT) 5 nanogrammes/kg de poids corporel, soit pour un adulte de 60 kg, une dose maximale de 0,3 microgrammes d'OTA par jour.

tandis que les taux de calcium sont peu différents et les taux de phosphore sont supérieurs de 100 à 200 mg/kg dans les pains AC. Les taux de vitamines B1, B5, B6 sont peu différents ;
- Les taux de composés phénoliques sont légèrement supérieurs dans les pains AC, de 1 à 2 mg/kg ;
- Les taux de fibres sont identiques dans les deux types de pains. Aucun des pains ne contient de pyréthrinoïdes, ni d'ochratoxine A.

Comparaison entre les 3 pains AB et les 3 pains AC 85 ; les 3 pains « complets » AB et les 3 pains AC 150 (en décembre 2001) :
- Les pains AB, 85 ou 150 ne contiennent pas d'organophosphorés (pyrimiphos-méthyl et malathion) tandis que tous les pains AC 150 en contiennent à des taux non négligeables ;
- Les pains AB et AC ne contiennent pas de triazoles, sauf un pain AB 85 dans lequel on détecte des traces de tétraconazoles inférieures à 0,010 mg/kg ;
- Les taux de magnésium sont supérieurs de 15 à 300 mg dans 5 sur 6 AB, tandis que les taux de calcium sont supérieurs de 20 à 90 mg dans 4 sur 6 pains AB ;
- Les taux de phosphore sont supérieurs dans 6 sur 6 pains AB de 70 à 1 200 mg/kg ;
- Les taux de vitamines du groupe B : il y a un peu plus (x 1,5) de vitamine B1 dans les pains bio (T 150) ; pour la B5 les taux sont identiques ;
- Les taux de composés phénoliques sont sensiblement les mêmes dans tous les pains.
- Les différences entre les taux de tocophérols des différents pains ne sont pas significatives ;
- Les taux de fibres sont supérieurs de 0,9 % à 4 % dans 4 sur 6 pains AB ;
- Les taux de 19 acides aminés sont supérieurs pour 3 à 15 d'entre eux dans les pains T85 AB et pour 11 à 17 acides aminés des pains ABT150 ;
- Pour les 11 acides aminés essentiels, 2 à 9 d'entre eux sont à des taux supérieurs dans les pains AB T85 et pour 6 à 10 d'entre eux pour les pains AB T150 ;
- Pour les phytohormones il n'y a pas de différence entre les différents types de pain ; elles sont présentes à des taux inférieurs à 0,01 mg/kg.

Cette étude des pains permet de conclure en faveur des pains complets AB, car les AC contiennent pour la plupart dans notre étude des produits toxiques.

Conclusion provisoire avec la collaboration du docteur Mariette Gerber de L'INSERM

1. La méthodologie rigoureuse mise en place avec l'appui de professionnels des filières de chacune des procédures culturales (sélection anonyme, larges pools d'échantillons, même terroir, même variété, même maturité) nous a permis de réunir des résultats de qualité.

2. Les résultats actuels démontrent déjà l'intérêt de cette étude comparative, et en particulier la nécessité de rechercher dans chaque aliment outre les produits potentiellement nocifs, les micronutriments bénéfiques pour la santé du consommateur.

3. Les résultats suggèrent une supériorité qualitative des aliments provenant de l'agriculture biologique comparés à ceux de l'agriculture conventionnelle.

Les différences se situent à plusieurs niveaux:

- a. Les aliments AB contiennent en plus grande quantité, des micronutriments de forte qualité nutritionnelle dans 9 aliments sur 11 (81 %).
- b. Quand les nitrates ont été dosés, la teneur est toujours plus élevée dans les aliments AC.
- c. 1 des 19 échantillons (5 %) AB testés contient des xénobiotiques, et 4/16 (25 %) échantillons AC. 1 des 19 échantillons (5 %) AB testés contient du Cd, et 1/16 (6 %) échantillons AC.

4. Les aliments provenant de l'agriculture raisonnée sont parfois mieux pourvus en micronutriments que les aliments provenant de l'agriculture conventionnelle (3 fois sur 9 comparaisons possibles). Mais les résultats plus hétérogènes que ceux de l'AB semblent indiquer pour l'agriculture raisonnée l'absence de cahier des charges rigoureux à la différence de l'agriculture biologique.

Nous sommes bien conscients des nombreux problèmes qui restent à résoudre: en viticulture, la flavescence dorée, maladie causée par un champignon transmis par un insecte; en arboriculture, l'impossibilité de maîtriser le parasitisme par la rotation annuelle des cultures. Et en 2008, l'Europe prévoit d'interdire l'utilisation du cuivre comme fongicide pour éviter la pollution des sols. Or les agriculteurs bio en sont de gros consommateurs. L'interdiction d'antibiotiques pour la prévention des mammites en élevage laitier constitue aussi un handicap.

Le concept de l'« agriculture durable » plus respectueuse de l'environnement et des équilibres naturels fait son chemin pour la santé de l'homme d'aujourd'hui et plus encore de demain.

Cette première étude du genre ne s'applique, certes, qu'à un champ restreint: 20 aliments produits dans une même région, le Languedoc-Roussillon. Nos conclusions préliminaires nous permettent de dire qu'il faut travailler davantage le bio. Il pourrait y avoir une labellisation AB du produit fini qui fait que l'agriculture biologique ne serait pas seulement labellisée sur un processus d'agriculture mais plus encore sur un résultat. Quant aux malades, toujours dans l'expectative, nous avons des éléments de réponse. À la question: « Puis-je manger du bio? », aujourd'hui, nous pouvons répondre « Oui. » À la question: « Dois-je manger du bio? », nous ne savons pas encore.

Avant de quitter le ministère de la Santé, Bernard Kouchner a présenté le programme national « Nutrition Santé » pour les cinq années à venir, 2001-2005. Ce programme vise à favoriser la prévention et le dépistage précoce des troubles nutritionnels. Plusieurs constatations sont remises à l'ordre du jour:

– « un état nutritionnel satisfaisant protège la santé »...

– « les personnes âgées paient un lourd tribut par des fractures du fémur, dont la genèse nutritionnelle débute dans leur enfance ».

Le programme prévoit les grands axes stratégiques qui donnent cohérence à l'action, de la restauration collective à un guide alimentaire pour orienter favorablement vers une « alimentation santé ». La consommation de fruits et légumes frais sera encouragée, comme nous l'avons nous-même lancée[23], dans les écoles primaires par l'installation du « bar à fruits », pour que les élèves prennent de bonnes habitudes le plus tôt possible avec « un fruit frais à chaque récré »...

---

23. Dès septembre 2002 en tant que président du plus important mouvement familial non confessionnel et non politique en milieu urbain: « Familles de France ».

Ces décisions et conseils scientifiques ont été attaqués stupidement par des personnes malveillantes qui ont cherché à faire croire qu'il s'agissait d'une dérive sectaire de type « instinctothérapie ». Les personnes intelligentes et sensées ne s'y sont pas trompées.

En juin 2002, l'American Chemical Society a rapporté que le jus d'orange « bio » contient 30 % de vitamine C en plus comparé au jus d'orange de l'agriculture conventionnelle. Même aux États-Unis l'Agriculture Biologique a de l'avenir.

Chapitre III

RELATIONS « ALIMENTS ET CANCER » : NOTIONS SCIENTIFIQUES

I. Comment l'environnement et les aliments peuvent-ils être à l'origine de cancers ? – II. Comparaison de populations ayant des habitudes alimentaires différentes. – III. Composition de la ration alimentaire et incidence sur certains cancers. – IV. Produits toxiques « cancérigènes » à forte consommation. – V. Produits utiles à plus forte ou plus faible consommation.

« Le concept d'aliment fonctionnel est né, notamment au Japon. L'aliment devient traitement. »

(15e congrès international de nutrition, Adélaïde, Australie.)

I. Comment l'environnement et les aliments peuvent-ils être à l'origine de cancers ?

« L'environnement au sens large est un facteur majeur de carcinogenèse. 80 % des cancers lui seraient imputables. » (W.A. Creasey, in *Diet and Cancer*, 1985.)

Un peu d'histoire

– En 1700, un médecin italien Bernardino Ramazzini observe que les cancers du sein sont plus fréquents chez les religieuses. Il suggère que la grossesse et l'allaitement protègent contre le cancer du sein.

– En 1775, Percival Pott avait remarqué que les cancers du scrotum (des bourses) et de la cavité nasale étaient plus fréquents chez les ramoneurs anglais. Il pensait que ces cancers étaient dus à une exposition excessive à la suie. Des années plus tard, les expériences de laboratoire montrèrent que certains hydrocarbures polycycliques, formés lors de la combustion, sont cancérogènes chez l'animal ; plus tard, on a trouvé d'autres produits chimiques, certains virus et des agents physiques, les rayons X qui peuvent être également la cause de cancers chez les animaux.

– En 1940, Isaac Berenblum et ses collaborateurs montrent que le processus de cancérisation comprend au moins deux phases : la phase d'initiation et la phase de promotion.

État actuel des connaissances

La phase d'initiation résulte d'une interaction brève et irréversible entre un agent cancérogène et le noyau de la cellule où se situe l'ADN : on dit que le « génome » de la cellule se modifie… c'est son identité génétique qui est modifiée. La cellule est initiée, elle est capable de devenir cancéreuse mais elle reste en quelque sorte au repos. Il faudra que d'autres agents cancérigènes appelés promoteurs interviennent pour déclencher sa multiplication et l'apparition d'une tumeur.

La phase de promotion. L'agent ou les agents promoteurs sont capables de faire proliférer les cellules initiées, mais ils doivent avoir une action répétée, chronique sur une longue période de temps.

La période de latence qui sépare l'initiation cancéreuse d'une cellule de l'apparition d'une tumeur peut être longue[1] et durer entre 10 et 30 ans. Un cancer du sein peut mettre 5 à 30 ans pour apparaître. Idem pour beaucoup de cancers de l'adulte.

Cette longue latence correspond à la période « cachée » de l'histoire naturelle du cancer.

Les facteurs d'origine alimentaire peuvent intervenir comme agents initiateurs ou promoteurs, ou bien au contraire, protecteurs.

L'activation des carcinogènes. Certains carcinogènes* nécessitent une activation préalable pour exercer leur effet délétère. Des virus ou des composés chimiques divers peuvent en être responsables, ils favorisent

---

1. Chez l'enfant, la période de latence est plus courte. Elle peut commencer dès le premier trimestre de la grossesse de sa mère. C'est le cas du cancer des voies génitales de la petite ou de la jeune fille (entre 6 et 20 ans) qui est initié par le Distilbène (oestrogène exogène) pris par sa mère au début de la grossesse. Les garçons font aussi des cancers. Et les mères qui ont consommé ce DES risquent de développer des cancers du sein et de l'ovaire…

*Les astérisques renvoient au lexique, page 377.

la croissance des tumeurs. Le rôle de l'alimentation est en général indirect, favorisant ou inhibant les voies de la cancérogenèse.

L'avenir des connaissances

Nous ne cessons de progresser dans ce domaine très vaste des relations entre alimentation et cancer. Deux axes se développent :

1. La recherche des agents promoteurs qui participent à l'alimentation... Mais aussi des recherches visant à déterminer comment ces agents peuvent, directement ou indirectement, interagir avec le matériel génétique de nos cellules, et en particulier les oncogènes*.

Pour le Pr D. Stéhelin de l'Institut Pasteur de Lille, qui a découvert à San Francisco le premier gène[2] du cancer : « Chacune de nos cellules contient environ 50 000 gènes indispensables à son bon fonctionnement. Certains d'entre eux sont capables, si des anomalies se produisent, de cancériser la cellule... Si l'on connaît plus d'une vingtaine de gènes capables de devenir oncogènes, il est vraisemblable qu'il n'existe qu'un nombre limité de combinaisons entre eux pour mettre en marche le processus de cancer. Alors, à nous le gigantesque travail de décryptage pour savoir quelle association intervient dans quel type de tumeur. »

2. La recherche parallèle d'agents antipromoteurs dans l'environnement ; ainsi Walter Troll, de l'université de New York, a étudié certains produits alimentaires qu'il considère comme « antipromoteur potentiel ». Présents dans les haricots et les graines des plantes, ces produits sont des inhibiteurs des enzymes, telles que les protéases, enzymes qui permettraient à la tumeur d'envahir les tissus voisins. Ces inhibiteurs naturels aux effets anticancéreux seront répertoriés, isolés, testés... Il est urgent de savoir...

---

2. **La génétique**. Dans le cancer du sein, le facteur génétique a été soupçonné depuis longtemps (Paul Broca, 1866) sur la constatation d'un risque augmenté (x 2 ou 3) chez les femmes dont les soeurs, les mères, les tantes maternelles avaient elles-mêmes été atteintes. Lorsque l'hérédité est suspectée, on constate des cancers survenant surtout avant la ménopause.

En fait, l'hérédité est en cause directement dans 5 à 10 % des cas. La transmission se ferait sur le mode autosomal dominant monogénique. Le trait génétique serait rare (6/10000). Ainsi le risque de développer un cancer du sein au cours de la vie est de 8 % dans la population générale et de 82 % pour les femmes porteuses de ce trait. Mais pour que l'un des 3gènes du cancer du sein s'exprime, BRCA 1, 2, 3, il est certainement nécessaire que des « stimuli », un ou plusieurs, l'aident à s'exprimer et ainsi rendent une ou plusieurs cellules cancéreuses dans le sein.

« Les aliments et la nutrition seraient responsables de 60 % du total des cancers chez les femmes, et plus de 40 % chez les hommes. » (E.L. Wynder, 1983.)

II. Comparaison de populations ayant des habitudes alimentaires différentes

Sur les bords de la mer Baltique, des études épidémiologiques ont comparé dans un même pays et sur la même ethnie, des familles de pêcheurs qui consommaient des quantités importantes de poisson fumé, et des familles de paysans vivant loin des côtes, qui en consommaient très peu.

La fréquence des *cancers de l'estomac* et du *côlon-rectum* était pour les premiers de 120 pour 100 000 habitants, et pour les seconds de 38 pour 100 000. La prévalence[3] de ces cancers était donc 32 fois plus élevée dans le groupe consommant beaucoup de poisson fumé.

Ces résultats permettent de dire que l'environnement et/ou les habitudes alimentaires de ces deux groupes de population peuvent être responsables de l'accroissement ou de la diminution du risque de cancer de l'estomac et du côlon-rectum, observés dans la population de pêcheurs des bords de la Baltique... Il est aujourd'hui possible d'affirmer une relation de causalité directe reliant poisson fumé – et donc consommation de benzopyrènes – et risque de cancer gastrique ou côlon-rectal.

Hill, en Angleterre, avait remarqué que l'incidence des cancers du foie et de l'estomac était plus élevée dans la ville de Workshop que dans la plupart des villes anglaises. Il a comparé cette ville à neuf autres villes de Grande-Bretagne utilisées comme référence. Le risque relatif* de cancers chez les habitants de Workshop, comparé à celui des villes prises comme témoins (auxquelles on attribue le coefficient 1) est très élevé pour les *cancers du foie*, légèrement plus élevé pour les tumeurs de l'*œsophage* et de l'*estomac,* et non augmenté dans les deux autres localisations étudiées (vessie et sein). Dans les neuf villes témoins, la teneur en nitrates de l'eau de boisson était de 15 ppm, alors qu'elle était de 93 ppm pour la ville de Workshop.

---

3. Définition de la « prévalence »: nombre de cas dans une population donnée, sans distinction entre les cas nouveaux et les cas anciens. La « prévalence » est toujours précisée dans le temps. Le terme de « prévalence » remplace celui de « fréquence globale ».

Tableau 1. – Risque relatif de cancer par sexe, chez les habitants de Workshop, comparé à celui des villes témoins auxquelles on attribue le coefficient 1

Localisation du cancer	Hommes	Femmes
Estomac	1,31	1,93
Œsophage	1,34	1,25
Foie	5,56	5,72
Vessie	0,95	1,00
Sein		0,91

• Dans d'autres pays, comme la Colombie par exemple, une corrélation fortement positive a été trouvée entre apports en nitrates par l'eau et incidence des *cancers de l'estomac*.

• Aux USA, les chercheurs ont pu comparer la population américaine classique à des communautés ayant des comportements alimentaires différents :

– Au Texas, les habitants (hommes et femmes) d'origine espagnole (nom espagnol) font moins de cancers du poumon et du côlon que les Américains (blancs et noirs). De même, les femmes d'origine espagnole font moins de cancer du sein que les Américaines (noires ou blanches). Les différences sont liées aux habitudes alimentaires non comparables de ces groupes ethniques.

– Les adventistes du 7e jour qui vivent en Californie et sont végétariens, se nourrissent essentiellement de fruits, de légumes, mais aussi d'œufs et de produits laitiers.

– Les mormons qui vivent dans l'Utah et qui ne consomment ni alcool, ni tabac, ni café, ni thé, font simplement une consommation très modérée de viandes (une fois par semaine) dans un régime alimentaire par ailleurs équilibré.

Chez les adventistes[4], le risque de cancers du *côlon-rectum* et du *sein* est sensiblement inférieur à celui observé dans le reste de la population californienne qui a un comportement alimentaire semblable à celui des Américains classiques.

---

4. Les adventistes consomment très peu d'acides gras saturés : 10 % de la ration calorique. Ils sont proches du profil de consommation de lipides des Méditerranéens : Italiens, Grecs ou Français du Sud.

Tableau 2. – Mortalité selon l'âge pour 100 000 personnes/an en Californie

Causes du décès	Végétariens	Non-végétariens	Rapport
Tous cancers non liés au tabac	211	260	1,23
Cancers côlorectaux	28	57	2,03
Toutes causes	1067	1692	1,59

Chez les mormons, *les cancers de l'estomac* et du *côlon* sont moins fréquents que chez les autres Américains, et ces différences sont statistiquement significatives.

En Inde, l'incidence des cancers du sein, du côlon et du rectum est beaucoup plus élevée chez les parsis que chez les hindous qui sont des adeptes du brahmanisme. Dans ces deux communautés qui vivent à Bombay mais qui ont des religions différentes, les habitudes alimentaires sont très opposées. Les hindous ne mangent pratiquement pas de viande.

• Les comparaisons Japon-États-Unis sont particulièrement intéressantes, ces deux pays étant sensiblement au même niveau sur le plan industrialisation, éducation, santé et espérance de vie. La mortalité par cancer est la même, mais si aux USA les cancers du sein, du côlon et de la prostate sont fréquents, au Japon ils sont rares[5], alors que le cancer de l'estomac, rare aux USA, est fréquent au Japon. On pourrait évoquer des facteurs génétiques, mais cette hypothèse est réfutée par les études épidémiologiques réalisées chez les migrants. En effet, après deux générations, la fréquence du cancer du sein chez les Japonaises émigrées à Hawaï ou en Californie est voisine de celle de la population blanche du pays d'adoption et nettement supérieure à celle des Japonaises restées au Japon. Inversement, les Japonaises émigrées aux USA ont une fréquence moins élevée de cancer de l'estomac et plus élevée de cancer du côlon que celles restées au Japon. Le fait que ces phénomènes intéressent surtout la 2e génération conforte la thèse environnementale puisque cette génération adopte généralement les modes de vie des habitants de la terre d'accueil.

---

5. On sait aujourd'hui pourquoi les Japonaises ont très peu de cancerz du sein. Elles consomment très peu d'hormones artificielles. Voir notre livre *Femmes si vous saviez…*, p. 246-248. Mais beaucoup de spécialistes préfèrent parler des vertus de l'alimentation asiatique ; ce qui est aussi vrai mais incomplet.

Doll a pu constater que chez les émigrés récents, la nourriture est japonaise pour plus de 70 %, pour moins de 50 % chez les Japonais émigrés depuis plus de 20 années. Enfin, chez ceux de la 2e génération, la nourriture est quasiment de type américain.

Tableau 3. – Mortalité par cancer de l'estomac pour 100 000 personnes

79,2	chez les Japonais au Japon
77,9	chez les émigrés aux USA depuis moins de 10 ans
45,0	chez les Japonais émigrés depuis plus de 20 ans
20,0	chez les Japonais de la 2e génération
8,2	chez les Blancs

III. Composition de la ration alimentaire et incidence sur certains cancers

Viandes et graisses animales

Dans la plupart des pays pauvres, la grande majorité de la population se nourrit de bouillies et de céréales avec des légumes, très peu de viandes et de matières grasses. Dans des groupes bien étudiés, on a pu se rendre compte que la fréquence de certains cancers est moins élevée qu'aux États-Unis où la consommation de viandes et de graisses d'origine animale est l'une des plus fortes du monde.

Tableau 4. – Consommation totale de protéines, et de protéines animales par habitant (1973)

Pays/Continents	Nombre total de grammes par jour	Pourcentage de protéines animales
Amérique du Nord	98,2	72,0 %
Océanie	94,4	67,2 %
Europe occidentale	88,2	55,0 %
Europe orientale	90,9	39,4 %
Amérique centrale	58,0	39,3 %
Afrique	61,0	19,8 %
Proche-Orient	65,9	18,5 %
Asie du Sud	48,3	13,0 %
Chine	56,5	15,5 %

J. A. Scharfenberg, professeur de Nutrition appliquée aux USA, a publié (*The Problems with Meat*, Woodbridge Press, 1979) à l'« American Association for the Advancement of Science » à Washington que **les viandes comportent plusieurs facteurs cancérigènes***:

– des carcinogènes chimiques: benzopyrènes du steak cuit au charbon de bois, méthylcholanthrène du gras de la viande cuite, nitrites du jambon, du bacon, etc.;

– des virus cancéreux qui se trouvent chez des animaux atteints de cancer et qui peuvent être transmis d'un animal à un autre, et peut-être d'une espèce à une autre. (En 1974[6] on a démontré que des chimpanzés, nourris depuis leur naissance avec du lait de vaches leucémiques, mouraient de leucémie dans la première année de leur vie);

– un manque de fibres: le lait et les œufs ne comportent pas de fibres.

Une étude menée en Chine, à Hong Kong, a comparé deux groupes socio-économiques distincts qui se différencient par le risque de cancer du côlon. Le taux de mortalité dû à ce cancer est deux fois plus élevé dans le groupe qui se nourrit avec 3 900 kilocalories chaque jour par rapport au groupe recevant 1 000 kilocalories de moins par jour.

Les travaux de Lea[7] et de Waard ont montré dès 1965 qu'il existe une corrélation positive et très significative entre le taux de mortalité par cancer du sein en différents pays et la consommation moyenne de lipides alimentaires dans ces pays. Les familles japonaises émigrées aux USA ont un taux de cancer du sein qui rejoint celui de la population américaine après deux générations de vie aux USA. Au Japon, Carrol et ses collaborateurs ont montré que la mortalité par cancer du sein était de l'ordre de 4 pour 100 000, la consommation de lipides étant inférieure à 50 g/jour. En Europe de l'Ouest, comme aux USA, la mortalité due à ce cancer est de 15 à 25 pour 100 000 – donc quatre à cinq fois plus élevée qu'au Japon. La consommation de lipides y est de 120 à 160 g/jour!

Il est donc certain qu'existe une corrélation positive entre un fort apport alimentaire en lipides et l'incidence élevée des cancers mammaires.

---

6. Michaeel B., Shimkin M.D., éd. CA.A., *Cancer Journal for Clinicians*, 1974, 24, 189.

7. Lea A.J., *Lancet*, 1966, 2, 332-333. De Waard F., *Cancer*, 1964, 17, 141-151.

Tableau 5. – Modifications de la mortalité entre 1955 et 1974 pour certains cancers. Évolution des taux annuels de mortalité pour 100000 habitants ajustés pour l'âge (d'après Tuyns, 1980)

	Cancer de l'estomac		Cancer du côlon-rectum	
	Homme	Femme	Homme	Femme
France	– 43	– 52	+ 19	– 11
RFA	– 38	– 48	+ 112	+ 124
Italie	– 28	– 36	+ 96	+ 60
Grande-Bretagne	– 29	– 40	– 7	– 12
USA : blancs	– 35	– 42	+ 9	– 12
USA : noirs	– 26	– 37	+ 44	+ 34
Japon	– 15	– 19	+ 114	+ 78

Dans presque tous les pays industrialisés, la mortalité et la morbidité par cancer du côlon et du rectum s'est élevée au cours des 20 ou 30 dernières années, alors que mortalité et morbidité par cancer de l'estomac ont diminué. Les cancers du côlon et du rectum représentent environ 15 % de l'ensemble des cancers dans les pays industrialisés. Les enquêtes épidémiologiques ont montré une corrélation positive entre la forte consommation de lipides – surtout lipides d'origine animale – et la prévalence de ce cancer. On note aussi une corrélation positive entre la prévalence du cancer colique et l'importance de la consommation de viande. Cependant les études cas-témoins, qui comparent les résultats dans les années passées chez des sujets atteints de cancer colique et des sujets indemnes, aboutissent à des résultats discordants. Les enquêtes alimentaires sont très difficiles à réaliser.

Surpoids, obésité par surconsommation des sucres à absorption rapide

Le sucre est un irritant de l'estomac et une cause de fermentation intestinale. Il est reconnu comme une des causes essentielles de l'obésité, la cause majeure de la carie dentaire… Il existe une relation étroite entre la consommation excessive de sucre et les infections staphylococciques.

Tableau 6. – Consommation annuelle totale de sucre blanc (en kg), par personne dans différents pays

Année	Angleterre	Danemark	Suisse	USA	France	URSS	Chine
1700	2						
1800	8						
1900	38						
1933	48	56	47	46	25	7	1,4
1970	54,5			46,4	46		

En 1979, des chercheurs américains ont révélé les résultats de l'enquête qu'ils ont réalisée sur une dizaine d'années à partir de 750 000 Américains (hommes et femmes). Ils ont observé l'association d'un excès de poids dépassant de 20 % le poids idéal (le poids idéal étant évalué en fonction de la taille de la personne), l'hypercholestérolémie[8] et l'existence de cancers, particulièrement chez la femme. Ainsi, **la mortalité par cancer est significativement plus grande chez les personnes dont le surpoids dépasse de 40 % le poids idéal**. La surcharge pondérale et l'obésité peuvent être considérées comme des facteurs de risque certains, essentiellement pour le cancer du sein[9]. Ceci a pu être démontré récemment chez la femme après la ménopause. Depuis 1945 en France, 537 livres ont été publiés pour aider les gens à maigrir !

---

8. Taux de cholestérol :
– inférieur à 2 g (5,16 mmol/l) = pas de risque,
– supérieur à 2,40 g (6,19 mmol/l) = risque probable,
– entre 2 et 2,40 g (5,16 et 6,19 mmol/l) = valeur limite à surveiller.

Il existe des variations saisonnières avec 2 pics, pouvant atteindre 15 % l'un à la fin du printemps, l'autre au début de l'automne. Au cours de la grossesse, le taux de cholestérol peut augmenter de 25 à 90 %. Chez l'enfant de 5 à 14 ans, le taux de cholestérol est normalement de 1,60 ± 0,40 g (4,12 ± 1,03 mmol/l). « Entre 20 et 30 ans, le taux souhaitable de cholestérol est de 2 g/1. Ce taux idéal augmente de 10 cg à chaque décennie. » (Pr J.L. de Gennes.) Récemment il a été démontré qu'une réduction du taux de cholestérol de 0,05 à 0,03 mmol/l réduisait de 2 % le taux de maladies coronariennes (angor cardiaque). Il faut aussi distinguer le bon cholestérol (HDL) du mauvais (LDL) (voir p. 229).

9. L'obésité dangereuse est l'obésité abdominale ou en pomme, ou androïde.

Tableau 7. – Alimentation annuelle en kg d'un Américain ou d'un Européen (Ouest) moyen

Sucre blanc	46 kg	Sirop	6,4 kg
Graisses et huiles	24 kg	Lait	21 kg
Riz	3,2 kg	Farine blanche	45,5 kg
Œufs	6,4 kg	Fruits	25 kg
Légumes	22,3 kg	Céréales	9,5 kg
Fèves et noix	8,6 kg	Viandes*	90 kg

**Viande + volaille + poisson*

Surpoids, obésité par surconsommation de graisses

En 1977, le « Senate Select Committee on Nutrition and Human Needs » a publié les *United States Dietary goals*: « Les Américains mangent trop de gras – en particulier trop de graisses animales (saturées) –, trop de cholestérol[10], trop de sel, trop de sucre. Ils devraient réduire leur consommation de ces produits et augmenter leur consommation de *fruits, légumes et céréales*, en particulier de céréales à grains entiers. » (D.M. Hegsted, in J. Am, Diet Assoc. 1977, 71, 912.)

Le cholestérol

Le cholestérol sanguin est très différent du cholestérol alimentaire. Plus l'alimentation comprend de graisses saturées, plus est élevé le taux de cholestérol dans le sang, et ainsi vient le risque de maladie coronarienne et/ou cancéreuse. L'organisme a 145 grammes de cholestérol, dont environ 8 g dans le sang, soit 5 % de la quantité totale. L'alimentation apporte chaque jour 500 mg de cholestérol, et 250 mg seulement sont absorbés. De plus, chaque jour l'organisme synthétise environ 700 mg quel que soit l'âge. Alimentation et synthèse endogène fournissent donc environ 1 g par jour, dont 1/4 seulement, soit 250 mg, est nécessaire à la synthèse par le foie des acides biliaires. La plupart des sujets réagissent relativement peu au cholestérol de leur alimentation; en effet, plus on absorbe de cholestérol, moins l'organisme en synthétise, d'où le niveau relativement constant du taux sanguin.

10. Trop de cholestérol peut être dangereux, autant que pas assez… L'important est de rester en équilibre (*Circulation*, 1992, 86, 3).

La consommation quotidienne de cholestérol[11] qui est conseillée ne doit pas excéder 300 mg, soit la quantité contenue dans un jaune d'œuf qui pèse 20 g. La surconsommation de viande augmente l'apport en cholestérol quotidien en moyenne de 250 mg. **À partir de la puberté, tout enfant a besoin de 300 mg de cholestérol dans son alimentation, chaque jour.**

Le minimum de cholestérol reste nécessaire à la fabrication par les glandes sexuelles des hormones sexuelles : œstrogènes et progestérone chez la femme, testostérone chez l'homme, mais aussi de la vitamine D fabriquée par la peau sous l'influence du soleil (voir p. 362).

IV. Produits toxiques « cancérigènes »[12*] à forte consommation

Consommation excessive d'alcool

Toutes les études épidémiologiques réalisées dans divers pays ont démontré clairement que les personnes qui boivent de fortes quantités d'alcool (vin, bière, apéritifs ou alcools forts) ont un risque – nettement plus élevé que celles qui ne boivent pas, ou boivent très peu – de faire un **cancer de la bouche, de la langue, du pharynx, du larynx, du poumon, de l'œsophage ou du foie.**

Le risque relatif d'avoir un cancer de l'œsophage a été évalué en fonction de la consommation d'alcool par Tuyns et Péquignot.

Par rapport aux petits consommateurs – qui ne boivent pas plus de 20 g par jour –, le risque est près de quatre fois plus grand pour la classe de consommation de 40 à 60 g d'alcool par jour, et de vingt fois pour la classe de consommation au-dessus de 100 grammes.

Cette enquête prend en compte la consommation de cigarettes en même temps que celle d'alcool. Les résultats de l'analyse statistique indiquent que **chacun des deux, alcool ou tabac, entraîne un risque**

11. Taux de cholestérol en mg/100 g (en moyenne) : cervelle : plus de 2000 ; jaune d'œuf : 1560 ; œuf entier : 550 ; foie : 300 ; beurre 260 ; crevette : 200 ; fromages : 125 ; viande-poisson : 70 ; lait entier : 12.

12. Cancérigène. Nous employons ce mot au sens le plus large : « Substance susceptible de provoquer ou de favoriser, en association avec d'autres facteurs, l'apparition d'un cancer. »

qui lui est propre et que **les risques propres au tabac et à l'alcool se multiplient**.

Tableau 8. – Risque relatif d'avoir un cancer de l'œsophage en fonction de la consommation d'alcool, en grammes par jour (selon Tuyns et Péquignot. 1977)

Consommation quotidienne d'alcool	Risque relatif
< 20 g	1.0
21 à 40 g	1.4
41 à 60 g	3,6
61 à 80 g	6,8
81 à 100 g	8,1
> 100 g	19,7

Tableau 9. – Risque de cancer par la consommation alcool + tabac

Consommation d'alcool par jour	Consommation de tabac par jour	Risque de cancer multipliés par
Moins d'l/2 litre de vin	10 cigarettes	2
	20 cigarettes	3
	+ de 20 cigarettes	5
1 litre de vin	10 cigarettes	7
	20 cigarettes	9
	+ de 20 cigarettes	12
Plus d'l litre de vin	10 cigarettes	18
	20 cigarettes	24
	+ de 20 cigarettes	44

En buvant 0 à 40 g d'alcool, le risque de faire un cancer de l'œsophage est 1 si le tabagisme n'excède pas 10 cigarettes par jour ; il passe à 3,4 et 5,1 respectivement, si la consommation de cigarettes passe de 10 à plus de 20 cigarettes par jour.

Chez les fumeurs qui boivent, les risques ne s'additionnent pas, ils se multiplient.

De même, en buvant 80 g d'alcool ou plus, le risque de faire un cancer de l'œsophage est de 18 pour celui qui fume moins de 10 cigarettes par jour ; il passe à 44,4 chez celui qui fume plus de 20 cigarettes par jour[13].

Tableau 10. – Risques relatifs en fonction de la consommation journalière d'alcool et de tabac pour l'œsophage et pour la cavité buccale

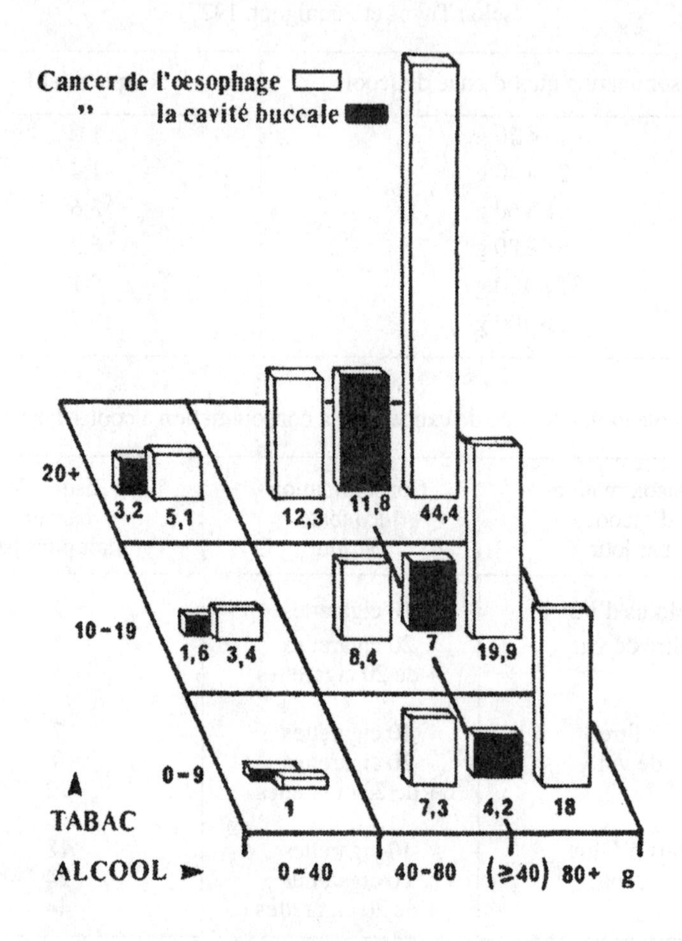

Les mécanismes d'action de l'alcool en cancérogenèse sont encore mal connus. Certaines boissons telles que bière, cidre, alcools distillés

13. La cancérogénicité de la fumée du tabac a été principalement attribuée aux hydrocarbures aromatiques polycycliques produits par le fumeur. En réalité, de nombreuses autres substances cancérogènes sont en cause. Des nitrosamines spécifiques du tabac (TSNA) ont été isolées, dérivés de la « nitrosation » de la nicotine et d'alcaloïdes mineurs du tabac… 23 produits différents ont été recensés par le Pr R. Preussman d'Heidelberg ; chaque marque de tabac en contient des taux différents.

peuvent contenir des substances dont le rôle cancérogène est connu: des nitrosamines, certains hydrocarbures polycycliques, des alcools à chaîne hydrocarbonée plus longue que celle de l'alcool éthylique.

Certains toxicologues pensent que l'alcool est faiblement cancérogène en lui-même, mais agit surtout en potentialisant l'effet d'autres substances présentes dans l'alimentation.

Consommation excessive de nitrosamines* comme « conservateurs », ou d'hydrocarbures halogènes

En 1956, Magée et Barnes ont montré que la diméthylnitrosamine a des effets cancérogènes sur des modèles biologiques animaux. On a pu déceler la présence de nitrosamines dans les aliments et les boissons:

– dans les jambons où la couleur rose de la nitrosomyoglobine est particulièrement recherchée ou dans les saucissons, auxquels on incorpore des nitrites pour empêcher le développement du *clostridium botulinum*, germe responsable d'une redoutable toxi-infection: le botulisme. Dans les saucissons, on incorpore en même temps des produits destinés à abaisser le pH afin d'accélérer la maturation, mais cette acidification favorise grandement la formation de nitrosamines à partir des nitrites apportés et des amines présentes dans l'aliment;

– dans certains fromages, en particulier le gouda et la mimolette, on utilise dans certains pays des nitrites pour prévenir le gonflement tardif de la pâte. Cette adjonction favorise la production de nitrosamines dans l'aliment;

– certaines bières contenaient des quantités notables de nitrosamines, mais on est parvenu, au cours des dernières années, à abaisser considérablement ce taux.

On peut trouver des nitrosamines dans les légumes ou dans la farine de blé, mais à des concentrations heureusement faibles.

Tous ces composés nitrés nécessaires aux procédés de conservation des aliments sont de moins en moins utilisés. Ils étaient considérés comme responsables des cancers de l'estomac. Actuellement les procédés de congélation ont permis d'abaisser nettement le taux des composés nitrés.

Les nitrosamines peuvent être formées par l'organisme à partir des nitrates mis en milieu acide. De même, les nitrates peuvent être transformés en nitrites dans l'intestin sous l'action de certaines bactéries de la flore intestinale.

On trouve des nitrates[14] dans tous les végétaux ; certains aliments en sont plus riches que d'autres : les carottes, épinards, radis, salades… La pauvreté du sol en molybdène favorise l'accumulation de nitrates par les plantes. L'utilisation importante de nitrates comme engrais pour accroître les rendements agricoles augmente la teneur en nitrates des végétaux. *Cela doit être sévèrement contrôlé.* L'utilisation intensive d'engrais entraîne une absence de métabolisation totale par la plante et donc l'accumulation de cet ion. À leur tour les animaux herbivores, en consommant les végétaux, absorbent les sels, de telle sorte que le lait par exemple peut en contenir des quantités non négligeables.

Depuis le 9 juin 1986, l'agriculture biologique est officiellement reconnue ; elle diminue de 60 % la présence des nitrates dans l'alimentation.

Il est difficile d'évaluer de façon précise et chiffrée le degré d'exposition d'une population aux nitrosamines puisqu'une forte proportion des nitrosamines est formée par l'organisme. Des mesures réglementaires ont déjà été prises pour réduire la présence de nitrites dans les produits de charcuterie, les bières et les eaux de boisson…

Cependant la présence de nitrates augmente d'une façon un peu inquiétante dans les réserves d'eau superficielles et souterraines. En 1985, des études ont montré que 2 millions et demi de Français, principalement dans les régions de culture et d'élevage intensifs, ont dû boire une eau à trop forte teneur en nitrates : plus de 50 mg par litre. Le seuil d'alerte est de 100 mg par litre…

Les nitrates détruisent le carotène des végétaux.

---

14. La plus grande partie des engrais chimiques (azotés, phosphatés et potassiques) trop souvent utilisés à doses massives est lessivée par les eaux qui vont dans les nappes phréatiques souterraines. Ainsi ces eaux sont souvent trop riches en nitrates, dépassant dans de nombreuses communes le seuil maximum de 44 mg/l fixé par l'OMS. Le seuil adopté par la CEE en 1980 est de 25 m/l ; 50 mg/l est la dose maximale autorisée.

Le 22 juin 1988, le journal régional *Midi libre* faisait état d'une pollution aux nitrates dans l'eau courante du village du Tourouzelle dans l'Aude. Les analyses de la DDAS qui normalement rapportaient des taux de 17 à 18 mg de nitrates par litre d'eau, en révélaient 47 mg puis 60 mg… Le journaliste faisait dire à l'ingénieur de la DDAS que le seuil intolérable de 100 mg/litre d'eau n'était pas encore franchi, mais il en déconseillait la boisson aux bébés et aux femmes enceintes.

Les *hydrocarbures halogènes simples* (halocarbones – HC) sont essentiellement les trihalométhanes (THM) et le tétrachlorure de carbone. Ils interviennent à la fois dans l'initiation et la promotion des cancers. En France, les apports de HC résultant de l'ingestion de l'eau de distribution sont très faibles (de l'ordre de 10^{-9} g/ml), mais il n'en est pas de même dans les zones rurales des pays en voie de développement. Les halocarbones sont formés lors des traitements des eaux en vue d'obtenir une très bonne qualité bactériologique.

Consommation excessive des produits de la fumée : benzopyrènes* et produits de la pyrolyse des aliments

En 1954, les Tchèques Dobes, Hopp et Sula détectent dans les poissons fumés ou des viandes fumées le benzo-3-4-pyrène. Ces résultats furent confirmés par d'autres équipes qui trouvèrent d'autres substances aromatiques polycycliques potentiellement cancérogènes : le benzofluoranthène, le benzo-anthracène... L'étude des pêcheurs au bord de la mer Baltique aggrava la suspicion contre les benzopyrènes sans apporter la preuve formelle. Il faut préciser que le fumage domestique engendre une charge en benzo-3-4-pyrène beaucoup plus importante que le fumage industriel. Aussi l'utilisation du « barbecue » horizontal pour la cuisson des viandes n'est pas recommandable.

Ainsi les hydrocarbures polycycliques (ou goudrons) qui se forment dans les huiles et les graisses alimentaires surchauffées, comme le benzopyrène, sont actuellement reconnus comme cancérigènes.

Le benzopyrène est présent à la surface de toutes les viandes et de tous les poissons cuits au « barbecue »[15], sur charbon de bois ou directement sur la flamme, ainsi que les viandes et les poissons fumés... et le café grillé. Il se forme à partir des graisses pyrolysées, dénaturées par des températures de cuisson supérieures à 250 °C. Le benzopyrène tend à se concentrer à la surface des aliments et sa pénétration dans la masse est souvent minime. Ainsi la peau des poissons fumés renferme 10 à 40 fois plus de benzopyrènes que la chair elle-même.

---

15. Barbecue : le terme vient probablement de l'espagnol colonial d'un Barbacoa emprunté à la langue taïno des Grandes Antilles au temps de leur découverte par Christophe Colomb. Il désignait une méthode de rôtissage du gibier sur une claie disposée au-dessus du foyer. Certains étymologistes pensent que le mot dérive du mot roumain *berbec* qui désigne le « mouton grillé ».

Il se vend chaque année en France 650000 barbecues.

L'élimination de la peau ou de la couche superficielle des viandes ou poissons fumés constitue une excellente mesure d'élimination du benzopyrène.

Tableau 11. – Influence de la nature du combustible sur le taux de benzopyrènes des viandes grillées (en µg/kg)

Différentes viandes grillées	Au-dessus d'un feu de charbon de bois	Au-dessus d'un feu de pommes de pin	Au-dessus d'un feu de chiffon de papier
Saucisse	15,2	30	26
Échine de porc grasse	7	50	55
Échine de porc maigre	4,2	140	70
Bœuf	0,8	18	25

De plus la pyrolyse par l'exposition directe à la flamme ou aux braises provoque, à partir des protéines ou à partir de certains acides aminés contenus dans ces protéines, la formation de composés ayant un pouvoir mutagène[16] beaucoup plus élevé que le benzopyrène. Au Japon on a pu étudier le pouvoir mutagène et l'action cancérigène de pyrolysats de tryptophane : Trp P1 et Trp P2.

Évitez la cuisson au barbecue horizontal. Les graisses de l'aliment en cours de cuisson tombent dans le foyer et leur combustion augmente la production de benzopyrène. Avec un barbecue à grill vertical la formation de benzopyrène est très faible. En Allemagne, la dose journalière est de 1 microgramme par kilo… Un steak bien grillé contient jusqu'à 7 µg/kg.

Ainsi toute matière carbonée et toute matière organique portées à des températures comprises entre 300 °C et 700 °C – c'est-à-dire exposées à des combustions incomplètes – produisent de nombreux hydrocarbures aromatiques polycycliques (HAP) et, entre autres, du benzopyrène. C'est la raison pour laquelle toute fumée est porteuse de

16. Qui signifie mutation chromosomique, donc modification au niveau du noyau de la cellule (génome) qui peut ensuite se multiplier anarchiquement.

benzopyrène et contribue à sa diffusion dans l'atmosphère et à la surface du globe. L'air est le véhicule privilégié du benzopyrène. D'une façon générale, il semble que les produits de la pyrolyse des aliments agissent préférentiellement comme initiateurs de tumeurs plutôt que comme cancérogènes complets, c'est-à-dire possédant à la fois des propriétés *d'initiateur et de promoteur*. La teneur limite des aliments en benzopyrène n'est pas encore établie définitivement[17].

Tableau 12. – Localisation du benzopyrène dans divers produits animaux fumés. Teneur en benzopyrène (µg/kg)

Produits animaux fumés		Peau ou extérieur	Partie interne
Poissons fumés	hareng	35	0,94
	maquereau	25	
	anguille	61	
	sardine	21	1,7
	merlan	70	7
	saumon	3,2	0,45
Viandes fumées	jambon	2,3	
	saucisses et viandes	5,13	0,23
Fromages fumés		2,0	0,93

Les sulfites[18]

Employés comme conservateurs en raison de leurs propriétés antioxydantes, antibactériennes et antifongiques, les sulfites agiraient comme cocarcinogènes : ils potentialiseraient la mutagenèse induite par les ultraviolets et l'action carcinogène du benzopyrène.

---

17. Aux USA, le seuil de tolérance des benzopyrènes a été fixé à 1 microgramme par kilogramme dans les produits alimentaires. Dans le cadre de la loi de juillet 1983, sur la sécurité des consommateurs, ce taux est établi à 1 µg/kg d'aliments.

18. La Food and Drug Administration, aux USA, a récemment interdit l'utilisation de sulfites comme antioxydants pour la conservation des fruits et de nombreux légumes crus. Des centaines de cas d'allergie et certains décès dus à ces produits ont été rapportés (Fed. Registr. 51 : 25021, 9.07.1986). Le bronchospasme est la réaction aux sulfites la plus couramment signalée.

Consommation excessive d'édulcorants ou produits « sucrants » : les classiques « sucrettes »[19]

Deux édulcorants, la saccharine et le cyclamate, ont été accusés de favoriser l'apparition des cancers.

La saccharine (risques de cancer de la vessie, des ganglions : lymphomes).

Si l'on donne de la saccharine à des rats à raison de 5 % du poids de la nourriture, on observe chez un certain nombre de ces animaux l'apparition de *lymphosarcomes**, qui sont de graves cancers des ganglions (cet apport de 5 % du poids de la nourriture est considérable). D'autres études utilisant comme modèles biologiques rat et souris, ont implanté, dans la vessie des animaux, de la saccharine en suspension dans du cholestérol. Chez les souris traitées, on observe 47 à 52 % de cancers de la vessie ; chez les souris ayant eu simplement des implantations de cholestérol sans la saccharine, la fréquence de cancers était d'environ 12 %.

Il faut tenir compte de la méthode utilisée pour la synthèse de la saccharine. La technique traditionnelle fournit une saccharine avec de nombreuses impuretés, en particulier l'O-toluène-sulfonamide ; une autre méthode de synthèse plus récente ne contient pas ce type d'impuretés.

Les études épidémiologiques chez l'homme montrent que les personnes qui utilisent de la saccharine pour donner une saveur sucrée à leur thé ou à leur café n'ont pas une incidence de cancers plus élevée que la population générale vivant dans le même pays et dans les mêmes conditions. Cependant, l'utilisation de la saccharine dans certains aliments ou friandises et surtout dans les boissons peut aboutir à une consommation relativement importante et dangereuse à la longue.

Aux États-Unis, les boissons « basses calories » connaissent un réel succès. « Diet Coke », produit par la firme Coca-Cola, a pris une part très importante sur le marché des boissons. Sur les boîtes métalliques de « Diet Coke » il est écrit : « *Less than 1 calorie. This product contains*

19. La saveur sucrée déclenche une sécrétion anticipatoire réflexe d'insuline, provoquant une hypoglycémie réactionnelle qui ouvre l'appétit. Ainsi, les édulcorants, dont le but est de freiner la consommation en calories, stimulent la prise alimentaire… On peut donc douter de leur utilité pour réduire surpoids et obésité.

saccharin which has been determined to cause cancer in Laboratory animals. Use this product may be hazardous to your health »[20]. Le statut légal de la saccharine est toujours provisoire et sa consommation est stable. En Europe, le « Diet Coke » ne contiendrait que de l'aspartame, et pas de saccharine.

Le cyclamate (risque d'anomalie chez l'embryon)

Utilisé comme édulcorant dès 1951, la FDA (Food and Drugs Administration) retira le cyclamate de la liste des substances utilisables sans danger dans l'alimentation humaine, en 1969.

On peut, en effet, attribuer au cyclamate et surtout à ses métabolites tel le cyclohéxylamine un effet cancérigène. Les études animales et sur des cellules en culture (globules blancs humains) ont montré que le cyclamate de sodium ou de calcium provoque des lésions des chromosomes. La substance est donc bien mutagène. D'ailleurs, d'autres biologistes ont mis en évidence une action tératogène* du cyclamate chez l'animal. Ce produit administré chez des femelles gestantes provoque des malformations chez les fœtus.

Aussi la consommation de boissons ou aliments contenant du cyclamate est à déconseiller fortement aux femmes enceintes[21]. Cet édulcorant doit être supprimé des boissons dites rafraîchissantes, limonades, cocas, ainsi que des produits de confiserie et confitures.

L'attitude de la FDA est d'autoriser le plus grand nombre possible d'édulcorants afin que la consommation de chaque individu reste inférieure à la dose journalière admissible. Aux USA, les édulcorants sont vendus dans les drugstores et les supermarchés, et sont l'objet d'une publicité agressive. De nombreux autres édulcorants naturels ou de synthèse risquent d'être utilisés dans le futur, tels que les hydrochalcones, l'acésulfame potassique.

---

20. « Moins d'une calorie. Ce produit contient de la saccharine qui peut être la cause de cancer chez les animaux de laboratoire. L'utilisation de ce produit peut être dangereuse pour votre santé. »

21. Cette notion est inquiétante car, encore aujourd'hui, une femme ne sait qu'elle est enceinte qu'à l'arrêt de ses règles… qui ne viennent pas. Récemment il a été démontré que chez le rat, l'ingestion de cyclamate provoque une atrophie testiculaire.

L'aspartame ou *Nutrasweet* (le Canderel est un mélange d'aspartame et de maltodextrine). Pas de risque de cancer. Son pouvoir sucrant est environ 180 fois supérieur à celui du sucre. Introduit depuis 1981, il connaît aux USA un grand succès. La consommation moyenne n'atteindrait pas 10 % de la dose journalière admissible, même chez les enfants.

L'aspartame est une molécule composée de deux acides aminés: la L-phénylalanine et l'acide L. aspartique. Au total, sa valeur énergétique est identique à celle du sucre de table, soit 4 calories par gramme, mais il est environ 180 fois plus sucré. Avec cet édulcorant, il est donc possible de préparer des aliments ou des boissons ayant la même valeur sucrée, mais dont la valeur énergétique est inférieure de 90 à 95 %.

La FDA l'a autorisé en 1981 pour la vente publique et son utilisation industrielle dans un certain nombre de produits sous le nom de *Nutrasweet*:

– céréales du petit déjeuner prêtes à l'emploi,
– chewing-gum,
– préparations instantanées à base de café et cacao,
– gélatines, produits laitiers tels que yaourts, fromages frais,
– poudres aromatisées pour boissons froides,
– puddings, flans, glaçages pour gâteaux.

Il est également commercialisé en cachet et en sachet sous le nom d'Equal. En 1983, la FDA a autorisé son emploi dans les boissons gazeuses (sodas).

Tableau 13. – Augmentation des ventes de produits alimentaires conditionnés avec l'aspartame, en 1983, aux USA

Produit	Augmentation
– chocolat en poudre	154 %
– poudres aromatisées pour boissons	100 %
– sodas sans calories	25 %
– Nutrasweet (utilisation industrielle)	400 %
– Equal (utilisation domestique)	400 %

L'aspartame est très cher (60 dollars le kilo contre 0,5 dollar pour le sucre) mais le consommateur est prêt à payer 30 % de plus. La publicité dit « moins de 50 % du prix du sucre, à pouvoir sucrant égal ».

Cependant, l'aspartame ne peut être utilisé dans les produits alimentaires si la température de cuisson dépasse 70 °C[22]; les boissons conservées à 30-40 °C perdent leur goût sucré en quelques semaines ; l'utilisation de l'aspartame est réservée à des produits réfrigérés ou surgelés.

La FDA accorde désormais très peu de nouvelles autorisations d'emploi. En effet, la dose journalière admise est de 50 mg/kg et d'après le « Center for Food Safety and Applied Nutrition » (qui dépend de la FDA), le niveau global de consommation approche le quart du seuil. L'aspartame pose peu de problèmes de toxicité ; cependant, il peut avoir une action au niveau du cerveau, identique à celle du glutamate de sodium. Le « Center for Disease Control » a reçu des plaintes sans gravité : « maux de tête, modifications de l'humeur, insomnie, allergie... » qu'il ne faut pas négliger, bien que ces *troubles* ne soient pas totalement liés à l'aspartame.

Actuellement les produits contenant de l'aspartame portent une mention avertissant les consommateurs et mettant en garde les personnes phénylcétonuriques[23]. La boisson favorite des Américains (le Coca-Cola) en contient 550 mg par litre !

L'acésulfame potassique, un dioxyde d'oxathiarinone, a été approuvé récemment par la FDA, comme édulcorant de table non calorique et comme ingrédient des chewing-gums, boissons en poudre, gélatines et entremets... Il ressemble, par sa structure, à la saccharine et est 200 fois plus sucré que le sucre en solution à 3 %. Il est excrété inchangé dans l'urine ; il n'a pas d'effet tératogène* ou mutagène chez l'animal (Fed. Reg. 1988, 53, 28379).

La dose journalière admissible fixée par la FDA est de 15 mg/kg de poids corporel. Pour l'OMS, la FAO ou le Comité scientifique de la CEE, cette dose a été fixée à 9 mg/kg... Associé à d'autres édulcorants, il produit un effet synergique qui augmente et améliore encore sa saveur sucrée. Il est commercialisé sous la marque « Sunett® ».

---

22. Les laboratoires Searle commercialisent l'aspartame sous le nom de Canderel et le proposent pour la cuisson des flans, tartes (Canderel ajouté après cuisson), gâteaux... Il perd une partie de son pouvoir sucrant à la cuisson car la molécule se scinde et perd son goût sucré. (Voir ci-après p.356-358).

23. La phénylcétonurie est une maladie génétique rare. L'acide aminé, la phénylalanine, n'est pas métabolisé par l'organisme et peut provoquer des troubles cérébraux si sa concentration dépasse un certain seuil dans le sang.

Consommation excessive de colorants

Dans les années 1930, le Japon utilisait un colorant, le paradiméthyl-amino-azobenzène, pour donner à la margarine la même teinte que le beurre. Cet emploi fit donner à ce composé le nom de « jaune de beurre », bien qu'il ne soit nullement présent dans le beurre.

Dans les années 1945, on découvrit que ce colorant avait un effet cancérogène sur plusieurs espèces d'animaux de laboratoire. Ce colorant appartient à la famille chimique des colorants azoïques. Parmi ces colorants, certains ont une action cancérogène :

– le rouge Soudan R.B.

– le brun Soudan R.R.

– la chrysoïdine, ce dernier étant retiré de tout usage alimentaire en France depuis le 1er octobre 1976. De même, l'amarante est interdite d'emploi en industrie alimentaire depuis le 31 décembre 1978.

D'autres colorants appartenant à d'autres familles chimiques peuvent être cancérogènes ou cocancérogènes : des dérivés du triphényl-méthane, et des colorants du groupe des phtaléines.

D'une façon générale, tous les colorants sauf exception devraient être retirés de l'alimentation. En cancérologie, une forte suspicion équivaut à un facteur de risque de nocivité ou même *à la nocivité*. Leur danger n'est pas immédiat après consommation, mais il l'est dans leur consommation chronique.

Consommation inconsciente de pesticides[24]

Des traces de pesticides parfois très toxiques peuvent persister sur les fruits, il faut donc les peler ou les laver soigneusement en les frottant avec un linge humide.

Malheureusement les racines des plantes, voire les feuilles absorbent les insecticides qui se concentrent alors dans la pulpe du fruit. Un exemple tragique est celui des empoisonnements subis par ceux qui

24. 90 % de la contamination de l'homme par les pesticides se font par les aliments. Les pesticides ne doivent ni quitter leur emballage d'origine, ni pénétrer dans la maison, ni venir entre les mains des enfants. Certains composés sont toxiques par voies cutanée ou respiratoire. La prévention des intoxications par l'éducation des utilisateurs est essentielle. La sève contient 3 sortes d'antibiotiques : pénicilline, auréomycine et streptomycine. Ces « **antibiotiques naturels** » sont suffisants pour lutter efficacement contre tous les parasites…

consommaient en 1957 des conserves d'airelles fabriquées aux USA. Ces conserves contenaient des proportions importantes d'un herbicide, l'aminotriazole. Outre sa toxicité aiguë, cet herbicide total a révélé à l'expérimentation des propriétés antithyroïdiennes puissantes et cancérogènes pour la thyroïde.

Le DDT (dichloro-diphényl-trichloréthane) a rendu de grands services à l'humanité, mais sa concentration progressive dans le corps humain a conduit les États-Unis et l'Allemagne à interdire son usage sauf exception.

Le Centre International de Recherche sur le Cancer basé à Lyon – CIRC – a recensé 600 composés chimiques[25] de notre environnement, ou procédés industriels qui sont potentiellement cancérogènes pour l'espèce humaine. Les doses auxquelles ces molécules peuvent être cancérogènes sont très nettement supérieures à celles auxquelles notre mode de vie et d'alimentation nous expose réellement. Les recherches en toxicologie nutritionnelle et cancérologie se développent, et il est certain que les années à venir apporteront de nouveaux conseils utiles à l'humanité pour lutter contre le cancer, et même l'éviter.

V. Produits utiles à plus forte ou plus faible consommation

Manger* plus *de fibres avec les légumes, les céréales complètes, les fruits frais…

Au cours des 20 à 50 dernières années, les apports alimentaires en fibres ont fortement baissé dans les populations des pays industrialisés, en Europe ou en Amérique. Quand l'apport en fibres est faible, le transit digestif est ralenti. La teneur de l'alimentation en fibres alimentaires a une influence sur la flore bactérienne de l'intestin et du côlon[26]. Les fibres auraient un rôle protecteur en fixant des substances cancérogènes provenant du métabolisme des acides biliaires. Surtout elles agiraient en accélérant le transit intestinal, en diminuant le temps de contact entre

25. De récents travaux ont montré que deux pesticides, les dithiocarbamates et l'éthylène thiourée, sont responsables de tumeur maligne « histiocytome fibreux » chez l'animal. Des résidus de ces pesticides ont été retrouvés à des taux anormaux dans certains légumes : céleri, chou, haricot, poireau.

26. Le rôle des fibres est largement précisé dans notre livre *De la prévention aux traitements. Les cancers digestifs*, p. 61-64.

ces substances et les cellules de la muqueuse du côlon. Une alimentation trop riche en graisse, surtout animale, engendre une plus grande production d'acides biliaires par le foie. En effet, la composition et la concentration de la bile en acides biliaires varient en fonction des graisses de l'alimentation. Certaines bactéries intestinales peuvent modifier les sels biliaires qui ainsi pourraient devenir des irritants de la muqueuse intestinale. Ces bactéries, présentes en grand nombre quand nous mangeons beaucoup de graisses animales, pourraient induire la formation de cancérogènes.

Quand on compare l'élimination fécale de certains dérivés du cholestérol et des acides biliaires, on constate que cette élimination est en général – mais pas constamment – plus forte chez les cancéreux ou chez les personnes à haut risque de cancer du côlon que la population générale.

Manger* moins *de viande et* moins *de graisse

Une alimentation riche en viande, lait et œufs est pauvre en fibres. L'excès de consommation de protéines animales est également associé à une perte importante de calcium dans les urines d'où la diminution de la densité osseuse et l'ostéoporose[27].

Un régime végétarien – donc riche en fibres – est le meilleur antidote de l'ostéoporose* qui affecte *particulièrement* les femmes *autour et après la ménopause.*

De même, un régime végétarien peut prévenir 97 % des occlusions coronariennes (« Diet and Stress », in *Vascular Disease*, JAMA 1961, 176, 134-135).

La viande est une source importante d'acides gras saturés, cause majeure de l'**athérome*** qui obstrue les artérioles comme les artères de gros calibre, du **cancer**, de l'**obésité** et du **diabète**. Un steak de 100 grammes contient 13 g de graisses saturées et un morceau de rôti de même poids en contient 16 g… Les viandes sont le plus souvent accompagnées de légumes plus ou moins frits[28], ce qui apporte des graisses

27. Chez les femmes adventistes lactovégétariennes, il y a moins de perte osseuse après 60 ans. Le risque d'ostéoporose augmente avec le tabagisme, le peu d'exercice, la consommation excessive d'alcool, de café, de viande… (*Health aspects of vegetarian diets*, Am. J. Clin. Nat., 1988, 48, 712-738.)

28. 50 g de chips apportent autant de graisses que 2 cuillerées à soupe d'huile.

supplémentaires. Le Français consomme en moyenne 150 g de graisses totales par jour dont plus d'un tiers sous forme d'acides gras saturés. 60 % des lipides sont consommés sous forme invisible.

Manger* plus *de sucres à absorption lente

Les sucres complexes ou hydrates de carbone naturels sont dans les fruits, les légumes (légumes frais, légumes racines, légumes secs ou légumineuses), les noix et les grains entiers (céréales). Leur caractéristique principale est qu'en plus de l'abondance des glucides (sucre simple, sucre double et sucres complexes) qu'ils fournissent à l'organisme, ils apportent également une abondance de vitamines, de minéraux, de fibres et d'eau.

Le traitement de base du diabète sucré léger est un régime riche en hydrates de carbone complexes, céréales complètes, fruits, légumes frais. On dit à « index glycémique faible » (voir note1, p. 132).

Les hydrates de carbone naturels complexes mettent de 4 à 10 heures pour être digérés, et ainsi apportent à l'organisme un flux constant de glucose sur une période de 24 heures lorsqu'ils sont pris en 2 ou 3 repas au maximum. Ils n'entraînent pas de surcharge des glandes endocrines, et évitent totalement les périodes et symptômes de l'hypoglycémie* (voir tableau 14, p. 190).

Les fibres des sucres complexes ont la capacité de se lier aux acides biliaires qui transportent le cholestérol, et de les excréter. Ce type d'alimentation évite la surcharge en cholestérol.

Manger* moins *de sucres à absorption rapide

Cela consiste à consommer moins de sucre de table ordinaire : les cassonades, les sirops, les fécules de maïs et de pomme de terre, la farine blanche, et tous les produits dont ils sont les principaux ingrédients : bonbons, gelées, confitures, mélasse de fantaisie, boissons gazeuses, breuvages, pain blanc, pâtes alimentaires, pizzas, gâteaux, crémages, crèmes glacées, flans, sucres, biscuits, craquelins, tartes...

L'alcool, l'orge perlé, le riz blanc, et toutes les céréales commerciales raffinées (flocons de maïs, riz soufflé...) sont également des hydrates de carbone raffinés qui sont absorbés rapidement par le tube digestif, et créent des hyperglycémies* brutales avec hypoglycémies réactionnelles, responsables de sensation de faim et de troubles divers. Ces produits composent 40 % de la totalité des aliments consommés par les Européens de l'Ouest et les Américains.

– une pomme = une cuillerée à thé de sucre,
– une tasse de chocolat au lait = 6 cuillerées à thé de sucre,
– une portion de crème glacée = 6 cuillerées à thé de sucre,
– une portion de tarte aux pommes = 12 cuillerées à thé de sucre,
– un morceau de gâteau au chocolat = 15 cuillerées à thé de sucre.

Pour consommer, sous la forme d'hydrates de carbone naturels, la quantité de sucre que l'Européen de l'Ouest ou le Nord-Américain consomme en un jour, il faudrait manger plus d'un kilo de betteraves à sucre, ou encore 20 pommes.

50 g de chocolat noir (1/2 tablette) apportent autant de calories que 6 morceaux de sucre et 1,2 cuillerée à soupe d'huile.

Tableau 14. – Les symptômes les plus fréquents de l'hypoglycémie après consommation excessive de sucreries[29] ou : « Docteur, comment se fait-il que je mange tout le temps et que j'aie toujours faim ? »

– sensation inconsciente de faim
– nervosité, irritabilité
– fatigue, faiblesse, étourdissements, vertiges
– dépression nerveuse
– maux de tête, troubles digestifs
– troubles de mémoire, crises de larmes
– insomnie, engourdissement, bâillements
– anxiété sans cause
– douleurs musculaires, crampes dans les jambes
– fatigue le matin au réveil
– caractères indécis, somnolence
– manque de libido, surtout chez les femmes
– augmentation de la libido chez l'homme, allant jusqu'à l'agressivité sexuelle
– cauchemars, phobies, peurs…
– manque de concentration
– comportement asocial

29. Le pancréas est stimulé par l'arrivée des sucres simples (glucose…) qui créent une hyperglycémie (le taux de sucre dans le sang devient supérieur à 1 g/l (1,05 ; 1,10 ; 1,20 ; 1,30…) ; il sécrète l'insuline, hormone qui va abaisser le taux du sucre dans le sang jusqu'à rétablir l'équilibre (1 gramme par litre de sang).

Manger* plus *de vitamines et d'oligo-éléments

Les vitamines A et dérivés (carotènes et rétinoïdes), la vitamine C, la vitamine E et le sélénium ont un rôle protecteur comme anti-oxydants[30]. Ils sont considérés comme des facteurs anticarcinogènes. Le sélénium et la vitamine E sont synergiques dans leurs actions[31].

Schrauzer et ses collaborateurs, en 1985, ont souligné les fortes relations entre un faible apport en sélénium et la mortalité par cancer du sein et du côlon. D'ailleurs le sélénium réduit l'incidence de diverses tumeurs chez l'animal, spontanées ou chimiquement induites.

D'une manière générale, il y a une association entre de faibles concentrations sanguines en sélénium et le risque de cancers. Les sujets ayant des concentrations en sélénium sanguin les plus basses (inférieures à 115 µg/l) ont un risque 2 fois plus élevé de développer un cancer que ceux ayant des concentrations élevées (supérieures à 154 µg/l). Cette association est particulièrement vraie pour les cancers digestifs et celui de la prostate.

Le risque relatif de mortalité par cancer chez les sujets ayant les concentrations en sélénium sérique les plus basses (inférieures à 47 µg/l) fut estimé 5,8 fois plus élevé que celui des sujets ayant des concentrations plus élevées. Chez les patients ayant à la fois une faible concentration en sélénium sérique et une faible concentration en vitamine E, le risque relatif fut estimé à 11,4.

L'action du sélénium dans la prévention des cancers humains s'explique :

– *par son pouvoir antioxydant* (constituant de l'enzyme glutathion peroxydase) ;

– *par son pouvoir protecteur* contre les carcinogènes chimiques (il intervient au niveau des enzymes impliquées dans la transformation du précarcinogène en carcinogène) ;

– *en stimulant ou activant des enzymes* prenant part à la détoxification des carcinogènes ultimes ou encore en réagissant directement avec le carcinogène ultime, l'empêchant d'interagir avec l'ADN… ;

– *par sa capacité d'antagoniser* des métaux lourds carcinogènes (arsenic, plomb, etc.) ;

---

30. Voir annexe XI, p. 375.

31. « L'importance nutrilionnelle du sélénium ». *Cah. Nutr. et Diet*, 1987, 22, 145162, et *Sélénium et vitamine E*, J. Lederer, Éd. Nauwalaerts et Maloine, 1986.

– *par sa capacité de moduler* la prolifération cellulaire (sous forme de sélénodiglutathion, il inhibe la tumorigenèse);

– ou *enfin en stimulant la réponse immunitaire*, il augmente la résistance de l'organisme aux tumeurs.

Soulignons que la prise de certains médicaments peut modifier le statut vitaminique des malades. La maladie et la prise de médicaments peuvent majorer les risques de carences.

Manger* plus *d'acides gras essentiels, dits polyinsaturés (vitamine F), avec les poissons et coquillages

Il n'a pas été démontré d'effet direct des acides gras essentiels dans la prévention du cancer. Par contre, la vitamine F qui regroupe les deux familles d'acides gras essentiels (la famille linoléique et la famille linolénique avec l'acide alpha-linolénique) joue un rôle important dans la prévention des maladies cardio-vasculaires.

Le remplacement des protéines animales bovines ou ovines par des protéines animales marines peut jouer un rôle indirect dans la prévention du cancer en réduisant la consommation excessive des graisses saturées ou graisses cachées, surtout présentes dans les viandes.

Manger *plus* de vitamines A, E et C dans les aliments n'offre que des avantages

En culture cellulaire, la vitamine A empêche la formation des lésions cancéreuses dans les cellules épithéliales. Chez l'animal, un déficit en vitamine A favorise la multiplication cellulaire conduisant à la naissance d'une tumeur.

Les fruits constituent la source principale de vitamine C; ils doivent se consommer frais et crus. Il y a également de la vitamine A dans l'orange, la banane, l'abricot, le melon…

Le Pr G. Debry écrivait dans les années quatre-vingts:

« Le degré d'incertitude concernant les relations entre l'alimentation et le cancer est encore très important; c'est pourquoi Doll et Peto ont estimé la responsabilité des facteurs alimentaires dans les décès par cancer entre 10 et 70 %, et probablement 35 % tandis que le Committee on Diet, Nutrition and Cancer l'évalue de 30 à 40 % chez les hommes et à 60 % chez les femmes, cette différence étant liée essentiellement au grand nombre de cancers dus au tabac et à l'alcool chez les hommes. L'incertitude provient aussi du fait qu'à l'heure actuelle les potentialités mutagènes et carcinogènes n'ont été correctement évaluées que pour seulement 400 des 3000 additifs et des 12000 contaminants possibles de l'alimentation. »

Vingt ans plus tard, les relations alimentation et cancer sont certaines. Selon le Dr M. Gerber de l'INSERM à Montpellier :

– L'alimentation agirait au stade d'initiation des cancers de la bouche, du pharynx, de l'œsophage, du larynx, de l'estomac, mais aussi du poumon. Plus de cent études ont montré dans plus de 85 % des cas que les personnes qui consommaient beaucoup de fruits et de légumes avaient un risque de développer ces cancers, diminué par rapport à des personnes qui en consomment peu, et que plus cette consommation était importante et plus le risque décroissait.

Pour ces cancers un stress oxydatif est à la base de cette première étape de cancérisation, qu'il soit d'origine tabagique, alcoolique ou inflammatoire.

– L'alimentation agirait à la phase de promotion pour les cancers du côlon et du rectum, mais aussi du sein, de l'utérus et de la prostate. Ces facteurs sont surtout alimentaires et hormonaux. Les œstrogènes sont des facteurs de croissance pour les cellules initiées (au cancer) de la glande mammaire. Chez la femme ménopausée, le tissu adipeux peut fabriquer des œstrogènes alors que la synthèse ovarienne est tarie. L'obésité devient alors une source de facteurs de croissance des cellules pour le tissu du sein ou de l'utérus.

Chapitre IV

COMPORTEMENTS ALIMENTAIRES À CONSEILLER

I. D'abord couvrir les besoins en eau et en minéraux. – II. Les différents repas de la journée. – III. Une alimentation variée.

Si l'on me demandait d'apporter une seule modification dans l'alimentation occidentale, je suggérerais que l'on mange 3 fois plus de pain...

Denis Burkitt

S'il y avait des professeurs de nutrition dans toutes les écoles, la plupart des cancers verraient, en 10 ans, leurs risques considérablement réduits.

Pr E. Wynder, New York 1991

I. D'abord couvrir les besoins en eau et en minéraux

Besoins en eau

L'eau représente environ 65 % du poids du corps chez l'adulte et 80 % chez le nouveau-né à la naissance. Il est possible de ne pas manger durant 30 ou 40 jours si l'on boit en abondance. C'est le jeûne dit « hydrique » parce qu'il maintient la prise d'eau. Il est impossible de s'abstenir de boire de l'eau plus de 4 jours de suite.

Le besoin quotidien en eau de l'adulte est d'environ 2,5 litres. 1 litre d'eau est contenu dans les aliments absorbés.
1,5 litre d'eau doit être pris sous forme de boissons.

Que boire ? D'abord de l'eau. L'eau est la seule boisson essentielle à la vie. Rien ne vaut l'eau pure.

L'eau du robinet est rarement pure, malgré les traitements qu'elle subit. Sa composition varie suivant les localités.

L'eau en bouteille existe sous plusieurs formes :
– *les eaux de table* : répondent aux critères des eaux de distribution publique ;
– *les eaux de source* : ont une origine déterminée et sont contrôlées par l'État ;
– *les eaux minérales naturelles* : sont très contrôlées par l'État.

Il faut boire au moins 1 litre à 1 litre et demi d'eau par jour. Le bébé doit boire 100 à 150 ml d'eau par kilogramme de poids corporel.

Besoins en minéraux

Le sodium (Na), le potassium (K), le calcium (Ca), le phosphore (P), le magnésium (Mg).

• **Le sodium** (il est surtout contenu dans le chlorure de sodium : ClNa).

Nous perdons chaque jour du chlorure de sodium dans les urines, la sueur, la transpiration. Nous devons donc en prendre de 6 à 8 g chaque jour dans notre alimentation.

Les sources principales de chlorure de sodium sont :
– le sel d'assaisonnement ;
– les olives ;
– les poissons et les coquillages ;
– les fromages fermentés contenant 500 à 1 200 mg de ClNa/100 g ;
– la charcuterie :

jambon : 930 mg de ClNa/100 g ;
saucisson : 1 300 mg de ClNa/100 g ;
saucisse de Francfort : 1 100 mg de ClNa/100 g.

Les sources secondaires :
– le lait : 500 mg de sel par litre ;
– le pain : 500 mg de sel par 100 g ;
– les conserves apportent toujours du sel.

Un excès de sel dans l'alimentation augmente le risque de cancer de l'estomac du fait de l'irritation chronique réalisée à l'intérieur de l'estomac (gastrite chronique) et d'hypertension artérielle.

• **Le potassium** (il est surtout contenu dans le chlorure de potassium : ClK).

Le potassium est essentiel à la contraction des muscles, en particulier à la contraction du cœur (rythme cardiaque).

Les sources principales de chlorure de potassium :

– tous les fruits et légumes :

fruits secs : abricots, figues, dattes, pruneaux, amandes, châtaignes sèches ;

fruits frais : abricots, bananes, cassis, groseilles ; légumes secs : lentilles, haricots, pois cassés, fèves ;

légumes frais : artichauts, choux, épinards, champignons, carottes, persil, pommes de terre ;

– le chocolat... mieux vaut utiliser le chocolat dégraissé.

Tableau 15. – Contenu en potassium en milligrammes pour 100 g de partie comestible de l'aliment

Aliment	mg	Aliment	mg
Abricots secs	1 650	Dattes	650
Olives vertes fraîches	1 500	Champignons divers	500
Fèves	1 200	Pommes de terre	500
Bananes séchées	1 140	Épinards	430
Haricots secs	1 000	Artichauts	380
Figues sèches	980	Bananes	375
Châtaignes sèches	960	Choux de Bruxelles	375
Pruneaux	950	Kiwis	332
Pois cassés	900	Chocolat	330
Amandes sèches	800	Abricots	300
Persil	800	Carottes	300
Avocats	680	Melons	260

• **Le calcium** (il est surtout contenu dans le chlorure de calcium : Cl_2 Ca).

Le calcium est le constituant essentiel de l'os (lié au phosphore et au magnésium). Il agit en présence de la vitamine D. Il assure la croissance, la solidité, l'entretien du squelette. Il joue un rôle important dans la coagulation du sang et dans la régulation de la contraction du cœur (rythme cardiaque).

Les sources principales du chlorure de calcium :

– lait ;

– yaourt ;

– tous les fromages : surtout gruyère, saint-paulin, cantal, roquefort.

Les sources secondaires :
- fruits secs : figues, pruneaux, noix ;
- légumes secs : pois chiches, haricots secs ;
- légumes frais : cresson, endives, betteraves, radis, navets ;
- jaune d'œuf.

Tableau 16. – Contenu en calcium en milligrammes pour 100 g de partie comestible de l'aliment

Œufs et Laitages	lait en poudre écrémé	1 300
	comté	1 010
	gruyère	1 000
	cantal	730
	fromage de brebis (AB)	580
	yaourt de brebis	185
	fromage à pâte molle	180
	fromage de chèvre	160
	jaune d'œuf	140
	yaourt	140
Légumes	cresson	210
	persil	200
	pois chiches	150
	haricots secs	137
Fruits secs	amandes sèches	250
	noisettes sèches	200
	figues sèches	170

(Voir aussi p. 315)

• **Le phosphore** (il est surtout contenu dans les protéines sous forme de phospho-protéines). Il est en grande quantité dans les cellules liées aux protéines. C'est un constituant de l'os avec le calcium et le magnésium. Il favorise le bon fonctionnement des cellules nerveuses, notamment celles du cerveau.

Les sources principales de phosphore (presque tous les aliments) :
- tous les fromages, surtout gruyère, roquefort, camembert ;
- lait ;
- cervelle ;
- légumes secs ;
- poissons.

Les sources secondaires :
- légumes verts ;
- chocolat au lait ;
- pétales de fleurs (confiture de pétales de roses).

Tableau 17. – Contenu en phosphore en milligrammes pour 100 g de partie comestible de l'aliment

Laitages	lait en poudre écrémé gruyère cantal lait de vache entier	950 600 400 90
Légumes	haricots secs lentilles pois chiches artichauts	400 400 375 95
Fruits secs	amandes sèches noix sèches figues sèches	470 400 116
Fruits frais	kiwis	80
	chocolat au lait pain de blé complet	280 200

(Voir aussi p. 316)

• **Le magnésium** (il est contenu dans le sulfate de magnésium : SO_4Mg).

Il est indispensable à l'équilibre nerveux et régularise l'excitabilité des muscles. Il régularise le rythme du cœur et favorise le sommeil. Il agit sur la croissance en aidant le calcium à se fixer sur les os.

Les sources principales :
- légumes secs : haricots, pois ;
- céréales ;
- fruits secs, chocolat, feuilles de bouleau en tisane et sève au printemps à prendre en petite quantité.

Les sources secondaires :
- légumes verts : épinards, blettes ;

- coquillages ;
- vin rouge.

Tableau 18. – Contenu en magnésium en milligrammes pour 100 g de partie comestible de l'aliment

Légumes	pois cassés crus	180
	haricots blancs crus	170
	flocons d'avoine secs	144
	blettes cardées crues	106
	lentilles crues	80
	pain complet	90
Boisson	vin rouge	20
Fruits	amandes	270
	dattes	63
	avocats	45
	marrons en purée	40
	raisins secs	35
Crustacés	clovisses	51
	coquilles Saint-Jacques	45
	huîtres	32

(Voir aussi p. 317)

II. Les différents repas de la journée

Le petit déjeuner

C'est le repas **le plus important de la journée**.

L'habitude des enfants ou des adultes d'aller à l'école ou au bureau sans manger est mauvaise. Physiologiquement, c'est le matin que le taux de glucose dans le sang est le plus bas et que l'estomac est le plus vide, donc le plus capable de digérer correctement une plus grande quantité de nourriture. Un solide petit déjeuner est une bonne habitude à prendre.

Le petit déjeuner de nos infatigables ancêtres comprenait crêpes, fèves, pain, pommes de terres, œufs, gruau…

Levez-vous plus tôt, composez votre repas la veille. Mettez la table avant de vous coucher.

Si vous êtes pressé et que vous digériez bien le lait, prenez une tasse de lait cru, bouilli, avec du chocolat, évitez le lait UHT.

Un grand bol, soit 500 ml de thé vert ou de thym et romarin sucré avec une cuillerée à café de sucre intégral ou de miel (si vous êtes diabétique, du miel d'acacia ou de châtaignier)

Les vertus du thé sont quasiment annulées par le nuage de lait ajouté. Une autre vertu du thé vert : l'extrait de thé vert peut empêcher la production de molécules responsables des inflammations lors des crises d'arthrite et de polyarthrite rhumatoïde. Ces résultats seraient dus aux 30 à 40 % de polyphénols qui entrent dans la composition du thé vert (*Experimental Biology,* mai 2007, Université du Michigan Health System).

Et **2 tranches de pain complet ou 2 galettes de sarrasin ou de quinoa :**
– pain de campagne : 2 x 75 calories = 150 calories
– pain grillé : 2 x 50 calories = 100 calories

Et **un fruit de saison** : soit 50 calories de plus.

Et si vous devez manger en début d'après-midi vers 13 h 30-14 h 30, et si vous avez une grosse activité physique dans la matinée, entre 9 h 30 et 11 heures vous pouvez prendre une poignée de fruits secs avec des amandes :

50 g de raisins secs	= 150 calories
30 g d'amandes	= 180 calories
	330 calories

Dans une poignée, il y a 30 g de raisins secs = 90 calories ; et il y a 25 g d'amandes = 160 calories. N'oubliez pas, par exemple à l'école, « un fruit frais à chaque récréation ». C'est vrai aussi pour l'adulte dans son travail.

Le déjeuner

Repas pris entre midi et 2 heures, il a lieu 5 heures après la fin du petit déjeuner. Prenez le temps de vous asseoir ; si possible prendre le repas en famille ou avec des amis :
– le hors-d'œuvre : potage, ou crudité, ou légumineuse, ou œuf, ou fromage léger,
– le plat de « résistance » :
céréales + légumes cuits + poisson,
ou tubercules + produits laitiers + légumes verts,
ou viande (2 fois par semaine) + légumes.
– le dessert : fruits frais et fromages de saison.

N'oubliez pas les 2 tranches de pain pendant le repas (pain complet, un jour sur deux).

Le dîner

Ne pas trop surcharger l'estomac.

Repas léger le soir : un ou deux fruits
une salade verte arrosée d'huile d'olive
du pain séché : 2 tranches
quelques amandes.

Si vous êtes habitué à manger de la viande chaque jour, *déshabituez-vous progressivement*
- en ne mangeant de la viande qu'une seule fois par jour,
- puis tous les deux jours, puis seulement 2 fois par semaine.

Attention aux fromages de vache. Ne pas en consommer plus d'une fois par jour ; ils peuvent contenir 10 % de graisses saturées. Les fromages blancs, yaourts… sont souvent trop sucrés.

Attention aux desserts sucrés, gâteaux, flans, yaourts, crèmes glacées… Pas plus d'un par jour.

Ne pas dépasser 5 morceaux de sucre[1] par jour. Les meilleurs sucres sont ceux des fruits frais, et le miel.

III. Une alimentation variée

S'il n'y a aujourd'hui aucune preuve scientifique de la nécessité et même de l'intérêt supérieur pour la santé d'utiliser les produits de l'agriculture biologique[2], on assiste actuellement à un mouvement vers plus d'écologie dans l'alimentation.

Les « produits de l'agriculture biologique » sont identifiés par un logo ; ils sont cultivés et récoltés sans utilisation de produits chimiques de synthèse et respectent un cahier des charges homologué par une commission nationale (Décret du 10 mars 1981).

Manger « biologique » est actuellement le souci de 5 à 6 % des Français ; minorité qui grossirait de plus de 10 % selon une étude de

---

1. Le « sucre roux » renferme des sels minéraux, de la vitamineB en très petite quantité ; il est alcalinisant. En consommer 2 à 4 morceaux par jour.
2. Association européenne d'agriculture et d'hygiène biologiques, 14, rue des Goncourt, 75011 Paris.

l'INRA de Toulouse si les produits se trouvaient plus aisément à la disposition du consommateur. Notre recherche ABARAC présentée en début de ce livre apporte des preuves scientifiques nouvelles.

1° Les fruits, miel, légumes, céréales, légumineuses, graines germées

LES FRUITS

Priorité aux fruits frais. Comme les légumes, les fruits sont riches en cellulose.

Il n'existe pas de meilleur dessert qu'un fruit frais. Un fruit à chaque repas constitue un sage conseil.

– Les fruits sont riches en sucres :
Fruits à 20 % de glucides : raisins et bananes ;
Fruits à 15 % de glucides : pommes et poires ;
Fruits à 10 % de glucides : oranges et mandarines ;
Fruits à 7 % de glucides : fraises et melons.

– Les fruits constituent la source principale de vitamine C[3] ; ils doivent se consommer frais et crus.

Ils sont également riches en potassium et en acides organiques : malique (fruits à pépins) ; citrique (agrumes, abricots, groseilles, myrtilles) ; tartrique (cerises) ; oxalique (oranges, fraises, framboises) et tannique (coings, myrtilles).

Il faut s'adapter aux fruits de saison, même si aujourd'hui les techniques de congélation permettent de manger tous les fruits en toute saison.

– Les fruits frais contiennent 80 à 95 % d'eau.

Nous avons pris de mauvaises habitudes alimentaires. La consommation en fruits frais a diminué, de 1910 à 1980, de 76 kg par personne et par an à 25 kg, tandis que la consommation en fruits conservés est

---

3. Les réserves de l'adulte en vitamine C sont importantes : environ 1 600 mg. Ces réserves permettent le maintien de l'intégrité physiologique de l'organisme adulte pendant 3 à 4 mois. L'ingestion quotidienne de 10 mg de vitamine C est la dose minimale qui protège contre l'apparition de carence.

passée de 4 kg à 36 kg par personne et par an dans la même période. Il faudrait donc inverser ces chiffres.

– Les fruits oléagineux : amandes, noix, noisettes. Ils se caractérisent par leur faible teneur en eau (45 %), leur richesse en lipides (33 % en moyenne), et leur valeur calorique élevée : 400 calories pour 100 g.

La châtaigne : en 1880, la production de châtaignes en France était de 500 000 tonnes ; actuellement, la récolte n'est que de 20 000 tonnes.

Les premiers fruits. Choisir en priorité des fruits non traités, cultivés naturellement.

Un fruit, c'est le meilleur des desserts… de l'eau, du sucre, des vitamines, des fibres… On ne donnera que des fruits frais et on s'adaptera au rythme des saisons.

– L'hiver : la pomme et la poire ;
la banane, le kiwi, l'ananas ;
la mandarine, l'orange ;

– Le printemps : les fraises et les cerises ;

– L'été : l'abricot, le melon, la pêche ;
l'ananas, la banane ;
les framboises, les myrtilles ;

– L'automne : la pomme et la poire ;
la figue, le melon, la prune ;

• **La pomme** apporte 57 calories pour 100 g.

An apple a day keeps the doctor away.

(« Pomme du matin éloigne le médecin »).

Fruit rafraîchissant et tonifiant, la pomme :
– a des propriétés apéritives, digestives, laxatives, etc.
– facilite la diurèse et l'élimination d'acide urique ;
– doit être consommée crue, avec sa peau (après l'avoir bien lavée) qui est très riche en principes actifs.

La pomme contient aussi des flavonoïdes, substances antioxydantes ayant des effets positifs pour le cœur (10 % de la ration quotidienne de flavonoïdes qui est de 25,9 mg par jour).

Une pomme de 150 g apporte 18 g de sucre, soit 75 calories équivalant à trois morceaux de sucre.

Certaines hypercholestérolémies sont corrigées par l'ingestion régulière de pommes (baisse moyenne de 14 %).

La pectine contenue dans la pomme serait un excellent médicament anticholestérol (Entretiens de Bichat, 1989) ; les fibres végétales du fruit limiteraient le passage du cholestérol dans le sang. La pectine aurait, en outre, le pouvoir d'assurer une meilleure répartition entre le bon et le mauvais cholestérol. Avec plaisir, il serait ainsi possible de faire baisser de 5 % le taux de cholestérol sanguin.

En 1988, une équipe d'Angers a montré que la consommation de 3 pommes par jour pendant 1 mois, en plus de l'alimentation habituelle, permettait une baisse du taux sanguin de cholestérol de 5 % qui porte pour les 4/5 sur le mauvais cholestérol.

• **La fraise** apporte 36 calories pour 100 g.

Les fraises doivent être consommées bien mûres et crues, de préférence au naturel (sans sucre) et si possible à jeun. En saison de production, on peut en consommer 150 à 300 g par jour.
- En 100 g, on a 60 mg de vitamine C ;
- Du fait de son faible pourcentage en glucides, elle est permise aux diabétiques ;
- Elle facilite l'élimination de l'acide urique ;
- Elle est déconseillée chez les personnes allergiques ou porteuses de dermatoses.

• **Le citron** apporte 35 calories pour 100 g. « Le citron sans parcimonie, c'est la santé sans pharmacie. »

Il apporte 100 mg de vitamine C en 100 g. Le citron a des propriétés bactéricides et antiseptiques ; il favorise la digestion en stimulant les sécrétions digestives. Le citron doit être consommé très mûr et le plus souvent sous forme de jus pur. Il peut remplacer avantageusement le vinaigre dans l'assaisonnement des diverses salades.

• **L'orange** apporte 54 calories pour 100 g. En 100 g, on a 40 à 80 mg de vitamine C et 200 UI de vitamine A.

Tableau 19. – Composition de la pomme pour 100 g net de fruit épluché [1]

GRANDS NUTRIMENTS	(g)	variations possibles
Glucides	12,6	9 - 15
Protides	0,3	0,2 - 0,4
Lipides	0,4	0,2 - 0,6
Eau	85,8	80,4 - 90,0
Acides organiques	0,65	0,37 - 0,88
Fibres alimentaires	2,5	2 - 2,8
Apport énergétique : 54 calories		

MINÉRAUX	(mg)	variations possibles
Potassium	144	120 - 200
Phosphore	12	7 - 17
Soufre	6	1,5 - 10
Sodium	3	1,5 - 10
Calcium	7,1	3,6 - 10,5
Magnésium	6,4	2,8 - 9,0
Chlore	2,2	1,5 - 4,0
Zinc	0,12	0,04 - 0,22
Cuivre	0,1	0,05 - 0,16
Manganèse	0,06	0,04 - 0,10
Fluor	traces	
Iode	traces	

VITAMINES	(mg)	variations possibles
B1 (thiamine)	0,035	0,02 - 0,06
B2 (riboflavine)	0,032	0,02 - 0,05
PP (nicotinamide)	0,3	0,10 - 0,50
B5 (ac. pantothénique)	0,1	0,09 - 0,13
B6 (pyridoxine)	0,045	0,04 - 0,06
Acide folique	0,065	0,05 - 0,08
Provitamine A (carotène)	0,047	0,03 - 0,07
Vitamines C	variable 2 à 12	(2 à 25 et +)

1. D'après Souci, Fachmann et Kraut (1981-1982), et différentes études scientifiques. Conception Aprifel, avec la collaboration scientifique de Mme M.-F. Six, diététicienne.

Tableau 20. – Les fruits de saison

	janv.	fév.	mars	avril	mai	juin	juill.	août	sept.	oct.	nov.	déc.
Abricots							—					
Bananes	—	—	—	—	—	—	—	—	—	—	—	—
Cassis						—	—	—				
Cerises					—	—						
Clémentines												—
Figues				—	—	—	—		—	—		
Fraises					—	—						
Groseilles						—	—					
Kiwis	—	—									—	—
Oranges	—	—	—									—
Pêches							—	—	—			
Poires	—								—	—	—	—
Pommes	—	—	—	—	—	—				—	—	—
Prunes							—	—	—			
Raisins									—	—	—	—
Tomates						—	—	—	—	—		

Récemment Ravifruit Diffusion (26140 Anneyron, France) a mis au point « les purées naturelles de fruits surgelés » qui peuvent être conservées deux ans au congélateur à partir de la date de récolte et de surgélation immédiate, ainsi que des « cocktails de fruits surgelés ». Depuis 1992, les « purées de fruits non surgelés » sont disponibles.

• **La banane** apporte 100 calories pour 100 g (c'est le poids d'une banane). En 100 g, on a 2 à 10 mg de vitamine C et 190 UI de vitamine A.

• **L'abricot** apporte 50 calories pour 100 g. Il est plus riche en vitamine A (2700 UI pour 100 g) qu'en vitamine C (5 à 10 mg pour 100 g).

Chez les Hunzas (peuple du Nord-Cachemire) l'abricot est consommé régulièrement frais ou séché. L'huile extraite de l'amande d'abricot, utilisée régulièrement, retarderait le vieillissement de la peau.

• **Le melon** apporte 30 calories pour 100 g. Il est plus riche en vitamine A (3400 UI pour 100 g) qu'en vitamine C (10 mg pour 100 g).

• **Le pamplemousse** apporte 45 calories pour 100 g. Il est plus riche en vitamine C (40 mg pour 100 g) qu'en vitamine A (80 UI pour 100 g).

• **Les raisins** apportent 80 calories pour 100 g. Ils contiennent peu de vitamine A (100 UI pour 100 g) et très peu de vitamine C (3 à 10 mg pour 100 g).

• **La pêche** apporte 50 calories pour 100 g. Elle contient 1330 UI de vitamine A pour 100 g et 7 mg de vitamine C pour 100 g.

• **La poire** apporte 66 calories pour 100 g. Elle contient 20 UI de vitamine A pour 100 g et 5 mg de vitamine C pour 100 g.

• **L'ananas** apporte 51 calories pour 100 g. Il contient 70 UI de vitamine A pour 100 g et 30 mg de vitamine C pour 100 g.

• **La pastèque** apporte 30 calories pour 100 g. Elle contient 590 UI de vitamine A pour 100 g et 7 mg de vitamine C pour 100 g.

• **L'avocat** apporte 200 calories pour 100 g, soit un fruit de taille moyenne. Il est riche en lipides (20 %) et en vitamines A, B1, B2 et B6. C'est un aliment riche en potassium : 680 mg/100 g.

• **Le kiwi** apporte beaucoup de vitamine C (*Actinidia Chinensis*).

Il y a 14 variétés de kiwis, 5 sortes possédant des taux élevés de vitamine C : 72 à 110 mg/100 g. Le taux moyen est de 80 ± 20 mg/100 g. Le kiwi contient aussi 332 mg de potassium pour 100 g et 38 mg de calcium, 67 mg de phosphore et très peu de sodium : 4 mg/100 g. Il contient également de l'acide folique.

Le kiwi contient aussi une enzyme, « l'actinine ». Cette enzyme coupe les chaînes polypeptidiques des protéines de la viande, ce qui facilite l'absorption intestinale de la viande. Le kiwi contient aussi des traces de vitamine A, de vitamines B1 (14 µg/100 g), B2 (11 µg/100 g) et B6 (700±100, µg/100 g). « Voir annexe X, p. 371. »

• **Les fruits secs** sont riches en glucides :

Raisins secs	76,5 g/100 g
Dattes	73,0 g/100 g
Pruneaux	70,0 g/100 g
Figues sèches	62,0 g/100 g

Certains fruits secs sont riches en lipides. Ils ont une valeur calorique élevée : 400 calories pour 100 g.

Noisettes	60 g/100 g
Noix	60 g/100 g
Amandes	54 g/100 g
Cacahuètes en coque grillées	44 g/100 g
Avocats	20 g/100 g
Olives	11 g/100 g

Les avocats contiennent 20 g de lipides pour 100 g, et les olives, 11 g. Les fruits apportent des fibres nécessaires au fonctionnement du côlon et du rectum.

Tableau 21. – Teneur de quelques fruits en fibres alimentaires pour 100 g d'aliment comestible

Fruit sec	7 à 12 g	Banane	1,75 g
Raisin sec	4,40 g	Pomme épluchée	1,42 g
Poire épluchée	2,44 g	Cerise	1,25 g
Pêche avec peau	2,28 g	Raisin	0,44 g
Fraise	2,12 g	Mandarine	0,24 g
Orange	1,78 g		

N'oublions pas les fruits exotiques !

– La mangue : de tous les fruits, c'est elle qui contient le plus de vitamine E (1,8 mg/100 g) ;

– La grenade : les meilleures variétés ont une chair sucrée, légèrement acide et très rafraîchissante ;
– Les litchis : la délicieuse « cerise de Chine » ;
– Le kaki : au Japon, il est, avec les pommes et les mandarines, parmi les fruits les plus consommés. Semblable à une tomate jaune orangé, il est particulièrement savoureux quand il est un peu trop mûr ; sa confiture est délicieuse ;
– Les bananes mignonnettes : délicieuses petites bananes des Tropiques, très parfumées, riches en potassium.

NOS CONSEILS :
Quatre fruits frais chaque jour, six c'est mieux.
Choisir les fruits de la saison.
Varier entre le matin et le soir.

N'OUBLIEZ PAS LE MIEL[4]

Produit naturel, c'est un aliment sain, vivant et nutritif. Pendant plusieurs millénaires, et jusqu'au début du XVIIIe siècle, le miel fut la principale source de sucre pour l'homme. « Il y a autant de variétés de miel que de fromages. » (R. Chauvin).

Le miel contient :
– 20 % d'eau, souvent moins, mais jamais plus de 22 % ;
– 75 à 79 % de sucres dont 70 % de sucres simples (glucose et fructose) et 5 à 9 % de sucres composés, en particulier le saccharose ;
– les autres substances : 1 à 5 % de protéines (très peu), sels minéraux et oligo-éléments, vitamines, enzymes digestives (invertase, amylase), des acides organiques dont l'acide formique, une substance antibiotique (l'inhibine).

Les Français mangent peu de miel : 400 g par habitant et par an. Les Allemands : 1,2 kg/habitant/an. Les Canadiens : 2,5 kg/habitant/an. Le miel est facile à digérer, il a des propriétés laxatives douces par son action sur la flore intestinale, il combat les fermentations.

Le miel est permis aux diabétiques légers… Pour eux, on choisira le miel le plus riche en fructose : le miel d'acacia.

4. Pour fabriquer 1 kg de miel, il a fallu que les abeilles fassent 100 000 à 500 000 voyages entre les fleurs et la ruche.

Le miel active la cicatrisation des brûlures et des blessures en application externe.

Le miel atténue les irritations de la gorge quand on le laisse fondre lentement dans la bouche, ou en gargarismes.

ET LA GELÉE ROYALE... C'est la nourriture exclusive de la reine des abeilles pendant toute sa vie... Sa durée de vie est de 5 ans environ, contre 6 semaines pour une ouvrière. La gelée royale est très riche en acide pantothénique, en vitamines B1, B2, B6; en minéraux: phosphore, cuivre, fer, silice, soufre...

L'usage important des produits phytosanitaires[5] en agriculture peut faire craindre la présence de pesticides résiduels dans le miel. Les miels contaminés (10 à 15 %) le sont, pour une part, par le parathion et pour l'autre, par des pesticides modérément toxiques pour l'abeille. L'abeille peut les accumuler au cours de plusieurs butinages successifs, la mort si elle survient n'étant pas immédiate. Heureusement l'abeille joue alors le rôle de barrière sanitaire; sa mort empêche l'accumulation des produits toxiques dans le miel, mais réduit aussi la récolte...

Vitamine C et cancer

Un apport quotidien de vitamine C au minimum de 70 mg pourrait avoir un effet préventif du cancer du poumon et du cancer de l'estomac. La vitamine C empêche la formation des nitrosamines, toxiques pour le tube digestif.

Tableau 22. – Pertes en % de la teneur en vitamine C après surgélation des fruits

Fruits	Baisse en % après surgélation	Baisse en % après 6 mois de surgélation
Cerise	– 26 %	– 35 %
Groseille	– 14 %	– 34 %
Prune	– 17 %	– 46 %
Raisin	– 16 %	– 39 %

5. La qualité des miels du commerce: *Cahiers de nutrition et de diététique*, 1986, 3, 219-222.

Tableau 23. – Composition et teneur pour 100 g de fruits frais (partie comestible) en calories, vitamines C, B1 et PP. (Après surgélation ou congélation, les fruits perdent une partie de leur teneur en vitamine C : voir tableaux 22 et 24).

Fruits	Calories pour 100 g	Vit. C en mg %	Vit. B1 en mg %	Vit. PP mg %	Cellulose en g
Abricot	50	8	0,04	0,7	0,7
Airelle	35	14	0 02	0,07	1,4
Ananas	51	26	0,08	0,30	0,5
Amande sèche	634	traces	0,25	4,2	2,7
Avocat	200	15	traces	–	–
Banane	94	8	0,1	0,6	0,6
Cacahuète sèche	547	–	–	–	2,7
Cassis	54	180	0,05	0,35	5,7
Cerise	57	10	0,05	0,3	0,3
Châtaigne	207	14	0,22	0,5	1,7
Citron	35	65	0,05	0,25	0,9
Coing	44	15	0,03	0,2	2,4
Datte sèche	316	0	0,09	2,2	2,4
Fraise	36	60	0,03	0,3	1,4
Framboise	44	20	0,03	0,3	5,4
Goyave	50	250	–	–	–
Grenade	32	4	0,02	0,1	–
Groseille rouge ou blanche	48	36	0,06	0,2	2,5
Kiwi	85	90	0,14	–	1,1
Litchi	70	30	–	–	–
Mandarine	43	38	0,08	0,4	0,6
Melon	65	10	–	–	–
Myrtille	41	17	0,03	0,3	4,6
Noisette sèche	657	4	0,55	5	3,5
Noix sèche	677	3	0,4	1,1	2,3
Noix du Brésil	682	2	1	7,7	2,1
Noix de coco fraîche	467	2	0,08	0,4	3,4
Orange	45	60	0,09	0,2	0,7
Olive verte fraîche	216	–	0,03	0,5	1,8
Olive noire fraîche	156	–	–	–	1,6
Olive en saumure	132	0	0,03	0,5	1,2
Pamplemousse	41	40	0,06	0,3	0,4
Pastèque	67	7	0,03	–	–
Pêche	50	8	0,03	0,9	1
Pomme	57	9	0,04	0,3	0,9
Poire	62	5	0,02	0,1	1,5
Prune	50	5	0,08	0,45	0,8
Raisin	77	5	0,05	0,3	0,4
Raisin sec	310	–	–	–	–
Pruneau sec	290	–	–	–	–
Pignon de pin	670	–	–	–	–

La vitamine C aurait une action anticancéreuse indirecte en stimulant la production d'interférons. Cette stimulation de la production d'interférons se fait au niveau des cellules atteintes par un virus. L'administration de vitamine C à des cellules humaines ou à celles du rat atteintes d'un virus permet la production d'interférons. La vitamine C renforce la fonction immunologique de l'organisme et contribue ainsi à la prévention du cancer.

Sérotonine* et fruits

Une étude récente[6] a permis de connaître les taux de sérotonine de 80 types d'aliments. Les fruits les plus riches (>3 µg/g) en sérotonine sont les bananes, l'ananas, les kiwis, les prunes, les noix et les noisettes. Les aliments ayant une teneur modérée (0,1 à 3 µg/g) sont les avocats, les dattes, les pamplemousses, le melon, les olives, les brocolis, les figues, les épinards.

LES LÉGUMES FRAIS ET SECS

Les légumes ont sur l'organisme un effet alcalinisant, au contraire de la viande et des poissons qui sont acidifiants. La tradition populaire attribue à certains légumes diverses propriétés qu'il faut considérer avec précaution.
- artichaut : fait contracter la vésicule biliaire ;
- asperge cuite : diurétique ;
- chou blanc ou vert : anti-ulcéreux et antithyroïdien ,
- chou rouge cru : expectorant ;
- **la choucroute** (littéralement : herbe aigre, ou chou fermenté) est peu calorique : 25 cal/100 g ; elle apporte 25 mg de vitamine C, 48 mg de calcium et 2,2 g de fibres. Un seul défaut, son taux élevé en sodium : 656 mg/100 g. La consommation française est de 950 g par an ; en Allemagne elle atteint les 2 kilos par an et par habitant ;
- oignon cru : vermifuge ;
- oseille crue : diurétique ;
- poireau cru : diurétique ;
- ail : préviendrait les maladies cardio-vasculaires.

6. Am. J. Clin. Nutr., 1985, 42, 639-643.

Les légumes constituent un excellent palliatif de l'appauvrissement en vitamine B1 de la farine blutée (tamisée) utilisée pour faire le pain blanc.

Au cours de la conservation des haricots verts, la teneur en vitamine C diminue: les haricots verts en conserve (appertisés) perdent plus de vitamine C – surtout la première année de conservation – que les haricots surgelés, tandis que la teneur en potassium est meilleure pour les conserves. Les teneurs en fibres et en sucres solubles restent stables.

Il est préférable de consommer des légumes surgelés que conservés, mais il ne faut pas les garder surgelés plus de 3 mois. L'idéal est de consommer les légumes durant le premier mois de congélation.

Tableau 24. – Pertes en % de la teneur en vitamine C après surgélation de quelques légumes

Légumes	Baisse en % après surgélation	Baisse en % après 6 mois de surgélation
Concombre	– 38 %	– 82 %
Haricot vert	– 42 %	– 86 %
Pois	– 44 %	– 89 %
Tomate	– 15 %	– 47 %

Les légumes sont riches en minéraux, en vitamines et en oligo-éléments.

NOS CONSEILS POUR CHAQUE JOUR

– Prendre une à deux crudités légumes (100 à 200 g),

et

– au moins un plat de légumes cuits (300 à 350 g).

Un légume vert, jaune ou orangé doit figurer au moins une fois dans votre repas. En toute saison, de la couleur et de la vitamine A (carotène) dans vos menus…

– quatre fruits frais et de saison.

Des excès de crudités (fruits ou légumes) sont à éviter du fait de l'action irritante pour le côlon et le rectum de grandes quantités de fibres. Celles-ci sont en général mieux tolérées après cuisson si les intestins sont sensibles.

La digestion éventuellement difficiles de certains légumes (choux, choux-fleurs, navets, oignons, ail, poireaux…) est améliorée par la cuisson dans deux eaux successives ou la cuisson à la vapeur douce (voir p. 258).

Teneur des principaux légumes en sucres

	tomate	
Les légumes à fruits :	melon	5 % de sucres
	courge	
Les légumes à feuilles :	salade	
	chou	
Les légumes à fleurs :	chou-fleur[7]	
	carotte	
Les légumes à racines :	navet	10 % de sucres
	radis	

La pomme de terre contient 20 % d'amidon et 2 % de protéines[8].

Les légumes secs apportent plus de sucres que les légumes frais, et plus de protéines (cinq à dix fois plus) :
- haricot ;
- lentille ;
- pois chiche ;

et contiennent du phosphore et du calcium.

Manger des légumes secs peut remplacer la consommation de viande. En effet, les légumes sont riches en protéines (25 à 35 %) dont la composition en acides aminés se rapproche de celle de la viande.

---

7. Choisissez-le neigeux… Cuisez-le à la vapeur douce en le gardant légèrement ferme sous la pointe du couteau (10 à 15 minutes au maximum). Ne laissez pas tourner l'odeur.

8. La pomme de terre, légume de base le moins cher et le plus utilisé par les Français : 72 kg/habitant/an. Elle a la plus grande valeur énergétique de tous les féculents.

A.-A. Parmentier : « Il faut que la pomme de terre apparaisse dans l'assiette des grands comme dans celle des pauvres. » La dernière-née des pommes de terre est la « parmentelle ». Pour ceux qui sont intéressés, se renseigner au : Comité national interprofessionnel de la pomme de terre, 21, rue de Madrid, 75008 Paris.

Il est indispensable de bien laver les fruits et légumes avant utilisation, et de les éplucher afin de faire disparaître le benzopyrène à la surface des aliments (voir p. 179-181, les dangers des benzopyrènes).

Tableau 25. – Teneur de quelques légumes en fibres alimentaires (pour 100 g d'aliment comestible)

Légume	Fibres	Légume	Fibres
Petit pois	6,00 g	Oignon	2,10 g
Pomme de terre[8]	3,50 g	Céleri	1,80 g
Haricot blanc cuit	3,35 g	Chou-fleur	1,80 g
Poireau	3,10 g	Laitue	1,53 g
Carotte (cuite)	2,83 g	Tomate	1,40 g
Navet	2,20 g		

Tableau 26. – Composition des légumes les plus couramment utilisés, en calories, fer, phosphore, vitamines C, B1, PP (en mg %) et en cellulose (en g) pour 100 g de partie comestible

Légumes	Cal. pour 100 g	Fer mg	Phosph. mg	Vit. C mg	Vit. B1 mg	Vit. PP mg	Cell. g
Asperge cuite	25	0,9	58	27	0,15	1,3	0,8
Artichaut	34	1,5	94	7	0,13	0,9	2,2
Betterave rouge cuite	42	0,8	31	6	0,02	0,3	–
Carotte crue	41	0,8	37	8	0,06	0,5	1
Carotte cuite conservée en boîte	31	0,6	25	3	0,03	0,3	0,8
Champignon de couche	29	1	120	4	0,1	6,2	0,9
Chou blanc ou vert	27	0,5	32	50	0,05	0,32	1,3
Choucroute	22	0,5	18	16	0,03	0,2	0,7
Chou rouge cru	33	0,5	31	60	0,08	0,4	1,1
Épinard	24	3,5	55	50	0,16	0,6	0,6
Haricot blanc sec	331	6,4	415	2	0,58	2,1	4
Haricot blanc cuit conservé en boîte	23	1,7	23	5	0,04	0,4	0,5
Haricot vert	39	1	44	19	0,07	0,5	1,4
Laitue (feuilles crues)	18	0,6	28	9	0,07	0,35	0,6
Lentille sèche	99	7,8	412	4	0,5	2,0	3,7
Navet	33	0,5	34	28	0,05	0,5	1,1
Oignon cru	47	0,5	44	20	0,04	0,35	0,8
Oseille crue	26	–	44	120	0,08	–	0,8
Patate douce	116	0,8	55	22	0,09	0,6	1
Poireau cru	43	1	50	19	0,06	0,5	1,2
Petit pois	91	2	122	26	0,32	2,3	2,2

Pois chiche sec	361	7	375	–	0,4	15	5,3
Petit pois précuit conservé en boîte	66	1,8	67	12	0,11	1,6	1,3
Pomme de terre							
Bouillie épluchée	85	0,6	56	10	0,09	1	0,4
Chips salées	557	1,9	152	11	0,18	3,2	1,1
Crue	85	0,9	58	30	0,11	1,2	0,4
Cuite au four	97	0,7	58	10	0,1	1,5	0,4
Frite	399	1,6	150	11	0,2	31	0,9
Séchée en poudre	355	4	88	25	0,25	4,8	2,2
Raifort cru	70	2	70	100	0,06	0,6	2,3
Radis cru	21	1,1	31	21	0,06	0,3	0,7
Salsifis cru	76	1,4	48	10	0,04	0,2	2,1
Soja – graines entières sèches	423	8	583	traces	1	3,5	5
Tapioca	340	1	12	–	0,16	1,8	–
Tomate crue	22	0,6	27	30	0,08	0,6	–

Les fibres des fruits et légumes contribuent en plus à rééquilibrer la flore intestinale, c'est-à-dire la présence de germes[9] normaux du tube digestif. Les fibres favorisent le développement des bactéries spécifiques et créent un milieu acide à l'intérieur de l'intestin qui est peu favorable à la croissance de germes indésirables. La synthèse intestinale de certaines vitamines est ainsi favorisée (vitamine B12 et vitamine K).

LES CÉRÉALES ET ASSIMILÉS

7 kg de céréales sont nécessaires à la production d'un kilogramme de viande de bœuf...

Les céréales sont des graines, des graminées, composées de cellulose (enveloppe externe), de matières albumineuses ou gluten, de lipides, vitamines et sels minéraux, d'amidon (amande) et de vitamines B et E (dans le germe).

Si l'apport protéique de l'alimentation se compose surtout de céréales, il est essentiel de les consommer entières.

Les céréales les plus importantes sont le blé et le riz[10], d'autres sont plus ou moins répandues selon les régions : seigle, avoine, millet, sarrasin, maïs, orge.

---

9. Les germes normaux du tube digestif sont essentiels pour la formation des vitamines B, surtout B12 et K. La flore microbienne autochtone fait partie des défenses anti-infectieuses de l'organisme.

10. Le riz représente 40 % des céréales consommées dans le monde.

• La farine et le pain de blé

De 1900 à 1980, on observe une réduction de la consommation en céréales de 130 kg à 60 kg par habitant et par an. La consommation totale de blé en alimentation humaine est passée de 100 kg par personne et par an en 1968 à 75 kg en 1980.

On observe aujourd'hui de plus en plus d'allergies au gluten. La plus classique est responsable de la maladie coeliaque qui se traduit par des troubles de l'absorption intestinale avec diarrhée et dénutrition progressive. En arrêtant de consommer du gluten présent dans le pain, les pâtes et les pizzas, on observe de fortes améliorations. Le pain actuel n'est pas aussi bon qu'autrefois. Le pain blanc se comporte comme un sucre rapide et pris en trop grande quantité, il est stocké sous forme de gras. Mieux vaut choisir du pain complet et si possible dont le blé est issu de l'agriculture biologique. L'idéal est de remplacer le pain par des galettes de sarrasin ou de quinoa, nommées « tartines craquantes de sarrasin ou de quinoa ».

C'est ce que l'on trouve sous le terme « *le pain des fleurs* ». Elles apportent respectivement pour 100 g, 76,1 g de glucides, 5 g de fibres, 194 mg de magnésium, 3,7 mg de fer et pour le quinoa la même quantité de glucides, 4,1 g de fibres, 135 mg de magnésium et 3 mg de fer. Les biscottes et les brioches contiennent trop de sucres ; il ne faut les prescrire qu'aux personnes malades qui ne supporteraient pas le pain. Il faut redonner du pain pour le goûter des enfants…

Un grain de blé contient *12 à 17 % d'enveloppe* correspondant au son avec les fibres, les vitamines, les sels minéraux, les oligo-éléments et les protéines ; *80 à 85 % d'amande*, c'est l'amidon et les protéines (gluten) ; et *2 à 3 % de germe* contenant des lipides, des sels minéraux, des vitamines B et E, des protéines…

La consommation de pain a diminué de 50 % au cours des quarante dernières années. Elle était de 500 g en moyenne par personne et par jour ; elle est passée à 150 g en 1980. Entre 1975 et 1985 le nombre de boulangeries[11] en France est passé de 41 400 à 38 000… Le pain est un aliment à réhabiliter. Contrairement à ce que l'on dit, le pain ne fait pas grossir si on évite de l'imprégner de beurre et d'autres ingrédients gras[12].

---

11. En 1997, J.-P. Raffarin, ministre des P.M.E., du Commerce et de l'Artisanat, a réglementé l'appellation « Boulangerie ».

12. En 1762, Lord Sandwich, un Anglais, jouait aux cartes. La partie était si passionnante qu'il refusa de s'arrêter pour aller manger. On lui apporta de la viande entre deux tranches de pain… Le sandwich était né !

La baguette pèse 250 g. Elle apporte :
- 135,0 g de glucides ;
- 17,0 g de protides ;
- 2,5 g de lipides ;

soit 500 calories.

Le pain de 500 g apporte :
- 250,0 g de glucides ;
- 35 g de protéines ;
- 4 g de lipides ;

soit 1 040 calories.

Une tranche de pain pèse 25 g.

Tableau 27. – À quoi correspondent 50 g de pain ?

50 g de pain	= 25 g de glucides = 120 g de pommes de terre = 120 g de riz cuit = 120 g de pâtes cuites = 120 g de légumes secs cuits = 1 croissant = 4 biscottes

La ration quotidienne minimum de pain peut atteindre 100 g, soit deux tranches à chaque repas.

Tableau 28. – Composition moyenne pour 100 g de pain blanc ou biscotte

	Calories	Glucides	Lipides	Protéines	Sodium
Pain blanc	250	50-60 g	0,8-1 g	7 à 9 g	500-830 mg
Biscotte	390	75-80 g	6-7 g	10 g	400-450 mg

– *Le pain complet* contient tous les constituants du grain de blé ; choisissez du pain garanti complet – car il y a de nombreux abus – donc si possible fabriqué avec de la farine biologique (moins de pesticides) et du levain naturel.

– *La biscotte* contient 5 à 6 % de matières grasses – pour donner friabilité et croustillance – et plus de glucides que le pain blanc : 50 à 60 g/100 g contre 77 à 81 g pour la biscotte. Sa digestibilité est excellente.

– *Le pil-pil* est du blé précuit.

– *Le boulghour* est du blé prégermé très digeste ; précuit puis séché et concassé, sorte de couscous libanais.

– *Le couscous* est de la semoule de blé dur.

Tableau 29. – Les vitamines B, le fer et la cellulose dans le pain en fonction du taux de blutage[13] (en mg %)

Vitamines du groupe B, fer et cellulose	Taux de blutage et types de pain			
	100 % = pain complet	80 % pain gris	72 % = pain blanc	50 % = pain très blanc
B1	0,2	0,09	0,07	0,05
B2	0,1	0,08	0,05	0,04
PP	1,9	1,1	0,7	0,65
B5	0,8	0,55	0,49	0,25
B6	0,5	0,23	0,18	0,11
Fer	1,6	0,9	0,8	0,7
Cellulose	1 500	510	310	300

Quel pain choisir ? Le mieux est de consommer un pain modérément gris préparé avec une farine blutée à 80 %. Le pain grillé et les biscottes sont légèrement plus digestibles mais apportent plus de calories.

Les pâtes alimentaires cuites qui font partie des traditions italiennes sont très digestibles, mais riches en calories. Elles sont recommandées aux malades et aux convalescents.

Les crêpes, biscuits et pâtisseries à base de farine de blé sont très riches en calories, d'autant que s'y ajoutent en général crème, confitures et autres matières fortement énergétiques.

13. Blutage : séparation de l'amidon des fragments de l'enveloppe du blé. C'est un tamisage plus ou moins poussé. La farine ainsi préparée contient de l'amidon et une quantité plus ou moins importante de débris d'enveloppes contenant la cellulose.

• Le riz[14]

Le riz est très consommé en Asie, mais insuffisamment en Europe. Lorsqu'il est décortiqué, il ne contient pratiquement que de l'amidon. Par contre, le riz complet contient plus de protéines, des vitamines A, B et E, des sels minéraux : calcium, phosphore, magnésium, potassium, et des oligo-éléments présents sous forme de traces : le silicium et le fer.

Mangez du riz : le *riz complet* contient plus de calcium et de magnésium, et 2 à 3 g de protéines pour 100 g de riz.

Tableau 30. – Coupe schématique d'un grain de riz complet

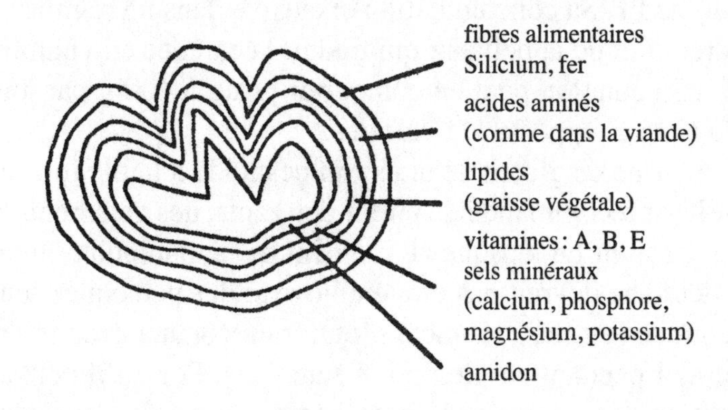

Le riz complet garde ses vitamines (A, B et E) ; il est riche en amidon, pauvre en protéines et en matières grasses.

Le riz a un effet constipant. Il a un net avantage sur le pain : son pouvoir de réplétion est grand. Celui-ci est atteint avec 50 grammes de riz (180 calories) alors qu'il faut environ 200 grammes de pain (500 calories sans le beurre) pour obtenir le même résultat.

• L'avoine

Le gruau ou flocon d'avoine préparé en bouillie est appelé « porridge » par les Anglais. C'est un aliment très nourrissant, riche en phosphore et en vitamine B1. Comme le pain complet, il apporte la cellulose.

• Le maïs[15]

L'intolérance au gluten est présente actuellement chez une personne sur 200. Chez ces personnes même le maïs est déconseillé, car il

14. Il y a 80 000 espèces différentes.

15. En 1492, Christophe Colomb arrive aux Bahamas et écrit dans son journal : « Il y avait là de grandes terres cultivées, avec des racines, une sorte de fève et une sorte de blé appelé maïs qui est très savoureux cuit au four ou bien séché et réduit en farine... »

contient du gluten dénommé le « Gluten meal » dont il existe 2 variétés : le gluten 60, maïs pur produit lors de la centrifugation de l'amidon qui correspond à un co-produit apportant un taux de protéine de 60 % et le gluten 40 dont le taux de protéines est d'environ 40 % par rapport au produit brut.

Le gluten de maïs est la protéine extraite du grain de maïs et se compose typiquement de protéine à 62 %. D'une couleur jaune vif, elle est surtout utilisée comme aliment protéique pour les animaux.

Il contient 5 % de lipides, surtout des acides gras polyinsaturés, mais très peu de protéines et 88 g de glucides pour 100 g. Il est dépourvu de vitamine PP. Sa consommation exclusive dans un régime végétarien engendrerait donc la pellagre qui traduit la carence en vitamine PP.

L'alimentation peut en comporter jusqu'à 400 g par jour. Un épi de maïs (225 g) apporte 111 calories.

La farine de gluten de maïs : un pesticide à faible impact.

« Il est recommandé de porter des gants, des vêtements longs, des lunettes ainsi qu'un masque au moment de la manipulation du produit. Le pesticide ne devrait pas être employé si des personnes sensibilisées ou allergiques au maïs risquent d'entrer en contact avec le produit. Le produit agit pendant environ 5 à 8 semaines. Puisqu'il peut affecter la germination des semences à gazon, il ne doit pas être appliqué sur une pelouse nouvellement ensemencée. Pour la même raison, il faut éviter de l'employer si un réensemencement du gazon est prévu à court terme. Puisque la farine de gluten de maïs a une haute teneur en azote (près de 10 %), il faut en tenir compte lors de la fertilisation de la pelouse. Il ne faut pas appliquer le produit à proximité d'un plan d'eau, d'un cours d'eau ou d'un milieu humide. De plus, il faut éviter de contaminer l'eau de ces habitats et des égouts en y jetant le surplus de pesticide ou en rinçant le matériel d'application. Le produit doit être gardé hors de la portée des enfants. »

Manger des céréales, c'est consommer des fibres végétales (les fibres végétales sont de longues molécules chimiques présentes dans les céréales, les légumes et les fruits) ; elles restent dans le tube digestif, sont indigestibles, donc ne peuvent être digérées, et ne sont pas absorbées par le tube digestif. Les fibres végétales favorisent le transit intestinal. Une évacuation digestive quotidienne est un signe de bonne santé.

• **Le millet** se consomme en bouillies.

Tableau 31. – Teneur en g de fibres alimentaires pour 100 g

Son	44
Farine de blé complet	9,51
Pain complet	8,50
Pain de seigle	5,11
Farine blanche	3,15
Pain blanc	2,72
… et aussi toutes les peaux des fruits	

• **Le sarrasin** se consomme en bouillies, en galettes, en crêpes, et de plus en plus sous forme de galettes ou tartines, présentées sous le nom « le pain des fleurs ».

• **Le seigle**

Il sert surtout à faire du pain. « On n'a point de blé par ici, rien qu'un peu de seigle et pas beaucoup, juste ce qu'il nous en faut pour faire notre pain… » (Ramuz, *La grande peur…*, VIII).

• **Le petit épeautre** de Haute-Provence, ancêtre du blé, est une céréale très robuste et très riche nutritionnellement, consommée sous forme de grains comme le riz ou sous forme de farine pour tous les usages du blé.

• **Le quinoa**

C'est une plante herbacée annuelle de la famille des Chénopodiacées, cultivée pour ses graines riches en protéines. Il est considéré comme une pseudo-céréale, puisqu'il n'appartient pas à la famille des graminées, mais à celle de la betterave et des épinards (les Chénopodiacées).

Les Incas appelaient le quinoa *chisiya mama*, qui signifie en Quechua « mère de tous les grains ».

Cette plante traditionnelle, cultivée depuis plus de cinq mille ans sur les hauts plateaux d'Amérique du Sud, a été redécouverte récemment. Comme le haricot, la pomme de terre et le maïs, le quinoa était à la base de l'alimentation des civilisations précolombiennes, mais, contrairement à ces dernières, il n'a pas retenu l'attention des conquérants espagnols à cause de la teneur en saponine de l'enveloppe des graines non écorcées et du fait que la farine qui en est tirée n'est pas panifiable.

On trouve maintenant le quinoa dans certaines grandes surfaces et dans les magasins de produits issus de l'agriculture biologique et du commerce équitable sous forme de « pain des fleurs ».

LES LÉGUMINEUSES

Le soja, les lentilles, les fèves, les pois chiches, les pois cassés, les flageolets.

• Le soja

Lait de soja, les fromages de soja : tofu chinois, tofu japonais, le steak de soja déshydraté considéré par les Japonais comme une « viande » végétale… En 164 av. J.-C. un philosophe politicien chinois Liu An, de Huai-Non, découvrit par hasard que l'eau de mer faisait coaguler le lait de soja :
– les graines de soja jaune sont mises à tremper 10 à 12 heures dans de l'eau froide ;
– elles sont ensuite broyées et cuites en une bouillie ;
– cette bouillie est ensuite filtrée donnant d'une part le lait de soja liquide, et d'autre part l'okara[16], plus épais, qui est la pulpe de soja.

Tableau 32. – Valeur nutritive de cinq céréales ou légumineuses comparée au sucre raffiné (en % ou pour 100 g)

		Pommes de terre	Pain, blé complet	Pain blanc	Lentilles	Sucre traité
Eau	%	71,0	40,0	39,0	72,1	traces
Protéines	%	2,6	8,8	7,8	7,6	traces
Matières grasses	%	0,1	2,7	1,7	0,5	0
Amidon	%	24,4	39,7	47,9	16,2	0
Sucre	%	0,6	2,0	2,0	0,8	105
Fibres	%	2,5	8,5	2,7	3,7	0
Énergie	Cal.	105	216	233	99	394

16. En Asie, l'okara est un aliment raffiné servi dans les bons restaurants et vendu dans les magasins de produits fins. Cet aliment contient quelques protéines et beaucoup de fibres.

Le lait de soja est alors caillé avec un coagulant. Le lait est donc séparé en flocons de caillé et petit lait. Ce caillé appelé « fleur de tofu » peut être utilisé tel quel en cuisine. Il est vendu par des vendeurs ambulants en Chine. Le caillé non utilisé est égoutté et pressé 20 à 40 minutes. Le tofu est terminé, il suffit de le démouler.

Les différents fromages de soja: suivant le coagulant utilisé et le temps de pressage, le tofu peut être ferme ou plus friable. Le tofu ferme est le plus concentré et de plus longue conservation: c'est le « tofu chinois » (celui que l'on peut trouver dans les grandes surfaces). Le tofu plus friable est appelé « tofu japonais », de saveur plus délicate.

Vitamines

		Pommes de terre	Pain, blé complet	Pain blanc	Lentilles	Sucre traité
Carotène (A)	µg	traces	0	0	60,0	0
Thiamine (B1)	mg	0,1	0,26	0,18	0,5	0
Riboflavine (B2)	mg	0,4	0,1	0,3	0,2	0
Niacine (B3)	mg	1,2				
Pyridoxine (B6)	mg	0,2	0,14	0,4	0,11	0
Cobalamine (B12)	µg	0	0	0	0	0
Ac. folique (Bc)	µg	10,0	39,0	27,0	5,0	0
Acide pantothénique (B5)	mg	0,2	0,6	0,3	0,3	0
Biotine (B8)	µg	traces	6,0	1,0	0	0
Ac. ascorbique (C)	mg	30,0	0	0	traces	0
Vitamine D	µg	0	0	0	0	0
Vitamine E	ng	0,1	0,2	traces	0	0

Sels minéraux

Sodium	mg	8,0	540,0	540,0	12,0	traces
Potassium	mg	680,0	220,0	100,0	210,0	2,0
Calcium	mg	9,0	23,0	100,0	13,0	2,0
Magnésium	mg	29,0	93,0	26,0	25,0	traces
Phosphore	mg	48,0	230,0	97,0	77,0	traces
Fer	mg	0,8	2,5	1,7	2,4	traces
Cuivre	mg	0,2	0,3	0,1	0,2	0,02
Zinc	mg	0,3	2,0	0,8	1,0	0
Soufre	mg	42,0	81,0	79,0	39,0	traces
Chlore	mg	94,0	860,0	890,0	20,0	traces

Composition du tofu soja biologique:
- phosphore: 250 mg/100 g;
- 7 à 12 % de protéines végétales;
- 4 à 5 % de graisses riches en acides gras polyinsaturés;
- pas de cholestérol, pas de calcium;
- 70 calories/100 g.

Le tofu est très digeste et peut remplacer la viande, les œufs, le poisson ou le fromage dans une alimentation normale ou chez une personne qui veut perdre du poids.

Le soyourt, caillé frais de soja, entièrement végétal, exempt de cholestérol, contient peu de matières grasses.

Le steak de soja déshydraté correspond à des protéines végétales texturées; très utiles pour un régime amaigrissant.

• **Les lentilles**: 99 calories/100 g; elles contiennent une grande quantité de phosphore (412 mg/100 g) et 7,8 mg de fer/100 g.

• **Les fèves**: la fève verte contient 65 calories pour 100 g: la fève sèche en apporte 345.

• **Les pois chiches** apportent 360 calories/100 g. Ils contiennent une grande quantité de vitamines PP mais très peu de vitamine C (1 mg/100 g) et 7 mg de fer/100 g.

• **Les pois cassés** apportent 350 calories pour 100 g et très peu de vitamine C (1 mg/100 g).

• **Les haricots blancs** contiennent des quantités intéressantes en vitamine B, en particulier B1 et PP; des fibres: 6 à 8 g pour 100 g de haricots cuits. Ils apportent 100 calories/100 g de haricots cuits; ils contiennent une grande quantité de phosphore (415 mg/100 g), de magnésium (140 mg/100 g) et 6,4 mg de fer/100 g.

LES GRAINES GERMÉES

Aliment de pointe, elles sont très riches en vitamines, oligo-éléments, enzymes, minéraux, acides aminés, substances biologiques actives. Elles se consomment à volonté, mêlées aux crudités et salades vertes, aromatisées de basilic, estragon, ciboulette, marjolaine, échalote, ail, sel marin ou herbamare, huile de première pression, citron.

À défaut de germoir, prendre un gros bocal à couvercle métallique à vis. Percer ce couvercle (avec un clou et un marteau) comme une passoire. Vous pouvez ainsi faire 3 germoirs qui alimenteront tous vos repas en graines germées fraîches.
– *Premier jour*: Mettre dans le bocal, 3 à 4 cuillers à soupe de graines (soja, pois chiches, petits pois). Ajouter le double de volume d'eau tiède (surtout par temps froid). Rincer et renouveler l'eau matin et soir.
– *Deuxième jour*: Renouveler l'eau du premier bocal. Mettre d'autres graines dans le deuxième bocal (blé, orge, lin), en suivant les indications du premier jour.
– *Troisième jour*: Vider l'eau du premier bocal, le coucher dans un endroit chaud et obscur (sinon couvrir d'un torchon). Rincer et renouveler l'eau du second bocal (matin et soir). Mettre d'autres graines dans le troisième bocal (cresson, moutarde, radis noir, alfalfa, fénugrec).
– *Quatrième jour*: Les graines du premier bocal ont un germe d'un centimètre au moins, elles sont consommables (le supplément est à conserver au réfrigérateur).

Continuer le processus pour les deuxième et troisième bocaux. Remettre des graines dans le premier bocal, ainsi votre rotation sera complète.

2° Comment assaisonner ?

Quelles huiles ?... et le beurre ?... et les margarines ?

Il y a deux grands types d'huile selon le procédé de fabrication :
– les huiles de fruits obtenues par pression à froid des fruits mûrs juste après la récolte : huile d'olive,
– les huiles de graines obtenues par broyage : soja, palme, colza, tournesol, maïs, pépins de raisin…

• **L'huile d'olive** dite « vierge », première pression à froid (n'ayant pas subi de raffinage, qui peut être extra-fine, semi-fine ou courante) contient :
– beaucoup d'acide oléique : 75 à 80 % (c'est le chef de file des acides gras monoinsaturés). L'huile d'olive avec l'acide oléique a une action optimale sur la répartition des lipides dans le sang et contre le risque de maladies cardio-vasculaires (réduction de l'athérome) ;
– peu d'acides gras saturés : 11 à 15 %, principalement l'acide palmitique ;

– de la vitamine F (6 à 10 % d'acide linéoléique) en quantité suffisante pour couvrir les besoins de l'organisme. Ce sont les acides gras polyinsaturés[17] essentiels ;
– des phospholipides ;
– des oligo-éléments.

L'huile d'olive apporte beaucoup de vitamine E : 8 à 11 mg d'alphatocophérol pour 100 g, particulièrement important pour les femmes enceintes ou qui allaitent (dont les besoins sont accrus) et pour les sujets âgés. Son profil lipidique répond exactement aux standards nutritionnels d'aujourd'hui qui préconisent une répartition plus juste des trois types d'acides gras : *saturés* 1/4 + *polyinsaturés* 1/4 + *mono-insaturés* 1/2. Son point de fumée est élevé (210 °C), d'où sa meilleure résistance à la chaleur par rapport aux autres huiles végétales ou graisses végétales. C'est la seule huile produite naturellement, sans extraction chimique ni solvant.

Les pays qui consomment presque exclusivement de l'huile d'olive ont un taux très faible de maladies coronariennes. L'huile d'olive (consommée en petite quantité le matin au petit déjeuner) favorise la contraction de la vésicule biliaire et sa vidange douce et prolongée.

• **L'huile de noix**, en raison de son goût très spécifique, est généralement consommée vierge. Elle est très riche en acides gras essentiels. Elle est très sensible à l'oxydation et rancit facilement.
• **Les huiles de tournesol, soja, pépins de raisin, maïs**, contiennent un taux élevé d'acides gras polysinsaturés, en particulier : arachidonique demi-essentiel, linoléique[18] et alpha-linolénique, qui sont les trois acides gras considérés comme essentiels.

---

17. On les appelle aussi vitamine F. Les acides gras polyinsaturés ou essentiels exercent une action vitaminique sur la santé de la peau et la croissance des organismes jeunes.

18. L'acide linoléique – principal acide gras polyinsaturé – a un effet hypocholestérolémiant et hypo-agrégant, c'est-à-dire qu'il diminue le risque d'agrégation des plaquettes. Il réduit donc l'hypercoagulation ou le risque de thrombose ou obstruction des vaisseaux. De même, l'acide linoléique en étant un précurseur des prostaglandines a un rôle dynamique à différents niveaux : il épargne l'insuline, donc soulage le pancréas, augmente la contractilité du muscle cardiaque et a ainsi un effet de normalisation de la tension artérielle. De plus, l'acide linoléique préviendrait le cancer cutané chez les souris…

Un régime pauvre en graisses animales, mais comportant un apport quotidien d'huile d'olive, réduit de façon significative la fréquence des rechutes après 5 ans de surveillance de maladies cardiaques aiguës et réduit aussi la mortalité par infarctus du myocarde.

La dénaturation des huiles par la chaleur provoque la disparition partielle des acides gras essentiels et l'apparition de produits qui ne peuvent pas être assimilés. Le point de fumée de l'huile est toujours supérieur à 140 °C et inférieur à 200 °C, mais la fumée doit être très légère. Une cuisson au four altère autant l'huile que 20 fritures à 220 °C.

Les huiles utilisées pour les fritures[19] (arachide et tournesol, et plus rarement de maïs et de palme) contiennent un taux modéré d'acides gras polyinsaturés. **Les huiles ayant un taux d'acides gras essentiels élevé ne doivent pas être chauffées.**

Tableau 33. – Composition en acides gras essentiels et non essentiels des différentes huiles et du beurre (pour 100 g)

Acides gras Différents types d'huile	Acides gras polyinsaturés (dont les essentiels)	Acides gras saturés
Pépins de raisin	68,37 g	10,75 g
Tournesol	65,57 g	9,33 g
Soja	57,51 g	15,00 g
Maïs	52,00 g	16,00 g
Colza	36,00 g	
Arachide	18,55 g	16,95 g
Palme	10,00 g	50,00 g
Olive	9,28 g	16,78 g
Beurre	2,60 g	45,10 g
Beurre d'arachide	12,50 g	12,50 g

19. La température maximale des thermostats des friteuses électriques ne devrait pas dépasser 180 °C. Au-delà de 220 °C, des composés anormaux peuvent se former surtout avec des huiles riches en acides gras essentiels.

Tableau 34. – Composition en acides gras saturés, monoinsaturés et polyinsaturés des graisses alimentaires usuelles[20]

Aliments	Acides gras en % des acides gras totaux		
	Saturés	Monoinsaturés	Polyinsaturés
Huiles			
Arachide	21	60	19
Colza	8	56,4	34
Maïs	14	29,4	56,6
Olive	14	79	6
Soja	14,7	24,3	61
Tournesol	12	27	61
Beurre	54	23	4
Graisses animales			
Poulet	35	43	22
Porc	44	48	8
Bœuf	55	42	3

Tableau 35. – Composition en acides gras essentiels[21]

Types d'huile	Acide linoléique	Acide linolénique
Pépins de raisin	68,37	0
Tournesol	65,67	0
Maïs	61,2	0,9
Noix	60	15
Soja	50,8	6,76
Colza	22,2	8,1
Olive	8,75	0,53

La firme Lesieur a créé « Équilibre 4 » contenant un mélange associant 4 huiles végétales aux performances complémentaires : huile d'oléisol (nouveau tournesol), de tournesol, de soja, de carthame... Elle représente un apport de 900 calories/100 g et de 86 UI de vitamine E pour 100 g.

20. Nouveau : pour les huiles de poisson (voir p. 238).

21. La vitamine F fait parler abondamment d'elle sans pour autant figurer dans les traités de vitaminologie. Elle est représentée par les acides gras essentiels ; elle est nécessaire aux fonctions des spermatozoïdes et à la synthèse des prostaglandines.

Le lait maternel, comme celui de tous les mammifères, contient 1 à 2 % d'acide linoléique. Il a donc été nécessaire d'enrichir en acide linolénique les laits en poudre des nourrissons.

L'acide linoléique est le principal acide gras polyinsaturé, surtout présent dans les huiles de pépins de raisin, de tournesol et de maïs. *L'acide linolénique* est surtout présent dans l'huile de colza, de soja ou de noix.

Seule l'huile de colza (sans acide érucique) apporte de l'acide alpha-linoléique en quantité convenable, et une plus faible quantité d'acides gras saturés. Comme l'huile de soja, elle s'utilise pour les salades.

Et le steak-frites ? Qu'en penser ?

Le mieux est de l'éviter : sauf si c'est un steak de cheval et si les frites ont été faites avec de l'huile de tournesol ou d'arachide en petite quantité, et non réutilisée plusieurs fois **(pas plus de 10 fritures avec le même bain d'huile)**.

Pour la pâtisserie, utiliser de préférence une huile végétale qui sera peu chauffée : l'huile d'olive reste idéale...

• Le beurre[22]

Manger du beurre n'est pas indispensable, mais utile en quantité raisonnable. Corps gras d'origine animale, obtenu par barattage de la crème du lait, il apporte une quantité notable de vitamine A (utile pour la vision, la protection de la peau, la sécrétion des hormones, la résistance générale de l'organisme).

Le beurre est très digeste à condition d'être consommé cru. La cuisson lui retire ses vertus digestives et une grande partie de sa vitamine A. Ne pas consommer plus de 10 à 15 g de beurre par jour.

22. Pour faire 1 kg de beurre, il faut la crème de 22 litres de lait. Pour faire 1 camembert, il faut 2 litres de lait. Pour faire 1 kg de gruyère, il faut 10 litres de lait. Pour faire 8 yaourts, il faut 1 litre de lait.

Tableau 36. – Schématiquement, le beurre se compose de :

Éléments	Quantité pour 100 g	Éléments	Quantité pour 100 g
Lipides	82 g	Calcium	15 mg
Cholestérol	280 mg	Magnésium	1 mg
Protides	600 mg	Fer	0,2 mg
Glucides	600 mg	Phosphore	60 mg
Eau	15,5 g	Vitamine A	2000 à 5000 UI
Sodium	22 mg	Vitamine D	20 à 120 UI
Potassium	14 mg	Vitamine E	1,5 mg

Le consommateur a le choix entre 3 types de beurre[23] :
– le beurre fermier : fabriqué à partir de crème crue à la ferme,
– le beurre laitier : fabriqué en laiterie à partir de lait cru ou pasteurisé,
– le beurre pasteurisé : le plus courant, fabriqué dans les usines agréées et dont la production est soumise à un contrôle permanent.

Les beurres « allégés » basses calories, à base de crème, de caséine, d'huiles végétales, ont le goût et la consistance du beurre, mais avec deux fois moins de matières grasses : 41 %. Ils ne s'utilisent que crus en tartine. Pour le Pr Fossati, président de la Société de nutrition et diététique de langue française, les beurres sans cholestérol n'ont aucun intérêt nutritionnel.

C'est une erreur alimentaire d'interdire le beurre, car c'est la source non négligeable d'acide alpha-linolénique, qui est un acide gras essentiel comme l'acide linoléique, et de vitamine A.

• **La crème**

C'est le moins gras des corps gras. Elle est facile à digérer, elle contient au moins 30 % de matières grasses, entre 15 et 30 % pour la crème légère.

• **Les margarines**[24]

Elles apportent 750 calories pour 100 g. Ce sont des produits hautement technologiques. Les margarines sont plus légères en calories

23. Il peut exister dans le beurre des produits antioxydants pour retarder le rancissement. Cependant un beurre qui rancit est un bon beurre.

24. La margarine fut inventée grâce à Napoléon III qui avait lancé un concours destiné à découvrir un produit qui remplace le beurre, mais qui soit moins cher ! Mège-Mouriès découvrit ce produit ; il l'appela margarine, qui signifie « comme la perle ».

parce qu'elles contiennent jusqu'à 50 % d'eau. Ce sont des émulsions constituées de 82 % d'huile (huile de palme et huile de tournesol, de coprah, de poisson, de colza, de maïs, de saindoux...), d'eau, de lait écrémé et de quelques additifs.

Les margarines standard « de cuisson » sont mixtes (végétale et animale), ou uniquement végétales. Elles contiennent 7 à 14 % d'acide linoléique[25]. Elles peuvent supporter la plupart des cuissons et s'utiliser en pâtisserie en remplacement du beurre. Elles sont moins riches en vitamines A et D que le beurre cru, elles contiennent cependant de la vitamine E. Normalement une réglementation interdit les colorants. Seule l'huile de palme, riche en carotène, est employée et lui donne une teinte dorée.

Arôme et parfum chimiques sont interdits.

Un pot de margarine non entamé peut se conserver 5 à 6 mois au réfrigérateur, 2 mois une fois entamé.

Les margarines sont rarement exemptes de substances chimiques telles que des agents de désodorisation, de décoloration, de filtration, des arômes, des antioxydants...

Les végétariens peuvent indifféremment consommer du beurre ou de la margarine.

Quelques précisions sur la fabrication des margarines :

1. Les graines oléagineuses sont battues, décortiquées, moulues et floconnées afin que les matières grasses qu'elles contiennent entrent bien en contact avec le solvant qui va permettre de les extraire. Ce solvant est en général l'hexane, un dérivé du pétrole bon marché qui, en outre, présente l'avantage de pouvoir être presque entièrement récupéré après l'extraction. On obtient alors de l'huile brute. Comme celle-là contient un certain nombre de substances indésirables (phospholipides, mucilages...), après l'extraction a lieu le dégommage.

2. Cette deuxième opération consiste à chauffer l'huile brute avec de l'eau et parfois de l'acide phosphorique. Les substances à éliminer s'hydratent et il est alors facile de les éliminer par centrifugation.

3. Le raffinage supprime les acides gras « libres » responsables du rancissement. On ajoute à l'huile un mélange de soude et de carbonate de sodium, et on brasse le tout. Une fois la réaction chimique obtenue, on procède à nouveau par centrifugation.

---

25. Seules les margarines de consistance molle correspondent aux critères de richesse en vitamine F, riches en acide gras polyinsaturés.

À ce stade, les huiles obtenues peuvent encore être considérées comme naturelles. Mais elles sont fortement colorées (de jaune foncé à brun) et présentent une saveur peu discrète, aussi est-il nécessaire de les décolorer et de les désodoriser : deux opérations assez brutales. Durant la première, l'huile est mise au contact d'une substance absorbante (argile, terre glaise, charbon) souvent traitée avec de l'acide sulfurique ou chlorhydrique. Durant la seconde, l'huile est chauffée à plus de 200 °C pendant trente à soixante minutes, ce qui a pour effet de réduire presque à néant l'activité de la vitamine E présente dans l'huile d'origine (elle sera rajoutée artificiellement dans le produit final).

4. Enfin, pour clore le processus, reste une toute dernière étape : l'hydrogénation partielle qui donne aux graisses végétales des propriétés physico-chimiques adaptées aux besoins de l'industrie alimentaire (excellente durée de conservation notamment). La réaction chimique se fait à nouveau à haute température (de 120 °C à 210 °C) en présence d'hydrogène sous pression contrôlée et d'un catalyseur (généralement le nickel).

Ce sont les acides gras « trans » qui sont dangereux dans les margarines et graisses pour fritures solidifiées par hydrogénation. Le Dr Scott Grundy, expert en cholestérol du Centre mondial de l'université du Texas à Dallas, a souligné que certaines margarines peuvent avoir un effet aussi fâcheux que le beurre en augmentant la proportion de cholestérol LDL qui favorise le dépôt des graisses sur les artères, et en abaissant le taux de cholestérol HDL qui a un rôle protecteur. Sous l'effet de l'hydrogénation, les acides gras non saturés devenus « trans » se comporteraient comme des acides gras saturés et auraient même un pire effet en déséquilibrant le rapport LDL-HDL dans un sens plus néfaste que les graisses saturées.

3° La viande : pas plus de 2 à 3 fois par semaine

« Les Américains et les Européens consacrent 40 % de leur budget alimentation à la viande. Une réduction de 50 % de la consommation de viande permettrait d'économiser, pour 4 personnes, 1 525 euros/an... »

Nous mangeons trop de viande.

La consommation de viandes (toutes les viandes ainsi que les volailles, lapins, abats) a doublé ces cinquante dernières années : elle était de 47 kg par an et par personne en 1936 ; elle était, en 1985, de 110 kg par personne.

Il s'agit en particulier de la viande de bœuf. Sa consommation est en relation significative avec la fréquence du cancer du côlon et du rectum. Plus le pouvoir d'achat est élevé, plus les consommateurs préfèrent les morceaux « tendres », les morceaux « maigres » (filet, tranche de bifteck...) qui, contrairement à une opinion bien établie, sont très riches en lipides.

Les Français consomment en moyenne 200 à 300 g de viande par jour.

Un bifteck de 300 g à 20 % de M.G. apporte 60 g de lipides. 120 g de beurre apportent 100 g de lipides.

Nous mangeons trop de graisses animales[26] apportées d'abord sous forme de viande, riche en graisses, mais aussi sous forme de beurre. En 1972, la consommation annuelle de beurre par personne était en moyenne de 14 kg dans l'Ouest, 15 kg dans le Nord, 5 kg dans la région méditerranéenne et 4,8 kg dans le Sud-Ouest.

Les Français sont les plus gros consommateurs de viande d'Europe : 110 kg par personne et par an. Le 1/5 est de la viande de porc. Depuis 1963, nous consommons en moyenne 50 000 tonnes de plus par an. Ainsi, 200 000 tonnes sont importées chaque année surtout de Belgique et de Hollande.

La viande de porc est celle qui convient à un monde pressé, et à une civilisation de loisirs ; 85 % de la production est vendue sous forme de produits fabriqués prêts à manger.

Les achats de viande représentent plus du tiers des dépenses totales des ménages ; dans les collectivités scolaires et universitaires, ils constituent 40 à 42 % des dépenses alimentaires.

Tableau 37. – Consommation de viande en France (toutes viandes réunies)

1840	20 kg par personne et par an, soit 55 g par jour
1900	38 kg par personne et par an, soit 104 g par jour
1930	45 kg par personne et par an, soit 120 g par jour
1960	80 kg par personne et par an, soit 220 g par jour
1975	90 kg par personne et par an, soit 250 g par jour
1985	110 kg par personne et par an, soit 300 g par jour

26. Il faut réduire cette prise de graisses et la remplacer partiellement par les huiles végétales contenant peu d'acides gras saturés.

Consommation de viande par personne et par jour :
- France : 200-300 g
- Afrique : 28 g
- Bangla-Desh : 10 g

La consommation de calories provenant des graisses est passée de 22 à 43 % correspondant à une augmentation de la consommation des graisses saturées.

Les graisses animales contiennent peu d'acides gras polyinsaturés, mais surtout des acides gras saturés qui sont responsables de l'artériosclérose et du vieillissement vasculaire.

Tableau 38. – Graisses animales[27] pour 100 g d'aliment comestible

	Acides gras polyinsaturés (dont les essentiels)	Acides gras saturés
Lard	10,71 g	25,79 g
Graisse de poule	17,63 g	32,05 g
Saindoux	8,39 g	35,16 g
Beurre	2,03 g	51,33 g

Les viandes tendres apportent les 4/5 de la ration quotidienne dans les pays riches.

Un homme de 70 ans, disposant de bons moyens d'existence, consomme au cours de sa vie 3 bœufs, 5 veaux, 3 porcs et 15 moutons, soit près de 5000 kg d'animaux ! C'est ce rythme français qu'il faut réduire.

27. Les principales graisses végétales contenant des acides gras essentiels (voir tableaux 33, 34, 35, p. 289-290).

Tableau 39. – Comparons les différentes viandes : bœuf, cheval, mouton, porc

Boeuf[28]	**Cheval**
Viande la plus recherchée. Prix le plus élevé. Consommation française (1980) : 26,4 kg carcasse/habitant/an.	Viande tendre à apport lipidique très faible, doit être consommée très fraîche. Consommation française (1980) : 1,7 kg carcasse/habitant/an.
• *Morceaux 1re catégorie* : cuisson rapide, grillés ou rôtis, muscles tendres, filet, faux-filet, rumsteck, entrecôte.	• *Morceaux 1re catégorie* : filet, faux-filet, entrecôte, bavette, macreuse. Peut être consommée crue en steak tartare.
• *Morceaux 2e catégorie* : cuisson lente à petit feu et couvert, braisés, viande riche en tissu conjonctif et en graisse : jumeau, macreuse, bourguignon, plat de côtes…	• *Morceaux 2e catégorie* : après dégraissage et parage sous forme de viande hachée ; préparation bourguignonne et pot-au-feu.
• *Morceaux 3e catégorie* : cuisson prolongée, bouillis, très riches en tissu conjonctif et en graisse : flanchet, gîte, collier. La longue cuisson dans l'eau provoque une gélification partielle du collagène.	Pas de viande crue chez la femme enceinte du fait du risque même faible de toxoplasmose. Hachage de la viande seulement au moment de la vente pour le steak tartare.
• *Composition pour 100 g* :	• *Composition pour 100 g* :
Protides .... 17-20 g	Protides .... 21 g
Lipides .... 10-25 g	Lipides .... 2 g
(dont seul 0,2 à 0,5 g d'A.G.E.[29])	(dont 0,39 g d'A.G.E.[29])
Glucides .... 0,5 g	Glucides .... 1 g
Calories 210	Calories 110
Potassium .... 300 mg	Potassium .... 160 mg
Sodium .... 70 mg	Sodium .... 21 mg
Phosphore .... 200 mg	Phosphore .... 175 mg
Magnésium .... 20 mg	Magnésium .... 23 mg
Calcium .... 10 mg	Calcium .... 12 mg
Fer .... 3 mg	Fer .... 4,5 mg
Cholestérol .... 67 mg	Cholestérol .... 78 mg
Acide urique .... 110 mg	Acide urique .... –
La vitamine C (1 mg) est détruite par la cuisson.	Vitamine C .... 1 mg

28. D'où vient le mot « hamburger » ? Sur les navires reliant Hambourg aux USA, à la fin du XIXe siècle, le steak de bœuf haché était le plat servi le plus couramment.

29. A.G.E. : Acides Gras Essentiels.

Mouton	**Porc**[30]
Viande mi-grasse à chair rouge.	Viande à chair blanche ou rosée, dont la digestibilité dépend de la richesse en graisse.
Consommation française (1980) : 4,1 kg carcasse/habitant/an.	Consommation française (1980) : 35,7 kg carcasse/habitant/an. Il est déconseillé de consommer cette viande crue, du fait du risque de transmission parasitaire : taenia ou trichinose.
• *Morceaux 1re catégorie* : cuisson rapide, grillés ou rôtis, gigot, filet, côtelette du filet.	• *Morceaux 1re catégorie* : grillés ou rôtis, leur cuisson doit être assez longue : filet, côtelette.
• *Morceaux 2e catégorie* : haut de côte, épaule, braisés, sautés. Les matières grasses utilisées pour la cuisson ne doivent pas être omises pour le calcul calorique.	• *Morceaux 2e catégorie* : échine, côtelette entrelardée.
• *Morceaux 3e catégorie* : cuisson longue du fait de leur richesse en trame conjonctive : ragoût, collier, poitrine.	• *Morceaux 3e catégorie* : gorge, poitrine, pieds, ils servent dans les ragoûts. C'est la viande la moins chère.
• *Composition pour 100 g* : Protides .... 15-18 g Lipides .... 20 g (dont seul 0,5 à 2 g d'A.G.E.[30]) Glucides .... 0,5 g Calories .... 250 Potassium .... 0,5 g Sodium .... 0,5 g Phosphore .... 0,5 g Magnésium .... 0,5 g Calcium .... 0,5 g Fer .... 2,5 mg Cholestérol .... 77 mg Acide urique .... 80 mg Vitamine C .... 1 mg	• *Composition pour 100 g* : Protides .... 15-17 g Lipides .... 25-27 g (dont 1,5-3,8 g d'A.G.E.) Glucides .... < 0,5 Calories .... 300-350 Potassium .... 300 mg Sodium .... 60 mg Phosphore .... 200 mg Magnésium .... 20 mg Calcium .... 10 mg Fer .... 2,5 mg Cholestérol .... 60 mg Acide urique .... 125 mg Vitamine C .... 0 mg

30. La viande de porc pourrait contenir un facteur facilitant la toxicité hépatique de l'alcool… Le *Lancet*, 1985, 681-682, a publié une corrélation entre consommation de viande de porc et cirrhose du foie.

En France, la consommation de viande de volailles – surtout celle du poulet – a doublé de 1950 à 1970, passant de 6 kg à 12 kg par personne et par an. En 1985, la consommation de poulet se situait aux environs de 15 kg par personne et par an.

La viande de dinde, autrefois consommée lors des fêtes de fin d'année, se place en compétition avec celle de veau. La dinde est rarement présentée entière, on la prépare industriellement : rôtis, escalopes, paupiettes, et même saucisson…

Choisissez les viandes maigres : poulet, lapin, dinde, foie.

Toutes les viandes contiennent 20 g de protéines pour 100 g d'aliment comestible. Elles se différencient par leur teneur en graisses.

– Les viandes grasses contiennent 20 à 30 g de graisses pour 100 g de viande.
– Les viandes maigres contiennent 2 à 10 g de graisses pour 100 g de viande.
– Les viandes intermédiaires contiennent 10 à 20 g de graisses pour 100 g de viande.

Quelle viande choisir ? Les moins grasses :

– volailles[31] ; veau ; cheval. Donc, éviter le porc, le bœuf et le mouton (voir tableau 39, p. 297).

Quelques conseils de cuisson :

– Rôtir les viandes au four en les arrosant de bouillon ou de vin plutôt que de matières grasses.
– Cuisiner, la veille, les ragoûts, viandes bouillies ou autres plats en sauce. Au réfrigérateur le gras durcit et peut être enlevé facilement.
– Pour les cuissons, utiliser le moins possible les huiles et margarines.

---

31. Les graisses du foie gras de canard ou d'oie sont excellentes pour la santé, consommées avec modération. Elles ont une composition qui les rapproche beaucoup de l'huile d'olive (riche en acide oléique) ; elles sont donc sources de bon cholestérol. Selon le Dr S. Renaud, épidémiologiste à l'INSERM, la consommation de graisses de canard et d'oie par habitant du Périgord est 2 fois supérieure à la moyenne française et 50 fois supérieure à la moyenne américaine. Sur 100000 personnes d'âge moyen, 315 Américains meurent chaque année de problèmes cardiaques, contre 145 Français, et seulement 80 Périgourdins.

Tableau 40. – Teneur en grammes de lipides pour 100 g

Agneau	côtelette crue gigot cru cœur cuit foie cuit cervelle foie cru	30,4 16,2 14,4 12,4 8,6 3,9
Bœuf	langue crue entrecôte faux-filet foie de génisse cœur tripes	15,0 10,6 7,4 3,7 3,6 2,0
Cheval	steak	2,0
Chevreau	gigot cuit	9,4
Lapin	cuit	10,0
Mouton	épaule cuite gigot cuit côtelette cuite côtelette cuite	25,0 17,0 17,0 24,2
Porc	rôti cuit lard maigre (petit salé) rognons	22,6 15,0 6,1
Veau[32]	veau gras cuit rognon de veau foie de veau ris de veau veau cuit	12,8 6,0 5,0 4,0 2,4

« On devient cuisinier, mais on naît rôtisseur. »

Brillat-Savarin.

Le jambon dégraissé est préférable aux saucisses et saucissons.

---

32. Le veau « fermier » contient moins d'eau (18 % de pertes de jus à la cuisson) que le veau industriel (32 % de pertes de jus à la cuisson). La viande traitée aux hormones perd beaucoup d'eau. Si la viande d'élevage industriel est moins chère au kilo, elle perd à la cuisson 30 à 50 % de son poids selon la dose d'hormones utilisées. Avec 1 kilo de viande, le client perd au moment de la cuisson entre 3,80 et 6,10 euros… L'escalope de veau « industrielle » nage dans l'eau au fond de la poêle. C'est une viande qui est plus dure que la viande fermière ; surtout, c'est une viande qui n'a plus de goût… « Malgré les interdictions d'utilisation, la production de veau aux hormones continue – Les anabolisants sont toujours discrètement utilisés dans la plupart des élevages… » (*Le Figaro* du 1er juin 1988.)

Tableau 41. – Si nous mangeons de la viande tous les jours !

– un steak de 150 g au gril* = protides : 100 cal lipides : 180 cal
– un sandwich au jambon-beurre arrosé d'un demi de bière ....480 cal
– une tranche de jambon de 50 g ....150 cal
– deux saucisses de Strasbourg ....260 cal
– deux tranches de saucisson pur porc ....60 cal

*S'il est poêlé à l'huile et garni de sauce béarnaise, le steak apporte au total 360 calories, et les frites (200 g) représentent 1 000 calories.

Manger de la viande tous les jours est une erreur alimentaire, même pendant la croissance. Les viandes apportent trop de graisses.

Les viandes sont dangereuses par leurs graisses cuites qui apportent trop d'acides gras saturés responsables en partie de l'artériosclérose. Il faut remplacer les viandes rouges par les poissons et fruits de mer, les céréales, les légumes frais et secs, et les fruits.

Une côtelette cuite au charbon de bois délivre en goudrons cancérogènes l'équivalent de 1 000 cigarettes normales !

Choisissez les viandes qui apportent le moins de graisses.

Toutes les charcuteries apportent une grande quantité de graisses. Choisissez celles qui en apportent le moins.

Tableau 42. – Quelques exemples, pour 100 g d'aliments consommables en grammes de lipides :

Charcuteries[33]			
Rillettes	57,0	Jambon fumé	35
Saucisson d'Arles	51,0	Jambon cru	30
Foie gras	45,0	Saucisse bœuf et porc	30
Saucisse pur porc	44,2	Boudin grillé	28
Pâté de campagne	37,3	Mortadelle	25
Boudin cuit	36,9	Andouillette	25
Pâté de porc	35,0	Jambon cuit	22
Pâté de volaille	35,0	Saucisse de Strasbourg	15
Salami	35,0	Saucisse de Francfort	15

33. Les charcutiers d'autrefois étaient appelés « charcuitiers », le mot provenant de « chair cuite » : grands maîtres en art de cuire, sécher, saler, fumer, confire et même fermenter.

4° Le poisson : une, ou mieux, deux à trois fois par semaine

Les poissons sont riches en protéines d'excellente qualité, pauvres en matières grasses, très digestibles.

La sardine fraîche a un taux élevé en acides gras essentiels (20 à 30 % d'acides gras polyinsaturés de la famille oméga-3). 150 g de sardines couvrent 100 % des besoins protéiques quotidiens, et les besoins en vitamines D et E.

La chair du poisson contient autant de protéines (20 g pour 100 g) que les viandes ; mais les poissons gras sont plus maigres que les viandes maigres. De plus les poissons apportent une quantité importante d'iode, de vitamines du groupe B et de vitamines E et F.

La consommation du poisson en France a peu augmenté de 1960 à 1975 ; elle est passée de 11 kg à 12,5 kg par personne et par an. L'augmentation porte uniquement sur les conserves et les surgelés.

Tableau 43. – Composition en grammes de lipides pour 100 g d'aliments consommables : poissons et crustacés

Aliment	Lipides	Aliment	Lipides
Anguille	8-20	Colin	2
Hareng fumé salé	13	Clovisses	1,9
Thon	13	Huîtres	1,8
Maquereau en conserve	12,7	Goujon	1,5
Sardine à l'huile	11,6	Moules	1,4
Sardine sauce tomate	10	Bar	1,2
Anchois en conserve	9,3	Daurade	1-3,5
Baudroie	8	Lieu noir cuit	0,9
Maquereau	6,9-11	Saint-Pierre	0,9
Rouget	6-8	Crevettes	0,8
Turbot	5,3	Escargots	0,8
Cabillaud cuit	4	Merlan	0,6
Perche	3	Coquille Saint-Jacques	0,5
Truite, carpe	2	Grenouilles	0,3

Les Esquimaux consomment beaucoup de lipides qui représentent 60 % de leur ration calorique quotidienne contre 40 % en Europe ou aux USA. Or ces populations font peu de maladies coronariennes. Leur alimentation est à base d'animaux marins (phoques) et surtout de poissons.

La répartition des lipides du poisson est très différente de celle des animaux de boucherie... Il n'y a pas de graisse de couverture ; en général, les lipides sont diffus dans tout le tissu musculaire.

Tableau 44. – Contenu lipidique pour 100 g

Principaux poissons		Contenu lipidique en g
Poissons gras, de plus en plus gras	Maquereau	11,0
	Thon	13,0
	Saumon frais	13,6
	Hareng	14,9
	Anguille	19,6
Poissons semi-gras, de plus en plus gras	Sardine	5,1
	Mulet	6,7
	Rouget	7,8
	Anchois	9,0
	Saumon fumé	9,0
Poissons maigres, de moins en moins maigres	Merlan	0,6
	Brochet	0,7
	Roussette (petit requin)	0,8
	Saint-Pierre	0,9
	Raie	0,9
	Baudroie	1,0
	Perche	1,5
	Sole	1,7
	Truite	2,4
	Merlu	2,6
	Daurade	3,5

L'huile de poisson aurait un effet favorable sur l'obésité. Les acides gras polyinsaturés de la série n-3 surtout contenus dans l'huile de poisson ont un effet hypolipémiant. La consommation quotidienne d'huile de poisson abaisse d'environ 40 % la concentration de triglycéride et de 10 à 15 % celle de cholestérol dans le sang. Expérimentalement chez le rat, les dépôts adipeux abdominaux sont réduits d'un facteur 5 dans le groupe recevant 40 % d'acides gras de la série n-3 et d'un facteur 2,5 dans celui avec 20 % d'acides gras n-3.

La teneur en cholestérol de la chair des poissons est inférieure à celle des viandes: 20 à 70 mg/100 g de poisson contre 70 à 75 mg/100 g de viande.

La consommation en graisses saturées des Esquimaux correspond à 50 % de celle des autres populations. Les mêmes observations ont été faites sur les populations japonaises de l'île d'Okinawa, qui consomment plus de 100 g de poisson par jour.

Les acides gras de la famille de l'acide linolénique, l'acide alpha-linolénique (qui est essentiel), l'acide eicosapentaénoïque (EPA) et l'acide docosahexaénoïque (DHA) sont retrouvés en assez forte concentration dans les poissons gras (saumon, maquereau, hareng).

Les acides EPA et DHA sont apportés par les animaux marins, surtout poissons et coquillages. Le saumon contient 9 % d'EPA et 8 % de DHA. Les huiles végétales sont dépourvues de ces acides.

Ainsi, la consommation de poisson, une à plusieurs fois par semaine, est très souhaitable surtout si elle remplace les viandes qui sont riches en graisses saturées.

La production mondiale des pêches est de 76,5 millions de tonnes: 67,5 d'origine marine, et 8,9 d'origine d'eau douce.

Tableau 45. – Consommation en poissons et fruits de mer par habitant en kg/an (1983)

Poissons de mer et d'eau douce	
Frais ou congelés	7,0
Salés	0,2
Fumés	0,2
Crustacés	
Frais ou congelés	1,0
En conserve	0,2
Coquillages	
Frais ou congelés	0,1
Calmars, seiches, poulpes	
Frais ou congelés...	0,2
Escargots	
Frais ou congelés	0,1

Deux produits nouveaux sont apparus dans l'alimentation:
– les concentrés d'huile de poisson,
– l'huile de saumon pure, naturelle.

Les huiles de poisson se détériorent au contact de l'air ; elles sont actuellement présentées en capsules, donc sous forme de médicaments…

Tableau 46. – Teneur en acides gras EPA et DHA de certains poissons

Poissons[34]	EPA[35]	DHA[35]	Total
Maquereau de l'Atlantique	900	1 600	2 500 mg
Hareng de l'Atlantique	700	900	1 600 mg
« Bluefish » 36	400	800	1 200 mg
Saumon de l'Atlantique	300	900	1 200 mg
Thon	100	400	500 mg
Morue de l'Atlantique	100	200	300 mg
Crevette	200	100	300 mg
Limande	100	100	200 mg
Aiglefin	100	100	200 mg
Espadon	100	100	200 mg

5° Les laitages, œufs et fromages

Les laits et fromages constituent la principale source alimentaire de calcium. La plupart d'entre eux apportent plus de calcium que de phosphore. Les laitages sont une source modeste de magnésium et d'oligoéléments. Les produits laitiers sont également d'importantes sources de protéines d'excellente qualité, riches en acides aminés essentiels, notamment en lysine. Les glucides du lait sont quasi exclusivement représentés par le lactose et le galactose qui résultent de l'hydrolyse du lactose. Les matières grasses des laitages apportent des quantités appréciables de vitamine A et de faibles quantités de vitamines D et E. Le lait est riche en riboflavine (vitamine B2) et en vitamine B12. Il est aussi intéressant par ses teneurs en thiamine (vitamine B1), en acide pantothénique (vitamine PP) et même, aussitôt après la traite, en vitamine C (taux qui disparaît ensuite lors des traitements du lait).

---

34. Voir liste plus complète dans : F.N. Hepburn et coll., J. Am. Diet. Assoc. 86 : 788, juin 1986.

35. Quantité approximative en mg pour une portion de 100 g de poisson cru.

36. Poisson très abondant dans les eaux américaines.

« Le lait maternel contient 3 fois moins de calcium que le lait de vache. C'est le premier et le meilleur aliment du Bébé pour ses 6 premiers mois. Dès que la dentition est en place, les meilleurs produits laitiers ne sont pas les yaourts qui ne se mastiquent pas mais les fromages à pâte dure. La mastication est indispensable pour une fabrication de salive suffisante à la première phase de la digestion dans la bouche. »

Mieux vaut du lait pasteurisé demi-écrémé que du lait stérilisé (110 à 130 °C) ou que du lait stérilisé à ultra-haute température (U.H.T.).
– 500 ml de lait écrémé = 5 x 60 calories = 300 calories.
– 500 ml de lait entier = 5 x 230 calories = 1 150 calories.

Pour boire, ou pour la préparation des mets sucrés (desserts) ou salés (béchamel), il faut utiliser du lait écrémé ou demi-écrémé. Celui-ci est obtenu en laissant reposer le lait cru durant la nuit à une température fraîche (pas au réfrigérateur) et en enlevant la crème qui surnage le lendemain matin.

L'usage du lait nature a diminué, mais la consommation des laitages sous forme de yaourts et crèmes a augmenté. La consommation de **yaourts** a fortement progressé depuis 20 ans. Elle est multipliée par 10. En 1981, elle atteignait 10,3 kg par habitant en France ; en 1986, elle est de 12,7 kg par habitant. Beaucoup d'enfants en mangent au moins un par jour. Chez l'adulte, il n'a pas été prouvé que la consommation de yaourts diminuait la fréquence des cancers du sein.

Tous les enfants qui mangent du yaourt tous les jours, en y ajoutant trop de sucre, ont un très grand nombre de caries dentaires, tandis que 50 % de ceux qui mangent du fromage tous les jours ont tous les dents saines.

C'est Metchnikoff[37] qui diffusa des idées fausses. Il avait entendu dire que la Bulgarie comptait plus de 1 000 centenaires par million d'habitants. Ces paysans mangeaient une forme particulière de lait caillé appelé yaourt, préparé à l'aide d'une culture vivante d'acide lactique formant des bacilles neutralisant une partie des fonctions microbiennes

37. Prix Nobel de médecine en 1908.

de l'intestin. À l'appui de cette théorie intestinale du vieillissement, la durée de vie très longue des animaux dépourvus d'intestin : perroquets, aigles, tortues…

Metchnikoff mangea des yaourts pendant 18 ans et mourut à l'âge respectable de 71 ans…

Le yaourt frais traditionnel possède des qualités que n'a pas le yaourt chauffé dont la flore bactérienne a été tuée et qui est proposé par des pays comme l'Allemagne ou la Hollande. Le yaourt est le produit d'une fermentation du lait par des bactéries. Deux bactéries sont principalement impliquées : *lactobacillus bulgaricus*, *streptococcus thermophilus*. Elles utilisent le lactose (sucre du lait) pour former de l'acide lactique. *Ainsi un yaourt contient environ 500 millions de germes vivants par gramme*.

Certains sujets supportent le yaourt et pas le lait. L'intolérance au lactose est liée à un déficit[38], héréditaire ou acquis, en une enzyme intestinale, « la lactase » (3 % des Suédois, 20 % des Français du Nord, 40 % des Français du Sud, 100 % en Afrique centrale).

Avec le yaourt, le lactose est absorbé par l'intestin sous l'action probable de la propre flore du yaourt. Par contre, avec le yaourt chauffé on retrouve la même intolérance qu'avec le lait.

Dans le yaourt, on ne retrouve qu'environ 60 à 80 % du lactose initialement présent ; le reste a été transformé en galactose et en acide lactique.

Tableau 47. – Les valeurs nutritionnelles du lait et du yaourt en g

Pour 100 g	Lait entier	Yaourt ferme nature
Glucides	4,7	5,01
dont lactose	4,7	3,88
Acide lactique	Traces	1
Protides	3,5	4,5
Lipides	3,6	1
Calories	65,0	51
Calcium	0, 13 à 0,095	0,165

38. Quand la muqueuse intestinale a un défaut de lactase, le lactose n'est pas dégradé. Il se retrouve dans le côlon où il est fermenté par la flore locale, provoquant des gênes abdominales et la formation de gaz.

Tableau 48. – Les vitamines du yaourt

Vitamines	Pour 100 g de yaourt	Pour un pot de yaourt (125 g)
Carotène	0,06 mg	0,0600 mg
Alpha tocophérol	0,03 mg	0,0375 mg
Vitamine A	0,01 mg	0,0125 mg
Thiamine (B1)	0,04 mg	0,0500 mg
Riboflavine (B2)	0,18 mg	0,2250 mg
Vitamine B6	0,05 mg	0,0625 mg
Vitamine B12	0,05 µg	0,625 0 µg
Acide folique (B9)	5 µg	6,25 00 µg
Biotine (B8)	4 µg	5, 0000 µg
Vitamine C	2 mg	2,5000 mg
Niacine (PP)	0,1 mg	0,1250 mg
Acide pantothénique	0,4 mg	0,5000 mg

Le *bifidobacterium longum* serait capable de dégrader les nitrosamines cancérigènes. L'enrichissement de l'alimentation en *bifidobacterium longum* a donc été proposé à titre de prophylaxie contre le cancer… Il reste à prouver son efficacité réelle.

Depuis peu de temps, les industriels ont ajouté au yaourt du *bifidobacterium longum* qui constitue la flore principale de l'enfant nouveau-né nourri au sein. Il assure une protection contre les germes *Escherichia Coli* pathogènes et protège contre l'altération de la flore intestinale par une prise d'antibiotiques (*Lancet*, 1987, ii, 43).

• Les œufs

Comme le lait, l'œuf est l'aliment de vie, symbole d'abondance et de fécondité.

La consommation d'œufs était de 10,5 kg par personne et par an en 1959 et de 13,1 kg en 1978. Il ne faut pas consommer plus de 5 œufs par semaine, incluant les œufs contenus dans divers mets et pâtisseries.

100 g d'œuf entier = 163 calories,
12,90 g de protéines,
11,63 g de lipides,
0,90 g de glucides.

Un œuf = 76 calories,
= 6 g de protides, mais aussi
= 6 g de lipides, dont 50 mg d'acide arachidonique.

Dans l'Islam, on consomme des œufs lors du repas de noce pour couvrir l'union des vœux de fécondité. Au Sahara, la future épouse mange des œufs au cours du banquet de mariage pour s'assurer fertilité et progéniture.

Un blanc d'œuf apporte la protéine qui a la meilleure valeur biologique. Un œuf pèse 60 g, un blanc d'œuf 40 g dont 11 % de protéines, soit 4,4 g.

Le jaune d'œuf contient 6 g de lipides dont 300 mg de cholestérol[39] et 3 g de protéines. Les 300 mg de cholestérol de l'œuf correspondent à la quantité maximum de cholestérol à consommer chaque jour (Recommandation du Comité « United States Dietary Goals »).

Pour connaître l'intégrité d'un œuf, il suffit de le plonger dans l'eau contenant 10 % de sel de cuisine… S'il descend au fond de l'eau, il est frais ; s'il surnage, il ne l'est pas…

• Les fromages[40]

Dans la Grèce antique, le fromage et l'olive représentaient les aliments des sages. Au XVIIIe siècle, *L'Encyclopédie* de Diderot et d'Alembert consacre le roquefort « premier fromage d'Europe ».

La consommation de fromage a progressé :
- 8,8 kg par personne et par an en 1959,
- 18,8 kg par personne et par an en 1980.

Zarathustra aurait vécu 20 années dans le désert de la Perse antique, ne se nourrissant que de fromages conservés…

Un bol de lait (environ 250 ml) apporte 300 mg de calcium[41], de même que :
- 2 yaourts,
- 10 petits-suisses,
- 300 g de fromage blanc,
- 30 g d'emmenthal,
- 80 à 100 g de camembert.

39. Récemment deux Américains de Pennsylvanie ont annoncé l'obtention par des méthodes « secrètes » d'œufs « allégés » de 25 % en cholestérol.

40. Il existe des milliers de sortes de fromage, mais c'est en France qu'il y en a le plus : 400. Le général de Gaulle disait qu'un pays qui produit plus de 350 variétés de fromage est difficile à gouverner…

41. Dans les fruits et les légumes il y a aussi du calcium : 250 mg de calcium dans 100 g d'amandes ; 200 mg dans 100 g de persil frais ; 100 mg dans 100 g d'olives vertes.

Tableau 49. – Contenu **en lipides** des différents fromages
en g pour 100 g d'aliment comestible

Fromages fermentés		**Fromages blancs frais**	
Roquefort	35	Chèvre	15,0
Gorgonzola	34	Petit-suisse (40 %)	9,8
Gruyère	32	– à 30 % de matières grasses	7,0
Camembert	26	– à 0 % de matières grasses	0,0
Bonbel	25		
Munster	24		
Crème de gruyère (Vache qui rit)	22		
Brie	21		
Saint-Marcellin 45 %	16		

Tableau 50. – Composition **en sucres** en g pour 100 g
d'aliment comestible

Pain, pâtes et laitages	semoules et pâtes	76,5
	biscottes	75,0
	lait concentré sucré	54,0
	lait en poudre écrémé	53,0
	pain blanc	52,0
	pain de blé complet	49,0

Tableau 51. – Contenu **en calcium** en milligrammes
pour 100 g de partie comestible de l'aliment

Œuf, lait, fromages	lait en poudre écrémé	1300
	comté	1010
	gruyère	1000
	cantal	730
	fromage à pâte molle	180
	jaune d'œuf	140
	yaourt	140

Tableau 52. – Contenu **en phosphore** en milligrammes pour 100 g
de partie comestible de l'aliment

Laitages	lait en poudre écrémé	950
	gruyère	600
	cantal	400
	lait de vache entier	90

Apport en vitamine A : Les produits laitiers sont parmi les plus riches en vitamine A. En µg pour 100 g :

– yaourt nature 15
– lait entier 30
– fromage (pâte molle) 225
– fromage (pâte pressée cuite) 270
– crème 300
– beurre 1 000

Du point de vue économique en France[42] :

– 1 gramme de protéine de lait coûte environ 0,02 euro ; c'est le même prix qu'un gramme de protéine d'œuf,
– 1 gramme de protéine de viande est environ 3 fois plus cher, et celui des poissons environ 2 fois et demi plus cher (sauf pour la sardine : 0,14 euro),
– pour les fromages, le gramme de protéine coûte en moyenne 0,04 euro, parfois moins (emmenthal 0,02 euro).

1. Parmi tous les produits laitiers, les meilleurs sont ceux qui proviennent des petits animaux, tels chèvres et brebis. Ils contiennent moins de facteurs de croissance et ont plus de goût en général que les laitages de vache, ce qui fait que l'on peut être plus vite rassasié et ainsi en consommer moins en quantité.

2. Les yaourts sont surtout recommandés chez les personnes qui ont des difficultés de mastication et sont intolérants au lait, lequel est difficile à digérer créant des lourdeurs d'estomac.

3. Deux portions de produits laitiers par jour sont largement suffisantes, chez l'enfant comme chez l'adulte même âgé.

4. Face à un enfant sujet aux infections ORL (rhinites, otites, angine avec pharyngites...) et gastro-entérites à répétition ou qui a des problèmes de peau (eczéma, impétigo, acné...), le premier traitement consiste à stopper les produits laitiers pendant 1 mois et à les remplacer par des laits végétaux, tel que lait de châtaignes, d'amandes, de noix ou noisettes (voir p. 88).

42. In *Recommandations et conseils pratiques du CIDIL*, Département Santé.

Chapitre V

COMMENT CONSERVER LES ALIMENTS

I. Aliments frais. – II. Conserves. – III. Réfrigération. – IV. Congélation. – V. Surgélation ou surcongélation. – VI. Les produits sous vide. – VII. Les produits séchés ou déshydratés. – VIII. Les produits lyophilisés. – IX. La méthode U.H.T. – X. L'ionisation des aliments.

I. Aliments frais

Fruits, légumes, laitages, viandes, poissons

Plus court est le délai entre la cueillette des fruits, le ramassage des légumes, l'abattage des viandes ou la pêche des poissons, et la consommation dans notre assiette, et plus intègres sont les qualités spécifiques de chaque aliment: vitamines et minéraux en particulier, mais aussi qualité des protéines:
– au regard: aspect sain, non desséché ou gâté, couleur naturelle,
– à l'odeur: non dénaturée,
- au toucher: fermeté et élasticité.

Les légumes doivent être le plus vert possible et d'une consistance bien ferme. La fraîcheur des produits est d'autant plus importante que les aliments seront consommés crus.
– Si les produits sont sains, la cuisson (vapeur douce) sera rapide.
– Si les produits sont « passés », la cuisson (vapeur douce) sera longue.

Vivez et mangez au rythme des saisons.

II. Conserves

Boîtes de conserve

Vérifier avant utilisation l'aspect de la boîte de conserve; ni déformation, ni gonflement; vérifier également la date de péremption.

Les produits frais immédiatement consommés sont préférables aux produits conservés.

Produits marinés

Le marinage est un mode de conservation de courte durée. La durée de conservation dépasse rarement 30 jours, sauf lorsque les poissons marinés sont disposés en bocaux hermétiquement clos.

Produits appertisés[1] ou « conserves classiques »

Le procédé d'Appert ou appertisation cuit les légumes aux 3/4, et les conserve ensuite dans des flacons où ils sont recouverts de leur jus de cuisson. Ces flacons bouchés hermétiquement sont plongés dans l'eau portée à ébullition pendant 10 à 20 minutes. La vitamine C est en grande partie détruite, les vitamines A et D sont dans le jus de cuisson qui recouvre les légumes. Le simple fait de stériliser les haricots verts détruit 60 à 70 % de la vitamine C qu'ils contiennent.

Les conserves appertisées empêchent toute altération des aliments en détruisant par la chaleur les enzymes et les bactéries, et en les maintenant à l'abri de toute contamination et du contact avec l'oxygène de l'air.

Bien que les qualités nutritives des produits frais soient supérieures à celles des produits appertisés, il faut souligner que la valeur nutritionnelle des aliments appertisés est supérieure à la valeur nutritionnelle des aliments mal cuisinés.

La technique moderne d'appertisation tend à utiliser une température de plus en plus élevée durant un temps de plus en plus court. Ainsi les légumes et les fruits appertisés ont souvent une teneur en vitamine C supérieure à celle des produits « frais » au moment de l'achat au magasin, du fait du stockage prolongé et des délais de livraison après la récolte.

L'appertisation augmente la digestibilité des protéines, en particulier végétales.

---

1. Nicolas Appert (1749-1841), ancien brasseur devenu confiseur, met au point le principe de la « conserve ». « Monsieur Appert a trouvé l'art de fixer les saisons : chez lui le printemps, l'été, l'automne vivent en bouteilles… »

Dans les conditions de conserve industrielle, les pertes en acides aminés sont pratiquement nulles.

L'appertisation réduit très peu les taux de vitamine A et de carotène dans les aliments.

La destruction de la vitamine B1 est importante au cours de l'appertisation de la viande. Pour les pâtés de viande, il faut monter à 115 °C pendant 165 minutes. Il est important que les légumes à appertiser soient très frais pour que les taux de vitamines B1 et B2 soient réduits au minimum.

L'appertisation ne détruit pas la vitamine PP. Avec les techniques industrielles modernes, la vitamine C est mieux protégée. Les fabriques de conserve ont passé avec les agriculteurs des contrats très sévères concernant le planning de la récolte, de la livraison et de la conservation.

Au total, comme l'a écrit H. Gounelle de Pontanel, la conserve industrielle appertisée, c'est-à-dire stérilisée par la chaleur, présente un aliment dont la valeur nutritionnelle et la sécurité sont exemplaires.

L'appertisation supprime les fréquentes souillures sur les produits d'origine animale à partir des germes pathogènes, permet d'éviter les aliments fumés sur lesquels existent des traces d'hydrocarbures cancérogènes, constitue une sécurité microbiologique par rapport à l'aliment congelé ou surgelé, car le froid endort seulement la flore microbienne qui se remet à pulluler après décongélation, évite l'imperfection trop fréquente du mode artisanal de préparation des aliments qui peut être à l'origine d'accidents mortels.

La conserve industrielle est en permanence en progrès. Elle a supprimé presque complètement les nitrates et les pesticides, mais aussi les résidus qui peuvent se produire à partir d'une conservation longue de produits acides.

III. Réfrigération

Température autour de +2 à +4 °C. La réfrigération n'assure la conservation que pour un temps court. Le freezer peut atteindre -6 à -18 °C.

Les aliments surgelés se conservent une semaine au freezer, mais seulement 2 jours à la température du réfrigérateur.

IV. Congélation ***

Dans les aliments, il y a des bactéries qui en peu de temps font pourrir la viande, les fruits, les légumes… À partir d'un certain degré de froid, leur développement est stoppé : c'est la congélation. On congèle les aliments en les soumettant à une température de -20 à -30 °C de façon progressive et lente. Ce procédé bloque le développement des microbes, mais ne les détruit pas. On l'utilise pour le poisson, les volailles ou les gros morceaux de viande.

Les congélateurs ménagers conservent les produits préalablement surgelés à -18 °C. À cette température, les aliments surgelés peuvent demeurer intacts pendant un an. Si une panne de courant intempestive prolongée réchauffe les aliments, ils doivent être consommés dans les 48 heures suivant la panne.

Au moment du « dégel », il existe un risque certain d'infection[2]. C'est pourquoi il est nécessaire de plonger immédiatement les légumes décongelés dans l'eau bouillante.

Sur l'emballage des produits congelés ou surgelés doit figurer *la date d'utilisation optimale* du produit. Il ne s'agit pas d'une date limite de vente ou de consommation, mais d'un conseil pour utiliser le produit tant qu'il possède toutes ses qualités gustatives. Un produit dégelé même partiellement ne doit jamais être recongelé.

V. Surgélation ou surcongélation (-40 à -50 °C)

C'est une surcongélation ultra-rapide à -40 °C.

Les surgélateurs ménagers doivent être réglés au-dessous de -30 °C. Température idéale : -32 °C.

La surgélation ne détruit que 30 % environ de la vitamine C des haricots verts. Avec ce procédé, les cellules des aliments ne sont pas endommagées, car les cristaux de glace formés sont de petite dimension. Au dégel, les produits sont comme frais. Ils ont gardé toutes leurs vitamines puisqu'ils ont été traités dès la cueillette, l'abattage ou la pêche.

---

2. Le colibacille demeure vivant après 3 mois à -20 °C comme la plupart des micro-organismes.

Quand il s'agit seulement de conserver des aliments préalablement surgelés, il suffit de régler l'appareil à -18 °C.

VI. Les produits sous vide

C'est une nouvelle façon de conserver les aliments : ils sont cuits sous vide, et parfois directement dans l'emballage. Ensuite ils sont refroidis très rapidement. On peut alors les conserver sans risque, tout emballés, jusqu'à vingt et un jours dans un réfrigérateur.

On trouve ainsi des plats cuisinés, de la viande et aussi des légumes lavés, coupés, râpés, prêts à l'emploi : salade épluchée, radis, carottes, choux, céleris…

VII. Les produits séchés ou déshydratés

L'eau représente la plus grande partie du poids et du volume des aliments. Un bifteck est fait de 74 % d'eau, une salade de 90 %. Pour se développer, les bactéries ont besoin d'eau. Pour les éliminer, on rejette l'eau des aliments.

– *Déshydratation à l'air*

On place les produits dans un courant d'air chaud de 70 à 140 °C. Ce procédé est utilisé pour les légumes en morceaux et les fruits.

– *Déshydratation sur cylindre sécheur*

On réduit le produit en purée, et on l'étale en couche mince sur la surface chaude d'un cylindre. Ce procédé est utilisé pour la purée en sachet, les bouillies…

Le produit est pulvérisé dans un courant d'air très chaud (120 à 180 °C) pendant un temps très court. Ce procédé est utilisé pour le lait en poudre.

VIII. Les produits lyophilisés

Le Nescafé est un café lyophilisé. Il a été surgelé puis séché très vite sous vide. Ainsi l'eau passe directement de l'état de glace à l'état de vapeur, sans avoir le temps de redevenir liquide. Cette méthode dénature le moins le produit, mais elle revient cher. Elle est utilisée pour des champignons, des herbes aromatiques.

IX. La méthode U.H.T.[3]

À ultra haute température (140 à 150 °C) on stérilise le lait pendant quelques secondes seulement.

On utilise cette méthode pour faire des desserts lactés U.H.T. : une sorte de yaourt qui se conserve pendant plusieurs mois. Il existe aussi des potages U.H.T. Ce procédé de fabrication préserverait mieux les vitamines et le goût que celui des soupes en conserve. En réalité, le plus souvent, les vitamines sont ajoutées artificiellement, ce qui permet d'écrire : « enrichi en vitamines »...

X. L'ionisation des aliments

Cette méthode commence à s'implanter dans le domaine agro-alimentaire. Les procédés par ionisation ont fait l'objet d'un avis favorable du Comité mixte de la FAO, de l'OMS et du Conseil Supérieur d'Hygiène Publique (CSHPF) en France, en 1980.

À des doses n'excédant pas 10 kilograys (kgy), aucun risque d'ordre toxicologique en particulier n'est à craindre pour l'homme ; aucune modification chimique de l'aliment n'est notée. Tout ne peut pas s'ioniser. Le goût, en particulier, doit faire l'objet de beaucoup d'attentions.

Dans son avis favorable du 15 mars 1983, le CSHPF se félicite qu'un traitement physique puisse remplacer, dans de nombreux cas, un traitement chimique (oxyde d'éthylène, par exemple). L'ionisation peut diminuer le nombre de bactéries, et modifie ainsi la technique de conservation pour allonger la durée limite de vente. Le steak haché frais, par exemple, pourrait bénéficier de ce traitement.

« Il est heureux qu'à l'heure actuelle, le consommateur dispose d'aliments conservés, bien définis, contrôlés et adaptés. Encore faut-il qu'il y voie clair dans le dédale de la réglementation, pour en apprécier la valeur et les conditions d'utilisation » (Pr H. Gounelle de Pontanel).

*
* *

3. U.H.T. : Ultra Haute Température. Pour ceux qui veulent en savoir plus, s'adresser à l'UPPIC, 5, rue Paul-Cézanne, 75008 Paris.

La conservation de produits prêts à l'emploi, dits « produits de 4e gamme », ne se conçoit plus actuellement sans le maintien d'une chaîne du froid à des températures inférieures à 10 °C. Pourtant, un certain nombre d'altérations de natures variées apparaissent *avant la date limite de consommation*, ou DLC (de l'ordre de 7 jours) et nuisent à la qualité marchande du produit.

La recherche agro-alimentaire a un immense avenir en ce domaine; elle concerne autant la conservation, la distribution, le stockage que la consommation.

Chapitre VI

COMMENT PRÉPARER LES ALIMENTS*

I. Avant la cuisson – II. Quels ustensiles de cuisine. – III. Les cuissons à éviter ou à utiliser rarement. – IV. La cuisson idéale, ou cuisson à la vapeur douce.

Les différents modes de cuisson – au gril, à la broche, bouilli, à la cocotte, à l'autocuiseur, à la vapeur, au bain-marie, au four, au four à micro-ondes… – modifient de différentes façons la qualité des aliments, tant au niveau du goût que de leur valeur nutritive. Aucun travail scientifique de qualité n'a étudié les relations entre mode de cuisson et risque de cancer…

Les conseils qui suivent sont basés sur des notions connues : préservation des qualités nutritives et gustatives des aliments.

I. Avant la cuisson

Éplucher les légumes et les fruits dans le bon sens, celui de la pousse, à l'aide d'un instrument bien aiguisé.

– Légumes : à partir de la fane.
– Fruits : à partir de la queue vers le bas.

En observant cette règle, on évite de provoquer une oxydation très rapide : exemple, les carottes grattées « noircissent », à moins d'être arrosées d'un jus de citron. La vitamine C évite l'oxydation.

* Chapitre rédigé avec la collaboration du Dr M. C. Gouttebel et de Mmes S. Fouquet et M.-P. Trouche, diététiciennes.

En épluchant un kilogramme d'oignons dans le bon sens, en coupant la racine en dernier et en veillant à ne pas blesser le produit, *vous ne pleurerez pas.*

Chaque légume a ses réactions; elles sont peut-être moins caractéristiques que celles de l'oignon, mais elles n'en sont pas moins réelles. Exemple: la pomme de terre s'épluche à partir de l'œil de pousse vers la racine, sinon elle « noircit » très vite à l'air libre.

II. Quels ustensiles de cuisine?

Quelle poêle?

La poêle en acier à fond épais est la meilleure. Le tétrafluoréthylène polymérisé ou Téflon est une résine synthétique utilisée pour le revêtement de la poêle. Il ne faut pas dépasser des températures de 250 °C (des fumées apparaissent à partir de 345 °C) qui détériorent stabilité et adhérence de la résine. Les résines en silicone permettraient des températures plus élevées, mais quel intérêt?

Quelle marmite ou quelle cocotte?

– En fonte: utile pour les cuissons à l'étouffée, les plats mijotés. Faire attention de régler le feu *au minimum*, la cuisson est longue; une cuisson trop forte provoque adhérence, modification du goût et destruction des vitamines.

En acier inoxydable: le fond doit être épais (fond sandwich) pour mieux diffuser la chaleur. Cette cocotte est plus maniable, plus facile à nettoyer que la précédente.

L'autocuiseur: cuisson sous pression

Il faut savoir s'en servir. Lorsque la soupape entre en rotation avec sifflement, il faut baisser la puissance du feu au minimum de façon à ne laisser persister qu'un léger chuintement. *La destruction des vitamines est observée si la température de cuisson dépasse 100 °C.* La rapidité d'action de l'autocuiseur s'explique par une cuisson sous pression qui monte très vite au-delà de 105 °C.

Le four à micro-ondes[1]

Huit minutes de four à micro-ondes correspondent à une heure de four normal.

L'appareil est composé d'une enceinte de cuisson et d'un dispositif générateur d'ondes ultra-courtes, le magnétron. Ces ondes émises dans l'enceinte provoquent une très forte vibration dans les aliments qui contiennent de l'eau : viandes, poissons, légumes, fruits... Le mouvement des particules[2] est si rapide qu'il engendre une très forte chaleur. Ainsi les aliments cuisent uniformément dans tout leur volume et très rapidement.

La cuisson ne transforme pas la couleur des aliments... Avantages pour les fruits et légumes, mais inconvénients pour les viandes. Celles-ci doivent être dorées par les moyens traditionnels. L'intérieur du four ne se salit pas car les parois restent froides.

Les récipients utilisés doivent être en verre, verre à feu, porcelaine à feu, céramique, terre cuite... mais jamais de plats ou couverts en métal ni de papier d'aluminium qui feraient obstacle au passage des micro-ondes.

Pour savoir si une matière est appropriée, c'est-à-dire transparente aux micro-ondes, on fait le test suivant : placer dans l'enceinte le récipient vide à tester à côté d'un verre rempli d'eau. Brancher l'appareil à la puissance maximale ; après une minute, si le récipient reste froid, il est « transparent », donc apte à l'usage en micro-ondes. Si on ne peut le saisir à la main, il est à déconseiller car il absorbe les micro-ondes.

Attention aux brûlures lors de l'absorption des boissons (biberons) ou des aliments. En effet, le récipient transparent aux micro-ondes reste froid, tandis que le contenu peut être bouillant... Goûter le biberon avant de le donner à l'enfant... des brûlures de l'œsophage ont été décrites chez le nouveau-né, elles peuvent plus tard donner des cancers de l'œsophage à l'endroit de la brûlure.

III. Les cuissons à utiliser rarement

Cuissons au gril : grillades

Mauvaise digestibilité de la croûte des aliments cuits au contact des flammes ; si la croûte est noire, donc brûlée, elle doit être éliminée

1. Voir annexe III, p. 410-411.
2. Voir annexe III, p. 410-411.

car elle contient des suies cancérogènes : les benzopyrènes (voir p. 239).

Le taux de benzopyrènes diminue :

– si la viande est maigre,
– si la viande cuit peu de temps,
– si la cuisson s'effectue à la verticale, parallèlement au foyer, les graisses s'écoulant hors du foyer.

Même avec du charbon de bois « épuré » de bonne qualité, la formation de benzopyrènes après cuisson de viande grasse au barbecue varie de 4 à 12 mg/kg d'aliment, en cuisson horizontale… En cuisson verticale, la formation de benzopyrènes varie entre 1 et 3 mg/kg.

Le contact direct avec la flamme forme 30 à 100 mg/kg de benzopyrènes, quel que soit le type de viande (saucisse, bœuf, côte de mouton).

– Avec le barbecue vertical, type Grilladero de Camping Gaz International, la formation de benzopyrènes est quasi nulle.

– Avec le barbecue horizontal à pierres de lave, la formation de benzopyrènes reste importante.

Aux USA, il se vend 3,4 millions de barbecues horizontaux à gaz, à pierres de lave, chaque année ! Ces dangers doivent être connus des consommateurs.

Cuisson à la broche

La source de chaleur doit être éloignée de l'aliment à cuire pour ne pas brûler les graisses ; elle peut être au-dessus ou latérale par rapport à l'aliment à cuire.

Cuisson au four

Ne jamais cuire à four très chaud, éviter les odeurs de graisse brûlée, utiliser de préférence un four électrique. Ne pas trop prolonger la cuisson. Les fours à chaleur tournante ne dépassent pas le cap fatidique de 100 °C et sont donc à conseiller pour cuire très efficacement et qualitativement avec une chaleur minimale ; la cuisson des aliments est uniforme ; elle est plus rapide qu'avec un four normal, diminuant le temps de moitié.

Fritures

À éviter au maximum, donc pas plus d'une fois par semaine. Les aliments sont cuits à l'aide de la chaleur d'un corps gras porté à ébullition. Ces cuissons sont à l'origine de températures souvent très élevées lorsqu'elles sont effectuées au gaz : en effet, certains points de recoupement des courants de chaleur appelés « points chauds » peuvent développer de très hautes températures, d'où le risque de décomposition des matières grasses et la formation d'hydrocarbures cancérogènes, d'acroléine[3] et d'acides gras libres.

Les huiles utilisées pour les fritures (arachide) ne devraient jamais servir plus de 7 à 8 fois car elles s'oxydent particulièrement vite (apparition d'une teinte brune).

Cuisson à la poêle

Elle nécessite l'adjonction de corps gras : en mettre le moins possible. Éliminer les corps gras de cuisson avant de consommer les aliments. Une poêle ne doit jamais être noircie.

Cuisson au bain-marie

Très utile pour réchauffer les aliments sans les recuire ; elle maintient une température de cuisson inférieure à 100 °C.

Les papiers métalliques : cuisson en papillote

Les papiers d'étain et aussi d'aluminium permettent une cuisson à l'étouffée ou de protéger les aliments pendant la cuisson au four... L'oxydation de l'aluminium n'est pas sans danger si ce mode de cuisson est fréquent.

Cuisson dans l'eau : départ à froid ou ébullition

Mauvais type de cuisson, car toutes les vitamines et sels minéraux partent dans l'eau. Ce type de cuisson n'est bon que si l'on consomme l'eau de cuisson.

---

3. Acroléine : liquide volatil bleu suffocant, irritant les muqueuses conjonctive, nasale et pharyngée, provenant de la décomposition de la glycérine par des températures de cuisson au-delà de 200 °C. L'acroléine est contenue dans les grenades lacrymogènes.

Cuisson dans l'eau : départ à chaud ou pochage

Le contact brutal de l'eau chaude provoque la formation d'une pellicule superficielle du fait de la coagulation des protéines, empêchant la diffusion des éléments solubles. Les vitamines sont détruites.

Réduction dans l'eau

Cuisson des aliments dans l'eau bouillante, sans élimination de cette eau, mais avec concentration progressive par évaporation : pour plats mijotés, pot-au-feu. Il y a destruction vitaminique.

Cuisson à l'étouffée

Cuisson dans un peu d'eau bouillante avec un couvercle pour empêcher une évaporation importante. Il y a destruction vitaminique et digestibilité réduite des plats dont la cuisson est trop longue.

Cuisson en autocuiseur ou cocotte-minute

Il s'agit d'une cuisson sous pression, à température élevée (>100 °C) qui altère davantage la couleur, la saveur, l'odeur et les vitamines les plus fragiles (vitamines C et B). Les autocuiseurs actuels sont équipés d'une « mollette » qui permet de réduire la pression, d'un minuteur, ou alarme, que l'on peut même porter sur soi... Des études scientifiques restent à faire pour mieux caractériser les différences avec la cuisson à la vapeur douce.

IV. La cuisson idéale ou cuisson à la vapeur douce[4]

La cuisson à la vapeur devrait presque toujours remplacer la cuisson à l'eau. Cette pratique ne date pas d'aujourd'hui ; les Chinois en étaient les précurseurs il y a 7000 ans, et les Carthaginois cuisinaient de cette manière il y a 2500 ans.

Un peu d'histoire de la cuisine à la vapeur : c'est le mode de cuisson le plus ancien et qui respecte le mieux les aliments : composition, odeur, saveur, fermeté, couleur. La vapeur douce à la température de 95 °C respecte l'aliment, qui se comporte comme un

4. Ce type de cuisson a été scientifiquement réhabilité par M. André Cocard, ingénieur chimiste et inventeur qui a participé au groupe de recherches « Aliments et cancers » du Laboratoire de nutrition et de cancérologie expérimentale que nous avons dirigé de 1980 à 1992 à l'Institut du cancer de Montpellier.

être humain qui prend un bain de sauna... Il transpire, rejette ses toxines et conserve ses sels minéraux, vitamines et oligo-éléments.

La cuisine à la vapeur douce, c'est-à-dire ne dépassant pas 95 °C, peut être utilisée pour l'ensemble des plats, des plus simples aux plus élaborés. Elle est rapide, sans odeur désagréable due à la dénaturation des aliments ; elle maintient la saveur originelle des aliments.

« *Délicieuse au goût, la cuisine vapeur* ***respecte l'aliment*** *en ne dénaturant pas ses composants ; elle l'épure de ses toxines, graisses excédentaires et autres surcharges naturelles, sans compter les poisons ajoutés par les impératifs de la productivité moderne, pesticides par exemple. Elle permet aussi de* ***cuisiner sans sel****, les sels minéraux restant intacts et gardant aussi tout leur goût.* »

Ainsi les plats réputés lourds à digérer, préparés à la vapeur douce, deviennent très digestes même pour des sujets habituellement incapables de les tolérer.

Technique de cuisson avec le vitaliseur [5]

L'ustensile utilisé est un cuit-vapeur dont le modèle le plus répandu est le couscoussier. Certains inventeurs ont étudié la forme des cuit-vapeur dans le but d'améliorer leur performance. Par exemple, le « vitaliseur » d'André Cocard comprend un récipient pour l'eau, dans la partie supérieure duquel s'engage un tamis (à trous de 6 mm de diamètre au minimum) qui reçoit les aliments et un couvercle en forme de dôme, pour permettre aux gouttelettes de condensation de s'écouler le long des parois au lieu de retomber sur les aliments... Nos ancêtres utilisaient la terre cuite ; aujourd'hui l'acier inoxydable ou l'émail conviennent parfaitement. Le couvercle n'est pas étanche afin que la vapeur excessive s'échappe pour maintenir une **température de vapeur constante, ne dépassant jamais 95 °C**. Le volume d'eau fournissant la vapeur atteindra la moitié de la hauteur du récipient du bas. Il existe de nombreux appareils dans le commerce. Les aliments ne doivent être placés dans le tamis qu'à partir du moment où l'ébullition permet le dégagement de vapeur. Ils ne doivent jamais y être placés à froid. En fin de cuisson, l'eau ayant servi à fournir la vapeur doit être jetée, car elle

---

5. Pour ceux qui veulent se procurer le « vitaliseur » d'André Cocard, il existe la taille mini pour 2 personnes, ou et la taille nouvelle pour 3 à 10 personnes. Société Coplan, Tél. 04 37 65 17 17 ; fax 04 37 65 17 15 ; site : www.vitaliseur.com ; adresse e-mail : info@vitaliseur.com

a récupéré une quantité importante de graisses et de toxines ; il ne faut jamais s'en servir pour la cuisine.

Viandes, poissons, légumes, fruits peuvent être successivement cuits avec la même eau ; seul le tamis pourra éventuellement être rincé. La viande et le poisson doivent être prés-salés avant d'être mis dans le « vitaliseur », car le sel permet aux aliments de mieux rejeter les substances toxiques avant et pendant la cuisson.

La cuisson des petits aliments

S'il s'agit de faire cuire riz, lentilles, oignons, et ail finement coupés, ceux-ci peuvent être mis dans un linge ou une étamine. Les temps de cuisson sont les mêmes que dans l'eau, mais la qualité sera meilleure car les principes nutritifs sont intacts. C'est avec ce mode de cuisson que les vitamines et sels minéraux sont le mieux conservés et que les aliments gardent leur goût frais.

Les 7 grands avantages de la cuisine à la vapeur douce

1. Aucun dégagement, donc pas d'odeur, l'aliment garde sa tonicité et sa couleur naturelle.
2. Possibilité de cuisiner sans sel. Ainsi les aliments, en conservant tous leurs sels minéraux, gardent leur goût.
3. La cuisson des viandes les débarrasse des graisses de surcharge (environ 30 %).
4. Certains légumes (oignons, ail, poireaux, choux-fleurs...) n'ont pas besoin d'être blanchis (cuits à grande eau) ; ils gagnent en saveur et digestibilité ce qu'ils perdent en excès de goût et d'odeur.
5. Quand l'ébullition est obtenue, la cuisson à la vapeur *est très rapide* et pénétrante :
– pour les légumes, 10 à 15 minutes selon le calibre,
– pour les viandes blanches, 20 à 30 minutes selon le volume,
– pour les viandes rouges : 1 steak saignant, 6 minutes ; un rôti, 10 minutes par livre.
6. La même eau et le même ustensile servent à la cuisson de tous les mets d'un repas.
7. Après plusieurs mois de cuisine à la vapeur douce, finis les migraines, la constipation, la flatulence, les maux d'estomac, les hémorroïdes d'origine alimentaire.

Ce qu'il faut encore éviter en cuisine

• Blanchir les aliments : poireaux, blettes, choux-fleurs, haricots verts. Plonger l'aliment dans l'eau bouillante lui donne un choc thermique et détériore l'aliment en lui faisant perdre ses qualités nutritives essentielles.

• « Déglacer une sauce » : c'est la dilution des graisses et produits plus ou moins toxiques provenant de la cuisson excessive des aliments ; ces produits sont au fond du plat de cuisson. Déglacer vise à récupérer le jus d'un rôti ou d'un gigot, par exemple.

COMMENT TESTER UNE BONNE CUISINE ?

Une bonne cuisine :

– est facile à digérer,
– n'endort pas,
– ne ballonne pas,
– ne constipe pas,
– n'accélère pas le transit intestinal,
– ne donne pas des gaz malodorants qui signeraient la pullulation microbienne.

Comment pratiquer la cuisson à la vapeur douce[6] ?

1. Placer sur un feu vif le « cuit-vapeur » largement rempli d'eau (l'inox ou l'acier émaillé risquent de s'écailler à long terme).

2. Pendant que l'eau chauffe, on a le temps de préparer la viande, d'éplucher les légumes.

– Les viandes seront nettoyées et pré-salées pour aider à les dégorger de leurs graisses « cachées » et toxines.
– Les légumes seront épluchés soigneusement, lavés et coupés.

3. Quand l'eau bout, on dépose la viande, les légumes ou le poisson dans la passoire du cuit-vapeur et l'on met le couvercle.

4. Pendant la cuisson qui donne le temps de nettoyer une salade, ou d'apprêter une sauce, on peut facilement vérifier l'état des aliments dans le cuit-vapeur : il suffit de lever le couvercle, d'observer l'aliment

---

6. Tous ces conseils ont été éprouvés et appréciés quotidiennement depuis longtemps par plusieurs mères de famille qui ont accepté de remettre en question leurs propres habitudes et celles de leur famille... Vous ne les feriez pas revenir en arrière.

et d'en contrôler la cuisson en le piquant à l'aide d'une fourchette.
– Les carottes sont d'un bel orangé ;
– Les épinards sont d'un beau vert foncé ;
– Les poireaux sont « vert tendre » ;
– Le chou-fleur est blanc comme neige.

Tous les légumes sont aussi appétissants et réjouissants de couleur… qu'un beau plat de crudités.

– Les viandes n'auront jamais l'aspect croustillant d'un poulet ou d'un gigot rôtis au four, mais la chair est tonique, moelleuse, savoureuse. Elle appelle bien sûr le contraste d'une persillade ou de quelques demi-tomates cuites en 5 minutes à la vapeur, en même temps, ou d'une noisette de beurre frais.

– Les poissons sortent de leur bain de vapeur aussi brillants que de la mer, la peau reste belle et tendue sur une chair moelleuse et savoureuse. Leur chair n'a rien de sec et se contentera d'un filet de *jus de citron* et d'*huile d'olive* avec quelques brins de persil. Il suffira de réduire le feu et de maintenir une ébullition *à feu doux* pour éviter que l'eau ne mousse et remonte, lorsque certaines substances libérées par le poisson tombent et se mêlent à l'eau du cuit-vapeur.

N'oubliez pas de contrôler la cuisson avec la pointe de la fourchette, et de *vérifier qu'il y a toujours de l'eau dans le cuit-vapeur.*

– Les légumes secs auront trempé depuis la veille dans de l'eau simple ; les lentilles auront trempé seulement 2 heures, leur cuisson nécessitera 30 minutes ; les pois chiches auront trempé depuis la veille, leur cuisson nécessitera au moins 60 minutes selon l'appareil.

Pour les flageolets ou les haricots blancs, il est conseillé de les mettre dans la marmite pour les assaisonner : les arroser d'eau et d'huile d'olive ou de beurre selon les goûts ; ils feront leur jus et achèveront de s'attendrir à tout petit feu.

– Le riz complet ou blanc sera très avantageusement cuit « à la chinoise » en plaçant dans la passoire du cuit-vapeur un récipient contenant le riz et une fois et demie son volume d'eau.

• pour le riz blanc, il suffit de 15 minutes selon l'appareil,
• pour le riz complet, il faut bien 10 minutes de plus (sous contrôle de la fourchette).

Le riz à la vapeur ne risque rien, il n'est jamais trop cuit et sa texture est parfaite… vous pouvez le déguster à la baguette…

La cuisson à la vapeur douce est celle qui minimise au mieux les pertes vitaminiques. Ainsi la perte en vitamine C après ébullition dans l'eau d'un légume est de 55 % ; à la vapeur douce, elle n'est que de 30 % (Laboratoire central d'hygiène alimentaire, Paris).

Chapitre VII

QUE BOIRE PENDANT LES REPAS ET EN DEHORS DES REPAS

I. D'abord de l'eau. – II. Le lait maternel. – III. Le vin. – IV. La bière. – V. Le cidre. – VI. Le café. – VII. Le thé. – VIII. Le chocolat. – IX. Les sirops, sodas. – X. Les boissons sans sucre. – XI. Les jus de légumes. – XII. Les apéritifs. – XIII. Les tisanes.

L'eau représente environ 65 % du poids du corps chez l'adulte et 80 % pour le nouveau-né à la naissance.

Il est possible de ne pas manger durant 30 à 40 jours, si l'on boit en abondance. C'est le jeûne dit « hydrique » parce qu'il maintient la prise d'eau.

Il est impossible de s'abstenir de boire de l'eau plus de 48 heures de suite.

Le besoin quotidien en eau de l'adulte est d'environ 2,5 litres.
1 litre d'eau est contenu dans les aliments absorbés.
1,5 litre d'eau doit être pris sous forme de boissons.

I. D'abord de l'eau

L'eau est la seule boisson essentielle à la vie. Rien ne vaut l'eau pure. L'eau du robinet est rarement pure malgré les traitements qu'elle subit. Sa composition varie suivant les localités. L'eau en bouteille existe sous plusieurs formes :

– Les eaux de table répondent aux critères des eaux de distribution publique.
– Les eaux de source ont une origine déterminée et sont contrôlées par l'État.
– Les eaux minérales naturelles sont très contrôlées par l'État.

Il faut boire au moins 1 litre d'eau par jour. Le bébé doit boire 100 à 150 ml d'eau par kilogramme de poids corporel. L'eau est le seul aliment dont on ne peut se passer plus de 48 heures.

Il faut :

– 100 litres d'eau pour fabriquer 1 kg de papier.
– 600 litres d'eau pour fabriquer 1 kg de tissu de laine.
– 3 500 litres d'eau pour fabriquer 1 tonne de ciment.
– 20 000 à 30 000 litres d'eau pour fabriquer 1 tonne d'acier.

Chaque habitant de :

– Chicago	consomme	900 litres	d'eau par jour
– Genève	"	600 litres	"
– Paris	"	350 litres	"

L'organisme adulte a besoin de boire en plus de l'eau des aliments (estimée à 1 litre) au moins 1 litre d'eau par jour. 500 ml peuvent être laissés à sa fantaisie.

II. Le lait maternel

« Le lait maternel a trois qualités : le prix de revient le plus bas, la qualité la plus élevée et la présentation la plus attirante » (P. Royer). C'est le premier aliment de l'homme. Sa composition est très variable, au cours de la lactation, au long de la journée et même pendant la tétée.

• Les premiers jours, est produit le colostrum :

– moins riche en graisses et en lactose,

– il contient d'autres sucres (les oligo-saccharides qu'on appelle aussi le gynolactose),

– et surtout des protéines notamment des immunoglobulines (100 à 200 fois plus),

– il contient aussi des cellules spéciales (macrophages et lymphocytes) nécessaires à la protection du nouveau-né contre les infections.

• Le lait mature (sécrété après la première semaine) varie au cours des mois ; il s'appauvrit progressivement en immunoglobulines et en certaines autres protéines. Des variations apparaissent durant la journée ; le taux de graisses est plus élevé le jour que la nuit ; le lait est plus crémeux au petit déjeuner entre 6 heures et 8 heures

Aucun lait artificiel ne peut remplacer le lait maternel dans son action protectrice contre les agressions virales et bactériennes. Le lait maternel apporte des immunoglobulines IgA sécrétoires qui, en tapissant la muqueuse intestinale, protègent contre les agressions étrangères et notamment les infections digestives. Cependant certains laits « maternisés » contiennent des protéines[1] de lait de vache et même des quantités notables de bêta-lactoglobulines. Le taux de protides est proche de celui du lait de femme. Ils ne sont pas supplémentés en fer, mais sont exclusivement sucrés au lactose (taux de fer dans le lait maternel : 1,5 mg/l ; dans le lait de vache : 0,1 mg/l).

Le lait s'enrichit progressivement en graisses au cours même de la tétée (taux multiplié par 4 en fin de tétée). Une baisse de la qualité du lait au 8e jour de lactation est physiologique et n'annonce pas un tarissement prochain de la lactation. Le lait maternel (comme le lait de vache) contient 85 % d'eau et apporte 70 calories pour 100 ml. Le lait de vache contient des acides gras moins solubles que ceux du lait de femme dans lequel il y a plus d'acides gras essentiels[2] (acides gras polyinsaturés : grande quantité d'acide linolénique) et plus de protéines et de sels minéraux. Un apport excessif en protéines peut provoquer une augmentation des taux des acides aminés et d'ammoniaque dans le sang des bébés. Ces taux élevés pourraient avoir des répercussions cérébrales et être à l'origine de retards mentaux. Cela reste à démontrer.

51 % seulement des enfants sont nourris au sein pendant la première semaine qui suit la naissance. Cette proportion augmente depuis 1972.

Le lait maternel doit constituer la base de l'alimentation du nouveau-né prématuré. L'enfant né avant terme a besoin plus que les autres de la protection anti-infectieuse du lait de sa mère.

La quantité d'acides gras essentiels (acide linoléique) varie de 1 à 15 % dans le lait maternel en fonction de l'alimentation de la mère contenant peu ou beaucoup d'acides gras polyinsaturés et principalement d'acide linoléique (provenant des graisses végétales polyinsaturées).

Le lait, déjà pauvre en vitamine C, voit sa teneur encore diminuée par la pasteurisation.

Les laits commercialisés en France ne sont pas enrichis en vitamine C contrairement à ceux des USA. Ils sont tous supplémentés en fer. Ils sont utilisables et recommandés à partir de l'âge de 4 mois.

---

1. Le lait de bovidé est 3 fois plus riche en protéines (9 g/l) que le lait humain (2,4 g/l). Généralement le lait est d'autant plus protéiné que le temps de doublement du poids du petit mammifère est plus bref.

2. … essentiels au développement du système nerveux central.

Le lait maternel ne protège pas contre le rachitisme, car comme les laits artificiels, il est très pauvre en vitamine D[3]. Il est donc indispensable de « faire prendre l'air et le soleil » à l'enfant, dès le plus jeune âge.

L'allaitement maternel exclusif doit durer au minimum 3 mois ; à partir de cette date un sevrage progressif est possible.

Tableau 53. – Contenu du lait en vitamine C

Lait de femme	3 à 7 mg/100 ml
Lait de vache	1 à 7 mg/100 ml
Lait de chèvre	1 à 5 mg/100 ml

Même en cas d'accouchement prématuré, le lait de la mère est le meilleur aliment de l'enfant. Dès la naissance, la mise au sein est recommandée : cela permet d'utiliser le réflexe de succion qui est à son maximum dans les six premières heures ainsi que la mise en route de la lactation par réflexe.

Le « lait de poule » correspond à un jaune d'œuf délayé dans du lait chaud et sucré. Il peut être donné à un enfant à partir de l'âge de 6 mois.

Une tasse de lait entier (125 g) contient :

- 110 g d'eau,
- 4 g de protides,
- 4 g de lipides,
- 6 g de glucides.

} soit 80 calories

III. Le vin

« Le vin est une chose merveilleusement appropriée à l'homme si, en santé comme en maladie, on l'administre avec à-propos et juste mesure, suivant la constitution individuelle. » (Hippocrate.)

En 1993, l'« Américan Heart Association » a publié les vertus du vin (un verre à chaque repas principal)... car le taux de mortalité annuel

3. La vitamine D est synthétisée, c'est-à-dire formée sous l'effet des rayons ultraviolets de la lumière solaire par transformation de 7-déhydrocholestérol présents dans les couches profondes de la peau. Cette source d'approvisionnement en vitamineD3 est généralement suffisante chez l'adulte, mais elle est dépendante des conditions climatiques et surtout de l'ensoleillement.

dû aux maladies cardio-vasculaires est de 200 pour 100000 habitants aux USA, et seulement de 75 en France... Cela devrait devenir une excellente habitude d'après le Dr R. Curtis Ellison de Boston.

Le vin a toujours eu sa place dans l'histoire de l'homme, depuis la plus lointaine antiquité. « ... Le vin est une substance sacramentelle. Il est exalté dans maintes pages de la Bible, et Dieu n'a pas trouvé de plus auguste matière pour la transformer en son sang. Il est donc digne et juste, équitable et salutaire de l'aimer ! » (Huysmans, *L'Oblat*, XI, 1903.)

Alexis Carrel a démontré qu'un adulte en bonne santé et physiquement actif peut prendre sans danger chaque jour 1/2 litre de vin à 10°, soit 280 calories.

Un verre de vin à chaque repas est souhaitable. Il faut commencer après l'âge de 10 ans en mélangeant eau et vin ; un « fond » de verre suffit à cet âge. Plus tard, un verre de vin à 10° (150 ml) au milieu de chaque repas ne peut faire que du bien ; il apporte 84 calories.

Le vin est meilleur que la bière ; en effet, 1/2 litre de vin à 10° = 1,5 litre de bière à 30°. Boire de la bière, c'est le plus souvent ne pas boire d'eau ! De plus, consommer 500 ml de bière chaque jour augmente le risque de cancer du rectum[4].

La loi fixe à 0,80 g le taux maximum d'alcool dans le sang (alcoolémie).
• Une personne de 50 kg buvant 1/2 litre de vin aura une alcoolémie à 0,80 g/l.
• Une personne de 80 kg buvant 1/2 litre de vin aura une alcoolémie de 0,40 g/l.

Chez les adolescents, l'alcool est un fléau plus répandu que la drogue... Nouvelles manières de boire des jeunes : « l'ivresse défonce ». La nouvelle génération fait de l'alcool un usage toxico-maniaque et se « sur-alcoolise » chaque fin de semaine.

19 % des adolescents et 13 % des adolescentes prennent au moins une fois par semaine des alcools forts (enquête INSERM).

L'alcool perturbe aussi l'intellect et la mémoire. Des chercheurs ont découvert que 15 jours après un abus d'alcool, les fonctions du sujet en sont encore troublées... L'alcoolisme, ce n'est pas seulement des accidents et des violences, c'est aussi ce terrible tribut intellectuel que vont payer les jeunes... Il est à craindre qu'ils ne puissent s'insérer normalement dans la société difficile dans laquelle nous vivons.

---

4. NEJM 1984, 8, 617-621.

Chaque jour, mieux vaut le vin rouge que le blanc, car le vin blanc apporte plus de calories et moins de calcium.
– 100 ml de vin rouge à 10° = 56,2 calories et 8 mg de calcium
– 100 ml de vin blanc à 10° = 71,8 calories et 7 mg de calcium pour la même quantité de magnésium, soit 20 mg.

Le vin ne doit pas dépasser 20 % de la ration calorique quotidienne, soit :
– 1 verre de vin à 10° **au milieu de chaque repas**[5] (ou 168 calories par jour) chez l'adulte sédentaire, soit moins de 10 % de la ration calorique.

Tableau 54. – Taux d'alcoolémie dans le sang

1 verre de vin à 11°	0,20 g/l
1 verre de bière à 3°	0,15 g/l
1 petit verre d'apéritif à base de vin à 16°	0,15 g/l
1 verre d'apéritif anisé à 45°	0,20 g/l

– 1/2 litre de vin à 10° quotidien (ou 280 calories par jour) chez l'adulte à activité modérée, ce qui correspond à 14 morceaux de sucre ou 120 g de pain.
– 1 litre de vin à 10° quotidien (ou 560 calories par jour) chez l'adulte ayant une grande activité physique. Cette consommation représente moins de 20 % de la ration calorique du sujet dont le besoin quotidien est de 3000 calories.

La consommation annuelle de vin en litres pour un adulte de plus de 20 ans est passée de 161 litres en 1970 à 133 litres en 1980. Par contre, celle de bière est passée dans le même temps de 61 à 64 litres.

IV. La bière

D'une manière générale, les bières ont une teneur élevée en vitamine B1. Elle se boit avant, pendant et entre les repas. Son apport calorique est de 35 à 45 calories/100 ml. On sait aujourd'hui que la consommation de

5. Le vin, pris au début du repas, est rapidement absorbé par la muqueuse de l'estomac. Passant dans le sang, il peut créer un léger malaise ou une euphorie passagère. Il est donc recommandé de boire le vin au milieu du repas car il sera absorbé plus lentement avec les aliments dont il facilite l'absorption. « Boire peu mais boire bon pour boire longtemps. » (Émile Peynaud.)

500 ml ou plus de bière, chaque jour, augmente le risque de cancer du rectum (*New England Journal of Medicine*, mars 1984, 8, 617-62 1).

Comme l'écrit Ch. Thoulon-Page[6] : « Les jeunes de 14 à 18 ans font une consommation souvent immodérée de bières de luxe ou spéciales : une canette de 33 cl de bière à 6 % apporte 15 g d'alcool pur, soit l'équivalent d'un bon petit verre de cognac. »

En 1990, aux USA, le volume des ventes de bière « light » s'est accru de 12,5 %.

V. Le cidre

Le cidre clarifié est soumis à la fermentation alcoolique que l'on pousse plus ou moins loin suivant le type de cidre désiré.

Le cidre sec ou doux contient au maximum 3° d'alcool acquis et au moins 5° d'alcool total.

Le cidre mousseux s'obtient par une nouvelle fermentation alcoolique en bouteille « champenoise ».

L'eau-de-vie de cidre ou « calvados » apporte autant d'alcool que le vin, le whisky ou le cognac.

VI. Le café

Il ne faut pas boire plus de deux cafés par jour. La teneur en benzopyrène du café est fonction de l'intensité de la torréfaction.

Tableau 55. – Teneur de benzopyrène en mg/kg

Café	Teneur en benzopyrène
Torréfaction faible	0
Torréfaction normale	0,8-6
Torréfaction très poussée	15

Les cafés instantanés ne renferment que peu ou pas de benzopyrène.

Les femmes consommant les contraceptifs oraux et les insuffisants hépatiques métabolisent plus lentement le café.

---

6. *Nutriments, aliments et technologies alimentaires*, SIMEP, 1989.

150 ml de café filtré contiennent 95 à 125 mg de caféine mais 150 ml de thé contiennent aussi 60 à 90 mg de caféine...

Le thé et le café sont des boissons excitantes. Une consommation excessive peut entraîner de la nervosité et de l'insomnie. On peut alors utiliser des mélanges chicorée-café et du café décaféiné.

Tableau 56. – Quantité de caféine en mg

Une tasse de café moulu	75 à 150 mg
Une tasse de thé	40 à 60 mg
Un verre de Coca-Cola	35 à 55 mg
Une tasse de chocolat	15 à 30 mg

Même le café « décaféiné » contient un peu de caféine : 3 à 6 mg par tasse.

Est caféinomane celui qui consomme au moins 600 mg par jour, soit 10 tasses de thé ou 4 tasses de café. Le caféinomane a :
- des troubles du sommeil,
- une grande nervosité,
- des tremblements fins des extrémités,
- une irritabilité avec anxiété,
- des palpitations, une tachycardie.

Ceux qui boivent plus de 5 tasses de café par jour ont deux fois plus de risque que les autres d'avoir un infarctus du myocarde.

VII. Le thé

Le plus répandu et le plus utilisé pour ses propriétés excitantes et son parfum est le thé de Chine.

Le thé vert torréfié rapidement à haute température est plus riche en tanin et donc plus astringent. C'est celui qui contient le plus de polyphénols qui ont un rôle antioxydant et phytohormonal.

Le thé noir est le résultat d'une fermentation.

Malgré un taux plus élevé en caféine que le café, le thé est finalement moins excitant car on en utilise moins pour sa préparation que le café, en raison de sa richesse en adénine, laquelle neutralise une part importante de la caféine.

Le thé contient des flavonoïdes (substances aux propriétés antioxydantes) ayant des effets très positifs sur le cœur. Le thé représente 61 % de la consommation quotidienne de flavonoïdes (25,9 mg par jour).

VIII. Le chocolat[7]

Le chocolat est en général bu avec du lait au petit déjeuner. (Le chocolat noir fournit 493 calories pour 100 g.)

Il contient 32 % de cacao, soit pour 100 g : 84,4 % de glucides ; 3,5 % de lipides ; 7,4 % de protides ; et des sels minéraux dont 220 mg de phosphore, et 182 mg de magnésium.

Le chocolat « light » est allégé en sucre : 17 g au lieu de 57 g ; mais il contient 47 g de lipides pour 100 g au lieu de 27 g… il est donc dangereux pour le poids et le profil lipidique. Les migraineux et les sujets prédisposés aux maux de tête se méfieront du pouvoir histamino-libérateur du chocolat lié à son contenu en thyramine et en phényléthylamine.

IX. Les sirops, sodas…

La consommation en France des « boissons rafraîchissantes » a triplé de 1968 à 1973, atteignant 38 litres par habitant et par an, et ne cesse d'augmenter. Ils sont une source importante de glucides d'assimilation rapide et donc de calories.

Les jus de fruits intitulés « pur » jus de fruits ne comportent aucun additif. Par contre, les jus de fruits dits « 100 % » jus de fruits et ceux obtenus à partir de concentrés peuvent comporter du sucre et des additifs. Toutes les adjonctions, y compris le taux de sucre, doivent être mentionnés sur l'étiquette.

Les boissons aux fruits contiennent au moins 12 % de jus de fruits, mais elles sont toujours sucrées (environ 100 g par litre, l'équivalent de 20 morceaux de sucre).

---

7. En 1519, Cortez débarque au Mexique chez les Aztèques. Ils lui offrent une boisson inconnue, le *tchocoatl*. C'est un mélange de poudre de cacao, de piment et de poivre. Plus tard, les Espagnols remplaceront le piment par de la vanille, le poivre par du sucre… ainsi naît le *chocolate*, la boisson préférée des Espagnols. En 1660, Louis XIV épouse Marie-Thérèse d'Espagne qui, très gourmande, amène à la Cour le chocolat…

Les sodas, les tonics, les limonades, les bitters, les colas sont des boissons gazeuses, toujours sucrées (100 g par litre en moyenne). Les tonics et les colas contiennent des excitants (quinine ou caféine). Ils apportent une grande quantité de sucres simples rapidement absorbés qui créent une hypoglycémie réactionnelle qui donne faim, d'où les goûters trop copieux.

– 100 ml de sirop non dilué apportent 112 calories.

– 110 ml de sirop dilué apportent 34 calories.

Un grand verre correspond à 200 ml.

Le Coca-Cola apporte 110 g de sucre en 1 000 ml, soit 440 calories en 1 000 ml, et 110 calories pour une « petite » bouteille de Coca-Cola.

Tableau 57. – Quantité de sucre par litre

Les sirops non dilués	820 à 900 g de sucres totaux
Les « fruités »	100 à 120 g de sucres totaux
Les « jus de fruits »	30 à 170 g de glucides soit 70 à 160 calories

Les ventes de Coca-Cola en France sont passées de 38 millions de litres en 1965 à 114 millions en 1975.

La consommation de toutes ces boissons est stimulée par la publicité : une annonce occupant une pleine page, selon le tirage du journal, coûte 4000 à 9900 euros. Faire passer un message publicitaire durant 30 secondes à la télévision, à une très bonne heure d'écoute, revient en moyenne à 12000 ou 13700 euros pour chaque passage. Si on veut répéter le message durant 20 jours, le coût s'élève à 244000 ou 275000 euros…

Des entreprises d'arômes ne cessent d'innover sur un marché évalué à 2,5 milliards de dollars. Les arômes peuvent être classés en trois catégories ; les arômes naturels, les arômes synthétiques « nature identique » et les arômes synthétiques « artificiels ». Ces sociétés deviennent de véritables banques d'arômes possédant plus de 3000 arômes en collection avec une richesse de saveurs considérable… On peut ainsi choisir parmi 50 goûts « noisette » différents et 200 goûts « fraise »… il faut en effet répondre aux exigences spécifiques de chaque pays. Actuellement la grande mode devient la vanille…

X. Les boissons sans sucre

Les sodas et les jus de fruits sans sucre débarquent en rangs serrés dans les magasins. À base d'édulcorants de synthèse, ils apportent un nombre de calories minimum.

Interdits dans la fabrication des produits alimentaires en vertu d'une loi de 1902 qui protégeait le *lobby* sucrier, baptisée « loi des betteraviers », ces « faux sucres » peuvent depuis peu entrer dans la composition de nombreux aliments (boissons, yaourts, confitures...), le Parlement français ayant levé cette interdiction le 5 janvier 1988.

Aux USA, la part des boissons édulcorées à basses calories, qui étaient interdites il y a moins de 7 ans, représente 28 % du marché des boissons rafraîchissantes : Orangina Light, Coca-Cola Light, Oasis Forme, Banga Léger.

En France, près de 15 % de la population consomme régulièrement des édulcorants de synthèse ; plus de 4 millions de « sucrettes » sont vendues chaque année dans les pharmacies.

Cibles des boissons « basses calories » : les obèses, 3 à 4 millions de Français ; les diabétiques : 1 million. Les risques possibles des édulcorants de synthèse ne sont pas négligeables[8]. S'ils ne sont pas toxiques aux doses usuelles, leur banalisation dans les produits de grande consommation (yaourts, entremets, boissons...) empêchera de contrôler les quantités absorbées. Dans ce cas, seul l'avenir nous permettra de cerner les dangers. Il faudra attendre des années avant de le savoir, mais on peut déjà imaginer sans grand risque d'erreur :
- l'encouragement encore plus grand au goût sucré,
- le plus grand nombre de cancers de la vessie avec la saccharine et le tabagisme,
- des problèmes pendant ou après la grossesse, y compris chez l'enfant (voir p. 183, le cyclamate).

XI. Les jus de légumes

Ils sont une source importante de minéraux dont nos corps sont dépourvus.

8. Voir plus haut, p. 182-185.

Il est bon de recommander le nettoyage et le brossage des légumes, si possible provenant de culture sans engrais chimiques. Cependant mieux vaut encore un jus cru de légumes traités que pas de jus du tout.

Les jus les plus consommés sont : carotte, céleri, concombre, betterave rouge, poivron, tomate, navet, chou. On les associe par préférence de goûts.

On peut les agrémenter de fruits : pomme, poire, melon, orange, ananas, et faire de savoureux cocktails, surtout au début de leur consommation (pour les enfants en particulier).

Exemples : Carotte, céleri, pomme.
Carotte, céleri, betterave rouge, pomme.
Concombre, céleri, menthe.

Les plantes aromatiques sont les bienvenues (menthe, marjolaine, estragon, gingembre, etc.).

Les condiments (ail, oignon, poireau, persil) doivent être utilisés avec parcimonie, étant donné leur « puissance ».

Ces jus colorés, présentés dans de beaux verres, avec une paille et une partie de légume fendu à cheval sur le verre, un brin de verdure, feront le succès de vos apéritifs, surtout si vous les préparez devant vos convives, au goût de chacun.

XII. Les apéritifs

– Les apéritifs à base de vin. Ils doivent contenir plus de 18 % d'alcool. Ils sont aromatisés avec des essences et des extraits de plantes (exemple : les vermouths).
– Les champagnes titrent 14 à 18° d'alcool. Le champagne millésimé provient de vendanges exceptionnelles, et a vieilli au moins 3 ans en bouteille.

Certains apéritifs sont dangereux. Ce sont des alcools forts.

La consommation annuelle de spiritueux (l'alcool pur) est passée en France, de 1970 à 1980, de 3 litres à près de 4 litres par adulte de plus de 20 ans.
– Spiritueux anisés : de 1,1 litre à 1,5 litre.
– Eau-de-vie et spiritueux étrangers : 0,7 litre à 0,9 litre.

Pastis 51

Pour une même quantité de 100 g, il y a autant d'alcool dans le Pastis 51 (40,8 g) que dans l'eau-de-vie (40 g) et plus que dans le cognac

(35 g). Très souvent on prend plusieurs pastis… Dans certains villages ou cafés, on fait des concours de pastis.

« Le pastis sans alcool » contient des taux importants de réglisse responsable d'hypertension et d'hypokaliémie par fuite du potassium dans les urines ; ils sont donc dangereux, en particulier pour le cirrhotique.

Pernod Ricard

Pour une même quantité de 100 g, il y a plus d'alcool dans le Pernod Ricard (36 g) que dans le cognac (35 g) ou le curaçao-cherry-brandy (30 g). Très souvent on prend plusieurs Ricard à la suite… d'où une consommation excessive fréquente.

Whisky

Pour une même quantité de 100 g, il y a autant d'alcool dans le whisky que dans le rhum (35 g).

La France est le plus grand consommateur de whisky en Europe. La consommation de whisky en France est passée de 1 million de bouteilles en 1955 à 35 millions en 1983…

Gin

Pour une même quantité de 100 g, il y a autant d'alcool dans le gin que dans le rhum et le cognac (35 g).

On prend à peu près autant d'alcool pur dans chacun des verres du tableau 58 :

Tableau 58. –Équivalences en alcool

100 ml	un verre de bordeaux, vin rouge ou blanc à 12°
70 ml	un verre d'apéritif à base de vin à 18°
250 ml	un « demi » de bière à 5°
120 ml	un verre de bière forte à 8°[9]
250 ml	un grand verre de cidre « sec » à 5°
100 ml	une flûte de champagne à 12°
25 ml	un verre de whisky à 45°
25 ml	un verre de pastis à 45°
25 ml	un verre d'alcool blanc à 45°

9. Certaines bières étrangères sont encore plus fortes.

Tableau 59. – Teneur en alcool et apport énergétique pour 100 ml

	Teneur en alcool	Apport énergétique alcool + sucres
Bière	3 g	45 cal
Vin rouge	8 g	55 cal
Vin blanc	8 g	70 cal
Porto	15 g	160 cal
Whisky	35 g	240 cal
Cognac	35 g	240 cal
Apéritif anisé	38 g	260 cal
Kirsch	40 g	280 cal

XIII. Les tisanes

Elles sont, en général, sans danger :
– le tilleul aux vertus apaisantes,
– la verveine aux propriétés apéritives et digestives,
– la menthe qui stimule la digestion, mais provoque des insomnies,
– la sauge qui facilite la digestion,
– le romarin, utilisé en herboristerie pour ses propriétés cholérétiques et cholalogues,
– le thym, diurétique et antiseptique intestinal,
– la camomille, aux vertus digestives et circulatoires,
– le citron, stimulant digestif, bactéricide digestif et antiscorbutique,
– la marjolaine, calmant des nerfs, décongestionnant, antimigraineux,
– l'oranger, calmant, équilibre le sommeil,
– le serpolet, stimulant de la respiration, expectorant.

Chapitre VIII

RÉGIMES ET CONSEILS DIÉTÉTIQUES

I. Des régimes à éviter car dangereux. – II. Le régime végétarien. – III. Une méthode qui a fait ses preuves. – IV. Les jeûnes thérapeutiques. – V. Les cures de fruits. – VI. Des publicités mensongères et dangereuses. – VII. Idées fausses et idées vraies.

I. Des régimes à éviter car dangereux

Tous ces régimes ont une efficacité temporaire qui permet de « chanter victoire » quelque temps ; ils fatiguent souvent et altèrent la santé à long terme.

1. La « méthode Montignac » et le « régime Sulitzer »

La « méthode Montignac » est maligne, opportuniste, irrationnelle et inadaptée (Pr G. Debry, *Quotidien du médecin* n° 5266, oct. 1993). Cette méthode est dangereuse pour la santé à long terme. M. Michel Geneviève dit « Michel Montignac » est un technico-commercial qui n'a soumis sa méthode à aucune évaluation scientifique, car elle n'a aucune valeur santé.

Cette méthode est connue parce qu'elle a un très fort soutien publicitaire[1] et marketing. Il en est de même du « régime Sulitzer » qui a la valeur scientifique d'un roman.

2. Le régime végétalien

Ce régime est dangereux parce qu'il est exclusivement à base de produits végétaux sans aliment d'origine animale (y compris les œufs et produits laitiers).

---

1. La profession publicitaire sera-t-elle la dernière à se poser des questions éthiques ? Le grand public n'a pas encore assez pris conscience que publicité = argent et que l'argent n'est pas toujours à la source du « bien commun » ou seulement de la santé de l'Homme.

Sa conséquence : déficit protéique global et déficit en certains acides aminés essentiels ; les carences en vitamine B12, calcium et fer sont fréquentes ; à long terme il peut entraîner la mort.

3. Le régime macrobiotique[2] ou zen

Il repose sur des bases physiologiques d'Extrême-Orient. C'est une alimentation essentiellement céréalienne-légumineuse. Elle comprend du riz complet, de l'huile végétale, du sel avec restriction hydrique. Au total, ce régime apporte 80 % de céréales et 20 % de légumes cuits à la vapeur. Les céréales et légumes sont évidemment de culture biologique. Ce régime mal conduit peut être trop carencé en protéines et en eau. Il est alors dangereux, il entraîne une fatigue intense, des troubles digestifs et une dénutrition pouvant conduire à la mort.

En plus du côté alimentaire, la macrobiotique est une approche de la vie dans sa globalité : « Art de vivre selon les lois de l'Univers ».

En macrobiotique, le régime n° 7 se compose de 100 % de céréales saupoudrées d'un peu de persil cru finement haché. Ce régime est une méthode de détoxication qui serait plus efficace que le jeûne.

4. Les régimes dissociés

Ils apportent exclusivement une seule catégorie d'aliments chaque jour, en quantité illimitée et pendant une durée assez longue : viande, fruits ou fromages. Ces régimes sont déséquilibrés et ne peuvent être suivis de façon durable.

L'alimentation dissociée, d'après Hay[3], signifie « la dissociation de la protéine et des hydrates de carbone au cours d'un repas ».

---

2. Michio-Kushi a créé à Boston un Institut d'enseignement macrobiotique. Depuis 1985 il a créé en Suisse un Institut Kushi International qui est une école avec internat dispensant l'enseignement macrobiotique tant au niveau philosophique que scientifique avec pratique culinaire.

3. Les livres : *L'alimentation dissociée* d'après Hay ; *La médecine énergétique* du Dr P. Véret ; *La nourriture vivante* d'Ernst Günter ; *Sauvez votre corps* du Dr C. Kousmine, Éd. R. Laffont ; *Jamais malade ! Pourquoi ?* du Pr Fr. Zannini, éd. Résiac ; *Magnésiothérapie* du Pr R. Lautié, Éd. Vie et Action ; *Comment maigrir en faisant des repas d'affaires* de Michel Montignac, Éd. Artulen ; *Le régime Sulitzer* de P.-L. Sulitzer, Éd. M. Lafon sont scientifiquement peu fiables.

5. Le régime du Dr Atkins

Il interdit tout apport glucidique, l'absorption des autres catégories d'aliments étant laissée libre. Dans ces conditions, l'organisme n'est pas capable de métaboliser les lipides, et en particulier de constituer des graisses de réserve. Ainsi, se produit un amaigrissement qui peut être très rapide dans les premières semaines. La sensation de faim est supprimée par la cétogenèse*. Il s'agit d'un régime gravement déséquilibré à court terme ; la cétose provoque une perte de sel dans les urines et une déshydratation ; la production et l'accumulation d'acide urique sont favorisées. La disparition des fruits et légumes peut engendrer diverses carences vitaminiques.

Un tel régime ne peut être suivi sans danger au-delà de 3 ou 4 semaines.

6. Le régime de la « Mayo-Clinic »

Il prescrit l'ingestion de 6 œufs par jour avec des crudités et de l'eau correspondant à 60 calories environ. Il est très déséquilibré et, comme les autres, dangereux.

7. L'instinctothérapie, ou « manger cru »

Nous avons lu *La guerre du cru*, de G.-C. Burger. Ce mode d'alimentation est basé sur l'instinct, en partant du principe que les aliments « cuisinés » correspondent à une alimentation dénaturée. Ce régime n'a aucune base expérimentale scientifique, bien que Burger affirme l'avoir testé sur « des souris et sur sa propre famille... » Il est seulement vrai que la cuisson excessive des aliments peut les modifier en leur faisant perdre leurs vertus originelles : vitamines, minéraux, etc. De plus, il a été démontré que la cuisson à « la vapeur douce[4] », par exemple, facilite la digestibilité et ne dénature pas les aliments.

L'instinctothérapie, comme seul mode d'alimentation, peut favoriser les carences en certains aliments, car les préférences naturelles du goût peuvent malheureusement éviter de consommer des aliments indispensables.

D'autre part, n'oublions pas que l'espérance de vie de l'homme moderne a considérablement augmenté :

72 ans pour les hommes (70 à 73 selon le pays) et 78 ans pour les femmes (78 à 79 selon le pays).

---

4. Voir plus haut ch. VI, p. 258-262.

Nos ancêtres, avant « la guerre du feu », ne vivaient pas si longtemps !

Dire ou écrire que l'on guérit presque toutes les maladies avec l'instinctothérapie – y compris le SIDA – est une **escroquerie**. Il faut seulement reconnaître que pendant le temps de l'initiation à ce mode d'alimentation, les personnes abandonnent beaucoup de leurs mauvaises habitudes alimentaires, ce qui leur donne l'impression d'une forte amélioration.

Tous les régimes sont « merveilleux » au début, quand on vit sur les réserves, puis apparaissent progressivement des carences diverses.

Nous déconseillons sur une longue période tous les régimes 1 à 7, y compris la méthode Montignac ou le dernier « régime Sulitzer ».

II. Le régime végétarien

Il admet les œufs, les laitages et les fromages. Des troubles digestifs, en particulier coliques (sigmoïdites diverticulaires), peuvent résulter de la consommation exclusive d'aliments crus.

Beaucoup de végétariens consomment des « *produits de l'agriculture biologique* » : c'est ce logo AB qu'il faut exiger pour ces produits. Cette homologation officielle, dont la France a pour l'instant l'exclusivité, permet de chasser le faussaire. Les appellations « naturel », « sans conservateur », « sans nitrate », « rustique », « traditionnel », « grand-père », « mamy, papy » n'ont aucune signification. Même l'étiquette « bio » des produits allemands ou anglais qui envahissent nos rayons diététiques est sans signification.

Le régime à tendance « végétarienne » est certainement le plus logique et le meilleur pour la santé que l'on puisse conseiller.

En Angleterre, un « végétarien » coûte au service national de santé anglais 12340 livres (soit environ 19818 euros) en traitement hospitalier, sa vie durant ; son temps d'hospitalisation représente 22 % seulement de celui d'un « omnivore », lequel coûte en moyenne 58062 livres (92994 euros).

La mortalité par cancer est réduite de 40 % chez les sujets végétariens[5]. Cela est vrai surtout pour les cancers du sein, du côlon et du rectum, mais aussi de la prostate.

III. Une méthode qui a fait ses preuves

« Weight Watchers International » a mis au point un programme de contrôle du poids qui utilise la motivation et l'entraide par d'anciennes personnes ayant bénéficié du programme. Le programme consiste à suivre pas à pas, semaine après semaine, des conseils diététiques sous la direction d'une animatrice…

Une des caractéristiques de Weight Watchers est d'apporter une réduction calorique mais d'assurer en toutes circonstances les besoins quotidiens en minéraux, vitamines, avec un apport protéique correct. C'est la raison du succès des Weight Watchers.

IV. Les jeûnes thérapeutiques[6]

Le jeûne est l'abstention de toute nourriture, excepté l'eau, pendant un temps limité : 1 jour, ou 3, 5, 7, 14, 21 ou 28 jours. L'eau ordinaire peut être remplacée par l'eau de légumes.

Un peu d'histoire.

Jeûner est le moyen de guérison le plus ancien. Jeûne était synonyme de purification : éliminant les causes de maladie, c'est-à-dire « l'encrassement » de l'organisme. Hippocrate avait dit : « Plus vous nourrissez un malade, plus vous lui nuisez. » Dans les temps anciens, on jeûnait souvent, non seulement pour obtenir des guérisons physiques, mais aussi parce que, associé à la prière, cela procurait des bénédictions spirituelles. Un enseignement des méthodes de la pratique du jeûne était alors suffisant ; aucune surveillance médicale n'était nécessaire.

---

5. La mortalité par maladie cardio-vasculaire est réduite de 50 % (15e congrès international de nutrition, Adélaïde, Australie, oct. 1993).

6. Il faut souligner que le ou les jeûnes n'ont jamais guéri le cancer ou le SIDA.

Aujourd'hui : le retour du jeûne

Aux USA, en Suisse, et cela commence en France, existent des « maisons de convalescence » pour des jeûnes ou des cures diététiques. Il est souvent dit ou écrit que le jeûne est dangereux et ne doit être pratiqué que sous surveillance médicale. Ces notions sont livrées au grand public à seule fin de préserver les intérêts de quelques cliniques ou centres réservés à des clientèles aisées.

Il est possible de jeûner simplement, sans surveillance médicale, surtout s'il s'agit d'un jeûne de courte durée.

Pourquoi jeûner ?

Le but de cette thérapie élémentaire est « d'éliminer les surcharges » de l'organisme, toujours secondaires aux déséquilibres alimentaires, à la surnutrition, à la malnutrition.

Le jeûne sans surveillance médicale est donc indiqué en priorité chez les personnes pléthoriques, sans déséquilibre majeur. Exemples : goutteux, tendance à l'obésité, hypercholestérolémie, obésité équilibrée. Le jeûne est indiqué sous *surveillance médicale* chez les malades. Exemples : diabétiques pléthoriques, maladies de surcharge, cancer.

Le jeûne purifie le corps (Hippocrate).

Comment jeûner ?

Celui qui jeûne doit être conscient que sa volonté et sa collaboration sont essentielles pour réussir et obtenir le maximum de bienfaits.

• Le jeûne d'une journée au pain et à l'eau.
– Le plus important est de boire beaucoup, donc souvent, dans la journée.
– Il faut choisir un jour où l'activité physique est réduite.
– Manger du pain aux heures classiques des repas : 2 à 4 tranches doivent suffire.

Le lendemain, on se sentira déjà mieux. Attention à ne pas se suralimenter.

• Pour jeûner plus longtemps, il faut prévoir trois phases pendant lesquelles repos, sommeil et relaxation sont possibles.

1re phase : la préparation au jeûne (24 à 48 heures)

Elle consiste à évacuer son intestin par une purge ou des lavements doux. La purge : 40 à 50 g de citrate de magnésie effervescent et 10 à

15 g de sulfate de soude sec, le tout dissous dans un demi-litre d'eau tiède et bu en deux prises espacées de 30 minutes. On peut ainsi boire des tisanes diurétiques (queue de cerise, menthe, verveine, busserole, prêle, frêne...). Les lavements doux ne sont pas obligatoires: ils consistent à injecter dans le côlon un litre à un litre et demi d'eau tiède.

Quand l'intestin est bien nettoyé, alors commence la seconde phase.

2e phase : le jeûne

Cette phase consiste à boire des tisanes diurétiques non sucrées durant la journée, ou seulement de l'eau, toutes les 2 heures et une infusion chaude à 12 heures et une autre à 18 heures

Le jeûne consiste à boire de l'eau pure uniquement, jusqu'à 3 litres chaque jour.

Il vaut mieux commencer le soir en s'abstenant de dîner.

Si le jeûne est conduit ainsi progressivement, la faim disparaît après le troisième jour de jeûne. Si le jeûne est mal supporté (faim, insomnie, malaises), il faut boire davantage d'eau, et se permettre des jus de légumes, ou rompre le jeûne en consommant des fruits frais.

3e phase : le retour à l'alimentation normale

La reprise alimentaire doit être progressive. Le premier aliment à réintroduire est le fruit frais de saison.

Si le jeûne a duré 3 semaines et plus, il ne faut manger que 3 ou 4 fruits pendant la journée.

Le deuxième jour, on pourra ajouter des crudités : salade de laitue, mâche, carottes, tomates... selon la saison. Le pain complet ou la galette de blé peuvent être introduits.

Le troisième jour, on peut manger plus normalement en introduisant du poisson.

Le jeûne détruit beaucoup de mauvaises habitudes qu'il faut éviter de reprendre. « Le vrai jeûne doit être non seulement une désintoxication corporelle, mais encore une régénération du cerveau et du cœur... qui sont plus aptes à penser, à aimer. Le corps qui jeûne a toujours un esprit qui s'élève. » (Pr François Zannini[7])

---

7. « Si tu n'as pas faim, ne mange pas. Le jeûne est le meilleur apéritif et le meilleur procédé de désintoxication qui existe. » (Dr Pauchet.) Le jeûne peut supprimer la faim sur un ou quelques jours par l'effet « endorphine ».

V. Les cures de fruits

Elles ne peuvent pas faire de mal. Tous les fruits frais et de saison sont excellents pour la santé.

Le citron a des capacités antiseptiques par la vitamine C, et permet l'assimilation des minéraux : calcium, phosphore, magnésium.

Le raisin a une grande valeur nutritive. *Mais il est faux* d'écrire « que le raisin serait le seul aliment-remède contre le cancer sous toutes ses formes ».

La cure de raisin se pratique surtout au moment des vendanges, du 15 septembre au 15 novembre.

1re étape : après deux jours de jeûne passés à boire uniquement 1 à 2 litres d'eau par jour, on commence par manger 200 à 300 g de raisin toutes les 2 heures jusqu'à 19-20 heures Après cette heure, il ne faut plus manger de raisin.

Le seul impératif de cette étape est de bien mâcher peau et pépins afin de bien digérer le raisin, et de ne pas dépasser 2 kg de raisin par jour. Cette première étape peut durer 7 à 10 jours.

2e étape : de 7 à 10 jours. On introduit d'autres fruits, pour les manger en alternance avec le raisin.

3e étape : de 7 à 10 jours. On ajoute des salades, avec huile d'olive ou de tournesol. Cette salade est faite de légumes crus : chou-fleur, concombre, épinards, carottes, oignons.

4e étape : de 7 à 10 jours. C'est le retour à l'alimentation mixte, crue et cuite à la vapeur douce (voir p. 258).

VI. Des publicités mensongères et dangereuses

Six exemples suffiront :

– 1. Publicités déguisées pour boissons alcoolisées : Circuit Paul Ricard : la moto « Pernod 250 » ; le pull « Martini Sportline » ; la compétition « Set Suze ».

– 2. Les boissons rafraîchissantes :

Oasis : « Pour les jeunes enfants, Oasis au réveil, pendant les repas, au goûter, apporte des éléments nutritifs nécessaires à leurs besoins. » « Pour les sportifs, Oasis procure fraîcheur et tonus. »
– 3. Le film « Whisky à gogo » a été subventionné par la corporation des producteurs de Scotch-Whisky et par les chaînes de boîtes de nuit portant elles-mêmes aussi le titre « Whisky à gogo ».
– 4. Le jambon « fumé au feu de bois ». Il est en réalité bruni au pinceau ou au chalumeau, et reconstitué par moulage…
– 5. De l'air ! Aux États-Unis, on vend des boîtes de conserve remplies… d'air, « air non pollué recueilli dans les montagnes Rocheuses. Vous faites un trou et vous respirez. »
– 6. Les produits « Biolight », simple mélange d'eau et d'extraits de fruits et légumes, n'ont rien à voir avec les produits bio (voir annexe VI, p. 352). L'étiquette est contraire à la réglementation, et leur composition trop peu calorique est dangereuse pour ceux qui les utilisent en substitut de repas.

Une publicité qui coûte cher, mais qui n'a pas fait ses preuves!
L'utilisation du gui pour traiter le cancer… Le gui aux baies blanches, le *viscum album*, vit aux dépens d'un arbre hôte qui l'héberge… Ainsi, en préparation pharmaceutique appropriée, le gui stimulerait les défenses de l'organisme en agissant efficacement pour neutraliser les cellules cancéreuses…

Ces résultats restent à prouver scientifiquement in vitro et in vivo.

VII. Idées fausses et idées vraies

Quelques idées fausses
– La viande donne des forces.
– Le pain fait grossir. (C'est surtout ce qu'on met sur le pain qui fait grossir.)
– Les yaourts prolongent la vie.
– Le lait écrémé évite les matières grasses. (200 g de lait écrémé évite 7 g de lipides.)
– La pilule est sans danger. Les spécialistes admettent que les premières étaient dangereuses.
– Sauter un repas plusieurs fois par semaine réduit l'excès de poids.

– Le bœuf est maigre, le porc est gras. (Dans chaque espèce animale, il y a des morceaux maigres et des morceaux gras.)
– Le fer dans les épinards ! (il n'y en a que 3 mg dans 100 g d'épinards).
– L'huile de paraffine dans les assaisonnements ne fait pas grossir ! (En réalité, elle est absorbée et stockée dans le tissu adipeux, et peut provoquer à la longue des lésions du foie, de la rate et des poumons.)

Quelques idées vraies
– Les fruits frais apportent des vitamines.
– Le pain, c'est bon pour la santé.
– Le sucre qui colle à la surface des dents favorise la carie dentaire.
– Le publiciste : « Dites-moi quel produit vous souhaitez vendre, et je le ferai acheter[8]. »
– Les jeunes de 8 à 14 ans passent en moyenne 900 heures par an devant la télévision : plus de temps que sur les bancs de l'école (Secrétariat Jeunesse et Sports, 1977), et aujourd'hui ce serait 3 heures par jour.
– Les menus « basses calories » (pas plus de 1 000 calories) sont utiles une à deux fois par semaine.
– Ce sont surtout les mauvaises habitudes alimentaires qui doivent être combattues.
– Il y a peu d'aliments toxiques ; il y a surtout des doses toxiques.
– Dans notre société occidentale, on se met souvent à table sans avoir réellement faim.
– La quantité de nitrates présente dans les végétaux et les eaux de boisson s'accroît d'année en année, en particulier du fait de l'usage croissant de nitrates artificiels comme engrais. Les nitrates eux-mêmes sont sans danger, mais ils peuvent être transformés en nitrites dans l'intestin sous l'action des bactéries intestinales. Les nitrites peuvent réagir avec des produits alimentaires et donner naissance aux nitrosamines qui pourraient avoir des effets cancérogènes.
– La France détient 2 records mondiaux : la plus forte consommation d'alcool par habitant, et celui du taux le plus élevé de décès par alcoolisme.
– Le rôle des fibres est surtout d'accélérer et de faciliter le transit des aliments dans l'intestin.

---

8. 30 secondes de « pub » sur TF1 le dimanche à 20 h 30 coûtent 65 553 euros, et 71 651 euros le vendredi à 21 h 40 (voir aussi note 1, p. 272 et p. 277).

– Les biscottes sont plus sucrées que le pain ; les biscottes, tranches de pain déshydraté, sont plus énergétiques que le pain ; 360 calories pour 100 g au lieu de 250 calories pour 100 g.
– Les épinards sont riches en fer, comme tous les légumes à feuilles (cresson, chou...). Mais ce fer est moins bien utilisé par l'organisme que celui de la viande ou des abats tels que le foie.
– Attention aux biscuits, amandes, bières, whisky, le soir en regardant la télévision : ils augmentent l'apport calorique avant le sommeil... et favorisent l'obésité ! Mieux vaut un fruit et un peu d'exercice.
– Un excès de poids de 35 à 50 % augmente le risque de mort prématurée de 50 % (la population ayant 35 à 50 % de poids en trop, meurt deux fois plus au même âge qu'une population sans cet excès de poids).
– Le taux de cholestérol dans le sang supérieur à 2,50 g/litre est « un indicateur de risque » de maladie, de surcharge...
– La cellulose ne joue aucun rôle alimentaire. Mais sa présence est indispensable au bon fonctionnement de l'intestin dont elle stimule les parois, évitant qu'il devienne paresseux. C'est pourquoi les végétaux en général, les céréales complètes et le pain complet qui contiennent beaucoup de fibres sont très utiles dans la lutte contre la constipation, sans oublier de boire beaucoup pour que les selles soient hydratées et plus molles (moins de constipation).

À éviter

1. Attention au « Repas International » type Fast Food... Déjà 1 200 restaurants de ce type en France.
   Hamburger + frites + soda, soit 60 % de graisses pour 1 500 calories.
2. Supprimer complètement un repas.
3. Manger « machinalement » devant la télévision.
4. Avaler les bouchées sans les mastiquer suffisamment.
5. Prendre régulièrement apéritifs et digestifs.
6. Boire plus d'un quart de litre de vin par repas.
7. Manger le même jour deux plats gras : charcuterie, sauce grasse, friture, pâtisserie à la crème.
8. Grignoter sucré ou salé, ou boire sucré à n'importe quelle heure de la journée.
9. Rajouter « mécaniquement » du sel à tous les plats... C'est un tic !
10. Mettre beurre ou margarine sur son pain lorsqu'il accompagne un mets gras : fromage, charcuterie...

Quelques conseils pour chaque jour

Du lever au coucher du soleil :

– 2 grands bols de thé vert sucrés au miel.
– 2 verres de lait pour réduire l'acidité de l'estomac.
– 2 légumes pour les fibres et nettoyer l'intestin.
– 2 fruits pour les vitamines C et A à l'école ou au travail.
– 2 fromages : un bleu et un blanc à pâte dure de préférence (chèvre et brebis, c'est mieux).
– 2 verres de vin pour les oligo-éléments et les vitamines B.

Quelques conseils pour chaque semaine

– 2 viandes pour les protéines et les acides gras essentiels.
– 5 œufs pour le phosphore et les autres minéraux, et l'apport minimum en cholestérol.
– 2 poissons pour les protéines et les vitamines A, D et E.
– 2 yaourts pour les levures et les vitamines C, A, B.
– 2 poignées de fruits secs pour les minéraux et la vitamine E.

« N'oublions pas que 12 millions de Françaises et de Français sont à quelque degré des obèses, et portent collectivement 150 à 200 millions de kilos de graisse excédentaire, soit 1800 milliards de calories ! » (Pr A. F. Creff et L. Bérard, *Les kilos de trop*, éd. R. Laffont, 1977).

La pilule. Quels dangers*[9] *?

La pilule est devenue si banale qu'elle est assimilée à l'alimentation…

Les femmes qui utilisent la pilule contraceptive doivent avoir un poids correct et des taux normaux dans le sang en glucose, triglycérides, cholestérol… Elles ne peuvent l'utiliser plus de 2 années consécutives sans danger pour leur santé pour la normopilule, ni plus de 5 ans pour les moins dosées.

Les expériences sur les animaux se sont révélées d'excellents « prophètes » des effets sur les êtres humains, en particulier quant à leur pouvoir de provoquer un cancer (Dr Ellen Grant, Londres).

La pilule par elle-même cause plus de maladies vasculaires et de cancers que ne le fait le tabac seul (Dr Ellen Grant).

---

9. Voir à ce sujet *Amère pilule*, d'E. Grant, préface L. Israël, O.E.I.L., Éd. F.-X. de Guibert, Paris, 1988, et *Femmes si vous saviez…*, Éd. François-Xavier de Guibert, Paris, 2001.

En octobre 1983, le Pr Malcolm Pike et son équipe de Californie ont démontré que les cancers du sein avaient augmenté de 4 à 5 fois chez les femmes qui avaient pris la pilule 6 années ou plus, avant l'âge de 25 ans, et que le risque était plus grand avec des pilules progestatives plus fortement dosées.

Soulignons la montée dramatique des cancers chez les jeunes femmes, ces 20 dernières années. En Angleterre et au pays de Galles, le taux de cancer du sein s'est accru de 40 %, et le taux de mortalité, de 25 % (Dr Ellen Grant).

Il est connu depuis 1967 que la pilule augmente le risque d'anomalies chromosomiques chez les enfants (Dr Ellen Grant).

De même que la prescription de la pilule contraceptive a été une source facile de revenus pour un grand nombre de médecins à travers le monde, de même l'injection d'hormones au bétail est devenue une part importante des ressources courantes du vétérinaire (Dr Ellen Grant).

Les trafics d'hormones en Europe ont-ils vraiment cessé ?

Trop de somnifères et tranquillisants

On estime à 3 millions le nombre de Français prenant quotidiennement un somnifère, et à 200 000 celui des hyperinsomniaques[10]. 57 millions de boîtes d'hypnotiques et 53 millions de boîtes de tranquillisants sont absorbées annuellement en France.

Tous les médicaments sont efficaces, ils ne doivent être consommés que prescrits par un médecin. Pris sur de longues périodes de temps, sans raison médicale sérieuse, ils peuvent devenir dangereux pour la santé psychique ou physique.

En 1994, le nombre total des prescriptions de neuroleptiques, d'hypnotiques, de sédatifs, de tranquillisants et d'antidépresseurs dépasse 60 millions par an… Un psychiatre des hôpitaux évoquait « les pressions exercées sur les médecins par les laboratoires pharmaceutiques, en particulier les publicités (déguisées) véhiculées par la presse professionnelle »… « Tous ces médicaments représentent en France un marché de 3,5 milliards de francs. À lui seul le Prozac, nouvel antidépresseur de réputation internationale, a réalisé en France en 1993, un chiffre de vente de 573,5 millions de francs, en progression de 16 % sur 1992. »

---

10. Beaucoup de ces personnes ne se fatiguent pas assez physiquement pendant la journée.

(*L'Express*, 10-16 mars 1994.) Aux USA, en 2002, le fabricant de Prozac (retard), un comprimé pour 3 mois, offrait la première prise aux futurs « consommateurs ».

Chapitre IX

LES CANCERS LIÉS AUX ALIMENTS

I. Cancers de l'œsophage et des voies aérodigestives supérieures. – II. Cancer de l'estomac. – III. Cancer du foie. – IV. Cancers du côlon et du rectum. – V. Cancer du pancréas. – VI. Cancer du sein. – VII. Cancer du corps de l'utérus. – VIII. Cancer de la prostate. – IX. Cancer de la vessie. – X. Et le cancer du poumon !

Ce chapitre découle des notions actuelles les plus modernes qui concernent les relations « aliments et cancers », et résume les nombreuses études épidémiologiques menées depuis une dizaine d'années par de nombreuses équipes.

Pour faciliter la lecture et avoir un effet pratique, nous énumérerons localisation par localisation, c'est-à-dire les différents types de cancers observés aujourd'hui et liés directement ou indirectement à l'alimentation. Pour chaque localisation cancéreuse nous distinguerons :

– « le profil » des patients à risque[1],
– les conseils de prévention spécifiques à chaque type de cancer,
– l'examen clé pour le diagnostic précoce.

I. Cancers de l'œsophage et des voies aérodigestives supérieures

Chaque année 8 800 personnes sont atteintes : bouche, langue, larynx, pharynx, œsophage.

1. Non encore malade, mais population dite à risque.

1. Profil des personnes à risque

– Forte consommation d'alcool :

1 à x apéritifs chaque jour, surtout alcools forts : pastis, whisky, gin, rhum…

– Forte consommation de bière et de vin : 1 à plusieurs litres par jour.

– Tabagisme : 1 paquet de cigarettes par jour ou plus.

L'incidence du cancer de l'œsophage représente 18/100000 habitants en France, 70/100000 dans la province du Henan en Chine.

2. Conseils de prévention

– Éviter les alcools forts ; les remplacer par du vin doux naturel, ou des « apéritifs » non alcoolisés, des jus de fruits frais, jus de tomate…

– Ne pas dépasser 5 cigarettes par jour.

– Boire 1 litre à 1,5 litre *d'eau* en dehors des repas.

3. L'examen clé pour le diagnostic précoce

L'endoscopie avec ou sans anesthésie : elle voit la lésion suspecte et réalise un prélèvement biopsique pour analyse au microscope.

Tableau 60. – Évolution du nombre de cancers aux États-Unis
(Taux pour 100000 chez les hommes)

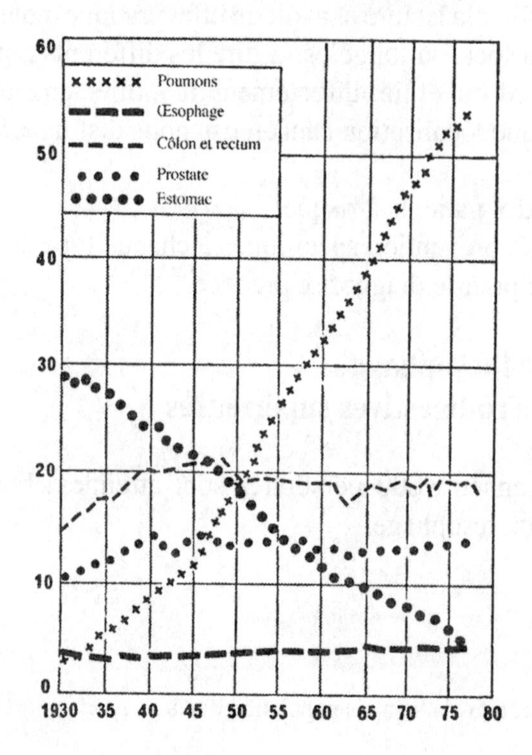

II. Cancer de l'estomac[2]

La fréquence des cancers de l'estomac diminue depuis 50 ans sauf dans quelques pays : Japon, Andes, Europe de l'Est.

– Japon .... 50,0 pour 100000 habitants
– Chili .... 46,0 pour 100000 habitants
– Hongrie .... 33,0 pour 100000 habitants
– Portugal .... 30,0 pour 100000 habitants
– Espagne .... 21,0 pour 100000 habitants
– France[3] .... 13,0 pour 100000 habitants
– USA .... 6,0 pour 100000 habitants
- Nicaragua .... 0,1 pour 100000 habitants

Quand on étudie les migrants japonais à Hawaï, on s'aperçoit que la première génération garde une fréquence élevée de cancers. alors qu'elle commence à diminuer dès la 2e génération

1. Profil des personnes à risque

– Âge moyen des personnes atteintes :
70 ans pour l'homme,
72 ans pour la femme.
– Comportements alimentaires comprenant :
salaisons, fumaisons, fritures, conserves trop salées. (La façon de conserver peut rendre nocif ce que l'on conserve.)
– Personne stressée, facilement inquiète.
– Une infection de l'estomac par *Helicobacter Pylori* (H.P.) augmente le risque de cancer de l'estomac de 4 à 6 fois. La vitamine C neutralise les effets délétères de H.P.

2. Conseils de prévention

– Consommer des fruits frais : 1 à 2 à chaque repas, et des légumes frais.
– Persil et jus de citron agrémenteront bien vos différents mets.

Il y a 200 mg de vitamine C pour 100 g de persil, et 65 mg de vitamine C pour 100 g de jus de citron. La vitamine C inhibe la formation de nitrosamines, elle a un effet protecteur.

---

2. Voir notre livre *Cancers digestifs*, tome I. *De la prévention aux traitements*, éd. François-Xavier de Guibert, Paris, 1999.
3. 20 pour l'homme – 10 pour la femme.

– Conserver les aliments au réfrigérateur car le froid empêcherait la transformation des nitrates en nitrites.
– Boire un verre de lait chaque matin.
- Supprimer les épices et les acides des aliments et des boissons.
– En Chine, la mortalité due à ce cancer serait moindre chez les personnes consommant davantage d'oignon et d'ail, qui ont de forts effets antioxydants.

3. L'examen clè

L'endoscopie de l'estomac ou gastroscopie.

III. Cancer du foie

Il faut distinguer le cancer primitif du foie, du cancer secondaire ou métastatique du foie.

Le cancer primitif est dû, le plus souvent, à la transformation cancéreuse du foie cirrhotique (95 % des cas). Dans 5 % des cas il peut être observé du fait de la transformation d'une hépatite virale B ou C devenue chronique. Les anticorps restent présents dans le sang.

Le cancer secondaire est le plus souvent (80 % des cas) secondaire à un cancer du côlon ou du rectum, plus rarement au cancer de l'estomac, du sein, de l'ovaire, du poumon, du rein…

Dans ces cas la prévention du cancer secondaire passe par le traitement le plus tôt possible du cancer primitif et par une surveillance régulière : échographie hépatique et dosage du ou des marqueurs tumoraux dans le sang : ACE, Ca 19-9.

1. Profil des personnes à risque

– Intoxication alcoolique chronique, même sans ivresse, surtout due aux alcools forts : pastis, whisky, gin, rhum,
– associée à une consommation excessive de bière ou de vin : 1 litre par jour et plus.

2. Conseils de prévention

– Réduire le plus tôt possible l'intoxication alcoolique, remplacée par de l'eau pure : 1 litre à 1,5 litre/jour, même en dehors des repas.
– Remplacer les apéritifs par des vins doux naturels ou des « apéritifs » non alcoolisés : jus de fruits, jus de tomate.

3. L'examen clé

L'échographie, le scanner du foie et la cytoponction de la tumeur qui différencie tumeur bénigne ou maligne, cancer primitif ou secondaire.

IV. Cancers du côlon et du rectum

25 000 personnes sont atteintes chaque année en France, et 15 000 décès annuels sont dus à ce type de cancer.

La carcinogenèse colorectale peut être divisée en 3 stades successifs :
1. l'adénome précurseur, ou polype,
2. la croissance de l'adénome, et
3. sa transformation en cancer (risque relatif*).

Les facteurs génétiques et d'environnement interagissent dans la formation et la transformation des polypes en cancer.

Une étude américaine réalisée à Boston (Willet et coll.) semble le confirmer après avoir évalué les habitudes alimentaires de 88 751 infirmières de 1980 à 1986. Selon cette étude, les femmes qui consomment de la viande rouge chaque jour ont deux fois plus de risques d'avoir un cancer du côlon que celles qui n'en consomment qu'une fois par mois. Mais en revanche celles qui se reportent sur le poisson ou les volailles sont protégées.

Cette étude plaide pour une réduction de la consommation carnée, ce qui n'est pas nouveau. Mais le Dr Peter Greenwald de l'Institut national du cancer met en garde contre une suppression totale de la viande rouge dans l'alimentation. Il faut simplement ne pas en abuser.

1. Profil des personnes à risque

– Personnes trop bien nourries en état de surpoids ou d'obésité.
– Habitudes alimentaires :
• riches en graisses provenant des viandes, et d'une cuisine trop riche en graisses cuites,
• riches en sucres simples par des boissons trop sirupeuses contenant trop de sucre,
• pauvres en fruits frais, en légumes qui apportent des fibres, lesquelles accélèrent le transit digestif et réduisent le temps de contact entre le

contenu digestif et la muqueuse du côlon ou du rectum.
– Dans les cancers du rectum, on a discuté du rôle possible de la bière (plus de 500 ml/j) comme facteur de risque (voir p. 268).
– Les antécédents de cancer du côlon et du rectum chez les ascendants ou descendants directs. La polypose colique ou colorectale est une maladie génétique.

2. Conseils de prévention

– Changer progressivement d'habitudes alimentaires en remplaçant la viande par le poisson (2 à 3 fois par semaine).
– Consommer des fibres avec fruits, légumes frais et secs, céréales...
– Modifier les habitudes culinaires en remplaçant la cocotte-minute, le gril, le barbecue, par le cuit-vapeur type couscoussier (vitaliseur d'A. Cocard, voir p. 258).
– Si vous voulez faire cuire viandes ou poissons au barbecue, utilisez un barbecue vertical et non horizontal, ou le prochain barbecue « écologique ».
– Buvez plus d'eau, moins de vin et de bière, très peu d'alcools forts..

Le 5 décembre 1991, le *New England Journal of Medecine* a rapporté l'intérêt de l'utilisation régulière d'anti-inflammatoire non stéroïdiens et plus particulièrement d'aspirine. L'étude a porté sur plus de 600 000 Américains. La prise minimum de 16 comprimés par mois (un tous les 2 jours) d'aspirine serait suffisante pour diminuer de moitié la mortalité par cancer du côlon. On ignore encore quelle est la dose nécessaire. Ces résultats confirment des études précédentes réalisées en Australie et en Californie où on retrouve les mêmes pourcentages dans tous les cas. L'effet protecteur de l'aspirine serait positif même chez les personnes prédisposées au cancer du côlon par leurs antécédents familiaux. Si ces études sont confirmées, l'aspirine végétale contenue dans la « Reine des Prés » constituera un excellent conseil de prévention du cancer colique. Remède des « douleurs des jointures » depuis la Renaissance, « *Spirea ulmaria* » deviendra encore plus l'amie de l'homme... Dans *Elusane*, « Reine des Prés » en gélules (2 par jour), 1 g de cet extrait correspond à 5 g de plante sèche.

3. L'examen clé

L'endoscopie du côlon et du rectum, ou rectocoloscopie.

V. Cancer du pancréas

1. Profil des personnes à risque

Le rôle de l'alcool a été discuté ; il est probable, surtout les apéritifs à alcool fort : pastis, whisky, gin, rhum... mais aussi la bière[4].

Le rôle du café a été discuté ; il est peu probable, ou alors à doses élevées.

Le rôle des graisses alimentaires provenant des viandes est possible, comme pour le cancer du côlon et du rectum.

2. Conseils de prévention

– Boire 1 litre à 1,5 litre d'eau chaque jour.
– Réduire la consommation d'alcool, de café, de graisses alimentaires provenant des viandes.
– Manger plus de fibres avec des fruits frais, des légumes, des céréales.
– Remplacer les viandes par du poisson.

3. L'examen clé

Le scanner du pancréas.

VI. Cancer du sein

C'est un cancer hormono-dépendant*, qui touche actuellement 35000 femmes chaque année en France (10000 femmes en meurent chaque année, 140000 aux USA). Pour une Française vivant 80 ans, le risque cumulatif serait de 7 à 8 %, soit une femme sur 13 environ. Le risque ne cesse d'augmenter : 2 % au minimum chaque année.

1. Profil des personnes à risque

– Antécédents familiaux de cancer du sein (dans 5 à 10 % des cas).
– Absence d'enfants et prises d'hormones injustifiées médicalement.
– Un régime riche en graisses augmenterait la production d'œstrogènes.
– Consommation excessive d'hormones :
• plus de 2 ans de pilule au total,

---

4. De fortes consommations de bière sont responsables de pancréatites aiguës (inflammation du pancréas qui peut être mortelle).

• plus de 3 ans de médicaments tranquillisants, antidépresseurs... qui sont hyperprolactinémiants[5].
• Femmes traitées pour maladies bénignes du sein: fibroadénome, mastose, microcalcifications visibles en mammographie.
• Après la ménopause, le surpoids et l'obésité augmentent le risque du cancer du sein de 8 % pour chaque 10 kg en plus de la normalité.
– Consommation excessive d'alcool: plus de 80 g d'alcool par semaine provenant de la bière (risque = 2,8) et plus de 80 g d'alcool par semaine provenant du vin (risque = 1,8).
– Tabagisme qui aurait un effet hyperprolactinémiant.

2. Conseils de prévention

– Éviter le surpoids après la ménopause en réduisant la consommation totale de graisses (graisses cachées des viandes, aliments frits, crèmes glacées, fromages trop gras[6], salades trop huilées...).
– Éviter de consommer des hormones sans raisons médicales sérieuses[7] (carences ou déficits plus ou moins importants que l'on peut détecter par dosage des hormones dans le sang et les urines).
– En cas d'antécédents familiaux, surveillance mammographique au moins tous les 3 ans après 30 ans.
– Avoir des enfants et les allaiter au moins 3 mois.

« *L'allaitement réduit le risque de cancer du sein, spécialement chez les femmes qui allaitent dans leur jeune âge et sur une longue période, selon une étude publiée par le* New England Journal of Medicine *en 1994*.

5. Ces médicaments font sécréter la prolactine par l'hypophyse... cette hormone est responsable de la lactation après la grossesse. En dehors de la grossesse, les médicaments hyperprolactinémiants stimulent les canaux galactophores du sein, ce qui peut être dangereux: apparition d'écoulement par le mamelon, c'est la galactorrhée qui traduit la multiplication et la sécrétion des cellules des canaux galactophoriques.

6. En France, M. G. Lê a trouvé une liaison positive entre le risque de cancer du sein et la consommation de fromage et de lait entier, aucune liaison avec la consommation de beurre, et une liaison négative entre ce risque et la consommation de yaourts. (J. Nat., Cancer Inst. 1986 : 77, 633-636.) Les résultats n'ont pas été retrouvés aux USA par le Dr D. Hunter dans une étude portant sur 89000 femmes suivies durant 8 ans. Le rôle néfaste des graisses serait récusé, quel que soit leur type (juin 1991). Des publications nombreuses récentes confirment les effets nocifs des consommations excessives de produits laitiers provenant des vaches.

7. Éviter la pilule contraceptive qu'on ne peut consommer sans danger qu'après la naissance d'un premier enfant et pas plus de 2 années au total. À lire: *Sexual chemistry*, *Understanding our Hormones, The Pill and HRT*, by Dr Ellen Grant, Éd. Cedar, 1994.

Les mères qui nourrissent au sein avant l'âge de 20 ans, et pendant au moins six mois, voient les risques de cancer diminuer de 46 %, indique cette étude réalisée par une équipe de l'Université du Wisconsin.

« Pour les femmes allaitant plus tardivement, les risques diminuent de 22 %, précise cette enquête portant sur quelque 14000 femmes, dont 5900 souffrant du cancer du sein. Les liens entre l'allaitement et le cancer du sein ne sont pas clairement établis. Les spécialistes soulignent que l'allaitement peut entraîner un changement des sécrétions hormonales, une interruption de l'ovulation ou une modification physique du sein. »

Aujourd'hui le rôle positif de l'allaitement maternel pour prévenir du cancer du sein est établi. (Voir nos livres *Prévenir le cancer du sein* et *Femmes si vous saviez...*)

– Avoir son premier enfant avant ou autour de 26 ans.

3. L'examen clé

La mammographie. En 30 ans la taille moyenne du cancer du sein a diminué de 5 à 2 centimètres ; ainsi les chances de survie sont passées de 25 à 75 %.

VII. Cancer du corps de l'utérus

Ce type de cancer est hormono-dépendant. 3500 personnes en sont victimes chaque année.

1. Profil des personnes à risque

– Âge moyen : en général après la ménopause, bien qu'actuellement ce type de cancer soit observé plus tôt, de plus en plus souvent avant la ménopause, chez les femmes ayant reçu des traitements hormonaux, en particulier des œstrogènes.

– Alimentation riche en graisses animales.

– Prise d'œstrogènes seuls ou associés aux progestatifs. *Il n'a jamais été démontré que les progestatifs protègent du cancer du corps utérin, bien que des médecins et même des spécialistes le croient encore.*

– Prise d'antiœstrogènes (Tamoxifène) dans le traitement du cancer du sein.

2. Conseils de prévention

– Ne pas prendre d'œstrogènes ou d'œstro-progestatifs autour et avant la ménopause. Pour éviter l'ostéoporose, une alimentation à tendance végéta-

rienne est moins dangereuse (cf. p. 280). Elle apporte les phytohormones qui éviteront la baisse excessive des taux des hormones naturelles.
– Réduire la consommation de graisses saturées présentes dans les viandes.

3. L'examen clé

L'échographie utérine et la biopsie.

VIII. Cancer de la prostate[8]

En 1984, 7400 hommes ont été atteints, et le chiffre ne cesse d'augmenter.

1. Profil des personnes à risque

– Hommes de plus de 45 ans en état de surpoids ou d'obésité.
– Gros consommateurs de viande, porteurs de petites gynécomasties (petites glandes mammaires).
– Hommes ayant reçu des traitements hormonaux excessifs de type testostérone ou à action « testostérone like », pour des problèmes de virilité ou de fatigue générale…

2. Conseils de prévention

– Réduire la consommation de charcuterie et de viande rouge.
– Ne pas consommer de traitements hormonaux de type testostérone ou de vitamine E (tocophérol et dérivés) en excès sans faire la preuve biologique d'une carence ou d'un déficit.

3. L'examen clé

Le toucher rectal et l'échographie prostatique, ainsi que le taux de PSA (Prostatie Specific Antigen) ; anormal au-dessus de 4.

IX. Cancer de la vessie

1. Profil des personnes à risque

– Gros fumeur (plus d'un paquet par jour) et même tabagisme passif.

---

8. C'est un cancer hormono-dépendant dans lequel on a trouvé de nombreux récepteurs de la testostérone.

– Personnes atteintes de polypes simples ou multiples (polypose) de la vessie.
– Éventuellement, consommation excessive de sucres artificiels (il est trop tôt pour l'affirmer : la consommation de ces « sucres artificiels » est trop récente pour pouvoir observer de telles complications).

2. Conseils de prévention
– Réduire le tabagisme : 2 à 5 cigarettes par jour.
– Se faire suivre et enlever le ou les polypes de la vessie.
– Ne pas consommer trop de « sucres artificiels » (édulcorants : saccharine en particulier).
– Boire moins de 6 tasses de café par jour[9].

3. L'examen clé

L'échographie de la vessie et l'endoscopie vésicale ou cystoscopie.

X. Et le cancer du poumon ?

44000 personnes en sont décédées en 1988 dans l'ensemble de la Communauté européenne.

1. Profil des personnes à risque
– Fumeurs de cigarettes trop fortes en goudron.

Fumer multiplie par 15 à 20 le risque de cancer du poumon. Les ventes globales de cigarettes ont légèrement régressé : 93 milliards en 1988, contre 94 milliards en 1987, mais les ventes des « légères » ont augmenté de 12 %. Ce qui n'est pas mieux.

Au bout de 10 ans, tout individu qui fume une vingtaine de cigarettes par jour devient un sujet à haut risque. 2 % seulement des personnes atteintes de cancer du poumon ne sont pas des fumeurs. Les non-fumeurs vivant dans un environnement de fumeurs courent aussi des risques ; ces cas ont augmenté de 40 % ces dernières années. Le tabac a causé 65000 décès en France en 1991. Une projection sérieuse permet de redouter 120000 décès par an en l'an 2010.

---

9. Int. J. Cancer 1988, 42, 17-22.

2. Conseils de prévention

Depuis 1993, les paquets de cigarettes portent deux mentions : 1. « nuit gravement à la santé », et 2. « fumer provoque le cancer » ou « fumer provoque des maladies cardio-vasculaires » ou « les fumeurs meurent prématurément ».

Les ministres de la Santé envisagent d'interdire aux fabricants de dépasser la teneur maximale en goudrons de 15 mg à partir du 1er janvier 1993, et de 12 mg cinq ans plus tard.

Un paquet de Marlboro contient 15,8 mg de goudrons en France ; 16,3 en Italie et 13 mg en RFA. La Gauloise en contient 22,8 mg ; la gitane, 21,7 mg ; la gitane maïs, 44 mg...

Si l'on supprimait le tabac, il y aurait 30 % de cancers en moins[10]. Les résultats de l'étude finlandaise visant à rechercher l'effet préventif des vitamines A et E sur les cancers du poumon se sont avérés négatifs. Ils ont été publiés dans le *New England Journal of Medicine* le 14 avril 1994. Cette étude a porté sur 29000 hommes d'âge moyen, fumeurs, suivis pendant 6 ans. Ceux qui absorbaient un supplément de bêta-carotène ou d'alphatocophérol n'en ont tiré aucun bénéfice.

Les apports excessifs en vitamines risquent de stimuler le cancer... C'est la seule conclusion qu'on peut en tirer. D'où notre réticence pour prescrire des suppléments alimentaires à ceux qui n'ont pas de carences dûment prouvées biologiquement.

3. Examen clé La radiographie du thorax et l'endoscopie bronchique.

---

10. Mais les taxes sur le tabac rapportent plus à l'État que ne lui coûtent les méfaits du tabac.

Chapitre X

NUTRITION MÉDITERRANÉENNE ET PRÉVENTION DES CANCERS[1]

I. Données actuelles en prévention des cancers du côlon et du rectum. – II. Données actuelles en prévention des cancers du sein. – III. Alimentation méditerranéenne et maladies cardiovasculaires. – IV. Trois conseils pratiques.

Le terme de « Mediterranean diet » a été introduit en 1975 par A. Keys dans son livre publié à New York *: How to eat well and stay well? : the Mediterranean way. (« Comment bien manger et se bien porter ? La voie méditerranéenne »)*

La nutrition méditerranéenne n'a pas une définition très stricte. Elle correspond à des habitudes alimentaires – peu de graisses saturées, plus de glucides complexes et naturels sous forme de fruits, légumes et plus de protéines végétales avec les céréales et les légumineuses – spécifiques des régions du pourtour de la Méditerranée et à des aliments produits, cultivés ou préparés (poissons, huile d'olive, vin) sous le climat du Sud de l'Europe.

Parmi ces pays, on compte la Grèce, la Yougoslavie, Malte, le Sud de l'Italie, le Sud de la France, l'Espagne et le Portugal, bien que le Portugal ne soit pas géographiquement inclus dans la zone périméditerranéenne. À ces pays, il faut ajouter la Turquie et les pays d'Afrique du Nord.

---

1. – *The Mediterraneen and Cancer Prevention*, A. Giacosa, M. J. Hill Editors, 1991.
– *European Cancer Prevention Organization*, News, 1993-1994.
– *Epidemiology of Diet and Cancer*, M. J. Hill, A. Giacosa, CPJ Caygill Editors, 1994.

En Grèce, la consommation d'huile d'olive et de fruits est élevée, tandis qu'en Finlande et en Hollande, la consommation de lait, pommes de terre, graisses et produits sucrés est nettement plus élevée.

En 1991, Giacco et Riccardi ont comparé les habitudes alimentaires de différents pays méditerranéens à celles des États-Unis, choisis comme exemple de pays industrialisé, ayant un haut risque de maladies cardio-vasculaires. Leur étude a mis en évidence un fort apport calorique (30 à 60 %) provenant des céréales dans les pays méditerranéens, tandis qu'aux États-Unis, ils n'excèdent pas 19 %. Par ailleurs, la forte consommation en huile d'olive est une des caractéristiques qui apparaît dans les comparaisons pays par pays, ainsi que la consommation en légumes. Préalablement définis comme pays consommateurs de moins de graisses, en particulier saturées, il est apparu qu'ils consommaient de façon naturelle de plus grandes quantités de vitamines A, bêta-carotène (tocophérol), de vitamine C, de sélénium mais également de produits non nutritionnels tels que les acides phénoliques des plantes, des glucosindoles et des dithiothiones, des végétaux crucifères, des sulphides organiques de l'ail… Toutes ces substances peuvent contribuer à la promotion de la santé. Ainsi les régimes méditerranéens n'apparaissent pas simplement non toxiques. Ils sont plus encore protecteurs, principalement des maladies cardio-vasculaires mais également de différents types de cancer. Leur effet bénéfique est suggéré par la faible mortalité liée aux maladies cardio-vasculaires mais aussi par la réduction du nombre de cancers touchant différents sites : côlon-rectum, pancréas, sein, prostate…

I. Données actuelles en prévention des cancers du côlon et du rectum

Les études épidémiologiques

• *Importance des fibres*

La théorie des fibres dans la genèse de ces cancers date du début des années soixante-dix. Les enquêtes épidémiologiques des années quatre-vingts avaient montré la corrélation entre la fréquence dans une population donnée, du cancer colorectal et de la consommation par habitant en viande et graisse. Une alimentation riche en fibres aurait un effet protecteur. Little en 1993, dans une étude-cas-contrôle chez 147 patients, a montré le rôle protecteur des fibres des céréales dans l'étiologie des adénomes colorectaux qui sont considérés comme des états pré-cancéreux. Wynder et Weisburger recommandent une alimentation comprenant 25 % de graisses et 25 à 35 g de fibres et pensent que l'éducation scolaire doit aider à modifier les habitudes alimentaires des enfants[2]. De même, Sandler conclut qu'un régime riche en graisses et pauvre en hydrates de carbone, fruits et autres fibres végétales augmente le risque non seulement de cancer colorectal mais aussi des adénomes précurseurs.

Récemment, Howe a proposé la consommation de 30 g par jour de fibres alimentaires pour réduire l'incidence du cancer colorectal aux États-Unis de 31 % (50 000 cas annuels).

• *Minéraux et vitamines*

Burnstein rapporte qu'une variété de micronutriments comprenant le calcium et la vitamine D, le sélénium et les vitamines A, C et E exercerait un effet anti-carcinogène. Vargas rappelle que 1,5 – 2,0 g/24 heures de calcium diminue significativement la synthèse de l'ADN des cellules coliques des patients à risque et qu'une supplémentation chronique en son de blé réduit la synthèse d'ADN au niveau de la muqueuse rectale et la récidive des polypes.

Arbman en Scandinavie a pu séparer cancer du côlon et cancer du rectum :

– **pour le côlon**, un apport élevé en calcium et céréales réduit le risque. Des concentrations élevées en calcium dans la lumière colique semblent jouer un rôle protecteur vis-à-vis du risque de cancer colique ;

– **pour le rectum**, seule une grande quantité de fibres et céréales est associée à une réduction du risque ; tandis qu'une forte consommation d'alcool augmente les risques, en particulier alcools forts et bière.

• *Fibres et graisses*

Mais l'apport de fibres expliquerait-il à lui seul la réduction du risque relatif de cancer du côlon et du rectum ? Ne s'agit-il pas de la réduction de l'apport total en graisse ? Les 2 hypothèses fibres-lipides sont acceptables ensemble. L'étude de Sjödin en 1992 chez le rat montre

2. L'installation par le mouvement familial « Familles de France », dans toutes les écoles de France et plus tard d'Europe, de « bars à fruits » pour « un fruit frais à chaque récré » aura un effet très positif sur la santé des jeunes.

un rôle protecteur des fibres insolubles grâce à l'absorption des substances carcinogènes présentes dans la lumière intestinale. Selon Boutron, les mucilages et le son de blé auraient un intérêt particulier. De Cosse en 1989 a montré pour la première fois qu'une alimentation pauvre en graisses et riche en fibres pouvait être bénéfique dans la prévention du cancer recto-colique dans une population à risques de cancer colorectal (polypose recto-colique familiale). Après 4 ans de suivi, on a pu observer une réduction de la taille et du nombre des polypes rectaux de façon significative chez les patients recevant 22 g par jour de son de blé associés à des vitamines C (4 g par jour) et E (400 mg par jour) par rapport à ceux ne recevant que les vitamines, ou peu de fibres et pas de vitamines.

Quel serait le rôle des fibres[3] ?

– Les fibres alimentaires modifient l'écologie bactérienne, c'est-à-dire la présence des germes dans le côlon, en réduisant les transformations chimiques qui permettent la formation de certains carcinogènes (produits de dégradation ou de transformation bactérienne comme les acides biliaires secondaires).

– Un pH acide favorisé par la présence de fibres inhibe l'agression et la prolifération des cellules de la muqueuse colique provoquée par les acides biliaires… Mais d'autres mécanismes ont été proposés sans être encore confirmés in vivo: augmentation du volume du contenu intestinal (poids des matières), accélération du transit par les fibres, d'où la diminution du temps de contact entre d'éventuels carcinogènes et la muqueuse colique, fermentation des fibres dans le côlon en acides gras volatils, notamment avec la production d'acide butyrique responsable d'un effet protecteur sur la muqueuse colique.

Les fibres permettraient aussi l'étalement de l'absorption des nutriments principaux (glucose, lipides) et le remplacement du glucose par les acides gras volatils (1 g de glucide fermenté dans le côlon fournit environ 0,6 g d'acides gras volatils). Des synergies existent probablement entre les mécanismes agissant dans la prévention des maladies cardio-vasculaires (apport de substances antioxydantes des fruits et légumes) et celles de certains cancers (fibres, calcium et micronutriments).

---

3. Ce rôle est largement expliqué dans notre livre *Cancers digestifs*, tome I. *De la prévention aux traitements*, éd. François-Xavier de Guibert.

La 5e recommandation du code européen contre le cancer: « Consommez fréquemment des fruits et des légumes et d'autres aliments riches en fibres » reste plus que jamais d'actualité, associée à la 6e recommandation: « Évitez l'excès de poids et limitez votre consommation d'aliments riches en matières grasses ».

II. Données actuelles en prévention des cancers du sein

Les études épidémiologiques

• *L'intérêt des fibres*

Des études cas-témoins (les témoins jouent le rôle de contrôle par rapport aux personnes atteintes par le cancer) ont montré qu'existaient des facteurs alimentaires de protection du cancer du sein liés aux fibres. Elles soulignent que les régimes méditerranéens riches en fibres, céréales, légumes verts, réduisent de façon significative les risques de cancer du sein chez des femmes dont les tranches d'âge sont variables en pré- comme en post-ménopause. Cependant, la consommation plus grande de fibres est souvent corrélée à une réduction de la prise en graisses totales.

• *Fibres et hormones*

Dès 1986, Goldin avait montré que les femmes américaines qui consommaient moins de fibres que les Asiatiques avaient un risque d'apparition de cancer du sein supérieur. Mais un « biais » (risque d'erreur) hormonal existait. En effet, les Asiatiques avaient un taux d'hormone œstrogène dans le sang nettement inférieur à celui des femmes américaines. Or les femmes japonaises sont de faibles consommatrices d'hormones exogènes. (Voir *Femmes, si vous saviez...*)

On sait par ailleurs que le cancer du sein est un cancer hormonodépendant et que les œstrogènes auraient une activité promotrice pour ce cancer, en fonction de leur affinité pour les récepteurs d'œstrogènes des tissus. De même, les précurseurs des œstrogènes tels que des sulfates d'œstrogènes, comme des androgènes dans le tissu mammaire, telle que la Delta IV androstènedione, sont capables par transformation dans le tissu adipeux mammaire, après la ménopause, de libérer de l'œstrone qui pourrait jouer le rôle de promoteur de cancer du sein. Toutes ces notions ont été retrouvées par H. Adlercreutz qui a montré dès 1989 qu'androstènedione, testostérone et un taux faible en SHBG (Sex Hormone Binding Globulin) sont corrélés au risque de cancer du sein et sont plus élevés chez les femmes mangeant beaucoup de viande que chez les végétariennes.

• *Importance des graisses*

De plus, L. E. Holm en 1993 rapporte qu'une alimentation riche en graisses saturées favoriserait le volume et la prolifération de la tumeur du sein. Par ailleurs, un régime comprenant 30 g par jour de fibres alimentaires et 34 % de calories d'origine lipidique permet d'obtenir une réduction significative de la concentration dans le sang d'œstrone et d'œstriol. Ces données ont pu être vérifiées chez l'animal comme en clinique humaine. Malgré cela, l'étude prospective de Willett parue en 1992, effectuée sur une cohorte de 89494 femmes dont 1439 avaient développé un cancer du sein, sur une période de 8 années n'a pu établir de lien significatif entre les apports en fibres alimentaires et l'incidence du cancer du sein. Cette étude ne permet pas de conclure à l'intérêt d'une alimentation pauvre en graisses (en dessous de 29 % de l'apport calorique total) et riche en fibres pour prévenir le cancer du sein.

À l'inverse, l'équipe australienne de Baghurst a mis en évidence en 1992 l'effet protecteur des fibres dans le cancer du sein pour un apport en fibres supérieur à celui de Willett (22 g contre 17 g). Bien que les différences entre ces 2 études ne soient pas significatives, ces résultats se neutralisent et montrent que des travaux complémentaires s'imposent. Aux États-Unis, la réduction du risque de 10 % réduirait le nombre de cancer du sein chaque année d'environ 18000 cas.

Les essais d'explication

Les fibres auraient un rôle hormonal indirect. Elles diminueraient la réabsorption des œstrogènes au niveau du tube digestif en agissant sur les enzymes bactériennes d'où l'augmentation de l'excrétion dans les selles des œstrogènes et l'abaissement des taux d'œstrogènes dans le sang. Il est également possible que les phyto-oestrogènes[4] (à la différence des œstrogènes animaux et humains) présents dans les régimes

4. Le rôle des phytohormones apparaît de plus en plus certain. Nous l'avons fortement développé dans *Femmes, si vous saviez… Hormones, ménopause, ostéoporose…*

végétariens à plus forte dose, soient utiles pour neutraliser ou remplacer les œstrogènes exogènes naturels ou artificiels.

Pratique quotidienne et recherches à venir

• *Combien consommer de fibres ?*

Dans le cancer du sein, la plupart des enquêtes alimentaires mettent en évidence une consommation trop importante de graisses et de sucres et une insuffisance de consommation en fibres. Dès le plus jeune âge, les enfants mangent de trop grandes quantités de graisses, en particulier saturées ; celles-ci représentent 36 % des calories absorbées alors que la proportion maximale recommandée ne dépasse pas 30 %. De plus, ils absorbent trop peu de fibres : une moyenne de 10 à 12 g par jour au lieu de 20 à 30 g préconisée par l'Institut national du cancer des U.S.A.

• *Où trouver les fibres ?*

L'effet des fibres serait donc multiple et insuffisamment connu. En plus de leur intérêt santé, s'ajoute leur intérêt économique, puisque les fibres sont essentiellement présentes dans les végétaux consommés quotidiennement dans l'alimentation. Il n'est pas utile de prévoir une prescription médicamenteuse !

Alimentation méditerranéenne type

Crudités	à chaque repas (légumes, salades, fruits)
Poisson	3 fois par semaine
Fruits frais	au moins 4 fois par jour
Légumes frais	2 fois par jour
Légumes cuits vapeur	2 fois par jour
Une céréale	pain (riz, boulghour…) chaque jour
Légumineuses	1 à 2 fois par semaine
Fromage-Laitages	1 à 2 fois par jour
Œuf	pas plus de 5 par semaine

• *Autres effets positifs pour la santé*

Les végétaux contiennent des composés anticancérogènes, notamment le sulforaphane présent dans les *brocolis* et les *choux de Bruxelles*. De même, l'acide ellagique est considéré comme un anticarcinogène et serait présent dans beaucoup de *fruits* (*fraises, mûres de ronces* et *pommes*). Les groupements sulfidriles présents dans le *kiwi* auraient une action anti-mutagène tandis que le poly-saccharide (ACPSR) aurait une action anti-tumorale démontrée chez le petit animal porteur de tumeur. Les enzymes protecteurs présents dans les végétaux seraient essentiellement les glutathion-transférases, la quinone-réductase, l'oxydo-réductase et le UDP glucuronosyl-transférase. Le *thé vert*, contenant des polyphénols, en particulier l'épicatechine, aurait un rôle préventif dans plusieurs modèles de tumeurs animales, en particulier les tumeurs cutanées.

Dans la *poudre d'ail*[5], on a également mis en évidence un inhibiteur du 7-12 diméthyl benzantracène, lui-même inducteur de tumeur mammaire chez l'animal. Ces recherches expérimentales en toxicologie nutritionnelle sont aussi essentielles que celles touchant au conditionnement et à la préparation des aliments (cuisson en particulier).

III. Alimentation méditerranéenne et maladies cardio-vasculaires

Les équipes Unités d'INSERM[6] 636 et 265 de Lyon ont montré que chez des coronariens, c'est-à-dire ayant un risque de récidive d'insuffisance cardiaque et de maladie cardio-vasculaire, l'incidence, c'est-à-dire la fréquence de ces événements, était réduite de 75 % chez les patients consommant une alimentation de type méditerranéen (réduction des apports lipidiques et des acides gras saturés et une consommation importante de fruits, légumes, légumineuses et pain). Au terme d'un suivi de 1 à 4 ans (27 mois en moyenne), les auteurs ont enregistré 16 décès et 17 infarctus survenus dans le groupe témoin recevant une alimentation classique et seulement 3 décès et 5 infarctus dans la population ayant bénéficié de ces conseils nutritionnels méditerranéens. Il faut souligner qu'ils n'ont pas observé de modification significative des différents paramètres lipidiques. Cette étude suggère le rôle protecteur

---

5. Pour Lin (New York), l'ail inhibe l'enzyme HMGCOA reductase et diminue ainsi les taux de cholestérol LDL chez l'homme et l'animal ainsi que l'agrégation plaquettaire… Pendant 16 semaines, des volontaires ont absorbé une gousse d'ail par jour, soit 3 g. Au terme de cette expérience, la cholestérolémie totale avait diminué de 20 % et le taux de thromboxane plasmatique de 80 %.

6. Le Dr M. de Lorgeril (INSERM unité 63 à Lyon): « Il est possible de reproduire chez les patients cardiaques les bienfaits cardio-protecteurs observés dans les populations méditerranéennes. »

antithrombogène (c'est-à-dire empêchant l'obstruction des vaisseaux) de ce type de nutrition.

Récemment, le Dr J. Gabinski du Wisconsin a publié une nouvelle étude en faveur de l'utilité des huiles de poisson pour prévenir les maladies cardio-vasculaires. Il a trouvé qu'une ration de 4 à 5 g par jour réduisait de 30 à 40 % le taux de nouvelle obstruction des artères coronaires après une angioplastie (introduction d'un ballonnet afin de rétablir une circulation normale dans ces artères et éviter ainsi l'infarctus).

IV. Trois conseils pratiques

1. Rôle de l'huile d'olive

Récemment M. Gerber du groupe d'épidémiologie métabolique de l'Institut du cancer de Montpellier a publié une étude complète sur ce sujet parue dans le livre *The Mediterranean Diet and Cancer Prévention*. Elle montre que l'acide oléique représente 60 % des acides gras de l'huile d'olive. Cet acide gras est présent dans la graisse des mammifères et également des volailles (30 et 45 % respectivement). Cette huile est la plus riche en acides gras mono-insaturés et la moins riche en acides gras polyinsaturés (11,7 % spécialement en acide linoléique). La consommation d'huile d'olive varie d'un pays à l'autre, même dans les régions méditerranéennes.

Dans le Sud de la France, la consommation moyenne est supérieure à celle de toute la France. Elle atteint 1,615 kg par an. Expérimentalement, des études ont montré que la consommation d'huile d'olive chez l'animal porteur de tumeur n'augmente pas la fréquence des tumeurs, contrairement à l'huile d'autres céréales et de tournesol.

2. Les dangers de la cuisson à haute température

La présence d'amines hétérocycliques a été mise en évidence dans de nombreuses sources alimentaires d'origine protéique, viande et poisson, après friture ou grillade, dans les extraits et les résidus de cuisson, ainsi que dans les condensats de fumée de cuisson.

Toutes ces amines ont été testées chez le rongeur et le primate non humain et se sont révélées capables d'induire, même à faible dose, des tumeurs dans de nombreux organes. Ces amines hétérocycliques entraînent la formation d'adduits à l'ADN dans différents organes tels que le foie, les reins, le côlon et l'estomac. Notre alimentation renferme le taux le plus élevé en produits amino-imidazo-azarenes, probablement du fait de la richesse en viandes cuites à des températures à 200 °C.

En 1993, dans *Environmental Medicine*, Robbana-Barnat et ses collaborateurs ont montré une relation étroite entre le risque de cancer colorectal et la consommation de viande rouge comme plat principal. L'incidence de ce cancer serait étroitement liée aux degrés de cuisson. D'après les auteurs, cette association pourrait être attribuée à la formation importante de mutagènes lors de la cuisson.

Il semble donc plus que raisonnable, à titre préventif, de limiter la formation d'amines hétérocycliques lors de la cuisson des aliments en diminuant les températures à 90-100°. Cela peut être obtenu par un recours plus systématique à certaines techniques usuelles de cuisson, telles que le bain-marie, *la cuisson à l'eau ou la vapeur douce*. Il est souhaitable de diminuer la température et d'éviter le contact de la flamme avec l'aliment, d'utiliser donc des grils ou barbecues à source de chaleur verticale, de protéger l'aliment avec du papier sulfurisé et d'éviter la consommation de viande trop cuite, voire carbonisée, ainsi que le jus de cuisson des viandes.

3. Les poissons et les volailles pour remplacer les viandes rouges

Il est maintenant certain que les acides gras polyinsaturés (surtout ceux de la série n-3) contenus dans l'huile de poisson ont un effet hypolipémiant, c'est-à-dire, qu'ils réduisent les excès de lipides dans le sang. En effet, les études épidémiologiques menées chez l'Esquimau, grand consommateur de poissons, et de très nombreux travaux chez l'homme et l'animal ont montré que la consommation quotidienne d'huile de poisson abaisse d'environ 40 % la concentration de triglycérides et de 10 à 15 % celle de cholestérol dans le sang. Chez les animaux recevant 20 à 40 % d'huile de poisson comme alimentation, on observe une réduction importante des dépôts adipeux abdominaux ; ceci aurait même été vérifié chez des rats génétiquement obèses.

Tous ces résultats vérifiés dans un domaine non cancérologique sont cohérents avec les observations faites en cancérologie, puisque le surpoids augmente le risque de cancer, et qu'on a observé dans le tissu adipeux du sein des femmes atteintes de cancer du sein un excès en acides gras n-6 et une insuffisance en acides gras n-3 (Pr Ph. Bougnoux). La consommation de poisson augmente donc la ration en acides gras n-

3 et peut donc être recommandée dans le cadre de la prévention des cancers du sein mais également chez les femmes préalablement atteintes, en espérant ainsi diminuer le risque d'évolution de la maladie régionale ou de métastases à distance. Il s'agit encore seulement d'une espérance car aucune étude internationale n'a prouvé à l'heure actuelle l'efficacité de ces conseils nutritionnels chez les femmes déjà atteintes de cancer du sein.

L'apport en lipides saturés dépend surtout de la consommation en viande rouge qui apporte les graisses « cachées ». Ces excès sont retrouvés dans les études épidémiologiques des habitudes alimentaires des populations à risque de cancer du sein, de polype (adénome) du côlon ou du rectum et du cancer de la prostate. La consommation de viande de volaille peut justement remplacer celle de viande rouge qui ne devrait pas excéder 3 fois par semaine.

La « *cohérence santé* »

Les conseils nutritionnels de prévention des maladies cardio-vasculaires sont identiques à ceux que nous proposons pour la prévention des cancers. Cette constatation est scientifiquement rassurante : démonstration supplémentaire de l'unité de l'humain et de la nécessité de toujours penser la recherche médicale d'une façon « anthropologique », c'est-à-dire logique pour l'homme et utile pour sa santé.

Estimation annuelle 1994 de « l'American Cancer Society »[7]

	Nombre de morts	Nouveaux cas	Taux de survie à 5 ans	Facteurs de risque
Poumon	153 000	172 000	13 %	Tabagisme. Certains produits chimiques.
Côlon-Rectum	56 000	149000	58 %	Histoire familiale. Polypose. Trop de graisses, pas assez de fibres.
Sein (Femme)	46 000	182 000	79 %	Histoire familiale, pas d'enfant, hormones, mauvaise alimentation.
Prostate	38 000	200 000	77 %	Histoire familiale. Trop de graisses et d'hormones mâles ou dérivés.
Pancréas	25 900	27 000	3 %	Tabac. Trop de graisses.
Lymphome + Hodgkin	22 750	52 900	Hodgkin 78 % Non Hodgkin 52 %	Immunodéficience, herbicides, chlorure de vinyl.
Leucémie	19 100	28 600	38 %	Anomalies génétiques, virus, exposition aux radiations.
Ovaire	13 600	24 000	39 %	Histoire familiale, pas d'enfant, hormones artificielles.
Rein	11 300	27 600	55 %	Tabagisme.
Vessie	10 600	51 200	79 %	Tabagisme et colorants.
Utérus	10 500	46 000	Col 67 % Corps 83 %	Multiples partenaires, tabac, obésité, hormones, surtout œstrogènes.
Bouche	7 925	29 600	53 %	Tabac + alcool en excès.
Peau (Mélanome)	6900	32 000	84 %	Bronzage excessif. Certains produits chimiques.

7. Nous ne possédons en France que les chiffres de 1989.

Chapitre XI

DERNIERS CONSEILS

I. En cas d'accident nucléaire. – II. Les 5 conseils alimentaires de prévention du cancer. – III. Les 16 conseils du Docteur Bon Sens. – IV. Fast-food : oui, mais il y a mieux pour une écologie alimentaire.

I. En cas d'accident nucléaire

(Exemple : accident de la centrale nucléaire de Tchernobyl, du 26 avril 1986.)

Si vous êtes dans la zone irradiée, seulement :
– éviter de boire du lait cru provenant directement de la ferme,
– laver largement les légumes avant de les manger,
– ne pas boire l'eau des puits.

On connaît les parcours exacts du nuage radioactif, mais cette connaissance est le plus souvent *a posteriori*.

« Le nuage fut sur la Scandinavie du 27 au 30 avril ; sur l'Europe centrale, l'Allemagne du Sud, l'Italie, le Sud-Est de la France et la Yougoslavie du 28 avril au 2 mai ; sur l'Ukraine et l'Est de l'Union soviétique, la Roumanie et la Bulgarie du 1er au 4 mai ; sur la mer du Nord et la Turquie le 2 mai… Au-delà de ces 5 jours, la dispersion de la radioactivité dans l'atmosphère rend plus difficile son suivi[1]. »

Bien que les taux de radiations aient été trop faibles pour avoir irradié directement certaines personnes… on ne peut exclure les effets secondaires tardifs, c'est-à-dire des cancers, des déformations génétiques et des malformations congénitales… « Les cancers peuvent apparaître au bout d'une décennie, les effets génétiques au bout d'une ou deux générations[1]. »

« Près de trois ans après la catastrophe de Tchernobyl, le nombre des cas de cancer a doublé dans le district de Naroditchi, l'une des zones non évacuées autour de la centrale, a révélé mercredi l'hebdoma-

1. Compte rendu de l'OMS après la réunion des 18 experts européens.

daire *Les nouvelles de Moscou*. Le journal indique également que les cas de déformations à la naissance parmi le bétail y ont augmenté de façon spectaculaire, et que le niveau de radiation y dépasse toujours de beaucoup les normes, contrairement aux affirmations officielles depuis la catastrophe du 26 avril 1986[2]. »

« On sait qu'en Europe occidentale, et en particulier en France, les *retombées radioactives*, dans les quelques semaines qui ont suivi l'accident de Tchernobyl, *n'ont pas dépassé l'équivalent des doses reçues par un individu au cours d'une traversée en avion* de l'Atlantique ou pendant un séjour d'une semaine en montagne. »

On a pu estimer, à partir des données médicales japonaises obtenues après Hiroshima et Nagasaki, que *le nombre de tumeurs supplémentaires après Tchernobyl pourrait se situer, en France, entre 0 et 50 en 70 ans* (comparé aux 10 millions de cancers spontanés, toutes causes confondues, qui apparaîtront pendant la même période[3]).

II. Les 5 conseils alimentaires de prévention du cancer

1. Éviter la suralimentation… en tenant compte des besoins réels de l'organisme (âge, mode de vie…).

2. Éventuellement, augmenter les dépenses : exercice physique ou sport, régulièrement.

3. Diminuer l'apport d'alcool. L'alcool n'est pas un cancérogène, mais un cocancérogène :
• Supprimer la consommation fréquente des alcools forts (Pernod Ricard, pastis, whisky, gin…).
• Consommer du vin à faible dose d'alcool : « Un verre au milieu de chaque repas, pas plus. »

4. Faire attention à l'apport lipidique :
• Éviter qu'il soit trop élevé.
• Bien choisir les lipides afin de consommer moins d'acides gras saturés (présents dans les viandes), et de consommer plus d'acides gras polyinsaturés (présents dans les poissons et les huiles végétales).

5. Varier l'alimentation ; qu'elle soit riche en fibres, avec des fruits frais, des céréales et des légumes.

---

2. *Libération*, du 16 février 1989.
3. Rappport des Communautés européennes du 7.11.1986.

III. Les 16 conseils du Docteur Bon Sens

Comment éviter l'anxiété, la constipation ? Comment apporter des minéraux, des oligo-éléments, des vitamines ? Comment éviter trop de sel, de cholestérol, d'acide urique ?...

1. Comment consommer naturellement du calcium, du magnésium ou du phosphore ?

Bien que la tétanie ou la spasmophilie ne s'accompagnent que rarement d'une insuffisance de calcium, de magnésium ou de phosphore dans le sang, l'apport de ces trois minéraux – même à petites doses – constitue le meilleur traitement. L'apport de calcium devrait être de 1 000 mg chaque jour et de 1 500 mg après la ménopause.

Tableau 61. – Les aliments qui apportent du **calcium** (en mg/100 g)

Aliment	mg/100 g	Aliment	mg/100 g
Parmesan	1 260	Pissenlit	170
Emmenthal	1 130	Escargot	170
Gruyère	1 000	Fromage blanc	160
Lait en poudre entier	950	Oignon séché	160
Cantal	780	Pois chiche	150
Crème de gruyère	750	Yaourt	150
Livarot	715	Noix du Brésil	150
Roquefort	700	Jaune d'œuf	145
Saint-Paulin	650	Lait cru entier	140
Pont-l'Évêque	560	Yaourt maigre	140
Moutarde	500	Caviar	140
Bleu de Bresse	490	Lait[4] écrémé	135
Munster	335	Clovisse	130
Sardine	290	Chou brocoli	130
Camembert	270	Coque	120
Mélasse	260	Crème fraîche	120
Soja en grains	255	Haricot blanc	120
Amande	250	Raifort	110
Lait concentré	245	Petit-suisse	110
Noisette	225	Bette	110
Chocolat au lait	215	Fenouil	100
Cresson	200	Endive	100
Coulommiers	200	Olive verte	100
Crevette	200	Huître	95
Persil frais	195	Épinard	95
Fromage de chèvre	190	Grondin	95
Brie	185	Moule	90
Figue sèche	180		

4. Il y a 4 fois plus de calcium dans le lait de vache que dans le lait maternel, mais il n'est pas aussi bien absorbé et utilisé par l'organisme. Il faut beaucoup de fibres et de vitamine C (voir p. 138).

Tableau 62. – Aliments apportant du **phosphore** (en mg/100 g)

Aliment	mg/100 g	Aliment	mg/100 g
Parmesan	800	Crevette	300
Cacao en poudre	700	Livarot	300
Emmenthal	660	Pont-l'Évêque	300
Gruyère	600	Chocolat à croquer	290
Jaune d'œuf	580	Rognon de porc	290
Soja en grains	580	Buccin	290
Gruyère fondu	500	Bleu de Bresse	280
Sardine fraîche	490	Chocolat au lait	280
Amande	470	Saumon frais	270
Cantal	460	Esturgeon	270
Arachide	420	Farine de sarrasin	260
Haricot blanc	410	Moule	250
Lentille	410	Écrevisse	240
Flocon d'avoine	400	Merlan	240
Noix	390	Hareng frais	240
Pois chiche	375	Raie	240
Farine complète	370	Maquereau	230
Roquefort	360	Brème	230
Saint-Paulin	360	Carpe	220
Cervelle de veau	350	Truite	220
Daurade	350	Perche	210
Crabe	350	Coquille Saint-Jacques	210
Pois cassé	340	Viande de bœuf	200
Foie de porc	330	Volaille	200
Hollande (from. de)	330	Brochet	200
Noisette	310	Tanche	200
Riz complet	300	Clovisse	200
Cervelle de bœuf	300	Coque	200
Foie de veau	300	Homard	200
Thon en conserve	300		

2. Comment consommer agréablement de la vitamine C ?

Le meilleur moyen est de prendre à chaque dessert, un ou 2 fruits[5].

---

5. N'oubliez pas que chaque cigarette détruit 40 mg de vitamine C, soit presque l'équivalent d'une orange…

L'American Journal of Chimical Nutrition a précisé en juin 1991 que l'apport quotidien en vitamine C de 50 à 60 mg pour un non-fumeur devait monter à 200 mg chez les fumeurs, soit au moins 2 kiwis.

Tableau 63. – Les aliments qui apportent du **magnésium** (en mg/100 g)

Aliment	mg/100 g	Aliment	mg/100 g
Cacao (poudre pure)	410	Oignon	110
Amande	255	Banane sèche	105
Escargot	250	Chocolat noir à croquer	100
Soja en grains	240	Lentille	80
Noix du Brésil	225	Sel	75
Arachide	180	Châtaigne	75
Noisette	150	Figue sèche	75
Haricot blanc	140	Noix de coco	70
Noix	135	Datte	65
Pain complet	130	Bette	65
Pois cassé	125	Abricot sec	60
Maïs en grains	120	Mélasse	60
Riz complet	115	Épinard	55

Tableau 64. –Apport des **fruits en vitamine C** (en mg/100 g)

Fruit	mg/100 g	Fruit	mg/100 g
Goyave	250	Airelle	14
Cassis	180	Châtaigne	14
Kiwi	80	Cerise	12
Citron	65	Pomme	9
Orange	60	Abricot	8
Fraise	60	Pêche	8
Mangue	60	Banane	8
Papaye	60	Pastèque	6
Mandarine	40	Raisin	5
Pamplemousse	40	Poire	5
Groseille	36	Prune	5
Litchi	30	Grenade	4
Ananas	25	Noisette	4
Brugnon	24	Figue	3
Mûre	24	Noix	3
Framboise	20	Pruneau	3
Avocat	18	Nèfle	2
Myrtille	17	Amande	0
Coing	15	Datte	0
Kaki	15	Olive	0
Rhubarbe	15	Arachide	0
... et le persil !	200		

Les besoins en vitamine C sont variables avec l'âge :

– enfant avant 3 ans	30 mg/jour
– enfant de 4 à 9 ans	50 mg/jour
– enfant de 10 à 12 ans	60 mg/jour
– adolescent de 13 à 19 ans	80 mg/jour
– adulte	80 mg/jour
– femme enceinte	100 mg/jour
– femme allaitante	150 mg/jour

De plus en plus de spécialistes considèrent que l'apport idéal quotidien en vitamine C de l'adulte ou de l'adolescent devrait être de 250 mg. 10 mg suffisent à éviter le scorbut qui est une maladie due à une carence prolongée sur plusieurs mois en vitamine C.

Tableau 65. – Ces **légumes apportent de la vitamine C** (en mg/100 g)

Persil	200	Épinard	15
Estragon	120	Pomme de terre	15
Oseille	120	Ail	14
Poivron	110	Céleri-rave	14
Raifort	100	Scarole	12
Cresson	80	Endive	11
Chou de Bruxelles	75	Betterave rouge	10
Chou-fleur	70	Chicorée frisée	10
Fenouil	65	Citrouille	10
Cerfeuil	60	Laitue	10
Chou rouge	60	Salsifis	10
Chou vert	50	Courge	9
Bette	34	Carotte	8
Tomate	30	Concombre	8
Ciboulette	30	Cornichon	8
Pissenlit	30	Melon	8
Navet	28	Artichaut	7
Petit pois	26	Céleri en branches	7
Asperge	25	Aubergine	5
Radis	21	Champignon de Paris	4
Oignon	20	Lentille	4
Haricot vert	19	Haricot blanc	2
Poireau	19	Pois cassé	1
Mâche	18	Pois chiche	1

N'oubliez pas que les légumes frais ou cuits à la vapeur douce apportent des quantités importantes de vitamine C (la vitamine C commence à se décomposer à la température de 60 °C, surtout au-delà de 100 °C).

3. Comment éviter de manger trop de sel?

– Ne pas saler les aliments après cuisson.
– Ne pas consommer trop de médicaments contenant du sel.

Manger trop de sel peut être dangereux pour l'estomac (risque de gastrite chronique) et plus tard d'hypertension artérielle et de cancers.

Tableau 66. – Aliments contenant du **sodium** (en mg/100 g)

Aliment	mg/100 g	Aliment	mg/100 g
Sel de cuisine	40000	Parmesan	750
Jambon fumé	2300	Hareng fumé	700
Olive en saumure	2200	Brie	690
Bretzel	1500	Emmenthal	650
Caviar	1500	Choucroute	650
Saucisson	1400	Mayonnaise	650
Corned beef	1300	Conserve de tomates	590
Salami	1250	Pain complet	520
Camembert	1100	Crabe	400
Saucisse	1100	Crevette	400
Hareng saur	1000	Homard	300
Jambon cuit	900	Biscuit sec	300
Roquefort	850	Conserve de légumes	300
Bleu de Bresse	850	Huître	290
Crème de gruyère	820	Biscotte	260
Anguille fumée	800	Moutarde	260
Sardine à l'huile	750	Margarine	250

4. Pour les convalescents, comment consommer un oligo-élément essentiel à la cicatrisation: le zinc?

Besoin journalier: environ 15 mg par jour, couvert par une alimentation diversifiée.

Tableau 67. – Aliments contenant du **zinc** (en mg/100 g)

Aliment	mg/100 g	Aliment	mg/100 g
Huître	16,00	Volaille	2,50
Foie de veau	9,00	Homard	2,50
Foie de porc	9,00	Hareng	2,00
Lentille	5,50	Morue	2,00
Haricot blanc	5,50	Noix	2,00
Pain complet	5,00	Moule	2,00
Farine complète	5,00	Crabe	2,00
Viande de bœuf	4,00	Carotte	1,50
Jaune d'œuf	4,00	Chou	1,50
Pois cassé	3,50	Amande	1,50
Flocons d'avoine	3,00	Noisette	1,50
Viande de veau	3,00	Ail	1,00
Soja en grains	3,00	Betterave rouge	1,00

5. Comment consommer naturellement du sélénium[6] ?

Les aliments contenant du sélénium en quantité infinitésimale sont:
– Les céréales complètes, les grains complets.
– Les farines complètes, la levure de bière.
– Les fruits frais, le vinaigre de pomme.
– Les légumes frais, l'asperge, l'ail, les champignons.
– Les fruits de mer.

6. Votre taux de cholestérol est élevé

Comment le faire baisser ou éviter qu'il n'augmente ?

– Si vous consommez des hormones stéroïdes, sans raison médicale majeure, arrêtez le plus vite possible ce traitement.
– Six aliments consommés régulièrement et de façon raisonnable aident à réduire le taux trop élevé de cholestérol (réduction de 20 %):

• Les haricots secs
• Le soja
• La pomme
• L'aubergine
• Les flocons d'avoine
• L'ail (voir p. 307)

6. Une étude américaine (Arizona) sur 1000 patients a montré que ceux qui avaient des taux sanguins bas en sélénium, avaient 3 fois plus de risques d'avoir des polypes précancéreux du côlon par rapport à ceux qui avaient un taux élevé de sélénium. Le sélénium agirait comme antioxydant et stimulateur de l'activité des cellules tueuses qui détruisent les bactéries.

Les graisses saturées de la viande et du beurre sont souvent responsables du taux de cholestérol. Par contre, les graisses mono-insaturées telles que celles de *l'huile d'olive*, ont peu d'effet sur le taux de cholestérol sanguin. Les graisses polyinsaturées feraient baisser le taux de cholestérol (huile de poissons d'eau froide).

Tableau 68. – Aliments apportant du **cholestérol** (en mg/100 g)

Aliment	mg/100 g	Aliment	mg/100 g
Cervelle de veau	1 800	Fromage gras	150
Jaune d'œuf	1 550	Crème fraîche	125
Foie d'oie	490	Fromage blanc à 45 % de M. G	125
Rognon de bœuf	420	Viande de bœuf	120
Rognon de veau	410	Viande de porc	100
Rognon de mouton	400	Lard	100
Rognon de porc	365	Jambon	100
Foie de veau	360	Saindoux	90
Foie de porc	340	Volaille	90
Foie de bœuf	320	Maquereau	80
Beurre	280	Hareng	80
Ris de veau	280	Viande de mouton	70
Cervelle de bœuf	240	Viande de veau	65
Langouste	210	Sole	60
Foie de poulet	200	Cabillaud	60
Crevette	200		

7. Comment éviter le surpoids et la goutte ou réduire naturellement son taux d'acide urique ?

Éviter les aliments contenant trop d'acide urique[7].

Favoriser les aliments pauvres en acide urique :

– Sucre, miel.
– Lait, produits laitiers (fromage blanc, yaourt…).
– Tous les fruits.
– Les légumes, sauf asperge, épinard, champignon de Paris et légumes secs.
– Farine blanche, pain blanc.
– Riz blanc (et autres céréales raffinées), pâtes, semoule.

7. Chez les sujets normaux, l'ingestion de 50 g d'algues « spirulines » par jour pendant 4 jours augmente l'uricémie de 10 à 20 mg/l.

Tableau 69. – Teneur en **acide urique** (en mg/100 g)

Aliment	mg/100 g	Aliment	mg/100 g
Ris de veau	900	Viande de bœuf	120
Anchois	470	Viande de veau	110
Sardine	360	Lièvre	110
Rognon	290	Canard	100
Morue	280	Oie	100
Foie de veau	280	Poulet	90
Cervelle	200	Viande de mouton	90
Hareng	200	Jambon cuit	80
Pigeon	180	Saumon	70
Truite	170	Épinard	70
Langue de bœuf	160	Haricot blanc	50
Saucisse	150	Lentille	50
Saucisson	150	Soja	50
Viande de porc	130	Asperge	50
Dinde	130	Champignon de Paris	50

8. Comment prendre naturellement de la vitamine D ?

Les besoins sont variables selon les régions où l'on habite (et leur ensoleillement) : 400 UI/jour dans les régions ensoleillées et 1000 UI/jour dans les régions peu ensoleillées.

– Enfant de moins de 2 ans .... 800 à 1 200 UI/jour
– Enfant prématuré .... 1 400 UI/jour

Les compléments alimentaires :

– Huile de foie de morue = 1 à 3 mg/100 g
– Huile de foie de flétan
– Laitance de poisson
– Algues marines
– Germes de blé

Tableau 70. – Aliments contenant de la **vitamine D** (en mg/100 g)

Aliment	mg/100 g	Aliment	mg/100 g
Saumon	0,1600	Cacao	0,0025
Anguille	0,1600	Maquereau	0,0013
Sardine	0,0600	Beurre	0,0010
Œuf	0,0500	Foie de veau	0,0005
Hareng	0,0290	Brie	0,0005
Crevette	0,0026	Lait	0,0001
Emmenthal	0,0025		

9. Comment prendre naturellement de la vitamine E ?

Elle peut jouer un rôle dans le traitement de l'infécondité et en cancérologie (voir annexe IX).

Les besoins sont variables en fonction de l'âge :
– Nourrisson ....3 à 4 UI/jour
– Enfant de 1 à 3 ans ....5 à 7 UI/jour
– Enfant de plus de 4 ans ....10 à 15 UI/jour
– Adulte (femme et homme) ....12 UI/jour
– Femme enceinte ....15 UI/jour

Une cuillerée à café d'huile de germe de blé contient environ 40 UI de vitamine E.

10. Comment consommer naturellement de l'acide folique ou vitamine B9 ?

Doses recommandées chaque jour : 0,3 mg pour l'adulte, 0,6 mg si la femme allaite, 0,8 mg pour les femmes enceintes.

Quatre sources végétales principales : levure de bière, 3,2 mg/100 g ; épinard, asperge, 0,1 à 0,2 mg ; orange et chou, 0,04 mg/100 g.

La vitamine B9 est indispensable pour diminuer de 19 % une malformation du système nerveux, le « spina-bifida ». La vitamine B9 doublerait les chances d'avoir des jumeaux. (Twin Research, vol. 4, p. 63.)

Tableau 71. – Aliments contenant de la **vitamine E** (en mg/100 g)

Aliment	mg/100 g	Aliment	mg/100 g
Noix	22,00	Maïs en grains	1,55
Noisette	22,00	Foie de veau	1,25
Amande	15,00	Œuf	1,00
Huile d'olive	9,00	Orge en grains	1,00
Soja en grains	8,50	Farine blanche	0,90
Châtaigne	7,00	Chou vert	0,70
Persil	5,00	Pomme	0,70
Haricot blanc	4,00	Laitue	0,60
Petit pois	3,60	Viande (moyenne)	0,50
Farine complète	3,20	Poisson (moyenne)	0,50
Cacao	3,00	Carotte	0,45
Avoine en grains	3,00	Banane	0,45
Noix de coco	2,70	Champignon de Paris	0,30
Céleri	2,50	Tomate	0,30
Chou de Bruxelles	2,50	Pain blanc	0,20
Haricot vert	2,50	Betterave	0,20
Beurre	2,00	Chou rouge	0,20
Blé en grains	2,00	Orange	0,20
Mangue	1,80	Pamplemousse	0,20
Pain complet	1,75	Lait	0,06
Farine demi-complète	1,60		

11. Comment consommer naturellement du fer ?

Il faut consommer les aliments en contenant le plus. Besoins journaliers (variables selon les âges) :

– Nourrisson jusqu'à 1 an .... 6 à 9 mg/jour
– Enfant de 1 à 12 ans .... 10 à 12 mg/jour
– Adolescent .... 12 à 15 mg/jour
– Homme adulte .... 10 mg/jour
– Femme :
  • de la puberté à la ménopause .... 15 à 18 mg/jour
  • après la ménopause .... 10 mg/jour
  • enceinte .... 19 à 21 mg/jour
  • allaitante .... 20 à 22 mg/jour

Compléments alimentaires :

– Algues marines (8 à 80 mg/100 g selon les algues).
– Eau de mer.
– Poudre d'huîtres.
– Mélasse.
– Pollen.

Tableau 72. – Aliments contenant du **fer** (en mg/100 g)

Aliment	mg/100 g	Aliment	mg/100 g
Cacao en poudre pure	12,00	Cassonade	3,50
Soja en grains	8,00	Pruneau	3,40
Persil	7,80	Raisin sec	3,30
Lentille	7,70	Concombre	3,30
Jaune d'œuf	7,60	Maïs en grains	3,00
Rognon de mouton	7,50	Cornichon	3,00
Foie de poulet	7,50	Noix du Brésil	3,00
Pois chiche	7,50	Viande de bœuf	2,80
Haricot blanc	6,40	Chocolat noir	2,80
Mélasse	6,40	Viande de cheval	2,80
Moule	5,80	Œuf	2,70
Pois cassé	5,80	Fenouil	2,70
Rognon de mouton	5,50	Chocolat au lait	2,70
Huître	5,50	Sucre roux	2,70
Pêche sèche	5,50	Viande de mouton	2,60
Foie de veau	5,00	Lapin	2,40
Banane sèche	4,80	Olive verte	2,00
Cœur de bœuf	4,60	Datte	2,00
Noisette	4,50	Viande de porc	2,00
Farine de seigle	4,50	Viande d'agneau	2,00

Amande	4,40	Pain de seigle	2,00
Flocons d'avoine	4,30	Riz complet	2,00
Épinard	3,60	Asperge	2,00
Noix de coco	3,60	Betterave	2,00
Bette	3,50	Petit pois	1,50
Farine complète	3,50	Courgette	1,50
Escargot	3,50	Oignon	1,00
Abricot sec	3,50	Banane	1,00
Figue sèche	3,50	Ananas	1,00

Il faut ajouter le vin : 5 à 25 mg/100 g ; la farine de sorgho : 8,6 à 10 mg/100 g ; les pois chiches : 11,2 mg/100 g ; les feuilles séchées de baobab : 24 mg/100 g ; le piment rouge : 2,9 mg/100 g…

En même temps que le fer, il faut apporter du cuivre et du manganèse. Cette association aboutit à une véritable synergie en différents domaines : défense anti-infectieuses, reproduction, croissance…

12. Pour prévenir les caries dentaires

– Ne pas manger trop de sucre.
– Manger des fromages à pâte dure.
– Manger des aliments contenant du fluor.
– Ne pas boire trop sucré : sirop, soda, Coca.

Tableau 73. – Aliments contenant du **fluor** (non quantifiable)

Eau de boisson[8]	Vin (0, 1 à 2 mg/1)
Thé	Céréales complètes
Épinard	Abricot
Chou	Fruits de mer, poisson
Lait	Graines de tournesol

13. Comment consommer naturellement de l'iode ?

Pour prévenir le goitre[9] par carence en iode, il faut consommer des aliments contenant de l'iode.

8. Les quantités de fluor sont variables selon les sols. L'eau de Badoit contient 1,17 mg de fluor par litre.
9. Les pertes d'iode au cours de la cuisson sont de 10 à 20 %. Le sel iodé perd son iode au cours du stockage, en particulier s'il est conservé en sac papier.

Les besoins en iode varient selon la région où l'on habite (plus ou moins proche de la mer) : entre 100 et 500 µg/jour. Un apport inférieur à 50 µg/jour peut avoir de graves conséquences à long terme, cette carence pouvant conduire à la formation d'un goitre.

Une alimentation équilibrée et diversifiée couvre les besoins quotidiens. Compléments alimentaires :
– Algues marines (les laminaires sèches sont riches en iode, 6000 µg/g).
– Eau de mer.
– Poudre d'huîtres.

100 g de cabillaud couvrent la totalité des besoins en iode.

Tableau 74. – Aliments contenant de l'**iode** (en mg/100 g)

Aliment	mg/100 g	Aliment	mg/100 g
Morue/Cabillaud	0,100	Maquereau	0,010
Thon	0,080	Merlan	0,010
Hareng	0,070	Anguille	0,010
Sardine	0,050	Pruneau	0,010
Crabe	0,040	Ail	0,009
Crevette	0,040	Carotte	0,009
Turbot	0,040	Fraise	0,008
Daurade	0,040	Tomate	0,007
Haricot vert	0,030	Oseille	0,007
Ananas	0,030	Brochet	0,006
Grondin	0,030	Brème	0,006
Moule	0,030	Laitue	0,005
Homard	0,030	Noix	0,004
Oignon	0,020	Noisette	0,003
Navet	0,020	Citron	0,003
Mûre	0,020	Truite	0,003
Groseille	0,020	Farine complète	0,002
Colin	0,020	Épinard	0,002
Huître	0,018	Melon	0,002
Champignon de Paris	0,018	Raisin	0,002
Radis	0,017	Poireau	0,001
Lait	0,012	Pain complet	0,001

14. Comment prendre naturellement de la vitamine A et son précurseur le bêta-carotène ?

Le besoin quotidien en vitamine A est de 800 à 1000 µg, soit environ 5000 UI (unités internationales). Les produits laitiers sont parmi les plus riches en vitamine A. La vitamine A est dans les aliments d'origine animale : foie, lait, jaune d'œuf. Le bêta-carotène ou provitamine A est apporté par les fruits et les légumes. Le National Cancer Institute, aux USA, en recommande 6 mg par jour aux adultes.

Il y a aussi (en µg/100 g) :
- huile de foie de morue : 15000 à 120000,
- foie de poisson : 3000 à 300000,
- foie des animaux de boucherie : 3000 à 12000,
- cresson, laitue, choux, épinards : 400 à 1900,
- œuf : 300 à 600,
- carottes : 500 à 2000,
- abricots : 170 à 700,
- myrtilles : 8 à 35.

Au 3e âge, les carences en vitamine A apparaissent facilement.

Tableau 75. – Teneur en **vitamine A** (en µg/100 g)

Aliment	Teneur
Yaourt nature	15
Lait entier	30
Fromage à pâte molle	225
Fromage à pâte pressée cuite	270
Crème	300
Beurre	1000

Besoins quotidiens[10]

Hommes 1000 µg		Femmes 800 µg	
3/4 litre de lait entier ou équivalents laitiers :	250 µg	3/4 litre de lait entier ou équivalents laitiers :	250 µg
35 g de fromage :	90 µg	30 g de fromage :	75 µg
25 g de beurre :	250 µg	20 g de beurre :	200 µg
Total :	590 µg	Total :	525 µg
soit 60 % des besoins en vitamine A de l'homme âgé.		soit 65 % des besoins en vitamine A de la femme âgée.	

10. Ils peuvent être compensés par les végétaux : carotte, laitue, chou, cresson…

15. Comment éviter la constipation?

Premier conseil:
– Ingestion quotidienne d'au moins 20 g de fibres végétales alimentaires. Ces fibres augmentent le bol fécal, accélèrent le transit digestif et favorisent l'hydratation des selles. L'apport doit être progressif.
– Consommer légumes verts + fruits + pain.
Deuxième conseil: Boire 1 litre à 1,5 litre d'eau chaque jour.

Aliments qui contiennent le plus de fibres:
- Céréales complètes.
– Légumineuses: haricots verts, lentilles, cacahuètes, petits pois
– Fruits secs: figues, pruneaux, amandes.

Tableau 76. – Teneur **en fibres** des aliments (en g/100 g)

Aliment	g/100 g	Aliment	g/100 g
• Céréales		**• Fruits secs - oléagineux**	
Son	44	Figue sèche	18,3
Farine complète	9,5	Amande	14
Pain complet	8,5	Datte	8,7
Flocons d'avoine	7,2	Cacahuète	7,5
Maïs en grain	5,7	Noix	5
Pain de campagne	5,1	Olive	5
Riz brun	4,3		
Corn flakes	3	**• Fruits frais**	
Pain blanc	2,7	Framboise	7,4
Riz blanc	2,4	Groseille	6,8
Farine de seigle	1,5	Poire (non épluchée)	2,4
Farine d'avoine	0,9	Pêche	2,3
		Fruit en général	0,5-2
• Légumes secs			
Haricot sec	25,5	**• Légumes verts**	
Pois cassé	23	Épinard	6
Lentille	12	Petits pois	6
Pois chiche	2	Mâche	4,3
		Artichaut	4,2
• Pommes de terre	3,5	Poireau	1,2
		Légume en général	1,4-4

16. Comment éviter les dangers de la hernie hiatale?

C'est l'estomac qui fait hernie dans le thorax, à la jonction entre l'œsophage et l'estomac. Le liquide de l'estomac (très acide) reflue vers l'œsophage, l'irrite, entraînant des brûlures fréquentes, surtout après les repas. L'irritation chronique de l'œsophage peut conduire à la longue au cancer de l'œsophage. Si le diagnostic de hernie est fait tôt, il vaut mieux réparer l'anomalie par une petite intervention chirurgicale. À un âge plus avancé, il faut éviter les complications : hémorragie « goutte à goutte » par irritation… brûlures.

Quelques conseils :

- Manger lentement.
- Dormir en position demi-assise.
- Éviter alcool, bière, chocolat.
- Éviter les repas trop abondants et trop riches en lipides.

IV. Fast-food : Oui, mais il y a mieux… pour une écologie alimentaire

Les fast-foods deviennent un phénomène de société chez les jeunes : manger vite, pas cher, dans une ambiance « sympa ». Heureusement, ça ne dure pas !

1. Fast-food, oui…

Une analyse sociologique s'impose en même temps qu'une étude scientifique précise de la qualité et de la quantité des aliments consommés dans les fast-foods. Le hamburger est « panaché » : chips et hamburger apportent 55 % de lipides… Le dessert est toujours un « ice-cream ». Au total, trop de graisses et trop de sucres… Sur 28 restaurants et points de vente testés fin juin 1988 dans la région parisienne, 12 utilisaient des huiles dégradées. (Sur les stands de frites, les records d'huiles dégradées se situent entre 24 et 34 %.)

Les fast-foods évoluent vers la consommation de produits allégés : steaks hachés allégés : 5, 10, 15 ou 20 % (le taux est marqué sur le sachet) et les boissons allégées (light) :

	(mg/100 ml)
Coca-Cola light	Acésulfame : 13,6 Saccharine : 4,2
Orangina light	Aspartame : 19,3
Banga léger orange	Aspartame : 39,5

Bière légère à 3° d'alcool

Bière sans alcool, contenant moins de 1° d'alcool.

Le hamburger est remplacé plus souvent par :
– le Filet O-Fish,
– la salade en barquette,
– le chicken Mc-Nuggets
mais il n'y a toujours pas de fruit…

Une alimentation composée seulement de produits allégés est responsable de carences en fer, en calcium, en magnésium…

2. … mais il y a mieux…

Les habitudes alimentaires sont en train de se modifier, plus dans la presse que dans les faits. Trop de conseils divergents sont donnés par les uns et par les autres, plus ou moins stimulés par une publicité tapageuse.

La « prévention alimentaire » des cancers n'a de chance d'être efficace que si elle commence très tôt dans les familles, mais aussi dans les écoles (la restauration scolaire sert 4,5 millions de repas chaque jour) et dans tous les cadres de la restauration collective (les restaurants d'entreprise – 10 000 en France – servent 870 millions de repas chaque année).

3. … pour une écologie alimentaire

Des conseils simples avec leurs justificatifs scientifiques permettront de motiver les familles, les enfants et les responsables de la santé. La façon de communiquer importe autant que ce que l'on communique. L'humour et la modération sont à la base de messages de bonne santé. Hippocrate avait raison :

« Que votre aliment soit votre médicament.

Annexe I

Comment connaître les besoins énergétiques quotidiens

Tableau 1. Besoins énergétiques quotidiens de l'adulte en fonction du sexe et de l'activité physique

	HOMME			FEMME				
	Sédentaire	Activité moyenne	Travail de force	Sédentaire	Activité moyenne	Travail intense	Enceinte	Allaitant
Calories	2 400	3 000	3 000-4 500	2 000	2 300-2 500	3 000-3 500	2 000-3 000	3 000-3 500
Protides (g)	90	100	110-120	75	90-95	100-110	75-100	100-110
Lipides (g)	90	90	95-115	75	90	90	75-90	90
Glucides (g)	310	450	470-800	250	330	470-580	250-470	470-580

Tableau 2. Besoins nutritionnels quotidiens de l'adulte

Calories	2 000 à 2 500 (voir tableau 1)		
Protides	1 gramme par kilo de poids corporel		
Lipides	30 % des calories, dont 2 à 5 grammes d'acides gras essentiels		
Glucides	55 % des calories		
Eau	40 à 120 millilitres par kilo de poids corporel		
Calcium	800 milligrammes	Phosphore	1 à 1,5 gramme
Cuivre	2 à 3 milligrammes	Potassium	0,5 à 1,5 gramme
Fer	12 milligrammes	Sodium	4 à 8 grammes
Iode	100 microgrammes	Zinc	10 à 15 milligrammes
Magnésium	300 à 500 milligrammes		
Acide folique	400 microgrammes	Vitamine C	20 à 60 milligrammes
Vitamine A	2 500 UI	Vitamine D	400 UI
Vitamine B1	2 milligrammes	Vitamine E	20 milligrammes
Vitamine B2	2 milligrammes	Vitamine H	100 microgrammes
Vitamine B5	10 milligrammes	Vitamine K	2 à 4 milligrammes
Vitamine B6	2 milligrammes	Vitamine PP	20 milligrammes
Vitamine B9	0,3 milligramme		
Vitamine B12	3 microgrammes		

Annexe II

Comment calculer, en moyenne, le nombre de calories de votre alimentation

Boissons[1]	10 g	20 g	30 g	40 g	50 g	60 g	70 g	80 g	90 g	100 g	150 g	200 g	250 g	300 g
Eau – eaux minérales gazeuses et non gazeuses	0	0	0	0	0	0	0	0	0	0	0	0	0	0
Soda – Schweppes	4	9	13	18	22	26	31	35	40	44	66	88	110	132
Limonade – Pepsi-Cola	5	10	14	19	24	29	34	38	43	48	72	96	120	144
Jus de fruit														
type raisin	7	15	22	30	37	44	52	59	67	74	111	148	185	222
type pomme	5	11	16	21	27	32	37	42	48	53	78	106	133	159
type orange	9	10	14	19	24	29	34	38	43	48	72	96	120	144
type tomate	2	4	6	8	10	12	14	16	18	20	30	40	50	60
Sirop	28	56	84	112	140	168	196	224	252	280	420	560	700	840
Cacolac (cacao laitage)	10	20	30	40	50	61	71	81	91	101	152	202	253	303
Vin à 10°	7	13	20	26	33	39	46	52	59	65	98	130	163	195
Bière blonde	4	7	11	14	18	21	25	28	32	35	53	70	88	105
Bière brune	5	9	14	18	23	27	32	36	41	45	68	90	113	135
Pastis (ration = env. 20 ml)	50	100	150	200	250	300	350	400	450	500	750	1 000	1 250	1 500
Whisky (ration = env. 50 ml)	30	60	90	120	150	180	210	240	270	300	450	600	750	900
Porto	16	32	48	64	80	96	112	128	144	160	240	320	400	480
Cidre doux	4	8	12	16	20	24	28	32	36	40	60	80	100	120
Cidre sec	4	8	12	16	20	24	28	32	36	40	60	80	100	120
Eau-de-vie	28	56	84	112	140	168	196	224	252	280	420	560	700	840
Thé	0	0	0	0	0	0	0	0	0	0	0	0	0	0
Café	0	0	0	0	0	0	0	0	0	0	0	0	0	0
Champagne 100 ml	9	17	26	34	43	51	60	68	77	85	128	170	213	256

1. Remarque : 1 degré d'alcool dans 100 ml de boisson = 6,5 calories.

Viande – Poisson – Œuf	10 g	20 g	30 g	40 g	50 g	60 g	70 g	80 g	90 g	100 g	150 g	200 g	250 g	300 g
Viande de :														
bœuf mi-grasse	19	38	57	76	95	114	133	152	171	190	285	380	475	570
veau mi-grasse	18	36	54	72	90	108	126	144	162	180	270	360	450	540
cheval	11	22	33	44	55	66	77	88	99	110	165	220	275	330
mouton mi-grasse	23	47	70	94	118	141	165	188	212	235	353	470	588	705
agneau	28	56	84	112	140	168	196	224	252	280	420	560	700	840
porc mi-grasse	29	58	87	116	145	174	203	232	261	290	435	580	725	870
Côtelette de mouton	35	70	105	139	175	209	244	278	313	348	522	696	870	1 044
Côtelette de porc	33	66	99	132	165	198	231	264	297	330	495	660	825	990
Jambon salé cuit	26	52	79	106	132	158	185	211	237	264	396	528	660	792
Jambon salé cru	34	67	101	134	168	201	235	268	302	335	503	670	838	1 005
Pâté	45	91	136	182	227	272	317	363	409	454	681	908	1 135	1 362
Saucisson	56	112	168	224	280	336	392	448	504	559	840	1 120	1 400	1 680
Chair à saucisse crue	40	80	120	160	200	240	280	320	360	400	600	800	1 000	1 200
Foie	13	26	39	52	65	78	91	104	117	129	195	258	325	387
Boudin	48	96	144	192	240	288	336	384	432	480	720	960	1 200	1 440
Andouillette	32	64	96	128	160	192	224	256	288	320	480	640	800	960
Tripes	10	19	29	38	48	57	67	76	86	95	143	190	238	285
Cervelle	12	24	36	48	61	73	85	97	109	121	181	242	302	363
Langue	19	38	57	76	96	114	134	153	172	191	287	381	478	573
Poulet – Lapin	15	29	44	59	74	88	103	118	132	147	221	294	368	441
Oie – Canard	33	67	100	134	167	200	234	267	300	334	501	668	835	1 002
Poisson maigre : merlan, cabillaud	7	15	22	29	37	44	51	58	66	73	110	146	183	219
Truite saumonée	9	19	28	38	47	56	66	75	85	94	141	188	235	282
Truite arc-en-ciel	15	30	45	60	75	91	106	121	136	151	227	302	378	453
Saumon frais	20	40	60	80	100	120	140	160	180	200	300	400	500	600
Saumon fumé	17	34	51	68	85	102	119	136	153	170	255	340	425	510
Poisson gras : thon, sardine, maquereau	18	37	55	73	92	110	128	146	165	183	275	366	458	549
Poisson conservé à l'huile	21	42	62	83	104	124	145	166	186	207	310	414	517	621
Mollusques : huître, escargot, palourde	8	16	24	32	40	47	55	63	71	79	119	158	198	237
Crustacés : crevette, langouste	8	17	25	33	42	50	58	66	75	83	125	166	208	249
Crabe frais	8	16	24	32	40	48	56	64	72	80	120	160	200	240
Crabe en conserve, au naturel	10	20	30	40	50	60	70	80	90	100	150	200	250	300
Cuisse de grenouille	7	14	21	28	35	42	49	56	63	70	105	140	175	210
Œuf entier (l'unité 55/60 = 50 g)	15	30	46	61	76	91	106	122	137	152	228	304	380	456
Blanc d'œuf (30 g)	4	8	12	16	20	24	28	32	36	40	60	80	100	120
Jaune d'œuf (20 g)	32	64	96	128	160	192	224	256	288	320	480	640	800	960

Féculents – pain – céréales et dérivés	10 g	20 g	30 g	40 g	50 g	60 g	70 g	80 g	90 g	100 g	150 g	200 g	250 g	300 g
Pomme de terre :														
crue	8	17	25	33	41	50	58	66	74	83	124	166	207	249
cuite vapeur	8	17	25	34	42	50	59	67	76	84	126	168	210	252
frite	40	80	119	160	200	250	280	319	359	399	598	798	997	1 197
chips	56	111	167	223	278	334	390	446	501	557	835	1 114	1 392	1 671
Légume sec : poids cru	35	70	105	140	175	210	245	280	315	350	525	700	875	1 050
poids cuit	11	23	34	45	56	68	79	91	101	113	169	226	282	339
Farine blanche	35	69	104	139	173	208	243	278	312	347	520	694	867	1 041
Farine complète	34	68	102	136	170	204	238	272	306	340	510	680	850	1 020
Pâtes, semoule : poids cru	36	72	107	143	179	215	251	286	322	358	537	716	876	1 074
poids cuit	10	20	30	40	50	60	70	80	90	100	150	200	250	300
Croissant	25	50	75	100	125	150	175	200	225	250	375	500	625	750
Maïzéna	36	71	107	142	178	214	249	285	320	356	534	712	890	1 068
Madeleine	49	98	147	196	245	294	343	392	441	490	735	980	1 225	1 470
Riz : poids cru	35	70	105	140	176	211	245	281	316	351	526	702	877	1 053
poids cuit	11	23	34	46	57	69	80	92	103	115	172	230	287	345
Pain blanc	25	51	76	102	127	153	178	204	230	255	382	510	637	765
Biscotte (l'unité = 10 g)	38	76	114	152	190	228	266	304	342	380	570	760	950	1 140
Pain d'épice	35	70	105	140	175	211	245	281	316	351	526	702	877	1 053
Biscuit (petit-beurre)	42	84	126	158	210	252	294	336	378	420	630	840	1 050	1 260
Biscuit sablé	46	92	137	184	229	275	321	367	413	459	688	919	1 147	1 377
Biscuit à la cuiller	40	80	120	160	200	239	279	319	359	399	598	798	997	1 197
Biscuit boudoir	39	78	116	155	194	233	272	310	349	388	582	776	970	1 164
Cake anglais	40	80	120	160	200	240	280	320	360	400	600	800	1 000	1 200
Crêpe (l'unité = 30 g)	19	39	58	77	97	116	135	155	174	193	290	387	483	580
Gâteau de Savoie	29	59	88	117	146	176	205	234	264	293	440	586	732	879
Gaufre	28	57	85	114	142	171	199	228	256	285	427	570	712	855
Pâtisserie – gâteaux (moyenne)	28	56	85	113	141	169	197	226	254	282	423	564	705	846
Tarte aux pommes	26	52	77	103	129	155	181	206	232	258	387	516	645	774

Légumes et fruits frais	10 g	20 g	30 g	40 g	50 g	60 g	70 g	80 g	90 g	100 g	150 g	200 g	250 g	300 g
Salade verte	2	4	6	8	10	12	14	16	18	20	30	40	50	60
Carotte crue	4	9	13	18	22	26	31	35	40	44	66	88	110	132
Céleri cru	2	4	6	8	11	13	15	17	19	21	32	42	53	63
Céleri rave cru	5	9	14	18	23	28	32	37	41	46	69	92	115	138
Champignon de couche frais cru	3	5	8	10	13	16	18	21	23	26	39	52	65	78
Chou rouge cru	3	6	10	13	16	19	22	26	29	32	48	64	80	96
Concombre cru	1	2	4	5	6	7	8	10	11	12	18	24	30	36
Radis cru	2	4	6	8	10	12	14	16	18	20	30	40	50	60
Tomate crue, poivron cru	2	4	6	8	10	12	14	16	18	20	30	40	50	60
Légumes verts à feuilles (cuits), artichaut, asperge, aubergine, chou-fleur, chou vert, épinard, haricot vert, poireau, endive, courgette, champignon, courge, céleri	3	6	9	12	16	19	22	25	28	31	46	62	78	93
Légumes à racine (cuits), carotte, navet, salsifis, oignon, rave, betterave rouge, fond d'artichaut	5	9	14	18	23	28	32	37	41	46	69	92	115	138
Petit pois	9	18	27	36	46	55	64	73	82	91	137	182	228	273
Melon	2	5	7	10	12	14	17	19	22	24	36	48	60	72
Agrumes, ananas frais	5	10	15	20	25	29	34	39	44	49	73	98	122	147
Baies : fraise, framboise, groseille, mûre, myrtille	5	10	15	20	25	29	34	39	44	49	73	98	122	147
Fruits de pays : pomme, poire, pêche, prune, cerise, abricot, cassis,	7	14	20	27	34	41	48	54	61	68	102	136	170	204
Raisin frais, figue fraîche	8	15	23	31	38	46	54	61	69	77	115	154	192	231
Banane	9	18	27	36	45	54	63	72	81	90	135	180	225	270
Avocat frais	23	47	70	94	117	140	164	187	211	234	351	468	585	702
Kaki frais	6	13	19	25	31	38	44	50	57	63	94	126	157	189
Litchi frais	7	14	20	27	34	41	48	54	61	68	102	136	170	204
Sorbet de fruits (moyenne)	13	25	38	50	63	76	88	102	113	126	189	252	315	378
Fruits secs : pruneau, datte, figue sèche	30	61	91	122	152	183	213	244	274	305	457	610	762	915
Fruits oléagineux : noix, amande	69	138	206	275	344	413	482	550	619	688	1 032	1 376	1 720	2 064
Cacahuète salée	55	109	164	214	273	328	383	438	492	547	820	1 094	1 367	1 641
Châtaigne fraîche	21	41	62	82	103	123	144	165	185	206	309	412	519	618
Olive	18	36	54	72	90	108	126	144	162	180	270	360	450	540

Produits laitiers et dérivés	10 g	20 g	30 g	40 g	50 g	60 g	70 g	80 g	90 g	100 g	150 g	200 g	250 g	300 g
Lait														
entier	7	14	21	28	35	42	49	56	63	70	105	140	175	210
demi-écrémé liquide	5	10	16	21	26	31	37	42	47	53	78	104	130	156
écrémé liquide	3	7	10	14	17	21	25	28	31	35	52	70	87	105
en poudre entier non reconstitué	51	102	153	203	254	305	356	407	457	508	762	1 016	1 270	1 524
en poudre totalement écrémé	36	73	109	145	181	218	254	290	327	363	544	726	907	1 089
concentré sucré	33	66	99	132	165	199	232	265	298	331	496	662	827	993
concentré non sucré	14	28	42	56	70	85	99	113	127	141	211	282	352	423
Yaourt (l'unité = 125 g)	5	10	16	21	26	32	37	42	48	53	80	107	134	160
Yaourt à 0 % de M.G.	3,6	7	11	14	18	22	25	29	32	36	54	72	90	108
Fromage blanc														
à 0 % de M.G.	6	12	17	23	29	35	41	46	52	58	87	116	145	174
à 10 % de M.G.	8	15	23	30	38	45	53	60	68	75	113	150	188	225
à 20 % de M.G.	11	22	33	44	55	66	77	88	99	110	165	220	275	330
à 40 % de M.G.	15	30	45	60	75	90	105	120	135	150	225	300	375	450
Petit-suisse (l'unité = 30 g)														
40 % de M.G.	14	29	43	57	72	86	100	115	129	143	215	287	358	430
Gervais 1/2 sel (l'unité = 25 g)														
40 % de M.G.	20	39	59	78	98	118	137	157	176	196	294	392	490	588
Fromage à pâte molle :														
Camembert	30	60	91	122	152	183	213	244	274	305	457	610	762	915
Brie	26	52	79	105	131	158	184	210	237	263	394	526	657	789
Carré de l'Est	39	77	116	154	193	232	270	309	347	386	579	772	965	1 158
Munster	32	64	97	129	161	193	225	258	290	322	483	644	805	966
Pont l'Evêque	31	63	94	126	157	189	220	252	283	315	472	630	787	945
Fromage à pâte durcie :														
St Paulin	36	73	109	146	182	219	255	292	328	365	547	730	912	1 095
Hollande	35	71	106	141	176	212	247	282	318	353	529	706	882	1 059
Cantal	39	77	116	154	193	232	270	309	347	386	579	772	965	1 158
Gruyère	39	78	118	157	196	235	274	314	353	392	588	784	980	1 176
Fromage à moisissure interne :														
Roquefort	40	80	119	159	199	239	279	318	358	398	597	796	995	1 194
Bleu	41	82	123	164	205	246	287	328	369	410	615	820	1 025	1 230
Fromage fondu :														
crème de gruyère	28	56	84	112	140	168	196	224	252	280	420	560	700	840
Fromage de chèvre	32	64	96	128	160	192	224	256	288	320	480	640	800	960
Crème fraîche	34	67	101	135	169	202	236	270	303	337	505	674	842	1 011
Crème glacée	21	43	64	86	107	129	150	172	193	215	322	430	537	645

Corps gras	10 g	20 g	30 g	40 g	50 g	60 g	70 g	80 g	90 g	100 g	150 g	200 g	250 g	300 g
Beurre	74	147	221	294	368	441	515	588	662	735	1 103	1 470	1 838	2 205
Beurre allégé (41 % de M.G.)	40	80	120	160	200	240	280	320	360	400	600	800	1 000	1 200
Huile	90	180	270	360	450	540	630	720	810	900	1 350	1 800	2 250	2 700
Lard – Saindoux	82	165	247	329	412	494	576	658	741	823	1 235	1 646	2 058	2 469
Margarine	73	147	220	293	367	440	513	586	660	733	1 100	1 466	1 833	2 200
Mayonnaise	41	82	123	164	205	246	287	328	369	410	615	820	1 025	1 230
en conserve	73	146	219	292	365	437	510	583	656	729	1 094	1 458	1 823	2 187
Babeurre	4	7	11	14	18	22	25	29	32	36	54	72	90	108
Végétaline	89	177	266	354	443	532	620	709	797	886	1 329	1 772	2 215	2 658

Produits sucrés	10 g	20 g	30 g	40 g	50 g	60 g	70 g	80 g	90 g	100 g	150 g	200 g	250 g	300 g
Sucre	40	80	120	160	200	240	280	320	360	400	600	800	1 000	1 200
Confiture – gelée	28	56	84	112	140	168	196	224	252	282	422	564	705	846
Miel	31	63	94	126	157	188	220	251	283	314	471	628	785	942
Chocolat au lait	55	110	165	220	275	330	385	440	495	550	825	1 100	1 375	1 650
Chocolat à croquer	53	105	156	210	263	316	368	421	473	526	789	1 052	1 315	1 578
Cacao sec en poudre	48	97	145	194	242	290	339	387	436	484	726	968	1 210	1 452
Nougat (moyenne)	38	77	114	154	192	230	269	307	346	384	576	768	960	1 152
Bonbon (moyenne)	38	76	114	152	190	228	266	304	342	380	570	760	950	1 140
Caramel	43	86	129	172	215	258	301	344	387	430	645	860	1 075	1 290
Guimauve (pâte)	34	67	101	134	168	202	235	269	302	336	504	672	840	1 008

Condiments	10 g	20 g	30 g	40 g	50 g	60 g	70 g	80 g	90 g	100 g	150 g	200 g	250 g	300 g
Moutarde	11	21	32	42	53	64	74	85	95	106	159	212	265	318
Poivre	0	0	0	0	0	0	0	0	0	0	0	0	0	0
Sel blanc raffiné	0	0	0	0	0	0	0	0	0	0	0	0	0	0
Vinaigre	4	8	12	16	20	23	27	31	35	39	58	78	97	117
Fines herbes	0	0	0	0	0	0	0	0	0	0	0	0	0	0
Cornichons	1	2	3	4	5	6	7	8	9	10	15	20	25	30
Piment rouge	9	19	28	37	47	56	65	74	84	93	139	186	232	279
Piment vert	6	12	19	25	31	37	43	50	56	62	93	124	155	186
Ail	14	27	41	54	66	81	95	108	122	135	203	270	338	405

Annexe III

Trois notions méconnues avec le four à micro-ondes

• ***Modification structurale (de la formule chimique) des acides aminés (Isomérisation)***

En mars 1990, l'édition française du *Lancet* (p. 55) rapporte un travail d'une équipe autrichienne (G. Lubec et coll.) montrant que chauffer du lait au four à micro-ondes modifie la formule des acides aminés tels que hydroxyproline et proline. La conversion de la forme « trans » en forme « cis » présente certains dangers : altérations structurelles, fonctionnelles et immunologiques des peptides ou protéines. Ces transformations diminuent la digestibilité des protéines et favorisent l'apparition de composés potentiellement toxiques. De plus, le chauffage au four à micro-ondes transforme la L-proline en D-proline. La D-proline est neurotoxique et des effets toxiques sur le rein et le foie ont été rapportés.

Récemment L. Fay du Centre de recherche Nestlé de Lausanne a contesté les travaux de G. Lubec en montrant que lorsque la température finale du lait ne dépasse pas 93 °C, on n'observe aucune modification structurale des acides aminés : (à paraître dans *Journal of Agric. Food Chem.*)

Des études complémentaires s'imposent, mais on peut s'étonner que de telles études n'aient pas été faites avant la commercialisation de ce type de cuisson.

• ***Attention aux fuites des fours à micro-ondes***

Les fours à micro-ondes mettent en œuvre des ondes électromagnétiques de fréquence très élevée : 2450 mégahertz, une longueur d'ondes proche de celle des radars militaires. Ce rayonnement provoque dans les corps hydratés tels que les aliments une forte agitation. Chaque molécule de la matière change de polarité, donc d'orientation : 2,45 milliards de fois par seconde. Les frottements qui résultent de cette agitation vont très rapidement réchauffer l'aliment puis le cuire.

Comme tous les appareils électroménagers, les fours à micro-ondes vieillissent et se détériorent. Des anomalies apparaissent dont l'origine est due aux fuites laissant échapper une partie des ondes produites par le générateur.

Notre organisme est le plus parfait exemple des corps hydratés, terrain d'action privilégié des hyperfréquences. C'est pour cette raison qu'il existe une réglementation internationale prévoyant une norme de sécurité : la puissance des ondes détectées en dehors d'un four ne doit pas excéder 5 milliwatts par cm^2. Au-delà, les risques pour la santé sont certains. Il est donc important de pouvoir vérifier l'étanchéité du four à micro-ondes. Pour cela, un détecteur de fuites est nécessaire. Le mode d'utilisation est très simple : placer un verre plein d'eau à l'intérieur du four, mettre celui-ci en route puis promener le détecteur à quelques centimètres des points sensibles du four (encadrement de la porte, bouton de commande, aération placée sur la partie arrière du four). Si l'aiguille du « testeur » entre dans la zone rouge, les fuites dépassent les

5 milliwatts par cm^2 prescrits par la norme internationale. Si l'aiguille se bloque à l'extrémité de cette même zone rouge, le rayonnement atteint 10 milliwatts par cm^2: il faut tout arrêter et faire réparer l'appareil sans délai (plusieurs types de détecteurs sont en vente dans les magasins spécialisés).

Des cas de cataracte ont été observés lors d'exposition accidentelle aux micro-ondes. Le risque cataractogène découle de deux particularités du cristallin: sa forte teneur en eau (60-70 %) et sa faible irrigation sanguine qui ne suffit pas à évacuer la chaleur emmagasinée. (J. Thuery: *Les micro-ondes et leurs effets sur la matière*. Éd. Lavoisier, 1989.)

• ***Pas de destruction des germes présents dans les aliments congelés***

Lorsqu'on décongèle des aliments surgelés, les parties dégelées, donc liquides ou semi-liquides absorbent plus d'énergie que les parties encore gelées. Ainsi existent des endroits surchauffés – les points chauds – qui peuvent endommager les aliments tandis que d'autres restent plus ou moins froids. La décongélation partielle d'un aliment peut favoriser la multiplication des germes dans l'aliment. Les micro-ondes ne stérilisent pas les aliments. Il convient donc d'être vigilants dans le choix de la qualité des denrées alimentaires que l'on achète et que l'on soumet au micro-onde. L'été en particulier le début de décongélation dû aux fortes chaleurs n'est pas perçu par la ménagère… dans son congélateur la « recongélation » ne détruit pas les germes qui se sont multipliés pendant la décongélation. Au total le nombre de germes est plus élevé, d'où les nombreuses gastro-entérites de l'été par « rupture de la chaîne du froid ». Dans le micro-onde on ne cuit pas les aliments, on les chauffe. Si l'aliment n'est pas bactériologiquement de bonne qualité, il y a pullulation de germes, ce peut être dangereux pour la santé.

Annexe IV

Les additifs alimentaires[1]

destinés à conserver, colorer, parfumer les aliments

Omniprésents dans notre alimentation, ils peuvent, chez certains individus sensibles ou prédisposés, développer des réactions d'intolérance.

De tout temps, l'homme a cherché à conserver ses aliments. Qu'il s'agisse de les sécher, de les fumer, de les saler ou de les sucrer, la conservation des aliments s'est considérablement améliorée au fil des siècles.

Avec l'avènement de l'ère industrielle, la panoplie des méthodes de conservation s'est énormément enrichie : stérilisation, congélation, surgélation, emballage sous vide, lyophilisation, etc.

Les additifs chimiques se sont développés : conservateurs, antioxydants, stabilisants. Il est aussi apparu un phénomène nouveau ; l'aspect des aliments est devenu plus important : les industriels ont alors utilisé des colorants. Les consommateurs ont cherché des goûts plus flatteurs. En réponse, la chimie a créé des révélateurs de goût et de parfum.

Aujourd'hui, beaucoup de produits alimentaires contiennent des additifs. La C.E.E. a codifié les additifs alimentaires, en utilisant un code comportant la lettre E, suivie de 3 chiffres :
E 100 à E 199 : Colorants alimentaires.
E 200 à E 299 : Conservateurs.
E 300 à E 321 : Antioxydants.
E 322 à E 495 : Émulsifiants, stabilisants et gélifiants.
500 à 578 : Alcalis et acides.
620 à 637 : Révélateurs de goût.

Une bonne connaissance de ces additifs alimentaires permettra, chez des sujets sensibles, d'éviter des allergies.

Il est aussi essentiel de prendre quelques précautions :

– Se débarrasser des feuilles externes des légumes, de la pelure des fruits, ou laver soigneusement les produits frais à l'eau.

– Conserver les noix, graines et haricots secs dans des contenants fermés hermétiquement et placés dans un endroit sec et frais.

– Ne pas conserver les boîtes de conserve plus d'un an (augmentation de la teneur en plomb des aliments).

– Ne jamais conserver un aliment dans une boîte de conserve ouverte au réfrigérateur.

1. *Plantes et médecines associées*, 1990

– Ne pas trop consommer d'abats (foie, rognons) où se fait une concentration de métaux.

– Ne pas consommer de jus (fruits ou légumes) en boîte métallique. Possibilité d'oxydation.

Et puis, si vous avez le moindre doute, n'hésitez pas : tout aliment suspect doit être jeté.

A. Tessier, Réf. biblio.
Guide pratique des additifs alimentaires européens.

Nom de code	Nom de l'additif	Dans quels aliments on le trouve	But recherché	
E 100	Curcumine	Beurre, fromage, lait aromatisé, moutarde, thé, pâtisserie, biscuiterie	Colorant jaune	Sans danger
E 101	Lactoflavine ou Riboflavine	Beurre, fromage, lait aromatisé, confiserie, pâtisserie, biscuiterie, desserts instantanés	Colorant jaune	Sans danger
E 102	Tartrazine	Pâtisserie, confiserie, biscuiterie, poisson séché et salé	Colorant jaune	A éviter Allergie
E 103	Chrysoine S 1	Confiserie, crème glacée	Colorant jaune	
E 104	Jaune de quinoléine	Confiserie, crème glacée	Colorant jaune	A éviter Risques allergie
E 105	Jaune solide 1	Confiserie, crème glacée	Colorant jaune	
E 110	Jaune orangé S	Pâtisserie, confiserie, biscuiterie, poisson séché et salé	Colorant orange	A éviter – Allergie
E 111	Orangé GGN 1	Confiserie, crème glacée	Colorant orange	
E 120	Cochanilia, acide carminique	Cidre, poires, vermouth, apéritifs, hydromel, vinaigre, fruits rouges	Colorant rouge	A éviter – Allergie
E 121	Orscille-orcéine 1	Bouillons, potages, pâtisserie, confiserie, biscuiterie	Colorant rouge	
E 122	Azorubine	Fruits rouges, confiserie, crème glacée	Colorant rouge	Risques allergie A éviter
E 123	Amarante	Fruits rouges, confiserie	Colorant rouge	Allergie – A éviter
E 124	Rouge cochenille A	Pâtisserie, confiserie, biscuiterie, fruits rouges, poisson séché et salé	Colorant rouge	Allergie – A éviter
E 125	Ecarlate GN 1	Fruits rouges, confiserie, crème glacée	Colorant rouge	
E 126	Ponceau GR 1	Confiserie	Colorant rouge	
E 127	Erythrosine	Fruits rouges	Colorant rouge	Allergie – A éviter

1 : Colorant interdit en France depuis octobre 1977

Nom de code	Nom de l'additif	Dans quels aliments on le trouve	But recherché	
E 130	Bleu anthraquinonique solanthrène RS 1	Sucre	Colorant bleu	A éviter
E 131	Bleu patenté V	Confiserie	Colorant bleu	Allergie – A éviter
E 132	Indigotine	Bouillons, potages, thé vert, pâtisserie, confiserie, biscuiterie	Colorant bleu	Allergie – A éviter
E 140	Chlorophylles	Moutardes vertes, légumes verts	Colorant vert	Sans danger
E 141	Complexe cuivrique des chloropylles et des chlorophyllines	Légumes verts	Colorant vert	Sans danger
E 142	Vert acide brillant BS	Légumes verts	Colorant vert	A éviter – Allergie
E 150	Caramel	Vins, eaux-de-vie naturelles, bière, cidre, confiserie	Colorant brun	Sans danger
E 151	Noir brillant BN	Confiserie	Colorant noir	A éviter – Allergie
E 152	Noir 7984 1	Confiserie	Colorant noir	
E 153	Carbo-médicinalis végétalis	Bouillons, potages, condiments, sauces, pâtisserie, confiserie, biscuiterie	Colorant noir	
E 160	Caroténoïdes (Bixine, carotène)	Produits de charcuterie, poisson séché et salé, pâtisserie, confiserie, biscuiterie	Nuances de coloration	Sans danger
E 161	Xantophylles	Confitures, gelées, pâtisserie, confiserie, biscuiterie	Nuances de coloration	Sans danger
E 162	Rouge de betterave	Confitures, gelées, pâtisserie, confiserie, biscuiterie	Nuances de coloration	Sans danger
E 163	Anthocyanes	Confitures, gelées, pâtisserie, confiserie, biscuiterie	Nuances de coloration	Sans danger
E 170	Carbonate de calcium	Pâtisserie, confiserie	Colorant de surface seulement	Sans danger
E 171	Bioxyde de titane	Décoration externe de la pâtisserie	"id."	Sans danger

1 : Colorant interdit en France depuis octobre 1977.

Nom de code	Nom de l'additif	Dans quels aliments on le trouve	But recherché	
E 172	Oxyde et hydroxyde de fer	"id." "id."	"id."	"id."
E 173	Aluminium	"id."	"id."	"id."
E 174	Argent	"id."	Colorant de surface seulement	Sans danger
E 175	Or	Décoration externe de la pâtisserie		
E 180	Pigment rubis	Croûte du fromage	Colorant de surface seulement	
E 181	Terre d'ombre brûlée	"id."	"id."	"id."
E 200	Acide sorbique	Lait fermenté, yaourts	Agents conservateurs	
E 201	Sorbate de sodium	"id."	"id."	"id."
E 202	Sorbate de potassium	"id."	"id."	"id."
E 203	Sorbate de calcium	"id."	"id."	"id."
E 210	Acide benzoïque	Conserves (crevettes, caviar)...	Agents conservateurs	A éviter Risques allergie
E 211	Benzoate de sodium	"id."	"id."	"id."
E 212	Benzoate de potassium	"id."	"id."	"id."
E 213	Benzoate de calcium	"id."	"id."	"id."
E 214	P. hydroxybenzoate d'éthyle	"id."	"id."	"id."
E 215	Dérivé sodique de l'ester éthylique et de l'acide p. hydroxybenzoïque	"id."	"id."	"id."
E 216	P hydroxybenzoate de propyle	"id."	"id."	"id."
E 217	Dérivé sodique de l'ester-propylique de l'acide p. hydroxybenzoïque	Conserves (crevettes, caviar)...	Agents conservateurs	

1 : Colorant interdit en France depuis octobre 1977.

Nom de code	Nom de l'additif	Dans quels aliments on le trouve	But recherché	
E 220	Anhydride sulfureux	Bière, cidre et jus de fruits, vins	Agents conservateurs (antimicro-organismes blanchissants ou décolorants)	Risques Allergie
E 221	Sulfate de sodium	"id."	"id."	"id."
E 222	Sulfite acide de sodium	"id."	"id."	"id."
E 223	Disulfite de sodium	"id."	"id."	"id."
E 224	Disulfite de potassium	"id."	"id."	"id."
E 226	Sulfite de calcium	"id."	"id."	"id."
E 230	Diphényl	Traitement de surface des agrumes	Agents conservateurs (antimicro-organismes)	A éviter Risques allergie
E 231	Orthophénylphénol	"id."	"id."	"id."
E 232	Orthophénylphénate de sodium	"id."	"id."	"id."
E 233	2-(4-thiazolyl) benzimidazole thiabendazole	"id."	"id."	"id."
E 236	Acide formique	Interdits en France mais présents dans les produits importés	Agents conservateurs (antimicro-organismes)	A éviter Risques allergie
E 237	Formiate de sodium	"id."	"id."	"id."
E 238	Formiate de calcium	"id."	"id."	"id."
E 239	Hexaméthylène tétramine	Conserves de caviar	Agents conservateurs (antimicro-organismes)	A éviter Risques allergie
E 240	Acide borique	Poissons importés, caviar	Agents conservateurs (antimicro-organismes)	

1 : Colorant interdit en France depuis octobre 1977.

Nom de code	Nom de l'additif	Dans quels aliments on le trouve	But recherché	
E 241	Tétraborate de sodium	"id."	"id."	"id."
E 250	Nitrite de sodium	Charcuterie	Fixateurs et salants (agents à effets conservateurs secondaires)	A éviter Risques allergie
E 251	Nitrate de sodium	"id."	"id."	"id."
E 252	Nitrate de potassium	"id."	"id."	"id."
E 260	Acide acétique naturel	Vinaigre, condiments, pain industriel	Acidifiant neutralisant (agents à effets conservateurs secondaires)	Sans danger
E 261	Acétate de potassium	"id."	"id."	"id."
E 262	Diacétate de sodium	"id."	"id."	A éviter
E 263	Acétate de calcium	Vinaigre, condiments, pain industriel	Acidifiant neutralisant (agents à effets conservateurs secondaires)	A éviter
E 270	Acide lactique	Limonade, sodas, yaourts (peu usité)	Acidifiant neutralisant (agents à effets conservateurs secondaires)	Sans danger
E 280	Acide propionique	Pain industriel	Agents à effets conservateurs secondaires	
E 281	Propionate de sodium	"id."	"id."	"id."
E 282	Propionate de calcium	"id."	"id."	"id."
E 290	Anhydride carbonique	Boissons gazeuses	Antimicro-organisme gazéifiant (agent à effets conservateurs secondaires)	Sans danger
E 300	Acide L-ascorbique	Conserves, sauces, boissons (sodas, jus de fruit)	Agents oxygènes	Précaution

1 : Colorant interdit en France depuis octobre 1977.

Nom de code	Nom de l'additif	Dans quels aliments on le trouve	But recherché	
E 301	L ascorbate de sodium	"id."	"id."	Sans danger
E 302	L ascorbate de calcium	"id."	"id."	"id."
E 303	Acide diacétyl 5-L ascorbique	"id."	"id."	"id."
E 304	Acide palmityl 6-L ascorbique	Conserves, sauces, boissons (sodas, jus de fruit)	Agents oxygènes	Sans danger
E 306	Extraits d'origine naturelle riches en tocophérols	Produits diététiques, huile de soja, huile de colza	Agents oxygènes	Sans danger
E 307	Alpha-tocophérol de synthèse	"id."	"id."	"id."
E 308	Gammatocophérol de synthèse	"id."	"id."	"id."
E 309	Delta-tocophérol	"id."	"id."	"id."
E 311	Gallate d'octyle	Corps gras industriels entrant dans la composition de nombreux aliments (potages en sachet)	Agents oxygènes	A éviter Allergie
E 312	Gallate de d odécyle	"id."	"id."	"id."
E 320	Butylhydroxyanisol (BHA)	Corps gras entrant dans la composition de nombreux aliments (purée en poudre)	Agents oxygènes	A éviter totalement
E 321	Butylhydroxytoluène (BHT)	Corps gras industriel, etc.		A éviter totalement
E 322	Lécithines	Chocolats	Agents antioxygènes émulsifiants	Sans danger
E 325	Lactate de sodium	Yaourts, sodas	Acidifiant neutralisant (renforce l'action anti-oxygène)	Sans danger
E 326	Lactate de potassium	"id."	"id."	"id."

1 : Colorant interdit en France depuis octobre 1977.

Nom de code	Nom de l'additif	Dans quels aliments on le trouve	But recherché	
E 327	Lactate de calcium	Yaourts, sodas	Acidifiant neutralisant (renforce l'action anti-oxygène)	Sans danger
E 330	Acide citrique	Boissons gazeuses		Sans danger
E 331	Citrate de sodium	"id."	Acidulant neutralisant (renforce l'action anti-oxygène)	"id."
E 332	Citrate de potassium	"id."	"id."	"id."
E 333	Citrate de calcium	"id."	"id."	"id."
E 334	Acide tartrique	Sodas	"id."	Sans danger
E 335	Tartrate de sodium	"id."	Clarifiant (renforce l'action antioxygène)	"id."
E 336	Tartrate de potassium	"id."		"id."
E 337	Tartrate double de sodium et de potassium	"id."	"id."	"id."
E 338	Acide orthophosphorique	Boissons gazeuses	Acidifiant neutralisant (renforce l'action anti-oxygène)	Précaution
E 339	Orthophosphate de sodium	"id."	"id."	"id."
E 340	Orthophosphate de potassium	Boissons gazeuses	Acidifiant neutralisant (renforce l'action anti-oxygène)	Précaution
E 341	Orthophosphate de calcium	"id."	"id."	"id."

1 : Colorant interdit en France depuis octobre 1977.

Nom de code	Nom de l'additif	Dans quels aliments on le trouve	But recherché	
E 400	Acide alginique	Vins, crèmes glacées	Emulsifiant, épaississant, gélifiant	Sans danger
E 401	Alginate de sodium	"id."	"id."	"id."
E 402	Alginate de potassium	"id."	"id."	"id."

1 : Colorant interdit en France depuis octobre 1977

Annexe V

Peut-on boire l'eau du robinet ?

La réponse est oui… mais il faut savoir…

L'eau du robinet ne cause pas couramment de maladies. Heureusement ! L'eau est l'aliment le plus surveillé, dont les normes sont les plus strictes et les contrôles les plus fréquents. En 1900 on évaluait 6 paramètres ; en 1991, on en évalue 63…

Deux types de pollutions doivent être évités. D'abord les substances toxiques à plus ou moins long terme ; leur élimination nécessite des techniques d'épuration parfois complexes : résines échangeuses d'ions, absorption sur charbon actif… Ensuite, les pollutions microbiennes qui sont plus faciles à éliminer, par simple chloration. Il suffit de vérifier qu'il reste suffisamment de chlore résiduel au moment où l'eau part dans les canalisations. Le niveau maximal toléré pour les nitrates est de 50 milligrammes par litre. L'utilisation agricole des pesticides, des engrais et des lisiers contenant des nitrates est un facteur important de pollution. La modification de l'usage du sol peut aussi intervenir : transformation en habitation ou en route d'une terre agricole qui provoque une réduction ou une augmentation en nitrates des nappes phréatiques. De même, des fortes pluies, ou inversement la sécheresse. Les variations climatiques peuvent jouer un rôle, et le devoir d'un distributeur est de prévoir de telles modifications.

Le développement d'une agriculture de qualité, moins polluante, ne conduira pas à une élévation des coûts si l'on veut bien prendre en compte les coûts des effets néfastes de l'agriculture intensive. Celle-ci est source de nuisances économiques dont certaines ont pris, ces dernières années, des dimensions inquiétantes : érosion des sols, pollution des eaux qui coûte de plus en plus cher à la collectivité, sans compter le coût de la santé.

Un appareil de filtration de l'eau a été très sérieusement mis au point. *Filopur* est un filtre qui élimine les impuretés chimiques (nitrates, insecticides, désherbants…) et bactériologiques ainsi que les substances aromatiques et odorantes désagréables. Ce filtre s'adapte à tous les robinets d'eau très simplement.

Quelquefois meilleure que celle du robinet, l'eau en bouteille coûte, en moyenne, 313 fois plus cher. Ce sont les Français qui en consomment le plus. On trouve de tout dans les bouteilles d'eau. De la plate, de la gazeuse, de l'eau de source, de l'eau minérale et même de l'eau du robinet, tout simplement. Les Français ont bu 4,7 milliards de litres d'eau en bouteille en 1989, soit 85 litres par habitant. Pourtant, alors que l'eau du robinet ne coûte, en moyenne, que moins d'un centime (de franc) par litre – avec de forts écarts d'une région à l'autre –, le litre d'eau en bouteille atteint 0,38 euro en moyenne.

Plus récemment on a pu démontrer que seule l'osmose inverse garantit l'élimination des bactéries, métaux lourds, produits chimiques de synthèse, nitrates, chlore, haloformes chlorés… L'appareil YSIO est équipé de la meilleure membrane (OSM100) agréée par la Food and Drug Administration, et s'adapte à tous les robinets d'un seul geste.

Les différents traitements et leurs applications

	ANOMALIE	ADOU-CISSEUR	FILTRE À CHARBON	OSMOSE INVERSE
Après avoir fait analyser l'eau de votre robinet, choisissez le système qui convient. (Les * indiquent les anomalies qui sont corrigées par le procédé.) * Efficace ** Très efficace *** Excellent	Nitrates			***
	Dureté de l'eau	***		***
	Métaux lourds	*		***
	Chlore		***	**
	Radioactivité	**		***
	Pesticides		***	***
	Sous-produits de chloration		***	***
	Bactéries			***
	Virus			***

Informations auprès du spécialiste F. Catteau, 3, allée Paul-Ronsard, 11110 Coursan, tél. : (16) 68 33 38 26.

Annexe VI

Agriculture biologique[1] et produits labellisés « AB »

La demande de plus en plus forte en produits naturels devrait accroître en France et en Europe le marché de l'agriculture biologique. Celle-ci n'utilise pas de produits chimiques de synthèse, ni désherbants, insecticides ou pesticides. Elle a été reconnue officiellement par la loi d'orientation agricole du 4 juillet 1980, et ses dispositions renforcées par la loi du 30 décembre 1988 d'adaptation de l'exploitation agricole à son environnement économique et social.

• En France

L'« agriculture biologique » est définie par deux critères :

– une stricte limitation d'emploi des produits chimiques de synthèse : ces derniers ne sont autorisés qu'à la condition expresse de figurer sur une liste établie par la Commission nationale de l'agriculture biologique et approuvée par arrêté. Parallèlement, l'utilisation de certaines substances naturelles (nitrate de soude, nicotine) peut être restreinte pour diverses raisons (nocivité, solubilité…)

– le recours à des méthodes de production particulières pour la protection de l'environnement et des animaux (rotation des cultures, interdiction de l'élevage en claustration…).

La législation relative à l'« agriculture biologique » couvre l'ensemble des produits agricoles végétaux et animaux, transformés ou non. Elle protège l'utilisation du terme « agriculture biologique », mais également toute formulation équivalente faisant référence à la non-utilisation de produits chimiques de synthèse, comme « agriculture bio-dynamique », « agriculture organique »…

L'homologation n'est jamais définitive et peut être retirée si les conditions requises pour son obtention ne sont plus remplies.

Ces dispositions ont permis l'homologation de seize cahiers des charges intéressant environ 3 000 agriculteurs et 250 entreprises élaborant divers produits (pain, produits de panification, conserves, confitures, jus de fruits…).

Par ailleurs la Commission vient d'adopter les règles d'homologation des produits animaux ou d'origine animale : lait et produits laitiers, viandes d'herbivores, volailles et œufs.

• En Europe

Ce cadre législatif et réglementaire a surtout fortement inspiré le règlement communautaire relatif à l'agriculture biologique, adopté le 24 juin 1991. Ce texte, le

1. AB est le logo officiel. Voir vitrinebio.com

premier au niveau européen ayant trait à la qualité des produits agro-alimentaires, fixe un cadre pour la production, l'étiquetage et le contrôle des produits de l'agriculture biologique.

Les textes ne s'appliquent encore qu'aux produits végétaux et aux produits transformés contenant au moins 95 % de végétaux issus de l'agriculture biologique. Mais la Commission des Communautés européennes s'est engagée à présenter, pour le 1er juillet 1992, les règles concernant les produits animaux et d'origine animale. Les animaux devraient être exclusivement nourris de produits provenant de l'agriculture biologique.

Pour le respect de ces caractéristiques, l'emploi, l'étiquetage et le conditionnement des produits, la mention « agriculture biologique » est subordonnée :

– à la modification par les producteurs, transformateurs ou importateurs de leur activité en agriculture biologique. Cette notification s'effectuera auprès des directions départementales de l'agriculture et de la forêt ;

– au contrôle des opérateurs par un organisme tiers répondant à des critères d'indépendance, d'impartialité, d'efficacité et de compétence ;

· au respect, pour les productions végétales, d'une période de reconversion des terres de deux ans. Ce n'est donc qu'*à la troisième année de récolte que le produit pourra utiliser la mention « agriculture biologique »*.

Pour les céréales, les agriculteurs changent de culture tous les deux ans et même tous les ans, ainsi se succèdent blé, betteraves, orge, avoine...

Ce texte devrait harmoniser les pratiques européennes en matière d'agriculture biologique et créer un régime d'équivalence des contrôles.

Grâce à un effort particulier des pouvoirs publics, les agriculteurs biologiques pourront, dès 1992, bénéficier de crédits en faveur de l'intensification selon la méthode qualitative durant la période de reconversion, comme cela se fait déjà au Danemark et en Allemagne.

Le décret relatif à l'intensification par un mode de production biologique est en cours de signature ainsi que l'arrêté financier qui l'accompagne. Il prévoit de verser, pendant 5 ans, aux agriculteurs qui se reconvertissent une aide compensant les pertes de revenu que provoque la reconversion à ce mode de production. Ils pourront également bénéficier des aides communautaires à la transformation et à la commercialisation des produits, la France ayant, dans les plans sectoriels qu'elle a adressés à Bruxelles, affiché dans le secteur des « fruits et légumes frais » une priorité pour l'agriculture biologique, notamment pour les équipements.

De nombreux consommateurs sont soucieux des modalités d'élaboration des produits qu'ils consomment. Or l'agriculture biologique, par ses pratiques spécifiques (cultures adaptées à l'environnement, bien-être des animaux, limitation d'emploi des produits de fertilisation et de traitement, soins préventifs plutôt que curatifs) a un impact positif sur l'environnement.

De plus, l'agriculture biologique avec les autres instruments de certification de la qualité (label appellation d'origine, certification de conformité, indication montagne) a un rôle majeur à jouer en termes de rééquilibrage des productions agro-alimentaires, de maintien des activités socio-économiques et d'aménagement du territoire, notamment dans les zones rurales fragiles

C'est pourquoi le développement de l'agriculture biologique constitue un élément d'avenir de l'agriculture française. Le temps est proche où toute une région agricole en Europe deviendra exclusivement AB.

Voir le site www.CORRENS.com, premier village Bio de France depuis 1997.

• Les produits bio

On comprend que les prix des produits bio ayant acquis le label Agriculture Biologique (AB) soient vendus plus cher que les produits classiques… 20 à 30 % de plus.

Avec les produits « bio », le goût des aliments revient au naturel; « ainsi les aliments biologiques ne nécessitent pas l'adjonction systématique de sauces élaborées, souvent dans le seul but de relever le goût insipide d'un aliment plein d'eau… » in *Les règles d'or de l'alimentation naturelle*. J.-F. Olivier, Éd. Encre, 1991.

Pour le vin, les critères sont assez sévères. Un viticulteur disposant d'une appellation contrôlée ne peut dépasser un certain rendement à l'hectare… ni utiliser du sucre à la vinification ou des produits stabilisateurs, responsables des maldigestions et des maux de tête quelques dizaines de minutes après l'absorption.

Composition du vin en minéraux, en milligrammes par litre

Phosphates 60-1000	Potassium 100-2000	Sodium 20-50		Calcium 50-200	Magnésium 50-140	Chlorures 20-400
Sulfates 400-1000	Manganèse 1,5-2,5	Fer 2-5	Cuivre 0,2-0,3	Aluminium 1-10	Chrome 0,5	Zinc 0,1-6
Fluor 0,1-2	Iode 4-24	Brome 0,6-24				

et en vitamines, en milligrammes par litre

C 10	B1 7-10	B2 0,5	PP 1-2	B5 ac. panthoténique 1,2-1,5	B6 0,5	B12 0,16	H Biotine 5

Daniel Combes relate dans son excellente *Épopée du vin* (de Noé à l'an 2000) : « La Bible recommande très nettement de consommer du vin, non point n'importe quel vin… "Sang de la grappe, Genèse 1, 49 ; Nombres 17, 14". Ce vin devra être issu d'un plant rare et excellent, semblable aux hommes de Juda qui sont le plan auquel le Seigneur a pris ses délices »… « Créé au début pour l'allégresse, non pour l'ivresse, le vin, pris dans la sobriété, c'est le bien-être physique et moral ». Et Proverbes 21, 7 · « À ceux qui ont de l'amertume dans l'âme, qu'ils boivent pour oublier leur misère, car si le pain fortifie, le vin ranime et fait, plus que l'huile, resplendir le visage. »

En 1905, la crise de la viticulture du Languedoc-Roussillon déclencha la publication du *Tocsin*. Le numéro du 5 mai précisait : « Si c'est le pays des vignerons que l'on veut protéger, c'est le vin naturel qu'il faut défendre… c'est le vin naturel qu'il faut légaliser, et c'est le seul qui doive être toléré sur tout le territoire. »

C'était déjà le vin biologique.

• Attention aux produits « biolight » (voir p. 355)

La Commission de Sécurité des Consommateurs (CSC) a fait retirer du marché pharmaceutique les produits « biolight ». Certains consommateurs du produit ont dû être hospitalisés pour troubles digestifs : nausées et constipation. Le produit dit de régime a été retiré des pharmacies… et devrait l'être du marché de l'alimentation.

• Les produits AB et le consommateur

Ils sont insuffisamment connus pour être choisis en priorité par le consommateur. L'obstacle le plus important est certainement le prix.

1 kg de pain classique coûte 2,15 à 2,75 euros.

1 kg de pain AB coûte 3,05 à 3,80 euros.

Cela représente une augmentation de 39 à 43 %.

La diffusion des produits AB nécessite :

– une excellente connaissance de leur valeur « santé » ;

– une réduction de leur prix à l'achat qui ne devrait pas excéder 10 % par rapport aux produits classiques ;

– un soutien européen et national des produits végétaux et animaux AB, car la main-d'œuvre agricole est obligatoirement supérieure en agriculture biologique. Il n'est pas impossible que l'agriculteur biologique et sa famille soient en meilleure santé que l'agriculteur conventionnel.

Attention aux étiquettes « Non traité », « Exempt de pesticides », « Naturel », « Exempt de résidus »… Il ne s'agit pas de produits AB, donc ils ne sont pas biologiques.

Bibliographie : *L'agriculture biologique*, Catherine de Silguy, PUF, Que sais-je ? 1991.

Annexe VII

Produits allégés : mode ou santé ?

• Les produits allégés sont devenus une véritable mode

Des publicités excessives ont assimilé la liberté du deuxième centenaire de la Révolution de 1789 à une soi-disant « liberté nutritionnelle » obtenue par le remplacement des sucres par des succédanés « sucrés mais non caloriques ». Les spécialistes du marketing[1] ont même élargi le concept aux boissons (sodas sans sucre, Coca light), aux graisses sans lipide (beurre sans cholestérol, yaourts à 0 % de matière grasse).

Les procédés utilisés sont très bien maîtrisés. Il est aujourd'hui possible d'enlever le sucre ou la graisse et de leur substituer d'autres substances ayant les mêmes goûts mais n'apportant pas autant de calories (saccharine, aspartame…, voir p. 182-185 pour le sucre ; calofat pour les graisses). D'après la publicité, l'aliment allégé ne serait jamais toxique ! – sauf la saccharine à fortes doses (voir p. 182) ; le cyclamate pour les femmes enceintes…

En fait, les personnes normales n'ont nullement besoin de ce type d'aliments qui sont seulement indiqués chez les diabétiques, les obèses et ceux qui ont un surpoids net (± de 10 % du poids corporel). Les produits allégés pourraient même être néfastes.

Lorsqu'une personne mange « allégé » à un repas, elle compense son manque de calories au repas suivant en mangeant plus. De plus en plus d'études montrent que des phénomènes de « surcompensation » peuvent exister – la frustration de nourriture déclencherait secondairement une surcompensation qui ferait perdre tous les bénéfices attendus des produits allégés.

Il a été démontré que le seul fait de percevoir le goût sucré déclenche les systèmes métaboliques de réaction aux excès en sucre, par exemple la sécrétion d'insuline par le pancréas. Donc, si le produit a le goût du sucre, sans en contenir pour autant, l'insuline – hormone hypoglycémiante – sera sécrétée mais non utilisée à ses fins propres, aggravant ainsi l'hypoglycémie.

L'aliment de substitution agit donc comme un leurre. Les conséquences sont plus ou moins néfastes en fonction de l'heure de consommation : faibles à la fin du repas, et maximum à jeun. Attention donc à la classique sucrette dans le café de 10 heures. Les personnes bien portantes ne doivent pas consommer des produits allégés à la légère…

• Un excès en édulcorants « polyalcools », utilisés en confiserie, peut provoquer des diarrhées

Les polyalcools (ou polyols) sont des édulcorants « de charge » autorisés dans l'alimentation depuis 1987. Ces substances, tels le maltitol, le mannitol, le sorbitol et

---

1. Une étude de Frost et Sullivan prévoit un marché supérieur au milliard de dollars.

le xylitol ont un pouvoir sucrant moindre que celui du saccharose. Leur principal avantage est de ne pas être utilisable par les bactéries de la bouche, et donc de ne pas favoriser la carie dentaire. Ces produits sont utilisés comme substance de charge calorique dans la fabrication de produits de confiserie dits « sans sucre » (bonbons, chewing-gum, etc.). Mais si ces sucres ne sont pas fermentescibles en bouche, ils le sont très fortement dans l'intestin. De plus, par leur pouvoir osmotique, ils créent un appel d'eau, d'où flatulences et diarrhées osmotiques. La dose seuil retenue par le Comité scientifique de l'alimentation humaine de Bruxelles est de 20 grammes par jour, mais il peut y avoir accoutumance et susceptibilités individuelles.

• De nouveaux édulcorants pour l'an 2000

– Le sucralose, dérivé du saccharose, au pouvoir sucrant trois fois supérieur à celui de l'aspartame ;

– L'alitame, dérivé de l'alanine, douze fois plus sucrant que l'aspartame ;

– La litesse, destinée aux industriels de la pâtisserie, chocolaterie, confiserie et des assaisonnements de salades. Cet ingrédient du polydextrose, reproduit les caractéristiques physico-chimiques du sucre en n'apportant qu'une calorie par gramme, soit le quart du saccharose… Que ne ferait-on pas pour satisfaire le goût du consommateur ! De toute façon, tous ces produits sont déconseillés avant l'âge de 3 ans et chez la femme enceinte.

• Pas d'aspartame aux allergiques et aux migraineux

L'aspartame (voir p.184-185), se métabolise dans l'organisme en deux acides aminés : l'acide aspartique et la phénylalanine (ce qui en contre-indique l'emploi en cas de phénylcétonurie) et en deux autres produits : le méthanol et le dicétopipérazine. Seul le dicétopipérazine n'est pas présent naturellement dans l'alimentation. Par exemple, une banane contient 15 fois plus d'acide aspartique, 5 fois plus de phénylalanine et 10 fois plus de méthanol qu'un comprimé d'aspartame. Le dicétopipérazine peut se lier aux protéines plasmatiques, et ainsi être à l'origine d'allergies.

Le stockage à température élevée de boissons contenant de l'aspartame accélère la dégradation de l'édulcorant. Il faut donc respecter les dates de péremption et conserver les boissons dans un endroit frais. Chez les sujets migraineux, les crises peuvent être plus intenses et plus prolongées.

• Trois questions concernant les produits allégés

1. Les produits allégés font-ils maigrir ?

Les produits qui affichent un allégement de 30 % (ou 40, 50 %) en calories sont effectivement moins riches en calories. Mais leur consommation ne dispense pas de rechercher un équilibre nutritionnel. D'après le Pr J.J. Bernier, président du Conseil national de l'alimentation : « Il ne faut pas croire qu'en mangeant tout allégé on maigrira sans problème et sans souci… Il faut la volonté en plus. »

2. Les produits allégés sont-ils sérieux ?

L'allégement en calories lipidiques peut être obtenu de nombreuses façons, la première étant tout simplement de diluer le produit avec de l'eau… Ainsi les beurres, margarines et mayonnaises dits « allégés » contiennent jusqu'à 50 % d'eau. Les industriels vendent ainsi beaucoup d'eau ! Le grand défaut, c'est que l'utilisateur croit qu'il peut consommer des produits « light » à volonté ; il a alors tendance à surcharger les tartines.

Une autre méthode consiste à diminuer la teneur en graisse d'un produit composé, par exemple en remplaçant une partie de la viande par des protéines végétales, ou une partie des graisses par de l'amidon, du tapioca notamment. C'est ce que réalisent les fabricants de plats cuisinés dits « allégés » dont certains sont vendus surgelés. On propose également des glaces dans lesquelles la crème est remplacée par du blanc d'œuf ! Le fin du fin est de substituer les graisses habituelles par des graisses qui ne peuvent pas être digérées.

3. Et la santé ?

En ce qui concerne les glucides, les édulcorants des farines, des sucres de pâtisseries ou autres préparations culinaires provoquent souvent chez les consommateurs des gaz, des ballonnements.

Les édulcorants « intenses » à fort pouvoir sucrant (voir p.182-185), présenteraient à doses trop importantes une certaine toxicité, si bien qu'il a fallu définir des doses journalières admissibles (DJA) pour chaque substance utilisée ; celles-ci ont été précisées en France par le Conseil supérieur de l'hygiène publique. Une harmonisation européenne s'impose rapidement. La DJA est une dose globale, tous aliments confondus : boissons, pâtisseries, confiseries, yaourts, etc. Comment faire pour que le grand public ne dépasse pas la DJA ? Le bon sens et la modération sont essentiels… mais une directive européenne s'apprête, d'après le Pr J.J. Bernier, à « autoriser les édulcorants intenses dans plus de quarante groupes de produits alimentaires ». C'est de l'irresponsabilité coupable, précisait-il dans une interview donnée au *Midi libre* le 22 mars 1991. Oui, mais business oblige. Malheureusement l'économie prend le dessus sur la santé. À quand une éthique de la santé, de la publicité, de l'audiovisuel ?

Annexe VIII

Le rôle des vitamines dans la prévention et le traitement des cancers[1]

Au début du XXe siècle, les chercheurs ont établi le rôle des carences en vitamines. Des expérimentations animales ont montré que la carence en certaines vitamines déclenche dans certains tissus la formation de lésions précancéreuses. Plusieurs vitamines (A, B12, acide folique, E) interviennent dans la division cellulaire. Plus récemment, on a démontré que certaines vitamines agissent comme « piégeur[1] » de radicaux libres[2]. Ce sont des substances à durée d'action brève, très réactives, susceptibles de provoquer des modifications incontrôlées des composés cellulaires, matériel génétique (vitamines C, E et bêta-carotène – provitamine A). Elles peuvent piéger ces molécules toxiques que sont les radicaux libres.

Ainsi peut-on distinguer deux actions « cancérologiques » aux vitamines, à visée préventive et à visée curative : vitamine A et provitamine A.

• La vitamine A en prévention (voir aussi pp. 190, 240, 245, 326, 360)

Elle est apportée *dans l'alimentation* sous forme de provitamine (caroténoïdes) contenue dans les végétaux et dans les produits animaux sous forme d'ester de rétinol. Le rétinol est stocké dans le foie, ce qui explique que les excès de consommation en vitamine A peuvent dégrader gravement le foie. Le taux sanguin est faible et sans rapport avec le stockage dans le foie, surtout si l'apport protéique de l'alimentation est faible.

Pour évaluer le *statut vitamine A*, il faut mesurer les concentrations en vitamine et en précurseur de cette vitamine : le bêta-carotène.

La vitamine A a été administrée 20 à 300 fois les besoins quotidiens pour le traitement d'affections cutanées. Mais des effets secondaires néfastes lui ont fait préférer les rétinoïdes qui sont moins toxiques et plus actifs que la vitamine A, mais sont « tératogènes », c'est-à-dire qu'ils agissent négativement sur le matériel génétique : en cas de conception et de grossesse, l'enfant risque d'être très anormal.

Chez l'animal, la vitamine A retarde le développement des tumeurs :

- des cancers cutanés induits par virus ou produits chimiques,
- des cancers de la vessie,
- des cancers du poumon, induits par des produits chimiques,
- des cancers du sein induits par produits chimiques ou transplantés.

---

1. Une excellente synthèse a été publiée par *Vitamine Information Roche*, signée du Pr. D. Schmähl de l'Institut de toxicologie et de chimiothérapie du Centre de recherche sur le cancer d'Heidelberg (Allemagne).

2. Voir « Stress oxydant et santé », annexe XI, p. 375.

Un cancer du cartilage (chondrosarcome transplanté) chez le rat a pu être inhibé avec la vitamine A.

Chez l'homme, le risque d'apparition des tumeurs du poumon est 2 à 3 fois plus élevé chez les hommes ou femmes ayant une consommation faible en vitamine A et intoxiqués par le tabagisme.

L'apport insuffisant en vitamine A augmenterait les risques d'autres cancers: digestifs, sein, vessie, œsophage, larynx... mais dans la plupart des études, le risque relatif (RR) n'est pas doublé. D'autres anomalies ont été retrouvées en association, un apport en sélénium par exemple (voir p. 320). Le taux sérique de rétinol fera certainement partie dans un proche avenir du statut biologique des conseils de prévention en cancérologie. Un taux faible en rétinol augmente le risque de cancer. Ce taux devrait être recherché chez les fumeurs chroniques, chez les patients à risque de cancer de la vessie...

Les applications actuelles de la vitamine A

Des états précancéreux ou cancéreux (épithélioma basocellulaire) de la peau ont régressé complètement ou partiellement à la suite d'application d'acide rétinoïque en pommade. De même on a observé la régression d'états précancéreux de la bouche et du larynx après la prise orale de vitamine A, et la rémission complète ou partielle chez deux tiers des malades atteints de papillomatose récidivante de la vessie qui correspond au stade précoce du cancer de la vessie. Dans le cancer du sein ou de l'œsophage et les mélanomes, aucun effet favorable n'a été observé !

En cancérologie, l'apport de vitamine apparaît comme un adjuvant thérapeutique associé aux traitements classiques: chirurgie, radiothérapie et chimiothérapie...

Les complications ou effets toxiques de l'apport en vitamine A

Ce sont surtout la chute des cheveux (alopécie plus ou moins importante); la confusion; les nausées, vomissements, diarrhées; l'ostéomalacie (fragilisation des os); une insuffisance du foie avec anomalies cellulaires; la desquamation et le jaunissement de la peau.

Le bêta-carotène ou provitamine A

Précurseur de la vitamine A, on le trouve dans les végétaux. Il est ensuite transformé par l'organisme humain en vitamine A; mais si l'on consomme trop de bêta-carotène, la majeure partie est stockée dans le tissu adipeux sous-cutané. Avec le bêta-carotène, il n'y a pas d'effet secondaire toxique, même après de fortes doses. Le taux, dans le sang, du bêta-carotène n'est pas régulé par le foie, comme pour la vitamine A; il est donc un reflet exact du statut vitaminique A à un moment donné.

– *Chez l'animal*, les chercheurs ont rapporté des inhibitions de tumeurs cutanées spontanées ou de sarcomes induits par virus ou transplantés; ou de tumeurs mammaires réduites chroniquement.

– *Chez l'homme*: les patients à risque de cancer pulmonaire ont un risque relatif (RR) jusqu'à 8,1 fois plus élevé si l'apport alimentaire en bêta-carotène est faible. Les patients atteints de **cancer du poumon** ont des taux faibles de bêta-carotène dans le sang. De même les patients atteints de **cancer de la cavité buccale ou de l'œsophage** ont, en général, moins consommé de fruits et de légumes riches en bêta-carotène.

Le National Cancer Institute aux USA recommande aux adultes l'absorption de 6 mg par jour de bêta-carotène.

Teneur **en bêta-carotène** par 100 g de fruits et légumes			
Carotte	6,6 mg	Abricot	1,6 mg
Cresson	5,6 mg	Brocoli	1,5 mg
Épinard	4,9 mg	Pêche	0,5 mg
Mangue	2,9 mg	Tomate	0,5 mg
Melon	2,0 mg	Orange	0,1 mg

• Les vitamines du groupe B

Ce sont:
- les vitamines B1 ou thiamine (aucune relation connue avec le cancer),
- B2 ou riboflavine,
- B3 ou PP ou niacine,
- B5 ou acide pantothénique (aucune relation connue avec le cancer),
- B6 ou pyridoxine,
- B8 ou biotine (aucune relation connue avec le cancer),
- B9 ou acide folique.

La vitamine B2

Chez l'animal on a observé un effet inhibiteur sur les cancers du foie induits (par le diméthylamino-azobenzène) et sur des tumeurs cutanées induites (par le DMBA et le méthylcholanthrène).

Chez l'homme. En Chine, on a constaté de faibles concentrations urinaires en vitamine B2 chez les habitants d'une région à taux élevé de cancers de l'œsophage.

La vitamine B6

Chez l'animal. Avec peu de vitamine B6, les animaux ont une baisse de l'immunité (dépendant du thymus) et une croissance tumorale plus rapide que ceux qui ont un apport normal de vitamine B6.

In vitro, l'addition de pyridoxine au milieu de culture a permis de faire régresser de 90 % le nombre de cellules d'un **mélanome malin**.

Chez l'homme. La vitamine B6 en pommade réduit la taille d'une lésion cancéreuse mélanique. Au cours de la radiothérapie pour cancer de l'endomètre, l'administration de vitamine B6 peut améliorer la tolérance au traitement et prolonger ainsi la survie.

La vitamine B12

Elle pourrait stimuler la croissance des tumeurs et la formation de métastases. Elle augmenterait aussi la résistance du cancer à la radiothérapie. Cependant, à fortes doses et associée à de fortes doses de vitamine C, la B12 aurait un effet inhibiteur sur la croissance de tumeurs transplantées.

La niacine (B3 ou PP)

L'administration concomitante de niacine et de fougère (*Pteridium Aquilinium*) à des rats réduit de 40 % le cancer de la vessie induit par la fougère. De même la niacine aurait un effet inhibiteur sur le développement de **tumeurs rénales.**

L'acide folique (B9)

Dans l'alimentation, l'acide folique aurait un rôle bénéfique pour réduire l'étendue des anomalies précancéreuses du **col de l'utérus** et diminuerait le risque de dégénérescence maligne du col chez les femmes consommatrices de contraceptifs oraux. En chimiothérapie, l'acide folique est utilisé comme antidote du méthotréxate et autres antagonistes de l'acide folique.

• **La vitamine C** (voir p.317-318)

En cancérologie, la vitamine C peut avoir 5 actions intéressantes :

1. Action anti-oxygène ou anti-oxydante et antiradicaux libres

L'effet anti-oxygène provient de ses propriétés réductrices. L'effet antiradicalaire est protecteur de la cellule et de son matériel génétique.

2. Action empêchant la formation de nitrosamines : la vitamine C empêche la formation de nitrosamines dans l'estomac qui sont un groupe important et puissant de substances cancérogènes (voir p. 177-179). Les nitrosamines proviennent de la transformation des nitrates de l'eau potable et des légumes, et des nitrates utilisés comme conservateurs alimentaires

3. Action antimutagène

Vitamines C et E, ensemble, réduisent les propriétés mutagènes (c'est la capacité à modifier le noyau de la cellule qui devient ainsi cancéreuse) des excréments humains naturels.

4. Action immuno-stimulante

La vitamine C favoriserait l'action des cellules phagocytaires, c'est-à-dire capables de neutraliser les déchets toxiques de l'organisme.

5. Action sur les enzymes du foie

La vitamine C aurait une action sur les oxydases hépatiques qui sont responsables de la détoxication et de la transformation des agents cancérogènes…

Chez l'animal. Les animaux nourris avec des précurseurs de nitrosamines font des tumeurs alors que si on y associe la vitamine C, il n'y a pas de formation de tumeur. Dans de rares cas, la vitamine C peut favoriser la croissance des tumeurs… Tout dépend du stade d'évolution tumorale.

Chez l'homme. Après apport de vitamine C, on note une diminution du taux de nitrosamines gastrique et urinaire, et une moindre mutagénicité fécale. Tous les patients atteints de cancer de la bouche, de l'œsophage, de l'estomac, du larynx, du col de l'utérus ont eu un apport de vitamine C inférieur à celui des personnes témoins (non atteintes). De nombreuses études comparatives sont en cours.

• La vitamine D ou calciférol

Le calciférol présent dans le sang a une double origine :

– exogène ou alimentaire : l'ergocalciférol ou vitamine D2 qui ne peut être fabriqué par l'homme, et le cholécalciférol ou vitamine D3 ;

– endogène : le cholécalciférol ou vitamine D3 fabriqué dans les couches basales ou muqueuses de l'épiderme (peau) à partir du delta 7 cholestérol sous l'influence des rayons ultraviolets du soleil.

Chez l'animal. La vitamine D3 a prolongé le temps de survie de souris chez qui on avait transplanté une leucémie.

Chez l'homme. On a pu déceler des récepteurs (cytosoliques) pour la vitamine D dans les cellules cancéreuses.

In vitro, la vitesse de multiplication des cellules de **mélanome malin** humain a diminué après administration de vitamine D3 mais d'autres expériences *in vitro* ont donné des résultats inverses : agent cancérogène + vitamine D3.

Récemment une équipe de San Diego a constaté une variation géographique de la mortalité par cancer du sein aux USA, en relation avec l'irradiation solaire. 87 régions ont été évaluées. La mortalité dans le Sud et Sud-Ouest est de 17-19 pour 100000 habitants, et de 33 pour 100000 habitants dans le Nord-Est, la moyenne américaine étant de 27,3 pour 100000 habitants. Cet accroissement du risque (RR) de 1 à 1,8 serait en rapport avec un manque d'exposition aux ultraviolets. L'excès de cholestérol ne prend pas la voie de la vitamine D mais des hormones sexuelles fabriquées en excès.

Ces constatations suggèrent un rôle protecteur des métabolites de la vitamine D vis-à-vis de la cancérogenèse mammaire. En clinique humaine, la présence de récepteurs à la 1,25 dihydroxyvitamine D3 est corrélée à un meilleur pronostic, notamment en termes de délai avant récidive… Des recherches complémentaires s'imposent avant de conclure.

• La vitamine E

En cancérologie, la vitamine E aurait 4 actions :

1. Action anti-oxydante

Comme la vitamine C, elle a des actions anti-oxygène et peut piéger les radicaux libres. Elle renforce l'action de la vitamine C.

2. Action évitant la formation de nitrosamines

La vitamine E bloque très efficacement la formation de ces produits toxiques.

3. Action immuno-stimulante

La vitamine E peut intensifier la production d'anticorps circulants et augmenter l'immunité au niveau cellulaire.

4. Action antimutagène

La vitamine E pourrait accroître la capacité de la cellule à réparer son matériel génétique.

Chez l'animal. La vitamine E diminue la concentration de nitrosamines dans les selles et dans l'urine.

De fortes doses de vitamine E diminuent l'apparition de tumeurs induites par des substances cancérogènes (diméthylhydrazine, méthylcholanthrène ou diméthylbenzanthratène DMBA). Chez les rats ayant reçu des injections de DMBA, la carence en vitamine E provoque une augmentation du taux de cancers mammaires.

La vitamine E potentialise l'effet antinéoplasique du sélénium contre les tumeurs de type mammaire. Elle protège des effets secondaires de la radiothérapie ; elle augmente la sensibilité des tumeurs à l'irradiation en fonction de la fréquence et de la dose de vitamine administrée.

Appliquée en pommade, la vitamine E réduirait la fréquence des cancers cutanés induits par les rayons ultraviolets.

Chez l'homme. Des taux faibles de vitamine E dans le sang (ajustés au taux des lipides circulants) augmenteraient le risque de cancer du sein. Les malades atteints de cancer du poumon ont des concentrations faibles de vitamine E dans le sang.

Il est possible que cette vitamine joue un rôle dans la prévention du cancer du sein… Dans certaines dysplasies mammaires ou états précancéreux, la vitamine E semble efficace.

En 1984, C. H. Helson a démontré l'effet inhibiteur de la vitamine E sur la croissance des cellules de **neuroblastome**. La vitamine E utilisée chez les enfants souffrant de ce type de cancer a permis d'observer une amélioration de l'état général (à court terme) et une réduction de taille de la tumeur chez un tiers des petits malades.

• La vitamine K

Cette vitamine est apparentée structurellement à des médicaments anticancéreux : cytostatiques puissants tels que doxorubicine, daunorubicine… Elle a une double origine : exogène alimentaire et endogène par la synthèse bactérienne intestinale.

Chez l'animal, la vitamine K3, dérivé synthétique de la vitamine K, réduit le développement des tumeurs induites par agents chimiques.

Teneur **en vitamine K**, en microgramme pour 100 g			
Foie	100 à 800	Salade	80 à 200
Choux (vert, rouge, de Bruxelles)	200 à 600	Viande	40 à 200
Épinard	100 à 600	Pomme de terre	20 à 80
Chou-fleur, brocoli	50 à 300	Œuf	20 à 50
		Haricot vert	10 à 50

Chez l'homme, la vitamine K3 a été utilisée pour essayer de réduire les effets secondaires de la radiothérapie… Cela reste à démontrer.

Conclusion sur les vitamines en cancérologie

Les vitamines peuvent-elles jouer un rôle dans la prévention des cancers ?

Quatre affirmations sont possibles :

1. *La vitamine A* peut favoriser la régression d'états précancéreux de la peau et des muqueuses (col de l'utérus en particulier... mais attention aux « overdoses »).

2. *La provitamine A* ou bêta-carotène est moins toxique que la vitamine A et aussi efficace. Piégeur de radicaux libres, le bêta-carotène peut être proposé dans la prévention à long terme.

3. *La vitamine C* empêche la formation de nitrosamines toxiques pour le tube digestif et piège les radicaux libres.

4. *La vitamine E* empêche aussi la formation de nitrosamines ; elle est complémentaire de la vitamine C comme anti-oxydant qui piège les radicaux libres.

Ces quatre vitamines peuvent être apportées « écologiquement » par une alimentation riche en fruits et légumes :

– vitamine A et provitamine A (voir p. 326, 360) ;
– vitamine C (voir p. 316-318) ;
– vitamine D (voir p. 321-322) ;
– vitamine E (voir p. 322-323).

Les vitamines dans le traitement des cancers

1. La vitamine A ou la provitamine A peuvent réduire des cancers cutanés.

2. La vitamine C a un effet immuno-stimulant favorable dans tous les traitements cancérologiques agressifs au plan nutritionnel et immunologique.

Un apport alimentaire « ciblé » devrait être suffisant... De nombreux travaux restent nécessaires pour connaître mieux les effets, les doses et l'efficacıté réelle.

Annexe IX

Nutrition et immunité

QU'EST-CE QUE L'IMMUNITÉ ?

• **Le système immunitaire** représente le système de défense de l'organisme contre toutes les attaques bactériennes ou virales. Ce système est génialement organisé car présent dans tous les tissus de l'organisme.

– *La première ligne de défense* est représentée par la peau et les muqueuses des orifices naturels du corps : bouche-pharynx, larynx-bronches, vagin-col de l'utérus.

– *La deuxième ligne de défense* est représentée par les cellules du SRE (système réticulo-endothélial) qui sont les macrophages et microphages destinés à neutraliser, à détruire les agents infectieux.

– *La troisième ligne de défense* est représentée par les cellules spécialisées avec 5 types de globules blancs, cellules à renouvellement rapide (**durée de vie : 7 jours**) :

– neutrophiles
– éosinophiles
– basophiles
– lymphocytes
– monocytes

} avec leurs fonctions spécifiques

Les lymphocytes se divisent en 2 catégories majeures : les T et leurs sous-groupes (les T-aides – helper –, les T-suppresseurs, les cellules tueuses – killer – et les cellules tueuses naturelles – natural killer) et les lymphocytes B (sous-groupe : cellules mémoire).

La protéine du complément C et un groupe de protéines fabriquées spécialement par le foie et l'interféron font aussi partie de cette ligne de défense contre les infections.

• **Les partenaires du système immunitaire** sont au nombre de six :

1. *La moelle osseuse* qui fabrique les globules rouges, les globules blancs et les plaquettes responsables de la coagulation.

2. *Le thymus*, dans le thorax, source des lymphocytes à la naissance, qui ensuite fabrique une hormone qui stimule les lymphocytes à se transformer en plasmocytes qui fabriquent les anticorps.

3. *La rate*, dans l'abdomen ; elle joue le rôle de filtre responsable de l'élimination de bactéries et particules, spécialement des globules rouges en fin de vie (**durée de vie d'un globule rouge : 120 jours**).

4. *Le système lymphatique*. Il transporte la lymphe des tissus vers la circulation sanguine, comprenant un réseau de vaisseaux et de ganglions lymphatiques. La lymphe

est comparable au plasma qui est la partie liquide du sang ; elle contient moins de protéines, pas de globules rouges ; elle transporte des lymphocytes et des graisses.

5. *Les amygdales*. Situées au fond de la gorge, elles contiennent du tissu lymphoïde, et agissent comme un filtre retenant les bactéries de la cavité buccale.

6. *L'appendice et les plaques de Peyer*. L'appendice, situé à l'origine du gros intestin, contient du tissu lymphoïde qui fonctionne comme les amygdales... On dit que l'appendice est « l'amygdale du ventre ». Les plaques de Peyer regroupent tout le système lymphatique de l'intestin contenant des cellules spécialisées produisant des immunoglobulines A en grande quantité.

• La fonction des anticorps

Ce sont les antigènes extérieurs à l'organisme qui provoquent en réaction la fabrication d'anticorps par l'organisme normal. Tous les anticorps se trouvent dans la fraction du sérum qui contient les globulines, qui sont donc appelées immunoglobulines ou Ig. On distingue 5 sortes d'immunoglobulines : IgG, IgA, IgM, IgD, IgE.

– Les IgG représentent la fraction majeure du sang ; elles peuvent passer entre les cellules et pénétrer dans les espaces tissulaires pour neutraliser des micro-organismes nocifs. Elles peuvent traverser le placenta et ainsi protéger le fœtus. Elles sont dans le lait maternel et ainsi transmises à l'enfant nourri au sein.

– Les IgA sont surtout dans la salive et les larmes, mais aussi dans certaines sécrétions des bronches, des intestins, donnant une immunité naturelle aux « entrées du corps ». Elles sont aussi dans le lait maternel.

– Les IgM, les plus grands des anticorps existants, circulent dans le sang où elles éliminent les bactéries très efficacement.

– Les IgD sont à la surface de certaines cellules T, et aident à se fixer aux antigènes.

– Les IgE se fixent à la surface de cellules immunitaires de la peau, les mastocytes. Elles sont impliquées dans les réactions allergiques telles que rhume des foins, urticaire, asthme.

• Le fonctionnement du système immunitaire

On peut schématiquement différencier 4 types d'immunité :

– l'immunité naturelle obtenue dès la naissance,

– l'immunité acquise à la suite d'agressions diverses,

– l'immunité passive par injection d'anticorps spécifiques d'une maladie,

– l'immunité croisée par injection d'un agent infectieux apparenté à celui responsable de la maladie.

UNE ALIMENTATION QUI STIMULE L'IMMUNITÉ

L'alimentation apporte à l'organisme les éléments nécessaires au fonctionnement du système immunitaire. Tous les nutriments travaillent ensemble ; certains ont un rôle plus particulier dans l'immunité.

• Les acides aminés (AA)

Ils permettent la fabrication des protéines. Les 8 AA essentiels ne peuvent pas être fabriqués par le corps: lysine, phénylalanine, histidine, valine, tryptophane, arginine, glutamine et tyrosine. Une carence en un seul de ces AA affectera la défense immunitaire.

Le tryptophane, la phénylalanine et la valine semblent avoir une importance particulière dans la production efficace d'anticorps…

L'arginine[1] aurait une capacité particulière à stimuler l'immunité… Chez l'animal cet AA inhibe la croissance tumorale. De même les AA sont les composés des neurotransmetteurs qui peuvent protéger contre l'anxiété, la dépression… La *tyrosine* est nécessaire à la fabrication par l'organisme d'un neurotransmetteur clé: la dopamine… elle maintient l'équilibre émotionnel. La *phénylalanine* est nécessaire à la fabrication de l'adrénaline, hormone de stress; *la tryptophane* favorise le sommeil sain… *La glutamine*[2] potentialise l'effet de certains médicaments antidépresseurs. Elle est nécessaire à la cicatrisation des plaies. C'est l'acide aminé le plus utilisé par l'intestin.

Les acides aminés doivent être consommés de façon équilibrée, répartis dans tous les aliments protéiques, végétaux et animaux.

• Les acides gras essentiels (AGE)

On les regroupe sous le terme de vitamine F (voir p. 191, 223, 226, 237). Il existe deux sortes d'AGE: le numéro 6 dérivé de l'acide linoléique et le numéro 3, l'acide alpha-linolénique. Le 6 semble plus important que le 3; mais le 3 aurait un rôle essentiel pour le cœur, les vaisseaux et le système nerveux. Récemment on a suggéré pour le 3 un rôle dans la prévention des cancers.

Les AGE font partie intégrante de toutes les membranes cellulaires; ils sont nécessaires à la synthèse des prostaglandines et de leurs précurseurs. Ils sont aussi impliqués dans le contrôle des lymphocytes T. Chez l'animal, un manque d'AGE est responsable d'inflammation de la peau (première ligne de défense immunitaire) mais aussi d'un tarissement des glandes salivaires et des canaux lacrymaux (qui amènent les larmes aux yeux) qui fabriquent et libèrent des sécrétions qui jouent un rôle dans la défense du corps.

La carence en acides gras essentiels rend plus vulnérable aux infections. Les meilleures sources d'AGE sont:

– les huiles de noix, de colza, de primevère,
– les légumes à feuilles vertes,
– les huiles de foie de hareng, de saumon,
– les poissons: saumon, maquereau, hareng.

---

1. Chez l'animal, l'arginine a un effet de réduction tumorale et retarde l'envahissement métastatique.

2. La glutamine se trouve (en mg/g de protéine) dans l'œuf: 275-334; le lait de femme: 298-355; la viande de bœuf: 310; le maïs: 338; la levure de bière: 400; le blé: 487.

• Les minéraux

Le fer (voir p. 324) est essentiel pour le système immunitaire et la synthèse des protéines pour la vitalité des cellules T et des lymphocytes tueurs, et des macrophages dans leur rôle destructeur des bactéries. Un déficit en fer réduit le taux d'hémoglobine du sang, atrophie les tissus lymphoïdes et aura un effet néfaste sur la formation des anticorps et la réponse à l'inflammation.

De même, trop de fer peut avoir un effet immunosuppresseur. Donc éviter les suppléments pharmaceutiques... Prenez du fer naturellement (voir p. 324) avec artichaut, asperge, brocoli, mélasse noire, choux de Bruxelles, chou-fleur, œuf, légumes à feuilles vertes, algues, fraises, germes de blé...

Le sélénium (voir p.190-191, 320), est un stimulant de l'immunité humorale (cellules B, cellules à mémoire) qui agit comme la vitamine E. Le sélénium augmente la capacité des cellules à éliminer les bactéries, cellules anormales... Le sélénium est un puissant antioxydant qui piège les radicaux libres; il sert à éliminer certains métaux toxiques tels cadmium et mercure qui perturbent l'immunité (voir annexe XI, p. 375).

À doses excessives, le sélénium est toxique (plus de 200 microgrammes par jour). Les meilleures sources de sélénium: le vinaigre de pomme, l'asperge, l'œuf, l'ail, les champignons, la levure de bière, les fruits de mer, les grains complets...

Le raffinement de la farine blanche, du sucre blanc et des céréales fait perdre 80 % de la teneur en sélénium.

Le zinc est un oligo-élément essentiel pour l'immunité, indispensable à l'activité des cellules T. Une carence en zinc se manifeste par une dépression sévère de l'immunité cellulaire (multiplication des lymphocytes. Normalement chaque lymphocyte peut se diviser et former 500 nouveaux lymphocytes en 4 jours). La carence en zinc peut déterminer une atrophie du thymus et une diminution de l'activité antibactérienne des cellules B et T, et déstabiliser les cellules tueuses ainsi que le rapport T-aides/T-suppresseurs.

Le zinc semble agir en synergie avec la vitamine A. Ceci est vrai pour les cellules épithéliales de la peau pour lesquelles zinc et vitamine A sont essentiels.

Le zinc favorise la production des prostaglandines (PG-1, 2 ou 3). Les PG1 jouent un rôle important dans l'intégrité du système immunitaire, et le zinc est essentiel à la formation des PG1.

Les sources alimentaires en zinc sont: le fromage, les œufs, les haricots verts, les champignons, les noix, les huîtres, la levure de bière, les graines de courge, les fruits de mer, le soja, les graines de tournesol, les germes de blé... (voir p. 319).

Le germanium (Ge), oligo-élément, il stimule la production des globules rouges. Il joue un rôle antioxydant et stimule le système immunitaire. Il permettrait la production d'interféron chez l'homme comme chez l'animal. Il améliore le fonctionnement des lymphocytes B et T, la multiplication des cellules tueuses naturelles et des cellules responsables de la production d'anticorps. Il aurait même une activité antivirale (Conférence internationale sur le SIDA au Japon en 1987).

Il y a 2 sortes de germanium :
– le toxique est l'inorganique : dioxyde de germanium,
– le non-toxique est le germanium organique de synthèse (carboxyéthyl sesquioxyde de germanium).

Le germanium est dans certaines algues, l'ail, le ginseng, le cresson de fontaine… Le mieux est d'en consommer naturellement dans l'alimentation. Éviter la pharmacie… car les excès sont dangereux pour les reins.

• Les vitamines de l'immunité

La *vitamine A*, vitamine de la peau et des muqueuses. La carence en vitamine A a pour conséquence une atrophie du thymus et des tissus lymphoïdes, une diminution des cellules B et T, et une réduction de la production d'anticorps.

La vitamine A diminue la prédisposition des animaux à de multiples infections bactériennes. Elle piège aussi les radicaux libres qui affaiblissent le système immunitaire.

Le complexe des vitamines B

– La *vitamine B1* (thiamine) est légèrement immuno-stimulante. Le déficit en vitamine B1 se traduit par : faiblesse musculaire, fatigue, manque d'appétit, irritabilité…

Les aliments riches en vitamine B1 sont les noix du Brésil, les légumes à feuilles vertes, les haricots secs, les lentilles, les cacahuètes, la levure de bière, les pommes de terre, les céréales, les graines de tournesol, les grains entiers. Deux cuillerées à café de levure de bière contiennent 3 milligrammes de thiamine ; une tasse de graines de tournesol, environ 2 milligrammes de thiamine.

– La *vitamine B2* (riboflavine). Sa carence diminue la production des anticorps, réduit la taille des tissus lymphatiques, diminue le nombre des cellules B et T circulant dans le sang.

Les aliments riches en vitamine B2 sont les amandes, les asperges, la mélasse noire, la levure de bière, les brocolis, les choux de Bruxelles, le blé, les légumes à feuilles vert foncé, les produits laitiers, les noix, les germes de blé, les grains entiers, le riz complet…

– La *vitamine B3* (niacine). C'est le principe anti-pellagre. Elle est capable de capturer des radicaux libres, comme la vitamine E.

Les aliments riches en vitamine B3 sont les artichauts, les asperges, la levure de bière, le poisson, les légumes à feuilles vertes, les noix, les pommes de terre, les fruits de mer, les germes, les graines entières…

– La *vitamine B5* (acide pantothénique) favorise la formation d'anticorps. Elle est importante pour avoir une peau saine, pour le fonctionnement normal des glandes surrénales qui jouent un rôle primordial dans la production des hormones du stress.

Les aliments riches en vitamine B5 sont les avocats, la levure de bière, les brocolis, les choux, les noix de cajou, le chou-fleur, le maïs, le jaune d'œuf, les baies de sureau, les légumes à feuilles vertes, les avelines (grosses noisettes), le lait, les champignons (une tasse après cuisson contient environ 82 milligrammes), les noix de pécan, le saumon, les graines de tournesol, les huiles végétales non raffinées.

– La *vitamine B6* (pyridoxine) est **certainement la plus importante des vitamines pour le maintien d'une immunité optimale**. La vitamine B6 est essentielle pour l'intégrité des muqueuses saines, la production des anticorps... Elle joue un rôle essentiel dans le métabolisme des acides gras essentiels. Vitamine B6 et zinc ont un rôle complémentaire.

Les aliments riches en vitamine B6 sont les pommes, les asperges, les avocats, les bananes, la mélasse noire, la levure de bière, les carottes, les œufs, les légumes à feuilles vertes (tels les choux, la laitue, les épinards), les pignons, le poisson frais, les pois, les pruneaux, le lait, les raisins, le riz complet, le sarrasin, les graines de tournesol, les tomates, les germes de blé, le blé complet...

– La *vitamine B9* (acide folique). La dose quotidienne recommandée est de 400 microgrammes dans l'alimentation de la femme enceinte pour la prévention de 2 types de malformations graves à la naissance : Panencéphalie (pas ou peu de cerveau) et le spina-bifida. La carence en vitamine B9 aurait une influence sur la formation des globules blancs.

Les aliments riches en vitamine B9 sont les légumes à feuilles vertes (épinards), les oignons verts, le tempeh (fromage fabriqué à base de soja fermenté), les germes de blé...

– La *vitamine B12* (cyanocobalamine) serait nécessaire au fonctionnement correct des cellules T-aides et T-suppresseurs, ainsi qu'à la formation normale des anticorps.

Les aliments riches en vitamine B12 sont les œufs, les produits laitiers, les fruits de mer et le tempeh.

– La *vitamine* C (voir p.315-316) et la *vitamine E* (voir p. 363)

La vitamine C a plusieurs actions :
• anti-infectieuse,
• antiallergique,
• immuno-stimulante,
• antioxydante,
• antistress.

– La *vitamine E* (voir p. 323) a plusieurs actions :
• antioxydante,
• immuno-stimulant la production d'anticorps avec le sélénium.

UNE ALIMENTATION QUI AFFAIBLIT L'IMMUNITÉ

• Vous mangez trop
– de graisses saturées dans les viandes, rouges en particulier,
– de charcuteries (pâtés, jambon, saucisson, lard),
– de graisses cuites, fritures,
– de protéines animales,
– de fromages gras,
– d'œufs (plus d'un par jour, y compris dans les sauces et les pâtisseries).

• Vous ne mangez pas assez
– de légumes,
– de crudités,
– de fibres,
– de fruits,
– d'amandes, de noix, de graines germées,
– de poissons et de fruits de mer.

• Vous cuisinez trop gras et vous mangez trop vite
– Faites cuire à la vapeur douce (le mieux est le Vitaliseur).
– Abandonnez la friteuse (trop d'huile cuite).
– Abandonnez le barbecue horizontal (trop de benzopyrène).
– Abandonnez la cocotte minute ou autocuiseur (altération des aliments).
– Abandonnez le micro-onde (mauvaise cuisson).

• Vous buvez trop
– de café,
– d'alcool fort (whisky, gin, Pernod Ricard, cognac…),
– d'apéritifs.

• Vous ne buvez pas assez
– de jus de fruits frais,
– d'eau, en dehors des repas.
– de bon vin (1 verre au milieu de chaque repas).

Annexe X

Les fruits excellents pour la santé : kiwi, pomme, poire, raisin, citron et les autres...

• En prévention des maladies cardio-vasculaires

Le Dr Barret-Connor de l'université de Californie a étudié les bienfaits du kiwi depuis douze ans et conclut : « Le kiwi est nettement plus riche en vitamine C qu'une orange et même qu'un gros pamplemousse. Cet apport en vitamine C renforce le système immunitaire et cellulaire... Sa richesse en potassium joue un rôle pour régulariser le rythme cardiaque. » Il conseille aux personnes âgées un kiwi par jour pour réduire de 40 % les risques d'attaque cardiaque.

Le Dr Soltanoff, nutritionniste réputé de New York, a fait les constatations suivantes : « Sur des centaines de patients, il observe une réduction des taux de cholestérol ; dans certains cas une nette amélioration de la tension artérielle et une réduction de la masse graisseuse. » Il est probable que les améliorations sont surtout dues aux modifications des habitudes alimentaires... le kiwi a heureusement remplacé les viandes et les graisses animales en excès... Mais il y a aussi tous les autres fruits.

Au kiwi, pas de concurrent : des compléments
(en g pour 100 g)

	Calories	Protéines	Graisses	Sucres	Fibres
Kiwi	48	0,4	0,2	10,5	0,7
Pomme	45	0,2	0,3	10,4	2,0
Poire	41	0,3	0,4	9,1	2,8
Raisin	62	0,5	0,1	14,7	1,5
Citron	11	0,6	0,0	2,1	0,0

Composition comparative des fruits complémentaires
(en mg pour 100 g)

	Vit. B1	Vit. B2	Vit. PP	Vit. C	Vit. A	Ca	Fer
Kiwi	0,04	0,07	0,3	80	12	30	3,7
Pomme	0,02	0,02	0,3	9	8	6	0,3
Poire	0,01	0,03	0,1	5	traces	6	0,3
Raisin	0,03	0,03	0,1	6	4	27	0,4
Citron	0,04	0,01	0,3	65	0	14	0,1

Au total, le kiwi apporte donc peu de calories pour 100 g, beaucoup de vitamine C, d'excellents minéraux (potassium, magnésium, phosphore, calcium), peu de sodium, plus de fibres que les fruits secs et autant de vitamine E que les fruits secs.

Ainsi le kiwi n'a pas de concurrent, mais il peut avoir évidemment des compléments. Les fruits complémentaires du kiwi sont la pomme, la poire, le raisin et le citron.

Kiwi en jus de fruit

Les spécialistes ont réalisé différentes préparations de jus de fruits à partir du kiwi, tel que le pétillant sans alcool de kiwi. Il garde une valeur calorique de 31 calories pour 100 ml, apporte par litre 178 mg de vitamine C, 1 785 mg de potassium, 130 mg de calcium, 63,6 mg de magnésium, 59,1 de phosphore. Il contient également des oligo-éléments en petite quantité : 9,84 mg de fer, 0,960 mg de cuivre, 1,42 mg de zinc et 0,253 de manganèse.

Le dosage des acides aminés libres dans le liquide terminal met en évidence une grande quantité de glutamine, 40,6 mg/litre, à apposer au 0,006 mg de glutamine présent dans le jus de pomme. Ainsi, le pétillant à base de kiwi, tout en étant moins énergétique que celui de pomme, est beaucoup plus riche en éléments minéraux.

• Les actions potentielles anticancéreuses du kiwi

On peut schématiquement distinguer trois types d'actions antitumorale, antimutagène et immuno-stimulante.

– L'action antitumorale serait liée à la présence d'un polysaccharide (ACPS-R) dont l'activité antitumorale a été comparée à celle du cyclophosphamide. Ainsi l'administration de ce polysaccharide dans un modèle expérimental biologique animal (souris porteuse d'une tumeur) permet de réduire à 88,8 % l'ascite secondaire à un hépatome et de 49,6 % l'hépatome. Son administration conjointe à celle du 5 FU a un effet antitumoral plus marqué que celui obtenu par un traitement isolé de 5 FU. Cette action de l'ACPS-R se manifeste par un effet inhibiteur sur la réplication de l'ADN.

– L'action antimutagène serait liée à la présence de groupements sulfhydriles. Le kiwi serait également capable de bloquer la formation de N-nitrosoproline et d'inhiber les effets mutagènes de l'acide picrolonique. Il y aurait également blocage de la nitrosation par les hautes concentrations en acide ascorbique et également par la présence de 3-hydroxy-2-pyranone. L'acide ascorbique comme la vitamine E ont en effet un rôle protecteur vis-à-vis de la péroxydation lipidique. Ainsi la vitamine E permet la destruction des nitrites, et associée à la vitamine C elle diminue l'effet promoteur des substances induites par la formation des radicaux libres au cours des réactions d'oxydation.

– L'action immuno-stimulante *:* certains polysaccharides (Peng-X-E) seraient capables d'accroître l'activité des lymphocytes tueurs. Les fortes concentrations en vitamine C ont un effet immunologique bien connu.

En effet, il existe une corrélation étroite entre la vitamine C et les réactions immunitaires de l'organisme. Cette action s'expliquerait par la stimulation de la phagocytose et par l'accroissement de l'activité et de la mobilité chimio-tactique des globules blancs neutrophiles et des macrophages du sang. En outre, la vitamine C assurerait le bon fonctionnement des cellules réticulaires du thymus et interviendrait dans la synthèse de l'interféron. Récemment, il a été démontré que la vitamine C a la capacité d'accroître le rendement de l'activité aérobie, du moins jusqu'à un taux déterminé de la vitamine dans le sang, fixé à 0,8 mg pour 100 ml.

Les données cancérologiques actuelles permettent de penser que l'on peut réduire d'un tiers les risques de tumeur, en particulier digestive, par modification des comportements alimentaires. Plusieurs éléments nutritifs auraient une action protectrice. Certains, comme la vitamine C, la vitamine E, le bêta-carotène (précurseur de la vitamine A) et la vitamine A1, dérivé de la vitamine A, se rencontrent en quantité importante dans les fruits frais. Il est probable que dans un avenir assez proche, des études sur des modèles expérimentaux animaux permettront de confirmer ces données en cancérologie expérimentale puis en cancérologie humaine. On sait déjà que la vitamine C s'oppose à la formation de nitrosamines mutagènes et donc cancérigènes sur le tube digestif. C'est le N.I.H. américain et l'école européenne d'oncologie qui conseillent de consommer fréquemment des fruits frais, des légumes et des aliments complets. **C'est à la fin des années quatre-vingts que l'American Cancer Society a publié son propre « heptalogue ». Parmi les conseils en matière de nutrition, 3 portent notamment sur les fruits frais**. Le premier concernait la prévention de l'obésité facilitée par un régime riche en fruits et en légumes, et la réduction du risque des tumeurs du côlon, de la vessie, de la prostate, du sein, des ovaires et de l'utérus. Le second conseillait de consommer des aliments à haute teneur en fibres tels que céréales complètes, fruits et légumes frais afin de prévenir les tumeurs du côlon et du rectum. Le troisième conseil était de manger des aliments riches en vitamines A et C tels que fruits et légumes frais afin de réduire les risques de tumeurs de l'œsophage et du poumon…

Le kiwi rentre bien dans l'objectif des nutritionnistes et des cancérologues : « Manger mieux et meilleur. »

Il ne faut pas exclure de l'utilisation quotidienne les aliments auxquels on prêtait jusqu'à présent couramment un rôle marginal, et qui comme les fruits contribuent à rendre notre table plus saine, plus agréable, plus gaie, plus colorée. Un fruit à chaque repas, c'est bien le minimum pour l'équilibre nutritionnel et pour la prévention du plus grand nombre de maladies, y compris le cancer.

Hippocrate avait raison : « Que ton aliment soit ton médicament. » Il prônait déjà l'écologie alimentaire.

Apport Nutritionnel

LA COMPOSITION MOYENNE DU KIWI pour 100 g net de fruit épluché*

(Actinidia - Deliciosa - variété Hayward

(g)	variations possibles (g)	**MINÉRAUX** (mg)	variations possibles (mg)	apports quotidiens conseillés** (mg)	**VITAMINES** (mg)	variations possibles (mg)	apports quotidiens conseillés ** (mg)
Glucides 11	9 - 13	**Potassium 295**	235-340	2 000	**B1 0,02** (thiamine)		1,3 - 1,5
Protides 1	0,6 - 1,6	**Chlore 65**	39-89	6 000	**B2 0,05** (riboflavine)		1,5 - 1,8
Lipides 0,3	0,3 - 0,6	**Calcium 38**	25-56	800	**PP 0,41** (nicotinamide)		15-18
Eau 84	83 - 85	**Phosphore 30**	20-42	1 500	**Provitamine A 0,4** (carotène) (soit 67 U.I. vit. A)		800-1 000 (U.I. vit. A)
Acides organiques 2	1,4 - 2,6	**Magnésium 24**	14-27	350			
Fibres alimentaires 1,1		**Sodium 5**	3-9	6 000	**Vitamine E 1,7**		15
Apport énergétique : 51 kcalories (213 kJoules)		**Fer 0,8**	0,3-1,6	10	**Vitamine C 100**	50-150	80

** Il s'agit d'une composition moyenne, donnée à titre indicatif : les valeurs sont à considérer comme des ordres de grandeur, susceptible de varier selon les variétés, la saison, le degré de maturé, les conditions de culture, etc.*
*D'après Souci, Fachmann et Kraut (1981-1982), Mc Canoe et Widdowson (1981) et différentes études scientifiques. ** D'après « Apports nutritionnels conseillés pour la population française, CNRS, CNERNA, Dupin et coll. (1981).*

Annexe XI

Stress oxydant et santé

Notre organisme produit en permanence des produits oxygénés à forte réaction chimique appelés « Espèces oxygénées réactives », ou EOR, ou radicaux libres. Cette production d'EOR ou RLO (radicaux libres de l'oxygène) est une composante du métabolisme oxydatif normal de nos cellules. Elle est aussi un élément clé dans notre défense contre divers agents d'agression : micro-organismes, substances toxiques... Les RLO favorisent le recrutement des globules blancs neutrophiles et la phagocytose en cas d'infection ; la synthèse des prostaglandines et des leukotriènes... Leur équilibre au niveau de la cellule interne des vaisseaux assure la contraction ou le relâchement des vaisseaux sanguins. À dose faible, ils favorisent la multiplication cellulaire harmonieuse, c'est-à-dire physiologique.

À doses fortes les RLO sont toxiques pour les cellules, et leurs premières cibles sont les lipides des membranes cellulaires, la double chaîne d'ADN... et conduisent les séquences métaboliques vers la lyse (ou destruction) cellulaire appelée scientifiquement « apoptose ». Les lésions cellulaires deviennent irréversibles et vont s'étendre aux cellules des tissus avoisinants. Certains RLO peuvent aussi être le résultat incontrôlé d'agression par des agents physiques : rayonnements ionisants, UV... toxiques pour la peau à fortes doses.

Pour contrôler et réduire les effets toxiques des RLO, notre organisme dispose d'une batterie de moyens de défense, de nature enzymatique (superoxyde-dismutases, catalases, glutathion-péroxydases) ou chimique (« anti-oxydant » tels que vitamine E, carotène, vitamine C, glutathion). Les moyens de défense sont complétés par divers systèmes enzymatiques de réparation qui permettent en particulier la restauration de la structure normale des phospholipides, des protéines et des acides nucléiques tissulaires.

« Le déséquilibre chronique ou aigu entre production de RLO et système de défense soumet notre organisme à un "stress oxydant". Cette agression affecte notre état de santé ; impliquée dans le vieillissement cellulaire "normal", elle contribue, parfois de manière déterminante, à la genèse ou à l'entretien de nombreux états pathologiques : maladies aiguës comme les lésions de recirculation sanguine après infarctus, ou par hyperoxygénation, le choc septique (quand la température monte à 39° ou 40 °C), les états inflammatoires ou allergiques, les maladies chroniques comme l'athérosclérose, la cirrhose du foie, certains cancers, le SIDA, la cataracte.

« Nouveau concept physiopathologique, la notion de "stress oxydant" ouvre de nouvelles voies de recherche et justifie l'intérêt porté aux thérapeutiques susceptibles de contrer cette forme particulière d'agression. »

Professeur A. Crastes de Paulet,
Biochimiste de la faculté de médecine de Montpellier,
Vice-Président de l'INSA.
Institut des sciences de la nutrition et de l'alimentation de Montpellier

Oligo-éléments	Apport optimum/24 h	Effets des carences	Statut	Actions	Cofacteurs d'activité
Sélénium (Se)	70 µg (en France, ration moyenne 50 µg)	myopathie cardio-myopathie	Se { sérique [1] erythrocytaire urinaire	inhibition de l'initiation et de la promotion de la carcinogenèse chimique induite.	glutathion vit. E
Zinc (Zn)	10-15 mg	troubles de la cicatrisation infection anémie	Zn { sérique leucocytaire erythrocytaire tissulaire urinaire	cicatrisation lutte contre l'infection anti-anémique protecteur vis-à-vis des UV A et B	cuivre fer vit. E, A, B6
Cuivre (Cu)	2 mg	arthrite, troubles de la cicatrisation	Cu { sérique erythrocytaire		zinc fer
Manganèse (Mn)	2-5 mg	lymphocytes ? troubles cutanés	Mn sérique	activité des lymphocytes	fer
Vitamines					
Vitamine C (antioxydant idéal)	50-100 mg	scorbut cicatrisation infection immunité ↓	sérique	piégeur des superoxydes, concentration élevée dans le cristallin	glutathion fer cuivre
Vitamine E	5-10 mg d'alphatocophérol	rares chez l'homme, athérosclérose, cataracte certains cancers trouble de la spermatogenèse	sérique	piégeur de radicaux libres	vit. C

1. Sérique : dosage dans la fraction plasma du sang. Érythrocytaire : dosage dans les globules rouges. Leucocytaire : dosage dans les globules blancs. Urinaire : dosage dans les urines. Tissulaire · dosage dans les tissus (fois, rein, intestin…).

Lexique

Athérome	Obstruction progressive des vaisseaux par des plaques d'athérome.
Benzopyrène	Hydrocarbure polycyclique cancérogène.
Cancérogène ou cancérigène	Produit pouvant induire directement ou indirectement le cancer.
Carcinogène	Un produit cancérogène est un carcinogène.
Cétogenèse	Formation de corps cétoniques utilisés comme sources d'énergie par le cerveau en cas de carence en sucre.
Hormono-dépendant	Cancer dépendant directement ou indirectement des hormones qui peuvent être en cause, ou utilisées comme traitement.
Hyperglycémie	Taux de sucre dans le sang, au-dessus de 1 g/l.
Hypoglycémie	Taux de sucre dans le sang, au-dessous de 1 g/l.
Lympho-sarcome	Tumeur maligne des ganglions et du système lymphatique.
Nitrosamine	Produit azoté qui se forme à partir des nitrites sous l'action des bactéries.
Oncogène	Gène du cancer présent dans chaque cellule, même normale. Pour que la cellule devienne cancéreuse, l'oncogène doit s'exprimer en modifiant le noyau (ADN) de la cellule.
Ostéoporose	Décalcification des os.
Risque relatif	Il correspond au risque supplémentaire d'être atteint par une maladie, en comparaison avec une population normale affectée du risque relatif 1. *Exemple* : Le risque relatif de cancérisation d'un polype du côlon ou du rectum est de 1,5 avant 50 ans et 5 après 80 ans. L'intervalle de temps entre la découverte du polype et sa cancérisation est en moyenne de 5,5 années.
Sérotonine	Médiateur chimique du système nerveux central jouant un rôle bénéfique dans le sommeil. On a constaté que certaines tumeurs cancéreuses, les tumeurs carcinoïdes, sécrètent de la sérotonine.
Tératogène	Un produit tératogène détermine des lésions génétiques sur l'individu aux stades embryonnaires.

INDEX

B

C

Éditions du Rocher
28, rue du Comte-Félix-Gastaldi
98000 Monaco
www.editionsdurocher.fr

Imprimé en France
Dépôt légal : octobre 2013
N° d'impression : 124965

Composition et mise en pages réalisées par
Compo 66 – Perpignan
257/2013